# FERNAND CROMMELYNCK
# OU
# LE THÉÂTRE DU PAROXYSME

DU MÊME AUTEUR

*Les Chimères de Gérard de Nerval.* Bruxelles, Les Cahiers du Journal des Poètes, 1937.

*Manuel poétique d'Apollinaire.* Bruxelles, Les Cahiers du Journal des Poètes, 1939.

*Jeux et tourments,* poèmes. Bruxelles, La Maison du Poète, 1947.

*Gérard de Nerval. Les Chimères. Exégèses.* Genève, E. Droz, 1949, coll. « Textes littéraires français ».

*Guillaume Apollinaire ou La Querelle de l'Ordre et de l'Aventure.* Textes inédits. Genève, E. Droz, 1952, coll. « Textes littéraires français ».

*Marceline Desbordes-Valmore.* Paris, Seghers, 1955, coll. « Poètes d'aujourd'hui ».

*Feux sans joie,* poèmes. Paris, Seghers, 1957.

*Rue Chair et Pain,* poèmes. Paris, Seghers, 1961.

*Christine de Pisan.* Introduction, choix et adaptation par Jeanine Moulin. Paris, Seghers, 1962.

*La Poésie féminine, Époque moderne.* Paris, Seghers, 1963.

*La Poésie féminine, du XII^e au XIX^e siècle.* Paris, Seghers, 1966.

*La Pierre à feux,* poèmes. Paris, Seghers, 1968.

*Les Mains nues,* poèmes (avant-propos d'Alain Bosquet). Paris, Librairie Saint-Germain-des-Prés, 1971.

*Textes inconnus et peu connus de Fernand Crommelynck. Étude critique et littéraire.* Bruxelles, Palais des Académies, 1974.

*Voyage au pays bleu.* Bruxelles, Pierre de Méyère, 1975.

*Huit siècles de poésie féminine.* Paris, Seghers, 1975.

Académie Royale de Langue et de Littérature Françaises

Jeanine MOULIN

# Fernand Crommelynck
# ou
# le théâtre du paroxysme

*Le propre d'une action dramatique est de nous restituer des sujets en état de crise...*

(Fernand Crommelynck : *Comœdia*, 30 août 1941)

BRUXELLES
PALAIS DES ACADÉMIES
1978

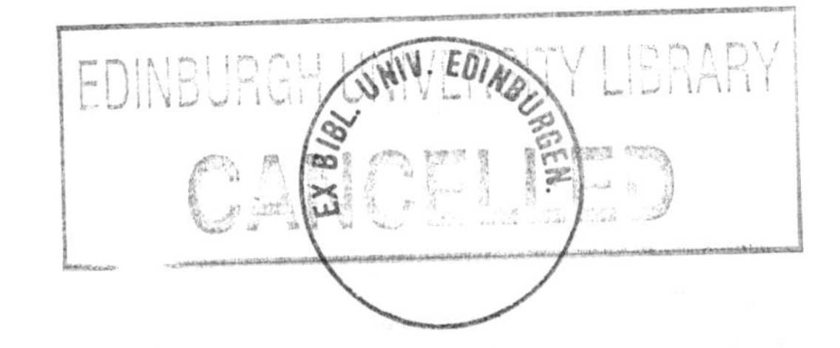

**Dépôt légal 1978-0755-3**

# TABLE DES MATIÈRES

Mes sentiments de gratitude vont :

— au peintre Albert Crommelynck et à sa femme, Élisabeth, dont l'intelligente et affectueuse mémoire m'a aidée à retracer la vie du dramaturge,
— à Jean Crommelynck et à Jean-Paul Houyoux qui m'ont obligeamment communiqué des documents inédits,
— à Aenne Crommelynck et à ses fils Milan, Aldo et Piero qui m'ont rapporté leurs souvenirs.

Il me faut, par la même occasion, rendre hommage à la mémoire d'Auguste Rondel, banquier marseillais et collectionneur passionné (mort en 1934). Quantité d'articles et d'informations, dont je me suis servie dans cet ouvrage, proviennent des précieuses archives théâtrales qu'il a réunies durant toute sa vie ; celles-ci se trouvent, depuis 1925, à la Bibliothèque de l'Arsenal de Paris où des documentalistes compétents ne cessent de les classer et de les enrichir.

# NOTE BIBLIOGRAPHIQUE

La plupart des extraits des pièces de Fernand Crommelynck reproduits dans cette étude sont transcrits d'après l'édition Gallimard, car on la trouve sans difficulté. Les passages des œuvres théâtrales qui n'y figurent pas sont empruntés aux volumes ou aux revues qui les ont fait paraître pour la première fois. L'acte intitulé *Le Chemin des conquêtes* pourra être consulté à la fin de cet ouvrage.

Pour ce qui est des proses (chroniques, récits, préfaces ainsi que les souvenirs de *Miroir de l'enfance*), imprimées dans des livres ou des périodiques devenus rares, je renvoie souvent le lecteur à mes *Textes inconnus et peu connus de Fernand Crommelynck*, publiés en 1974.

Les écrits de et sur l'auteur du *Cocu magnifique* ne sont signalés avec leurs références complètes qu'au début de chaque chapitre, la première fois qu'ils sont mentionnés ou qu'un fragment en est donné. Et, bien entendu, dans la bibliographie.

# NOTE BIBLIOGRAPHIQUE

# AVANT-PROPOS

*Je n'ai pas connu Fernand Crommelynck, je n'ai pas été envoûtée par l'étincellement de son expression et la magie de son verbe. La dimension physique manque donc au portrait que j'ai essayé d'en tracer.*

*Il avait, m'affirme son frère, des yeux bleux, mais un regard rouge: celui des artistes éperdument épris de leur métier.*

*Je n'ai pas éprouvé la joie de contempler ses mains, ses doigts en forme de lyre dont Lugné-Poe disait qu'il les avait* entendus chanter.

*Le mot fascinant vient à l'esprit en pensant à ce que devait être sa vivante personnalité.*

*Mais l'objectivité qu'exige l'examen d'une œuvre complexe doit peut-être se payer du prix de cette absence. Je n'y ai du reste pas beaucoup pensé en écrivant ce livre.*

*L'important, en effet, était d'offrir au lecteur ce qui n'existait pas encore: une biographie de l'auteur du* Cocu magnifique, *une étude sur l'évolution de son théâtre, sur la spécificité de ses thèmes et de son langage.*

*Une analyse psychologique des personnages de Crommelynck était aussi indispensable. De ceux, surtout, qui sont dépeints en état de crise aiguë. Car ce théâtre est, par excellence, celui du paroxysme. D'un paroxysme qui n'est ni l'excitation mystico-sensuelle de Ghelderode, ni la négation désespéramment frénétique de Beckett, mais la caricature exacerbée des visages que défigure l'excès d'une passion.*

*Bien d'autres aspects de l'écrivain auraient encore pu être mis à jour.*

*Délibérément, je me suis refusée à entrer, comme d'autres critiques littéraires l'eussent fait, imprudemment sans doute, dans l'étude psychanalytique des héros. Ce travail, qui demande une formation particulière, a d'ailleurs été en grande partie accompli par Heinrich Racker et Gisèle Feal cités dans cet ouvrage.*

*Il est aussi des questions que je n'ai pu développer. J'aurais aimé faire apparaître les éléments de la dramaturgie de Crommelynck, dénombrer et préciser les diverses situations de ses farces tragi-comiques; ou m'étendre, plus longuement que je ne l'ai fait, sur les influences dont l'écrivain fut marqué et sur celles qu'il a exercées. Mais comment épuiser tant de sujets dans les limites qu'implique fatalement l'espace d'un volume?*

*Pour ceux qui viendront et pour moi-même, il reste donc beaucoup de chemins à parcourir dans un domaine jusqu'ici peu exploité. Modeste fanal qui tente d'en révéler les recoins les plus ignorés, celui que j'allume aujourd'hui précède une longue série d'éclairages approfondis qui nous seront bientôt proposés. En attestent de nombreux messages qui m'arrivent régulièrement. Lettres et publications dont il faut se réjouir puisqu'elles achèveront de mettre le dramaturge en lumière à la place qui lui revient, celle que lui avaient d'ailleurs assignée de longue date Bernard Shaw et Henry Miller, Colette, Mauriac et Picasso: l'une des premières dans le théâtre de ce temps.*

# I. DE L'ENFANCE À L'ADOLESCENCE

## 1. Montmartre et Laeken

Les Crommelynck, dont le nom s'écrivait autrefois avec *i*, sont originaires de la Picardie.

La plupart d'entre eux émigrèrent en Hollande, en Angleterre et en Écosse où ils adoptèrent la religion protestante et se firent marchands de toile. L'une des branches de la famille s'établit toutefois dans le Courtraisis, celle qui a donné naissance au grand-père de Fernand, Albert Crommelynck. Agé de plus de cinquante ans, il épousa une Française, Amélie Bourguignon (née en 1838).

La jeune fille voulait entrer au Conservatoire de Bruxelles. Pour l'en empêcher, ses parents la marièrent bien vite à un homme de tout repos.

De leur union, naquirent deux enfants: Gustave (1859-1919) qui allait devenir le père de l'écrivain et Fernand, son cadet, qui sera acteur. Amélie ne se remit jamais de cette naissance. Elle mourut le 6 novembre 1862.

Les grands-parents maternels élevèrent les deux garçons.

Quand l'aîné, âgé de seize ans, annonça qu'il avait l'intention de monter sur les planches, ils s'y opposèrent comme ils l'avaient fait pour leur fille.

Changeant son fusil d'épaule, c'est le cas de le dire, Gustave entra alors au régiment des guides. Mais il déserta bientôt pour se rendre à Paris.

La vocation contrariée de leur fille et de leur petit-fils semble avoir inspiré des remords aux Bourguignon. Plus tard, ils permettront à leur deuxième petit-fils, Fernand, d'entrer au Conservatoire. L'oncle du dramaturge saura tirer parti de ses études, puisqu'il deviendra un comédien réputé, engagé à l'Alcazar et à la Scala. Il ira même jusqu'en Russie jouer devant le Tzar.

À Paris, Gustave gagne sa vie comme il le peut, en faisant de la figuration ou en chantant dans les rues (les « cours », disait-on à l'époque) et les cafés-concerts.

Des petits rôles lui sont confiés dans les théâtres des environs de Paris et à Montmartre. C'est là qu'il s'éprend d'une jeune fille dont la chambre est voisine de la sienne. Elle deviendra sa femme.

Philomène Juget a vu le jour au village de Bons-Saint-Didier, le 22 mai 1860, au moment où la Savoie devient française.

Les Juget sont nombreux dans le pays. On ne les distingue les uns des autres que par des indications des lieux où se trouvent leurs demeures. Ceux qui nous intéressent sont surnommés les Juget de « moachons » ; ce terme patoisant désigne des restes de blé, mis en tas non loin des maisons.

La mère de Philomène, Cécile Mauris, était, paraît-il, d'origine sarrasine par sa grand-mère, Claudine Crétallaz. Cela est possible. Le père, Marie Juget, était laboureur. Il quitta Bons-Saint-Didier pour devenir l'intendant de Bazaine, à Prégny, au nord de Genève, puis celui d'un certain Mac Culloch, un Écossais, qui avait racheté la propriété du général.

La petite Juget est élevée avec le fils de Mac Culloch, ensuite dans un couvent de Genève où la Supérieure remarque son excellente façon de rédiger. Au point qu'elle lui conseille d'être institutrice.

Sur ces entrefaites, le père Juget meurt. Philomène doit gagner sa vie. Elle apprend la couture, puis vient s'installer à Paris où elle épouse Gustave Crommelynck, le 4 août 1887.

Ils eurent huit enfants dont deux, les cadets, sont nés à Bruxelles : Suzanne, à Laeken, rue du Champ-de-l'Église (1893-1977) et Albert, rue du Jardinier, à Molenbeek (1902).

Ce dernier allait devenir un peintre en renom. La vigueur de sa technique et l'esprit de synthèse que reflètent ses visages, en ont fait l'un de nos premiers portraitistes [1].

Albert fut à la fois le frère et l'ami du dramaturge. Je dois à ses sentiments et à sa mémoire d'avoir pu écrire un livre nourri des renseignements, des documents et des impressions qu'il m'a généreusement fournis.

---

1. Roger BODART : *Albert Crommelynck*. Bruxelles, Elsevier, 1962, 13 p. + ill.

Des six filles qu'a eues le ménage, cinq ont vu le jour à Paris: Amélie, rue Ambroise Paré (1885-1935), Germaine, rue Eugène Sue (1887-1889), Cécile (qui ne vécut que quelques mois de l'année 1888), Thérèse (1889-1975) et Joséphine-Marie (dite Jeanne), rue du Roi d'Alger (1891-1894).

Fernand est venu au monde au 9, rue Eugène Sue dans le XVIIIe arrondissement, le 19 novembre 1886, à six heures du matin et non à Bruxelles, en 1885 ou en 1888, comme l'affirment certains historiens de la littérature. Ses parents légalisèrent leur union un peu plus de huit mois après sa naissance [1].

Le fragment d'un texte peu connu de l'écrivain évoque l'endroit où il vit le jour:

> Montmartre, cette butte où je suis né, y ai-je assez vagabondé, de la rue du Roi-d'Alger à l'école communale de la rue Ferdinand-Flocon, du Tertre au Théâtre Montmartre, où mon père jouait le mélodrame, usant mes culottes en glissades sur les rampes d'escalier de la rue du Mont-Cenis! Ces rues, autrefois obscures, bondées d'interminables palissades couvertes de graffiti, hantées des mauvais garçons et des filles, coupées et recoupées, entre les jardinets, de cachettes et de recoins fourmillant de dangers sans doute imaginaires, ces rues, je ne les retrouverais plus sur place, mais je les reconnais toutes dans les toiles d'Utrillo [2].

C'est Gustave Crommelynck qui communiqua à son fils la passion du théâtre. Lorsqu'il répète, l'enfant lui donne volontiers la réplique. Grâce à l'amour que son père portait à Hugo, Fernand sent s'éveiller très tôt en lui la soif de poésie dont témoignera son œuvre.

L'acteur était aussi un fervent de Verhaeren. Réfugié à Londres en 1914, il y interpréta le personnage du prieur dans *Le Cloître*. Ses liens avec le poète semblent même avoir été étroits puisque, à cette époque, ce dernier lui avait accordé le monopole de ses droits sur les représentations de sa pièce en Angleterre. On a cru que Gustave n'avait obtenu que des petits rôles alors que, à partir d'un certain moment, il s'en vit confier de grands; c'est ce que nous apprend Jacques Hébertot, à l'occasion d'une

---

1. Copie de l'acte de naissance, iconogr. Entre les pp. 8 et 9.
2. *Un Matin au Vésinet*, dans *Maurice Utrillo, V.* Paris, J. Forêt, 1956, p. 38.

reprise du *Cocu magnifique*, en 1941, dans un article dont je n'ai malheureusement pu retrouver que la date. L'acteur

> jouait les premiers rôles des vieux drames de jadis. Ce n'est sans doute pas sans émotion qu'il (Fernand Crommelynck) se souvient de l'avoir vu se faire acclamer par le public de Grenelle, de Montmartre, des Gobelins et de cette banlieue qu'étaient autrefois les Batignolles [1].

Ces qualités mises à part, le comédien avait des défauts bien lourds à supporter pour une épouse. Sensible au charme des jolies filles, il déserta parfois pour elles le foyer conjugal, sans jamais s'en éloigner de façon définitive. De plus, sa passion pour les champs de courses de Bruxelles et d'Ostende lui fit perdre beaucoup d'argent. Le budget du ménage en a toujours pâti.

En 1892, la situation du père n'est guère florissante. La famille quitte Paris pour Bruxelles et s'installe d'abord rue Stéphanie, puis, en 1894, au numéro 47 de la rue du Champ-de-l'Église. Peu après, ses revenus deviennent confortables. À la mort de ses parents, Gustave a récolté un petit héritage. Au début du séjour bruxellois, règne chez les Crommelynck une sorte d'accalmie qu'expliquent tout ensemble l'entente des époux et leur vie relativement aisée.

À cette époque, la sensibilité de Fernand commence à s'éveiller. Lui-même en fera part dans des récits qui développent successivement les thèmes de l'amitié et de l'amour, de la fidélité et de la mort. Ils paraîtront pour la première fois dans divers journaux français, sous quatre titres : *Le Sourire précieux* [2], *La Servante et le chien* [3], *Les Premières atteintes* [4] et *L'Enfance romantique* [5]. Ces réminiscences, reprises en 1933 dans *Miroir de l'enfance* [6], ont été fixées avec une justesse et une légèreté de touche qui rappellent celles de Nerval dans *Les Filles du feu*.

1. 15 sept. 1941.
2. *L'Avenir*, 31 mars 1919, p. 3 et *L'Art belge*, nº de Noël, déc. 1921, s.p.
3. *Idem*, 2 juin 1919, p. 3.
4. *Le Matin*, 22 sept. 1919, p. 2.
5. *Idem*, 6 août 1920, p. 2.
6. *Miroir de l'enfance*, dans *Les Œuvres libres*, nº 145, juil. 1933, pp. 101-120.

Le faubourg de Laeken, naguère campagnard, était propice à l'épanouissement d'une jeune existence avide d'espace et d'affection.

C'est là que Fernand rencontra Aimé Simon, un petit étranger rose et gras, vêtu de velours noir, qui devint son compagnon de jeux, puis le déçut.

Avec une généreuse impétuosité qui sera toujours dans son caractère, il lui offre la boîte de couleurs que son père lui a rapportée de voyage. Le gamin va jusqu'à dérober pour son camarade les cadeaux que ses sœurs ont reçus, à la même occasion : un plumier de laque noire et une cassette en coquillages dont la disparition va provoquer un drame. Plein de remords, tourmenté à l'idée de devoir dissimuler son méfait, le pauvre gosse est en outre insulté par Aimé Simon qui a appris la vérité, le traite de voleur et lui lance des pierres :

> Dans ma chambre, cette nuit-là, j'ai connu le noir désespoir... Les paroles devenaient plus amères à ma bouche que la résine de l'aloès. J'ai désiré mourir, mourir... [1]

Des fillettes au rire frais ne tardent pas à le consoler de ses mécomptes :

> ...Léa et Madeleine Marchand, deux chères amies de naguère, nées ensemble avec une seule âme et qui vivaient inséparables. Elles m'accueillirent d'un regard doux comme un trait de pinceau... [2]

Et l'enfant de les distraire en faisant des grimaces et des pitreries.

C'est à ce moment aussi qu'a lieu sa rencontre avec Dagmar, une petite Scandinave dont la prononciation l'enchante :

> J'hay dhix hans, presqu'honze. Et twâ ? [3]

Comme Nerval, dans *Les Filles du feu,* Crommelynck se découvre délicieusement épris de ses compagnes de jeux :

---

1. *Miroir de l'enfance,* dans *Textes inconnus et peu connus de Fernand Crommelynck.* Bruxelles, Académie Royale de Langue et de Littérature Françaises, 1974, p. 312.
2. *Idem,* p. 314.
3. *Ibidem,* p. 314.

> Ainsi mûrit l'été, partagé que j'étais entre ces fillettes aimables : matin de Dagmar encore humide et lumineux d'un baptême d'étoiles, après-midi des pleureuses, triomphale comme une tente gréée dans le désert solaire. Et je les aimais, ah ! je les aimais toutes trois de cet amour inépuisable qu'âme au monde ne saurait contenir, qui est ma gloire et sa rançon ! [1]

Ne nous y trompons pas. Il ne les chérit pas de la même manière. Pareille à l'Adrienne de l'auteur des *Chimères,* Dagmar demeure à jamais la personnification de la tendresse éthérée dont il recherchera l'équivalent à travers d'autres femmes. Les héroïnes de ses pièces, qu'elles se nomment Stella ou Carine, offrent toutes la gracieuse flexibilité et l'enfantine fragilité de cette première apparition :

> Elle allait, d'une marche égale et bercée qui me transportait si fort que longtemps mon âme après elle se balança comme une barque sur le flot.

Alors Laeken était verdoyant. Avec ses *massifs d'acacias dont les grappes ressemblent à des lanternes chinoises, avec ses sapins noirs dressés comme des pagodes dans le crépuscule* [2].

Un jour, Dagmar n'est plus au rendez-vous. Fernand l'imagine poursuivie par des chasseurs, fuyant vers un étang qui va peut-être l'engloutir. Mais la petite étrangère réapparaît, au cimetière de Laeken, vêtue de noir. Ses parents ont péri au cours d'un naufrage, confie-t-elle à son compagnon de jeux.

Retenons cette image d'une fillette que l'enfant se figure menacée par des brutes et qu'il retrouve ensuite environnée d'un funèbre prestige. Elle est liée à l'évocation des plus touchantes figures du théâtre de Crommelynck et témoigne de l'éphémère dont s'entourent les amours.

Comme Simon, Dagmar s'efface un jour de la vie de Fernand auquel il ne reste plus que l'attachement des êtres simples : une servante, un chien.

De cette oasis que représentent la maison et le jardin de Laeken, en un temps où le pain et les distractions ne manquaient

---

1. *Miroir de l'enfance,* dans *Textes inconnus et peu connus de Fernand Crommelynck,* p. 315.
2. *Idem,* pp. 310 et 312.

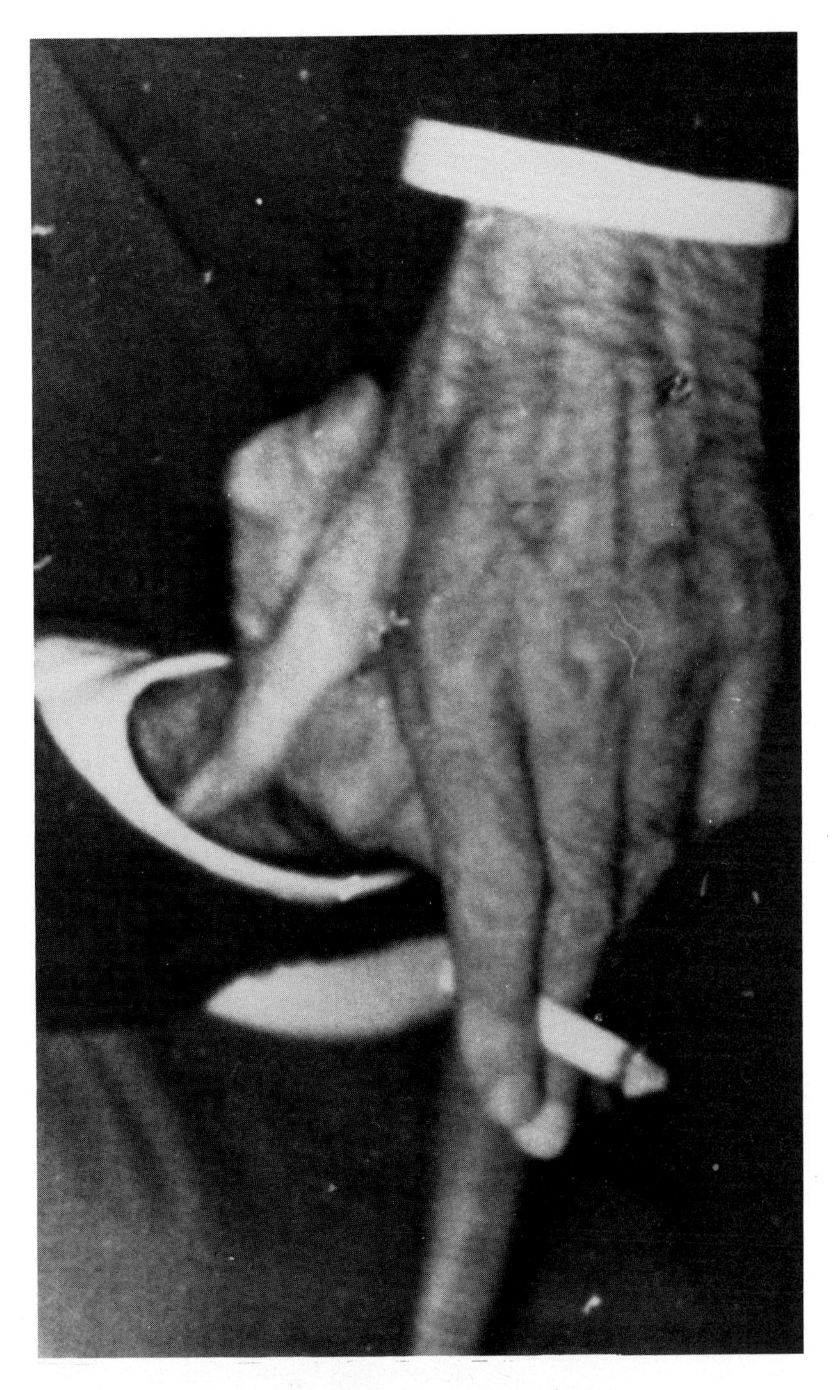

« Ses doigts, je les ai entendus chanter... »
(Lugné-Poe)

Oex-1-77 VILLE DE PARIS N° 64247

**PRÉFECTURE DE PARIS**

**EXTRAIT des minutes des actes de Naissance**

AB du 18° *e Arrondissement de Paris*

168/5284

L'AN MIL HUIT CENT QUATRE VINGT-SIX, LE VINGT-DEUX NOVEMBRE À DIX** HEURES ET DEMIE DU MATIN, ACTE DE NAISSANCE DE : FERNAND ALBERT *** CROMMELYNCK, DU SEXE MASCULIN, NÉ LE 19 DE CE MOIS À SIX HEURES DU* MATIN RUE EUGÈNE SÜE 9, FILS DE GUSTAVE CROMMELYNCK, AGÉ DE 27***** ANS, EMPLOYÉ, QUI DECLARE LE RECONNAÎTRE, ET DE PHILOMÈNE JUGET,*** AGÉE DE 26 ANS, COUTURIÈRE, MÊME ADRESSE.- DRESSÉ PAR NOUS, JEAN*** LÉOPOLD TEISSÈDRE, ADJOINT AU MAIRE, OFFICIER DE L'ETAT-CIVIL DU*** 18° ARRONDISSEMENT, SUR LA PRÉSENTATION DE L'ENFANT ET LA DÉCLARA-* TION FAITE PAR LE PÈRE EN PRÉSENCE DE : LÉOPOLD ENGLEBERT, AGÉ DE** 42 ANS, EMPLOYÉ RUE ORDENER 90, ET DE VICTOR FÉLA, AGÉ DE 36 ANS ** BRIQUETEUR, RUE ORDENER 98, TÉMOINS QUI ONT SIGNÉ AVEC LE DÉCLARANT ET NOUS APRÈS LECTURE.- EN MARGE EST ECRIT : PAR L'ACTE DE LEUR *** MARIAGE PRONONCÉ EN CETTE MAIRIE LE 4 AOÛT 1887, LES ÉPOUX GUSTAVE* JOSEPH CROMMELYNCK ET PHILOMÈNE JUGET, ONT RECONNU ET LÉGITIMÉ***** L'ENFANT INSCRIT CI-CONTRE.- MENTION FAITE LE 28 JUILLET 1904.-**** DÉCÉDÉ À SAINT GERMAIN EN LAYE (YVELINES), LE 17 MARS 1970.- MENTION FAITE LE 27 MARS 1970.-

POUR COPIE CONFORME.-

PARIS LE 16 NOVEMBRE 1977.-

Délégué par le Maire

MAIRIE ANNEXE VILLE DE PARIS

Acte de naissance.

STAD BRUSSEL

Nous soussigné, Officier de l'État civil, certifions que Fernand Albert Crommelynck né à Paris (Seine France 18e arrondissement), le 19 Novembre 1886, fils de Gustave Joseph Crommelynck et de Philomène Juget,

et

Anna Marie Joséphine Letellier, née à Bruxelles, le 25 Décembre 1886, fille de Joseph Letellier et de Julie Mansardy

ont contracté mariage devant Nous, à l'Hôtel de Ville

le 29 avril 1908.

Acte de mariage.

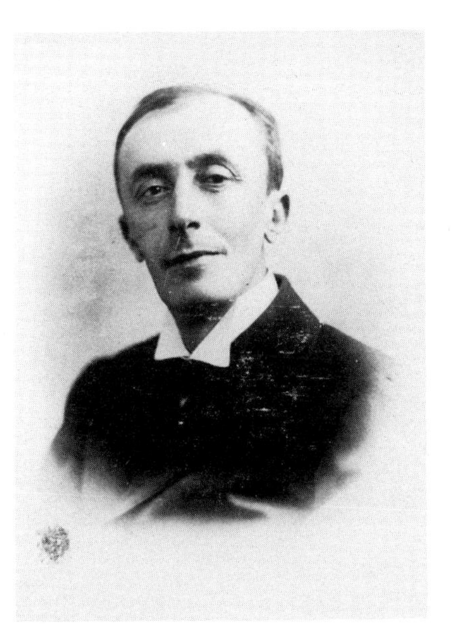

Le père.

La mère.

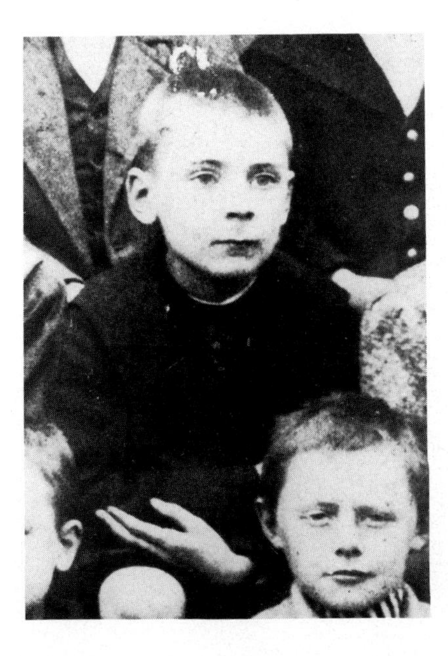

Un enfant attentif
nommé Crommelynck.

Fernand, ses parents et ses sœurs.

Esther Deltenre et, derrière elle,
l'oncle de Crommelynck.

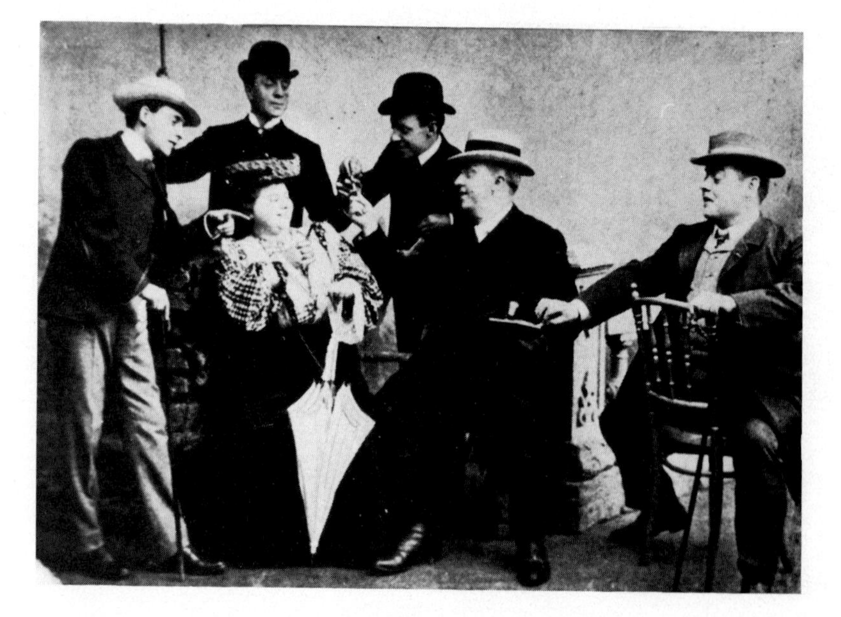

Quand Fernand Crommelynck dessinait les siens : Philomène, sa mère, en 1905 ; Suzanne, sa sœur, en 1902 ; Hector Letellier, son beau-frère, en 1908.

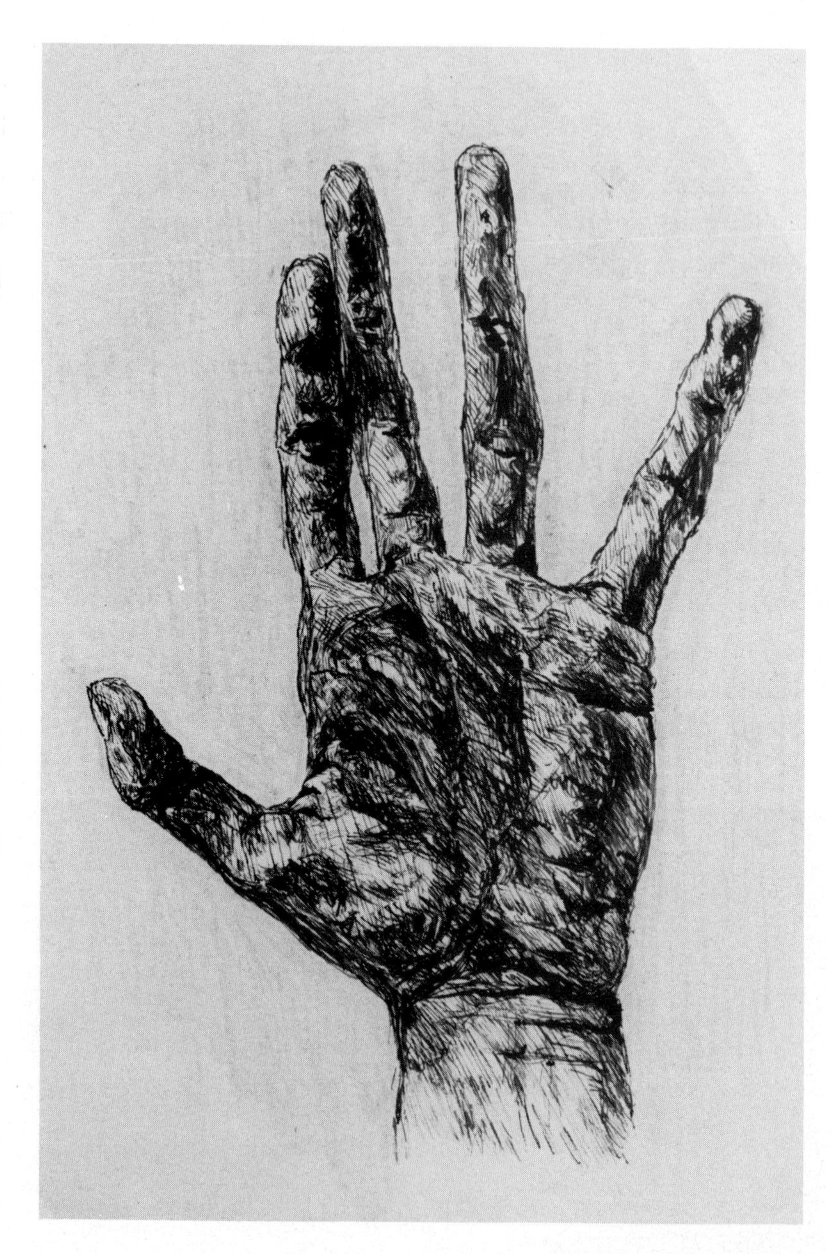

Une main par l'autre main...

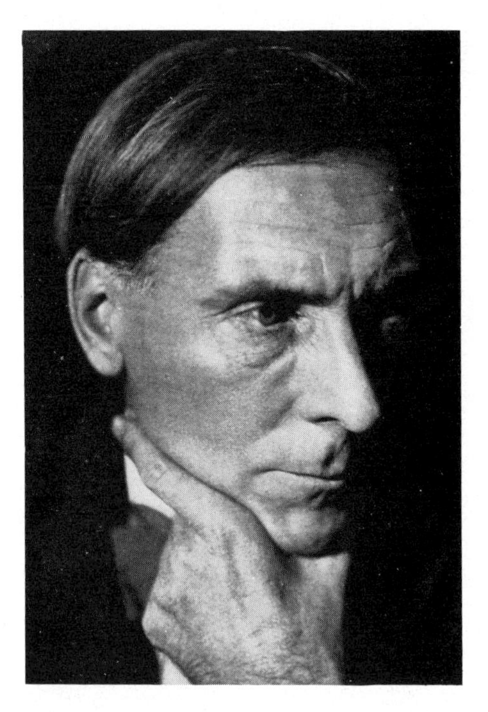

Crommelynck vu par
un photographe...

... et par lui-même.

Fernand par Albert Crommelynck.

pas, Sophie demeure l'un des plus clairs souvenirs. On l'avait ramenée d'Ostende où la famille avait pris des vacances et elle continua, au parc comme à la plage, à veiller sur le garçonnet qui lui vouait une tendresse un peu jalouse :

> Fière et hardie, presque nue sous sa robe lâche, elle frémissait au vent comme un jeune peuplier... [1]

Sophie est bonne première de cette lignée de servantes dont la pitié, le dévouement et la franchise se retrouvent chez la nourrice du *Cocu magnifique* ou chez la Froumence de *Tripes d'or*.

À une ère d'accalmie, succède, hélas ! celle de la disette et des chagrins. Cette escorte fidèle que constituent pour le bambin Sophie et le chien s'en ira. La jeune bonne sanglote à l'idée de quitter ses maîtres dépossédés. Elle est navrée de les voir dissimuler tant bien que mal quelques objets précieux pour les soustraire à Dieu sait quel noir ravisseur en uniforme.

Un garnement, qui a vaguement entendu des propos malveillants, crie à Fernand :

> Demain, tu n'auras plus rien !... [2]

En effet, tout lui est enlevé, y compris son compagnon de jeux qu'on l'oblige à battre pour qu'il ne revienne pas au logis où l'on ne peut plus le nourrir.

Même perdues, les amours et les amitiés laisseront au bambin une impression de réconfort. Tandis que la mort créera en lui une irréparable déchirure. C'est à Laeken qu'il l'a compris pour la première fois.

Une petite sœur, qui végétait en nourrice, lui tombe un jour du ciel. Les parents l'ont ramenée au foyer toute affaiblie. Comme ils ne lui ont pas souvent rendu visite, la pauvrette ne sait plus au juste qui est sa vraie mère. En revanche, elle se sent si proche de son frère qu'elle lui fait don, un après-midi, d'un *sourire précieux*.

Peu de temps après, la fillette meurt :

1. *Miroir de l'enfance*, dans *Textes inconnus et peu connus de Fernand Crommelynck*, p. 318.
2. *Idem*, p. 319.

> Donc, on me conduisit par la main devant le lit paré où pesait le corps étendu. Les fleurs d'un diadème se mêlaient aux rubans de la chevelure. Le fin sourire émouvant s'allait comme effaçant sur la lèvre adorable et les yeux n'avaient plus leur divine fraîcheur... [1]

Quel est le prénom de cette enfant qui s'éteignit, précocement touchée par le mal de vivre ? Dans *Miroir de l'enfance,* l'auteur la nomme Geneviève, alors qu'aucune de ses sœurs ne s'est appelée ainsi. Dans la version de *L'Avenir* et de *L'Art belge,* elle devient Germaine. Ce n'est cependant ni d'elle ni de Cécile, toutes deux décédées à Paris, qu'il est question, mais de Jeanne, la seule des petites filles qui soit morte à Laeken (1894).

Pour les besoins du récit, Crommelynck dit qu'elle fut mise en nourrice. En fait, c'est Germaine qui l'a été. De cette manière, le souvenir des deux disparues est réuni en une seule personne.

Ainsi se termine une partie relativement paisible de l'enfance. Elle est suivie d'une période de déroute. Les parents sont ruinés. Ruiné aussi, leur bonheur conjugal. La mère a appris les infidélités du père et décide de s'en séparer. Elle laisse sa fille Suzanne âgée d'un an chez sa nourrice, à Laeken, et part pour Paris avec trois de ses enfants: Amélie, Fernand et Thérèse.

Le hasard veut que son ancien appartement de la rue du Roi d'Alger soit encore libre. Elle le reprend, bien qu'elle n'ait pas d'argent. Fort heureusement, on lui fait confiance et crédit. À juste titre d'ailleurs. La jeune femme confectionne des travaux de couture et des boîtes à gants qui se vendent. Elle est aidée par la petite Amélie qui n'a encore que onze ans. À force de courage et de privations, elle réussit à payer son loyer et même à meubler son logis.

Thérèse et son frère vont à l'école de la rue Championnet, au coin du boulevard Ornano.

Le futur écrivain y manifeste des dons exceptionnels; ses rédactions sont affichées au mur de la classe.

Un soir de l'année 1897, à l'heure du dîner, quelqu'un sonne et Mme Crommelynck ouvre la porte. C'est son mari. Sans mot dire, elle ajoute un couvert. La vie du ménage continue comme par le passé.

---

1. *Miroir de l'enfance,* dans *Textes inconnus et peu connus de Fernand Crommelynck,* p. 325.

Peu après, la famille retourne à Bruxelles et l'on s'installe, en octobre 1898, dans un appartement de la rue de Savoie, au n° 2 (non loin de la chaussée de Waterloo) [1].

L'adolescent n'a que treize ans. Mais il travaille déjà chez un agent de change, M. Ryckaert, rue de la Bourse. Cela ne l'empêche pas d'écrire ses premiers poèmes. En dehors de ses heures de bureau et même pendant celles-ci. Sans compter les moments réservés au flirt.

Le financier a son domicile privé rue du Houblon. Quand il y envoie Fernand pour l'une ou l'autre raison, celui-ci traîne volontiers afin de conter fleurette à la fille de la maison dont il s'est épris.

Sans doute est-ce à cet épisode que se rattache le sujet d'une comédie que j'ai eu la chance de découvrir dans une revue et dont il sera question plus loin : *Chacun pour soi*. Le modeste clerc de notaire qui en est le héros semble le frère jumeau du commis de M. Ryckaert. Soupirant d'une jolie bourgeoise, Fernand n'a aucune chance d'obtenir sa main.

Congédié par son patron qui n'a nulle envie d'encourager ni ses déclarations d'amour ni son inspiration poétique, il entre au théâtre.

Il est engagé au Casino de la Bourse, rue Jules Van Praet. Il y joue dans des revues typiquement bruxelloises avec Deltenre et Ambreville et peut-être même avec l'oncle dont il a été question plus haut [2]. Celui-ci aurait pu faire carrière en France. Mais Bruxelles était sa ville préférée. Ce sera le cas aussi pour un autre acteur belge mêlé plus tard au sort du dramaturge : Marcel Roels. À la suite du grand succès que lui valut son interprétation du *Cocu magnifique* à Paris, en 1941, il avait toute chance d'y conquérir un nom. Mais le comédien revint se fixer aux environs de la Grand-Place et des galeries Saint-Hubert qu'il préférait à Montparnasse.

À partir de 1901, les Crommelynck s'établissent successivement chaussée de Mons, boulevard de l'Abattoir, puis à Molenbeek, rue du Jardinier. La même année, nouvelle installation

1. D'après les renseignements fournis par l'Officier de l'État civil de la Commune de Saint-Gilles, du 19 octobre 1898 jusqu'au 8 octobre 1900. Après quoi, les Crommelynck emménagent rue d'Anderlecht, n° 138.

2. Iconogr. Entre les pp. 8 et 9.

dans un logis qui donne sur la cour du 102, rue de la Senne. Ces nombreux déménagements étaient dus essentiellement aux difficultés financières, que la famille connaissait si souvent. À quoi s'ajoutait l'instabilité sentimentale de Gustave ; il quittera, une fois encore, sa vaillante épouse pour se fixer à Paris.

Fernand lui en a-t-il voulu de délaisser une femme d'une énergie peu commune et d'une fidélité à toute épreuve ? Sans doute. Par ailleurs, l'acteur était affligé d'un caractère tranchant et colérique, supportant mal les répliques d'un fils entier et sûr de ses dons. Les nombreux conflits qui s'élevèrent entre eux ne firent pourtant aucun tort à l'image que Fernand s'était forgée d'un père beau parleur, hardi, talentueux et, en définitive, fort attaché à sa famille.

Il n'est pas exclu (mais on n'en a pas la certitude) que, peu après le départ de Gustave Crommelynck, l'adolescent se soit rendu, lui aussi, à Paris.

Est-ce caprice de sa part ? Il semble plutôt qu'il s'agisse d'une fugue avec un ami ; ce pourrait bien être Armand Varlez. On a peu de détails sur ce premier voyage qu'il a fait (s'il l'a fait ?...) à l'âge de quinze ans. De toute manière, le séjour dut être bref.

Rentré à Bruxelles, le jouvenceau publie ses premiers poèmes. *Soir d'amour* [1] évoque de façon naïve et encore maladroite une idylle, peut-être celle qu'il noua avec M^lle^ Ryckaert :

> Tous deux ils sont assis sur le vieux banc de pierre
> Emietté par les ans et tout couvert de lierre...

*Soleil couchant* et *Clair de lune,* parus dans la même revue et signés Crommelynck fils, ont plus de qualité, sans dénoter pour autant des dons exceptionnels :

> La pluie était tombée — oh ! si triste et serrée
> Et les feuilles pleuraient en la chute du soir... [2]

Le jeune homme se lie de plus en plus avec Armand Varlez qui a évoqué les souvenirs de leurs aspirations et de leurs projets communs [3].

---

1. *La Libre critique,* 4e sér., no 48, 29 nov. 1903, p. 527.
2. *Idem,* 4e sér., nos 36-37, 4-11 sept. 1904, pp. 296-297.
3. *Le Soir,* 11 févr. 1921.

Il rime un drame historique en cinq actes, *Nadia Dorska.* L'intrigue se déroule au cours de la retraite de Russie. Les maréchaux de l'Empire y parlent en ardents alexandrins.

Une autre fois, après une nuit passée au bois de la Cambre, c'est d'une nouvelle pièce qu'il entretient son camarade: *Arlequin* dont on ne possède aujourd'hui nulle trace. Il est bien décidé à aller la présenter à Paris et invite Armand à l'accompagner. Tous deux partent le 28 avril 1904.

## 2. Premier voyage à Paris

*Arlequin* ne plut ni à Catulle Mendès auprès duquel l'acteur Henri Krauss, un ami de Gustave Crommelynck, avait introduit Fernand, ni à Armand Bour qui montait à ce moment-là son Théâtre des Poètes.

Une œuvre scénique, *Monsieur de Virbluneau,* se trouve alors achevée, dont rien ne subsiste.

Premiers essais infructueux, certes. Mais quel séjour bénéfique pour Crommelynck dont l'esprit s'épanouit dans l'atmosphère de Paris! C'est alors qu'il acquit l'essentiel de sa culture. Lui, qui n'avait ni argent ni loisir de poursuivre des études, accomplit un effort surhumain pour parfaire ses connaissances. Malheureusement, c'est au détriment de ses forces.

Le jour, il travaille comme typographe minerviste ou emballeur et gagne sa subsistance. La nuit, se nourrissant d'un quignon de pain et se réchauffant à grand'peine sous une couverture, il dévore ardemment les classiques de la poésie, du roman et du théâtre. Sa fougue et son appétit de savoir sont alors ses seules richesses. Cette existence de misère et de labeur enthousiaste forma le caractère et l'esprit d'un des écrivains les plus cultivés de son temps.

Sa jeune constitution ne pourra supporter longtemps une vie aussi harassante. Il faut donc rendre grâce à son père de l'avoir compris et de l'avoir rappelé, dès 1905, à Bruxelles où sa famille va enfin pouvoir l'aider.

## II. « NOUS N'IRONS PLUS AU BOIS » et « LE SCULPTEUR DE MASQUES » en vers — « CHACUN POUR SOI » et « LE CHEMIN DES CONQUÊTES »

### 1. La bluette de Monsieur Crommelynck et ses premiers masques

À cette époque, Gustave Crommelynck peut en partie subvenir aux besoins du jeune homme qui s'est réinstallé dans sa chambre, au 102 de la rue de la Senne. L'acteur a en effet ouvert une agence de théâtre au passage de la Reine (au coin de la rue des Bouchers). De plus, il organise en France les tournées Baret, célèbres à l'époque.

Sous peine de lui supprimer la modeste pension dont il le gratifie, son père l'oblige à écrire une pièce pour un concours organisé, en décembre 1905, par la revue *Le Thyrse*. Ainsi que l'auteur le raconte à propos de Gustave :

> ...comme il avait insisté, je fus obligé de m'y résigner et le 27 décembre — le concours devant être clos le 31 — je me mis à ma table sans savoir ce que j'allais écrire (ce qui est le cas de beaucoup de mes confrères) et j'écrivis « Nous n'irons plus au bois ». J'avais porté mon manuscrit à minuit moins cinq, et le lendemain, j'étais primé et joué... [1]

Ce qu'il ne dit pas, c'est qu'il avait peut-être la pièce en tête depuis un bon moment déjà, avant de l'écrire. C'était assez dans sa manière de composer, nous le verrons par la suite. *Le Cocu magnifique* qu'il terminera en 1920, il le portait en lui dès 1916.

À l'aube de sa carrière, Fernand Crommelynck se croit essentiellement poète et veut écrire ses pièces en vers.

---

1. I.N.R. *Entretien n° 4 de Fernand Crommelynck avec Jacques Philippet*, 1953. app. p. 383.

*Nous n'irons plus au bois* est né de cette conviction. C'est un acte rose piqueté de traits moqueurs.

Sylvain et Fanchette ont choisi pour boîte postale un tronc d'arbre creux où ils déposent chaque soir de tendres messages. Ceux-ci tombent par hasard aux mains de leurs relativement vieux cousins, Jérôme et Ermessinde, qui se les croient destinés et s'en délectent. Eux qui se disputent à longueur de journée, sont loin de se douter de ce qui leur arrive.

Quand leur correspondant inconnu leur fixe un rendez-vous, chacun d'eux s'y rend et demeure abasourdi de rencontrer l'autre. En vérité, c'étaient les jeunes amoureux qui devaient se retrouver. Voilà donc leurs consins dans une position embarrassante. Que faire à présent ? Continuer à se voir tels qu'ils se sont inventés et prolonger leur rêve en réalité.

Tout ceci n'empêchera pas les tourtereaux d'être également réunis dans un dénouement qu'on devine heureux.

Le personnage de Fanchette est falot, à peine esquissé. Par contre, celui d'Ermessinde existe. Elle ose décocher au célibataire des propos vexants, tels que *Essence de bourgeois* [1], et s'enhardit à railler avec effronterie les sonorités du nom Jérôme :

> Deux coups de cloches successifs : Le premier, lent,
> Nasillard. Le second, ventripotent, ronflant [2].

Mais lui aussi sait effiler sa plume et la tremper dans de l'acide, surtout lorsqu'il tourne le madrigal à la vieille fille :

> Enfin, votre âge, mûr déjà, s'apothéose
> De pastels de lilas et de pâtes de rose.
> Vous êtes une fleur éclose d'un Eden
> Où la poudre de riz tient place de pollen [3].

Drôlerie et poésie font ici bon ménage. Les fêtes crépusculaires sont emplies de *buissons frémissants qui chantent pour les nids* et de fleurs que la folie d'amour fait pousser d'un singulier élan : *jusqu'aux étoiles...* [4].

---

1. *Nous n'irons plus au bois*. Bruxelles, Le Thyrse, 1906, p. 19.
2. *Idem*, p. 7.
3. *Ibidem*, p. 12.
4. *Ibidem*, p. 36.

Qu'une écriture un peu hâtive, où rimes et consonances manquent parfois de relief, ne fasse pas oublier deux idées de la pièce si neuves pour l'époque qu'elles le sont restées longtemps.

Une tendre ardeur rajeunit tout, même le couple mûr au sein duquel elle s'éveille et qui ne doit pas se sentir ridicule de l'éprouver. En fait, Ermessinde n'est pas loin des quarante ans (quarante carats, diraient aujourd'hui les dramaturges du boulevard). Si elle est concevable de nos jours, cette héroïne ne l'était certes pas vers 1900.

D'autre part, la pièce s'achève sur un propos peu banal : le refus d'effacer le mensonge bienfaisant qui a réuni les cousins et qui fait dire à Jérôme :

> Mais les mots, les mots que nous disions,
> Ne les oublions pas... [1]

Les paroles n'ont-elles pas le pouvoir de suggestionner les êtres et de leur faire croire à l'éternelle jeunesse du cœur ? Voilà ce qui donne à cette pièce apparemment légère son pesant de souriante sagesse.

Créé au Théâtre du Parc, le 28 avril 1906, *Nous n'irons plus au bois* marqua un excellent début que concrétisa immédiatement la publication de l'acte en vers, dans la revue qui l'avait couronné.

Il fut monté par Victor Reding, avec Mlle Derives et Mme Dépernay dans les rôles de Fanchette et d'Ermessinde ; Jérôme et Sylvain étaient MM. Gildès et Joachim dont la voix fut jugée un peu grinçante.

On donnait en même temps *Le Droit d'aimer* de Montjoyeux et Mysor, une pièce française qui fut sifflée, tandis que notre jeune auteur fut rappelé (d'aucuns disent traîné) trois fois sur scène. Beau triomphe pour l'art belge ! Il se maintint au cours de la même année, aux Matinées littéraires du Parc, puis au Théâtre des Variétés d'Anvers où l'on joua en même temps *Le Voile* de Rodenbach.

1. *Nous n'irons plus au bois*, p. 45.

*La bluette de Monsieur Crommelynck* — c'est ainsi qu'on dénomme le plus souvent à l'époque ces pages brillantes mais sans prétention — recueillit dans la presse quantité d'avis favorables :

> « Nous n'irons plus au bois » mélange et marie avec adresse le sentiment et l'ironie, la tendresse sournoise et la fantaisie railleuse. Et le terrain où se rencontrent ces oppositions de poésies de toutes les couleurs est arrangé avec une ingéniosité qui affirme autant le mérite du rimeur que les dons certains de l'auteur dramatique [1].

L'œuvre semble avoir gardé un certain attrait aux yeux du public pendant de longues années si l'on en juge par le nombre de représentations qui en furent encore données en Belgique. Entre 1930 et 1939, il n'y en eut pas moins de 32 (selon les registres de la Société des Auteurs et Compositeurs Dramatiques).

Elle est la première pièce de l'écrivain qui soit apparue sur une scène belge. Mais la première de ses œuvres qui ait été jouée fut *Le Sculpteur de masques:* en Russie.

En mai 1906, Crommelynck écrit à Émile Verhaeren qui se trouve alors à Paris. Il lui parle de son *Sculpteur de masques* en vers en un acte qui paraît depuis février 1906 dans la revue *En Art* [2] et qu'il voudrait publier :

> Mais, inconnu comme je le suis, la tentative me servirait peu si je ne parvenais pas à me procurer un patronnage (*sic*) influent.
>
> Ne pourriez-vous pas me servir de parrain par une préface de quelques lignes ? [3]

Le maître accepte.

Une interview radiophonique de l'auteur fournit quelques explications à son sujet :

> Cette pièce a été jouée en 1906 à Moscou, donc avant que « Nous n'irons plus au bois » ne fût joué au Théâtre du Parc [4].

1. *L'Indépendance belge,* 2 mai 1906.
2. *En Art,* févr., mars-avr., mai-juil. 1906, pp. 65-83, 122-137 et 186-206.
3. Lettre inédite du 8 mai 1906, app. p. 328.
4. I.N.R. *Entretien n° 4 de Fernand Crommelynck avec Jacques Philippet,* 1953, app. p. 383.

C'est l'écrivain Constantin Balmont qui l'avait traduite et fait porter à la scène, sans que Crommelynck en soit informé [1].

Il en publia la traduction, en 1909, dans *Viesi* (*La Balance*), une célèbre revue littéraire russe [2], l'accompagnant d'une préface dont je donne un extrait plus loin [3].

Une autre lettre à Verhaeren, datée de décembre 1907, nous apprend que l'acte en vers est refusé au Théâtre du Parc par Reding [4].

Paru en volume [5], il ne sera jamais représenté en français. À la demande d'Armand Bour, Crommelynck en refera trois actes en prose qui seront donnés cinq ans plus tard au Théâtre du Gymnase, à Paris.

L'action se situe en Flandre par un jour de carnaval dans une ville où se dresse un beffroi du haut duquel on peut contempler la mer. C'est vraisemblablement celui de Bruges.

Pascal s'est épris de Magdeleine, la sœur de sa femme. Lorsque Louison s'en aperçoit, elle tombe malade et n'en finit plus de mourir dans une atmosphère d'amours cachées, d'oppressants regrets et de mascarade.

Le héros est déchiré entre sa compagne fantôme (qui se manifeste davantage par des gémissements que par des paroles) et sa belle-sœur dont des expressions, telles que *j'ai peur* ou *pourquoi t'éloignes-tu?* [6] traduisent l'indécision et la mollesse. Caractères imparfaitement dessinés quand on les compare à celui de Pascal qui existe, lui, avec intensité, même s'il s'analyse peu. Crommelynck réagit ainsi contre les pièces françaises de ce temps dont les personnages se racontent sans mesure.

Bien qu'il ait toujours nié avoir subi l'influence de Maeterlinck, le dramaturge est ici visiblement hanté par le théâtre du silence de l'auteur de *La Princesse Maleine.*

---

1. Au dire d'Albert Crommelynck, son frère ne devait l'apprendre que plus tard, en 1910, quand Balmont vint le voir à Paris. Il fut stupéfait de la jeunesse de l'auteur qui l'embrassa à la russe et lui promit de lui envoyer des fourrures (en guise de droits d'auteur !).
2. *Viesi* (*La Balance*), n° 5, 1909 (?).
3. App. p. 396.
4. Lettre inédite du 12 déc. 1907, app. p. 332.
5. Bruxelles, E. Deman, 1908, 64 p.
6. *Le Sculpteur de masques,* pp. 23 et 46.

À la description des faits, se substituent les évocations d'états d'âme, aux phrases construites, des exclamations, des soupirs et des pauses.

Pareille technique n'empêche d'ailleurs pas de percevoir les remords de l'époux à l'égard de son épouse et un vague à l'âme qui est une sorte de mal du siècle. Ce dernier fait de Pascal le frère des artistes de ce temps, imprégnés de Wagner et de Dostoïevsky :

> Aller vers ces clartés dont l'aube nous appelle !...
> Quitter la vie où tout est morne, égal et gris
> Pour l'enchantement blanc des pays incompris... [1]

La grandeur de leurs aspirations n'a d'égale que celle de leur irrésolution. Mêmes attitudes chez les personnages de Maeterlinck. Ils errent, détachés d'un monde trop matériel pour s'orienter vers un autre qu'ils ne définissent d'ailleurs pas. Mais cette ambiguïté les environne d'un prestigieux halo qui fascine le public.

Verhaeren lui-même, le robuste, le volontaire, ne s'est-il pas offert une crise de conscience qui a pris allure de dépression nerveuse et dont l'objet est, en définitive, demeuré assez obscur ?

Crommelynck, son poulain, va en subir une, lui aussi, sous le couvert de son marchand de masques dont le désir de ne plus pêcher s'accompagne d'une nostalgie de départ pour l'inconnu. Elle transparaît aussi à travers certaines chroniques en grisaille que l'écrivain donnera, en 1908, dans un journal ostendais, *Le Carillon*, et se prolonge dans la voix de l'Étranger des *Amants puérils* ; avide de se laisser emporter par *le courant des astres, des vents et des marées, si près, si loin toujours !* [2].

Trait d'époque, aussi, ce désir de Pascal de recréer l'horreur et l'épouvante par n'importe quels moyens, même les moins ragoûtants : *yeux pareils à deux grands lys où deux guêpes sont mortes* ou *squelette en relief sur les draps !* [3].

Le visuel joue ici un rôle prépondérant. Arrachés à la peinture flamande, deux personnages épisodiques fascinent. Silène ou la joie de vivre semble avoir été enfanté par Jordaens :

1. *Le Sculpteur de masques*, pp. 10 et 11.
2. *Les Amants puérils*, Théâtre, t. I. Paris, Gallimard, 1967, p. 212.
3. *Le Sculpteur de masques*, pp. 21 et 26.

> La treille pisse : qu'on se saoule !...
> Que le cœur chavire et s'écroule :
> Ce qui vient de la terre y va. [1]

Et son contraire, le lépreux, sort d'une toile de Jérôme Bosch :

> Je ne suis qu'un demi-vivant pour un mal double !
> Mes yeux sont morts parmi les pleurs de mon sang trouble... [2]

Dans la main de Crommelynck, les vers sont devenus de véritables pinceaux. Armand Varlez les voit *taillés à pleine pensée et noués dans l'accouplement des mots précis* [3].

Qu'il s'agisse de tons flamboyants et charbonneux ou de l'opposition savante des deux, ils sont en partie empruntés à l'auteur des *Campagnes hallucinées* qui a préfacé la pièce en ces termes :

> Elle m'apparaît tragiquement peinte, admirablement sculptée ; elle est d'une beauté originale et violente ; elle donne accès au palais rouge et ténébreux des plus angoissantes passions humaines [4].

Les empreintes du Maître se lisent fréquemment au hasard des pages, ne seraient-ce que certains tons brutaux : *ouragan rouge, nuages aux ventres bleus* ou *forêt qui brûle* [5] qui s'ajoutent à d'autres plus indécis qu'on trouve par ailleurs chez « les peintres de l'imaginaire » : Jean Delville ou William Degouve de Nuncques ; lorsqu'il est, par exemple, question de *corps alanguis : reflets mouillés ! contours dissous ! ... eau glauque* et *lumière blanche !* [6]. On en relève de semblables dans les chroniques ostendaises de 1908 :

> Il y a dans l'air des nacres précieuses comme des perles. L'eau blêmie s'enfle d'une vie sourde... L'inquiétude grandit d'instant en instant. Les voiles grelottent sur les mâts penchés [7].

1. *Le Sculpteur de masques*, p. 29.
2. *Idem*, p. 36.
3. *Le Matin de Bruxelles*, 17 mars 1908.
4. *Le Sculpteur de masques*, p. 5.
5. *Idem*, pp. 50 et 51.
6. *Ibidem*, p. 10.
7. *Le Carillon*, 1908, dans *Textes inconnus et peu connus de Fernand Crommelynck*. Bruxelles, Académie Royale de Langue et de Littérature Françaises, 1974, p. 85.

Constantin Balmont définit la musique qui emporte maints passages du sculpteur :

> ... dans la trame des sons de base, sans cesse, avec des répétitions suggestives, s'introduisent subrepticement, pénètrent, effleurent, chuchotent, s'insinuent... de cruels et tendres chants d'accompagnement [1].

L'originalité de ces vers réside principalement dans l'évocation des masques de Louison qui, par leurs traits tourmentés, extériorisent les remords de l'époux. Pascal en montre un à son amie :

> Regarde bien ! Son œil résume un horizon :
> Ouragan rouge. Ciel torché de trahison. [2]

C'est celui qui est sur l'établi [3]. Les autres masques, il les commente parce qu'il n'arrive pas à les retrouver. En fait, ces derniers étaient dissimulés derrière le comptoir, mais ils ont disparu. Magdeleine les a vendus par distraction. Ils réapparaîtront à la fin de l'acte, appliqués aux visages des spectres recouverts de linceuls, dans la boutique où Louison agonise. Grotesques, ils accentuent le caractère dramatique et funèbre de l'intrigue. Sans compter qu'ils figurent les troubles remous de la conscience.

N'y cherchons point l'influence de Ghelderode qui, en 1906, n'était âgé que de huit ans. Pas plus que celle d'Ensor dont le dramaturge ne connaît pas les toiles à l'époque. Peut-être celle de Goya dont les macabres fantasmagories l'ont, au dire de son frère Albert, véritablement fasciné dès sa jeunesse.

Les masques crommelynckiens prendront dans quelques-unes de ses farces de multiples aspects dont on aura l'occasion d'élucider la signification.

Dans son ensemble, la pièce fait penser à une lanterne aux multiples facettes de couleur dont les jeux de lumière parent les visages de lueurs étranges et déroutantes.

Georges Eeckhoud a subi la fascination de cet...

> acte en vers, gauche, farouche, brutal, grimaçant, mystérieux jusqu'à l'obscurité, d'un symbolisme ambitieux, d'une langue opaque, con-

1. *Viesi* (*La Balance*), nº 5, 1909, (?) app. p. 396.
2. *Le Sculpteur de masques*, p. 50.
3. Selon Albert Crommelynck, l'établi indique que Pascal est un sculpteur sur bois ; le masque est donc en creux, ce qui lui donne un relief plus suggestif.

> vulsive, plutôt des cris que des phrases construites et liées, mais de l'émotion, de l'horreur, de l'angoisse... [1]

L'apport de l'œuvre réside en ces silences éloquents et magnétiques qu'elle a introduits dans un théâtre français devenu aussi bavard que terre à terre.

De 1906 encore date une nouvelle, *Clématyde,* extrait des *Deux villes,* un roman qui devait paraître, mais dont on n'a retrouvé aucune trace. L'héroïne du récit, type même de la pécheresse repentie et vaticinante, contemple du sommet de la Gorge-des-Aigles, un paysage chaotique que de sauvages guerriers vont envahir :

> Dans le fond, un chemin venu des forêts rampait, bondissait, s'élançait comme à l'assaut, dégringolait en écroulement ; puis, repris d'ardeur au moment de mourir, il dévalait entre les blocs de granit, inquiet, torturé, pour aboutir au jour, où, libre enfin, il atteignait d'une fuite stridente à travers la lande, les portes de Lacrymosa [2].

Style d'une souple vigueur qui fait penser tantôt à celui de Flaubert, tantôt à celui de Verhaeren. Mais sa grandiloquence empêche de croire à l'authenticité des personnages.

## 2. L'Académie du Cygne

À vingt ans, le jeune homme habitait non loin de Sainte-Gudule, dans une chambre qu'il rangeait et nettoyait avec méticulosité. Curieusement, cet anticonformiste-né a toujours été un amoureux de l'ordre et de la propreté.

Autour de lui, la vie artistique de Bruxelles ne cessait de s'épanouir. Elle avait pour centre de réunion un café de la Grand-Place qui appartenait aux Letellier, la future belle-famille de Crommelynck : le Cygne. Y furent fondés, l'Académie Libre de Dessin et le Cercle de l'Effort.

---

1. *Le Mercure de France,* t. LXXIII, n° 263, 1er juin 1908, p. 559.
2. *En Art,* nov.-déc. 1906, p. 270.

Le soir, le grenier de la bâtisse était fréquenté par des peintres qui dessinaient d'après les modèles vivants qu'ils avaient pu recruter. Le jour, la salle du rez-de-chaussée était envahie par des joueurs d'échecs.

A l'Académie du Cygne, la peinture et la sculpture étaient richement représentées (Arthur Navez et Philippe Swyncop, Henry De Groux et Josse Albert, Adolphe Wansart, Gustave Fontaine et Eugène Canneel qui, tous trois, ont laissé de remarquables effigies du dramaturge). La littérature ne l'était pas moins (Verhaeren et Grégoire Le Roy, Louis Fallens et Louis Dumont-Wilden, Georges Marlow et Maurice des Ombiaux). D'illustres étrangers se joignaient parfois à eux (Stuart Merrill et Paul Fort, Ricardo Canudo et Filippo Marinetti, Léon Bocquet et Stefan Zweig).

C'est là que se noua, entre Fernand Crommelynck et Horace Van Offel, une amitié qui devait durer plus de quinze ans (de 1906 à 1922).

En 1915, lorsque le fonds de commerce des Letellier périclita et dut être remis, le groupe du Cygne émigra quelque temps dans les caves du Diable au corps, sorte de Chat noir belge, pour se fixer ensuite au café de l'Hulstkamp (Galeries Saint-Hubert), fréquenté jusque-là par des acteurs et des agents de change [1]. Ceux-ci conservèrent les tables du centre pour y étaler leurs jeux de cartes, tandis que les artistes occupaient modestement les côtés où se poursuivaient leurs parties de dames entrecoupées de discussions passionnées.

Une nouvelle génération succédait à celle qui avait vu naître la Jeune Belgique. Le théâtre allait-il participer de cette mutation ?

En France, c'était toujours le règne des Lavedan, des Capus ou des Donnay qui ont mal résisté au temps.

En Belgique, il y avait déjà Maeterlinck. Il y aurait bientôt Crommelynck.

Horace Van Offel le décrit à ce moment :

1. Selon Horace Van Offel, c'est dans ce dernier café et non au Cygne que se réunirent, dès 1906, les artistes que je cite et qui constituèrent, paraît-il, l'Académie de l'Hulstkamp.

pâle, maigre, pointu, fiévreux, avec de grands yeux bleu-vert qui n'en finissaient pas ! Hamlet, Ariel, une création de Shakespeare, avec un lointain rappel de Bonaparte au pont d'Arcole [1].

Entre les deux jeunes gens la camaraderie est si solide que rien ne peut la ternir. Pas même le succès naissant du dramaturge dont on vient de publier *Chacun pour soi* [2].

Cette œuvre, pratiquement inconnue, demeure proche de *Nous n'irons plus au bois,* par la juvénile sentimentalité mêlée de tendresse narquoise dont elle est imprégnée.

## 3. Des marivaudages de Benjamin au mariage de Fernand

Benjamin aime Marguerite et en est aimé. Mais la malheureuse est jalousement gardée par Victoire, une mère égoïste, et par César, un père âpre au gain. Ce dernier veut lui faire épouser le patron de son soupirant. C'est un vieux notaire grincheux qui compte aller s'installer à Paris après le mariage.

Cela nous vaut une scène comique au cours de laquelle le papa réclame pour lui et pour son épouse un droit de visites à leur fille. Les frais en seraient, bien entendu, supportés par son gendre.

Mis au fait, les tourtereaux se désolent.

Benjamin, le jeune clerc, finit par donner un conseil astucieux à son amie : qu'elle convole en justes noces avec Monsieur son patron et parte avec lui pour la Ville lumière. Il les suivra.

De cette manière, tous deux pourront se retrouver sous le regard paterne et, de préférence, somnolent du mari.

Hélas ! L'avare fiancé a des idées aussi inattendues que contrariantes. Pour rattraper une partie des dépenses qu'occasionneront les voyages des parents, il mettra Marguerite au courant des écritures et en fera son clerc à la place de Benjamin qui est proprement remercié.

*Chacun pour soi* est l'une des rares pièces de Crommelynck qui contiennent des réminiscences personnelles. Benjamin, c'est lui

1. *Confessions littéraires.* Bruxelles, Nouvelle Société d'Éditions, 1938, pp. 68-69.

2. *Revue générale,* vol. I, juin 1907, pp. 793-812 ; vol. II, juil., août, sept. 1907, pp. 115-137, 214-231, 414-431.

au temps où, modeste commis de M. Ryckaert, il s'éprit d'une demoiselle de la bourgeoisie et fut éjecté de son emploi. D'où ce texte d'une agressive fantaisie :

> Non, Monsieur ! On peut être fou sans manquer de raison ! [1]

Comme l'auteur des *Comédies et proverbes,* il rajeunit éternellement l'amour à force de lyrique ingénuité :

> Dis un seul mot, je mets à tes pieds la nuit claire !... [2]

Et la jeune fille en fleur avec laquelle il marivaude est digne de son inspiration, à en juger par le frais éclat et l'allègre sensualité de ses paroles :

> Le vent garde un goût de lilas. Je me suis couchée dans l'herbe nouvelle près d'un petit ruisseau. Je voudrais bien être l'eau qui coule ou la fumée qui voyage [3].

Crommelynck semble avoir compris que l'utilisation de la prose ne lui coupe pas le souffle poétique. Elle lui permet en outre de développer des nuances psychologiques que les règles de la prosodie auraient empêchées d'apparaître. *On est parfois obligé d'abandonner la pensée pour la rime* [4], explique le héros.

Le comique s'affirme ici avec plus de vigueur que dans *Nous n'irons plus au bois.*

César est un pleutre qui n'ose pas parler à Marguerite de l'alliance qu'il s'est engagé à mener à bien. Quand le notaire mécontent lui rappelle sa promesse :

> D'ailleurs, j'avais votre parole d'honneur,

le père lui répond :

> Vous aviez ma parole. Ma parole seulement. Pas ma parole d'honneur... [5]

Cette répartie appartient à Gustave Crommelynck qui l'avait un jour sortie à un créancier devant son fils. Fernand en avait

---

1. *Chacun pour soi,* p. 796.
2. *Idem,* p. 795.
3. *Ibidem,* p. 215.
4. *Ibidem,* p. 799.
5. *Ibidem,* pp. 131 et 132.

beaucoup ri et fut ravi de pouvoir l'attribuer à l'un de ses personnages.

C'est ici que se dessine pour la première fois un procédé qu'utilisera souvent l'auteur pour déchaîner le rire : la répétition de la réplique de l'interlocuteur sous forme de question qui crée une sensation de stupéfaction hébétée. Prenons-en pour exemple le moment où le notaire avoue à César qu'il n'a pas encore fait sa demande en mariage :

Le notaire :

— Je n'ai pas su lui parler.

César :

— Vous n'avez pas su ?

Le notaire :

— Marguerite ignore encore !

César :

— Elle ignore ? [1]

*Chacun pour soi* est la satire d'une classe sociale que Crommelynck n'a jamais pu souffrir et dont le seul souci est, selon lui, de *conquérir la bonne considération de ses concitoyens* [2].

Lorsque César vient parler à Victoire de l'avenir de leur fille, il se heurte à une ménagère furieuse d'être dérangée dans ses sacro-saintes activités culinaires :

Et pour cette affaire ma compote aura le goût du vent [3].

Le mari asservi s'offre aussitôt à rattraper ce temps perdu en découpant des rondelles de papier pour les pots de confiture. La mère accepte, estimant que le sort de son enfant ne doit pas nécessairement troubler la bonne ordonnance de la maison. Pas plus que la lecture ne peut déranger l'esprit des jouvencelles :

Une jeune fille bien élevée doit se dispenser de lire [4].

---

1. *Chacun pour soi*, p. 222.
2. *Idem*, p. 137.
3. *Ibidem*, p. 116.
4. *Ibidem*, p. 117.

Là-dessus, le bonhomme rétorque à sa femme qu'il y a livre et livre. Celui qu'il veut faire connaître à la demoiselle *vaut au moins quinze francs*. Son précieux papier vient d'ailleurs du Japon et pour y aller, affirme-t-il, avec l'orgueil de celui qui croit savoir quelque chose que les autres ignorent, il faut traverser la mer.

Satisfait de lui, César est catégorique à tous égards. Il établit avec certitude une distinction très nette entre les genres littéraires :

> Eh, non ! pas un poète. Je parle de littérature honnête [1].

Ses idées pédagogiques valent sa culture. Un père qui veut conserver son autorité ne doit pas, selon lui, montrer de l'amour à sa fille. Crommelynck lui fait énoncer sur un mode sentencieux les maximes les plus cruellement ridicules :

> ... Les enfants sont une ressource sur laquelle on compte dans les jours difficiles [2].

Soif d'argent et de bienséance, utilitarisme développé au détriment du désintéressement et de l'altruisme, tels sont, selon Crommelynck, les mobiles de la caste qui prédomine à l'époque dite « belle » ; il en fera encore le procès dans ses chroniques ostendaises.

Ces derniers textes ainsi que *Chacun pour soi* (dont le titre constitue, à lui seul, le programme de la bourgeoisie 1900) annoncent déjà l'adroite comédie, *Une Femme qu'a le cœur trop petit,* que le dramaturge écrira vingt-cinq ans plus tard.

En 1907, il rencontre celle qui deviendra sa femme : Anna Letellier. Elle est née le 18 décembre 1886, à Bruxelles, rue de l'Hôpital.

Sa mère, Julite Mansard (descendante de Jules-Hardouin Mansard) aide son mari à exploiter les deux cafés bruxellois dont il est propriétaire : la Maison de l'Étoile et le Cygne (à la Grand-

1. *Chacun pour soi*, p. 811.
2. *Idem*, p. 807.

Place) où Anna grandira. C'est là que Fernand commence à faire sa cour à la jeune fille aux cheveux châtains.

Le 29 avril 1908, le bourgmestre Adolphe Max les marie. Ils partent en voyage de noces en Savoie, à Bons-Saint-Didier où vit toujours la grand-mère maternelle de l'écrivain, Cécile Juget [1].

Rentré à Bruxelles, le ménage se fixe au 85 de l'avenue Michel-Ange.

## 4. Sur la route des conquêtes

Une lettre de Crommelynck adressée à Verhaeren, le 12 décembre 1907, permet de connaître le moment où il achève une nouvelle pièce en vers :

> Quand j'aurai terminé le chemin des Conquêtes j'espère être maître de la forme que je veux. Alors je ferai des œuvres de plus d'importance et je vous les devrai toutes, à cause de l'encouragement que vous avez voulu me donner [2].

Daté de 1908, *Le Chemin des conquêtes,* qui n'a jamais été joué ni publié, est reproduit à la fin de cet ouvrage [3].

Un entrefilet de 1911 annonça que, en mars, Émile Verhaeren le présenterait au Théâtre de l'Odéon avec d'autres œuvres [4]. Le maître en possédait un manuscrit. Une héritière de sa veuve, Marthe Massin, le transmettra à l'éditeur Houyoux dont le fils, Jean-Paul, me l'a aimablement communiqué [5].

C'est peut-être grâce à l'auteur des *Campagnes hallucinées* et à son épouse, que ces pages ont échappé à l'un des nombreux bûchers où le dramaturge avait l'habitude de brûler ceux de ses écrits qui ne l'intéressaient plus.

En voici le sujet.

Dans une chambre modeste donnant sur la campagne, l'apôtre Talassin parle de ferveur et d'espoir avec sa sœur Arcagèle.

---

1. Reproduction de l'acte de mariage, iconogr. Entre les pp. 8 et 9.
2. Lettre inédite, app. p. 333.
3. App., p. 293.
4. *Le Rideau,* n° 10, 5-12 mars 1911, p. 2.
5. Iconogr. Entre les pp. 328 et 329.

Guidé par son sens de la solidarité, il veut garder ses semblables des *chutes sans pardon* [1] et les exhorter à le suivre dans la voie de l'abnégation. En échange, ses ouailles lui prodiguent des louanges qui le confirment dans sa volonté d'apostolat.

Survient Symadore, une femme dont le trouble attrait vicie l'atmosphère.

Après s'être défendu de la tentation, Talassin finit par s'éprendre de celle qui lui apporte *le salut de* son *corps tiède* [2].

En dépit des supplications d'Arcagèle et des invectives d'une foule désemparée, puis menaçante, l'apôtre se détourne de sa quête du bien. Sa défaite se consomme sous un ciel d'angoisse où s'allume l'incendie de la déroute et de la haine tandis que se répand l'anathème d'une sœur éplorée :

> Tu n'as pas su choisir de la vie ou du rêve
> Et ton doute mauvais fut le premier brandon ! [3]

Cette austère jeune fille qui s'épanouit auprès des *arbres en fête* s'oppose nettement à Symadore, femme fatale, réplique d'une autre héroïne de Crommelynck, *Clématyde*, la pécheresse de sa nouvelle de 1906, involontaire, mais redoutable propagatrice du mal.

Écartelé entre l'appel du sacré et celui du profane, Talassin vit dans un climat tragiquement tendu dont les cieux de nuages en bataille et les émeutes vengeresses accentuent encore le désordre. C'est le prolongement de la tempête qui surgissait déjà dans *Le Sculpteur de masques*, mais avec des personnages dont les conflits se situent de façon plus nette. Talassin n'est pas (comme Pascal) un désespéré plus ou moins assoiffé d'infini. On peut suivre avec Maurice Gauchez son envol tour à tour vainqueur, puis vacillant vers la pureté :

> Cette agonie en lui de la force qui le menait sur des ailes, par le chemin des conquêtes, vers la gloire et la vie ! [4]

1. *Le Chemin des conquêtes*, app. p. 300.
2. *Idem*, p. 304.
3. *Ibidem*, p. 327.
4. *Le Livre des masques belges*. Mons, Imprimerie Générale, 1910, p. 197.

En dépit de quelques passages dont le ton emphatique s'est démodé, la pièce contient peut-être les plus beaux vers que Crommelynck ait écrits pour le théâtre. Ceux, par exemple, où s'esquisse déjà le mythe poétique des *Amants puérils* engloutis dans les flots et auquel cette dernière pièce donnera une plus ample signification :

> Parfois, lorsque le ciel rêve entre deux clartés,
> La mer appelle avec une voix plus profonde !
> Et des jardins de feu s'allument sur l'eau blonde !
> Les flots chantent... Et des vaisseaux inhabités
> Avec leur voile au vent comme une harpe blanche,
> Montent des horizons où le soleil s'épanche !
> Et les amants hallucinés vont vers là-bas...
> ... Le peuple des vaisseaux aveugles fuit sans voiles !
> Les jardins sont fermés !... Le flot tait sa rumeur !
> Et la nuit meurt de froid sous le gel des étoiles ! [1]

Une conversation décisive avec Verhaeren sur la prosodie décida l'auteur à composer cet acte dans lequel il ambitionne de ne faire aucune concession à la rime et de versifier sans rejets ni chevilles. D'où la qualité exceptionnelle du texte qu'il mit un an à parfaire.

Après l'avoir achevé, le dramaturge affirma qu'il ne reviendrait plus jamais à ce genre de performance et qu'il écrirait désormais son théâtre en prose [2].

### 5. Les vacances ostendaises et « Le Carillon »

En juillet 1908, Crommelynck partit pour Ostende où son père s'était installé bookmaker depuis un certain temps.

L'écrivain, qui s'est toujours préoccupé des siens, emmena avec lui ses sœurs, Amélie et Thérèse. Suzanne, elle, avait été invitée par son ancienne nourrice et Albert, le cadet, se trouvait avec sa mère, chez la grand-mère de Bons-Saint-Didier.

Ici comme à Bruxelles, les réunions familiales étaient fréquentes, mais houleuses. Fernand et Gustave se chamaillaient à

1. *Le Chemin des conquêtes,* app. p. 303.
2. *Les Nouvelles littéraires,* 2 mai 1946.

propos de tout et de rien. Mais, au fond, ils s'aimaient et finissaient toujours par se réconcilier.

C'était alors la belle époque du hippisme. De riches barons entretenaient les écuries dont les pur-sang emplissaient l'hippodrome Wellington. Sa Majesté Léopold II daignait parfois y passer quelques heures pour se distraire.

Le matin, le jeune homme assistait à l'entraînement des chevaux de course sur la plage, en compagnie de son père et du journaliste Victor Bouin. Le midi, il se rendait à la place d'Armes, au Falstaff, pour y retrouver ses amis : James Ensor et Léon Spilliaert, Paul Gérardy, auteur des *Carnets du roi* (un pamphlet qui lui avait valu d'être poursuivi par la justice) et Stefan Zweig qui venait fréquemment en Belgique.

Le soir, on se rendait Chez Poeltje, dans une taverne de la rue Longue, tenue par l'amie d'un échevin de la ville. Là, comme au Falstaff, se réunissaient les collaborateurs du *Carillon,* journal ostendais de couleur libérale qui vantait les attraits multiples de la cité balnéaire. Albert Boucher, un pharmacien, en était le directeur, Émile Mathy, le rédacteur en chef. L'homme qui inspirait les tendances du quotidien et en assurait la vie matérielle s'appelait Georges Marquet. Celui qui fit l'Ostende de la Belle Époque avait commencé par être garçon de café à Namur ; après y avoir ouvert des établissements pour son propre compte, il se lança dans une série d'affaires : achats de chaînes d'hôtels et de brevets industriels en tous genres. Mais son vrai titre de gloire, il le conquit en devenant directeur du Kursaal dont il fit un centre touristique sans précédent. Il réussit même à capter l'intérêt du souverain dont il associa l'image à la gloire de la Reine des plages.

Gustave Crommelynck connaissait bien Marquet auquel il présenta son fils ; vraisemblablement au cours d'une de ces réunions amicales, à l'heure de l'apéritif.

Peu cultivé, mais d'une intelligence surprenante, ce grand patron comprit immédiatement le parti qu'il pourrait tirer du jeune écrivain. Aussi lui demanda-t-il de collaborer au *Carillon* pour y exalter les plaisirs du turf, du jeu, de la douceur de vivre en plein air et d'assister à des soirées théâtrales ou musicales de qualité. Fernand accepta volontiers ce travail qui était rétribué et qui lui donnait l'occasion d'exprimer ses idées.

Du début de juillet à la fin de septembre, parurent donc une quarantaine d'articles. Ils ne sont signés ni de son nom ni de ses initiales, mais de celles de l'homme qui l'avait engagé : Georges Marquet. Ils ont pourtant été écrits par Crommelynck, ainsi que je l'ai prouvé dans l'ouvrage que je lui ai consacré.

En effet, il y a reproduit quelques passages d'œuvres qui ont paru ailleurs sous son propre nom.

L'une de ces chroniques, intitulée *Les Ouragans* [1], contient des fragments repris, avec quelques modifications, de *Clématyde* dont on a parlé plus haut. On y trouve aussi quelques vers du *Sculpteur de masques*. Une autre, *Émile Verhaeren et le prix Nobel* [2], sera transcrite par l'écrivain dans un programme de son Théâtre Volant, en 1916 [3].

Même sans ses références, on y reconnaîtrait la manière et les goûts de Crommelynck. Son attrait pour la littérature et la peinture, par exemple : citations nombreuses extraites de ses poètes et de ses romanciers préférés, analyses des toiles d'Ensor et de Spilliaert en homme de métier dont le talent apparaît dans bon nombre de ses dessins.

Sa culture lui permit aussi de mettre en valeur le Centre d'art que Marquet avait créé sur le conseil d'Edmond Picard.

Il y eut, durant l'été 1908, au Kursaal, maintes expositions, concerts et conférences dont les vedettes furent, entre autres, Camille Saint-Saëns et Richard Strauss, Verhaeren et Brieux, Gustave Le Bon et l'explorateur Amundsen.

Le Centre d'art ne poursuivait pas seulement un but éducatif. Les estivants qui le fréquentaient pouvaient ensuite se rendre à la roulette qui en était proche.

À cette époque, le puritanisme catholique et socialiste d'hommes politiques, tels que Woeste et Hubin, s'opposait à la pratique des jeux. J'ai conté la longue bataille qui mit aux prises Marquet et le parquet de Bruges [4]. Ce dernier fit, en 1908, au club du Kursaal, une spectaculaire descente qui faillit coûter à Ostende toute sa saison touristique.

1. *Le Carillon*, 3 sept. 1908.
2. *Idem*, 8 juil. 1908.
3. *Émile Verhaeren*, dans *Le Théâtre Volant*. Programme, saison 1916-1917, s.p.
4. *Textes inconnus et peu connus de Fernand Crommelynck*, pp. 24-33.

Quand la nouvelle se répandit, les habitués de la Reine des plages se décommandèrent ; les hôtels et les villas menaçaient de rester vides. Ce fut un beau tollé. La population tout entière protesta avec véhémence, se massa sous les fenêtres de la villa royale et chanta une Brabançonne en l'honneur de Léopold II, protecteur de la ville. Elle multiplia les pétitions pour obtenir quelques adoucissements à la loi.

On ferma les yeux. Ce ne fut pour les Ostendais qu'une demivictoire, mais qui sauva la mise de la saison.

Une défense des jeux s'imposait également pour rassurer les fervents du club privé. Là encore, Crommelynck put rendre service à Marquet.

Bien qu'il fût peu joueur, il connaissait parfaitement le problème. Il en parle dans une série de cinq articles où il se place sous un angle moral et social.

Ce que l'écrivain a trouvé aussi à Ostende, en 1908, c'est le climat poétique de la mer du Nord dont s'enveloppe une pièce qu'il écrira quelques années plus tard, *Les Amants puérils* : ce flux et ce reflux des passions accordés à ceux des flots, cette transparence du ciel qui s'assortit au désarroi d'une adolescente pudeur. Dans certaines chroniques du *Carillon,* on reconnaît déjà des expressions et des images que le dramaturge inscrira dans son drame.

L'été se déroula pour lui dans une atmosphère de détente et de jubilation.

Les bleus crus, les nacres embrumées ou les noirs menaçants des vagues, les élégantes ennuagées de jupons à volants, les vacanciers caricaturaux, avides de plaisir, les cortèges de paysans ou de pêcheurs endimanchés qui parcouraient les rues sous les lampions, derrière les fanfares, en quête de poissons frits et de chopes de bière, tout cela lui offrait matière à de multiples descriptions hautes en couleur et à des réflexions tour à tour humoristiques, badines ou graves.

Quelques-unes de ces chroniques ne sont, il est vrai, que des papiers de circonstances. La plupart offrent un intérêt certain. Proses de jeunesse dont on ne peut négliger l'apport et auxquelles on reviendra pour éclairer le théâtre de leur auteur.

Septembre 1908. Les vacances vont finir :

> C'en est fait de la douce liberté... Déjà, dans les avenues, dans les jardins et parcs, les feuilles jaunes se balancent aux rameaux, prêtes à tomber. Un souffle de plus et elles s'envoleront dans le vent ou danseront aux carrefours avec un petit bruit sec et mort... [1]

Discrète mélancolie qui traduit le regret de G. M. dans sa dernière chronique du 27 septembre.

Le jeune ménage quitte Ostende et ses lampions éteints pour rejoindre Bruxelles.

En mars 1909, il occupe un logis au 15 de la rue Lebeau. Mais c'est de Paris que Fernand rêve de plus en plus. Il s'y fixera bientôt.

1. *Textes inconnus et peu connus de Fernand Crommelynck*, p. 261.

# III. LE SCULPTEUR DE MASQUES » en prose et « LE MARCHAND DE REGRETS »

## 1. Premières démarches

En 1909, Horace Van Offel se promène à Paris, boulevard des Italiens, quand il s'entend interpeller :

> — Que diable fais-tu par ici ?

C'est Crommelynck, installé à la terrasse du Napolitain, café littéraire s'il en fut et qui l'est resté.

Les deux amis rentrent au logis de Fernand, au 50 de la rue d'Enghien où Anna invite Horace à partager leur dîner [1].

Longue conversation jusqu'aux petites heures !

On discute littérature et on refait le monde dont Crommelynck relate la genèse de manière plutôt rocambolesque.

Van Offel affirme que c'est la plus belle histoire qui lui ait jamais été contée.

Devant cet enthousiasme, le dramaturge s'écrie avec reconnaissance :

> — C'est extraordinaire... tu es le premier qui m'ait laissé aller jusqu'au bout. Les autres font toujours des objections d'ordre scientifique [2].

C'est le temps de la jeunesse optimiste et avide. On va tout conquérir, tout changer.

L'argent manque fréquemment mais Crommelynck parvient toujours à se débrouiller pour remplir la marmite d'une nourriture qui n'est pas nécessairement des plus délicates.

---

1. Un peu plus tard, c'est dans le XIV<sup>e</sup>, au 219, rue Vercingétorix qu'ils s'installent.
2. *Confessions littéraires*. Bruxelles, Nouvelle Société d'Éditions, 1938, p. 71.

Un soir, Anna sert à dîner un morceau de bœuf où Van Offel affirme avoir laissé une de ses incisives.

Le lendemain, il achète des vêtements parmi lesquels une superbe culotte de cheval qu'il se hâte de montrer, le soir même, au jeune ménage.

Pendant longtemps, Fernand ne manquera pas de raconter à ses camarades :

> — C'est chez moi que notre Horace a perdu sa première dent et qu'il a étrenné sa première culotte !

La plupart des auteurs sont pris de panique lorsqu'ils pénètrent, pour la première fois, chez des hommes de lettres ou des éditeurs parisiens.

Tel n'est pas le cas de Crommelynck qui, au dire de son compagnon, aborda toujours ces messieurs *avec la noble assurance d'un gangster, venant leur demander la bourse ou la vie* [1].

Cet aplomb provenait peut-être de ce qu'il était déjà monté sur les planches. En vérité, aucun préjugé social n'avait de prise sur lui ; cela le mettait à l'aise en toute circonstance.

De cette période, date la nouvelle visite qu'il fit à Catulle Mendès.

En 1904, lorsque celui-ci avait parcouru son *Arlequin,* il avait prédit au jeune homme que, à trente ans, il aurait peut-être du talent. En 1909, après avoir lu *Le Chemin des conquêtes,* il lui trouve du génie. Fort de cette appréciation on ne peut plus flatteuse, le jouvenceau se précipite chez Mounet-Sully qui ne le connaît ni d'Ève ni d'Adam et qui veut lui fermer sa porte au nez. Mais Fernand réussit à la tenir entrebâillée et à se faire entendre :

« — Maître, vous ne ferez pas ça ! J'ai écris une pièce pour vous. Je vais vous en lire un petit morceau ».

Après avoir écouté l'acte en vers jusqu'au bout, Mounet-Sully déclare :

« — Je la joue à la Comédie-Française. »

---

1. *Confessions littéraires*, pp. 72 et 73.

Quelques jours plus tard, notre jeune auteur va voir le comédien dans le rôle d'Hamlet où il le trouve aussi emphatique qu'ennuyeux.

À l'entracte, au foyer, le grand interprête reçoit sa cour d'admirateurs. Prosternée aux pieds du monstre sacré, une jeune fille lui baise les mains.

C'en est trop ! L'agacement de Crommelynck est à son comble. En un coup sec, il réclame son texte à l'artiste et lui dit son intention de ne plus le lui confier.

Cette réaction violente est caractéristique de son comportement. Nous aurons l'occasion de le constater.

C'est ainsi que *Le Chemin des conquêtes* ne fut jamais joué.

## 2. Poésie es-tu là ?

De 1908 à 1912, l'écrivain vit tantôt à Paris, tantôt à Bruxelles où des revues publient quelques-uns de ses poèmes. L'un d'eux, *La Vengeance des papillons* [1], évoque Clairmondine, une héroïne pareille à maints égards à celles de Maeterlinck. Se souvenant de la petite Dagmar du *Miroir de l'enfance* et de *Clématyde*, l'auteur l'imagine poursuivie par des ennemis qui abusent de sa fragilité et de son innocence :

> Elle était seule ! Elle était blême ! Elle avait peur... [2]

Poème d'un genre désuet, ses *flots en feu*, ses *jardins éblouis* au travers desquels passent de jeunes personnes parées de l'*agonie éternelle des cristaux bleus* [3], font aujourd'hui sourire. C'est à titre purement documentaire qu'on mentionne ces quelques vers à peine dignes de survivre.

D'une simplicité un peu naïve, mais qui touche davantage que ces chatoyantes rêveries, *Nocturne* [4] évoque vraisemblablement une Anna Letellier enveloppée de tendre sollicitude :

1. *Le Masque*, nos 6-7, oct.-nov. 1910, pp. 199-207.
2. *Idem*, p. 203.
3. *Ibidem*, p. 202.
4. *Le Masque*, nos 11-12, 1912, p. 367.

Mon cœur emplit toute la chambre où tu reposes.
Il y a plus d'amour autour de toi
Que d'air léger autour des roses
Et que de nuit et de silence autour des toits.

Confiance dans un sentiment que son épouse gardera intact à travers les orages qui dévasteront la vie du couple.

L'attentive ferveur de l'écrivain s'étendra bientôt à leur enfant. Jean naît à Paris le 7 août 1910 (au 219 de la rue Vercingétorix). Aucune mésentente n'a jamais séparé le père de son fils qui deviendra un jour un reporter cinéaste de talent. Leur amitié réciproque n'a fait que se consolider avec le temps.

Mais inspirés ou non par le bonheur conjugal, les poèmes de Fernand Crommelynck ne soutiennent jusqu'ici aucune comparaison avec ceux d'un Maeterlinck ou d'un Verhaeren. Inconsistants à leur début, ils se manifesteront un jour avec une force accrue dont on dégagera les aspects les plus inattendus.

## 3. La bataille du théâtre impressif

Je me suis dit : « Les hommes sont malheureux parce qu'ils ne s'étonnent plus. »

Maintenant j'écrirai des légendes derrière mes masques. Je leur raconterai des histoires et comme les enfants, ils demanderont : « Et alors ?... Et alors ? »

(*Le Sculpteur de masques*)

C'est en 1911 que Fernand Crommelynck a fait parler pour la première fois d'une de ses œuvres dans la plupart des journaux parisiens. Il s'agit du *Sculpteur de masques* en trois actes et en prose qui diffère à maints égards de l'acte de 1906.

Je ne sais si le décor imaginé par l'auteur fut exécuté fidèlement. On le souhaite en lisant la description de la boutique aux rideaux blancs, avec ses plantes, ses meubles anciens, son poêle de faïence et ses pots de cristal emplis de couleurs en poudre auprès des masques qui devaient en être peinturlurés.

La pièce en vers permettait déjà de supposer que l'on se trouvait non loin de Bruges. Mais celle-ci ne laisse subsister aucun doute à ce sujet. Le Béguinage et le Lac d'amour y sont mentionnés.

L'unité de lieu est respectée. Celle de temps s'est légèrement étirée sur trois saisons successives qui deviennent les cadres de chaque acte.

Le thème est resté celui de 1906. Pascal, épris de Magdeleine, se désespère de voir mourir son épouse par sa faute.

Les protagonistes sont mieux définis. Louison a cessé d'être un fantôme gémissant. Elle vit son pathétique destin d'être tour à tour joyeuse, perplexe, puis fauchée par la douleur et enfin minée par la souffrance. Sa mansuétude et sa résignation frisent la sainteté. Elles sont, sans qu'elle le veuille d'ailleurs, des armes redoutables qui arrachent cette exclamation à l'époux coupable :

> Mais dis une parole ! Je finirai par t'arracher le cœur, comprends-tu ! [1]

Une conversation entre les deux sœurs montre que leur affection mutuelle a su triompher de leur rivalité amoureuse.

Magdeleine ne sait que rire, pleurer, fermer les yeux sur commande. Ce n'est pas sans raison que Pascal promet de lui rapporter une poupée : *Poupée toi-même, tu lui feras des robes*!.. [2]. C'est une femme-objet, déchaînant les sentiments sans en être consciente, incapable de se contrôler ou de fixer son sort. Exaspérante, au point que son ami s'écrie :

> Tu me fais horreur, horreur, horreur et pitié ! Ha ! — Il n'y a plus d'orgueil, ni de courage, ni d'amour en toi [3].

En réalité, ce n'est pas tant son caractère qui le rebute ; il lui en veut de l'avoir, bien malgré elle, éloigné de son épouse qu'il aime toujours et à laquelle il adresse ce serment sincère, en dépit des faits :

> Je t'aime vraiment, ma petite fille, — je te le jure... [4]

Ici, comme dans l'acte en vers, Pascal fait voir à son amie les masques de Louison qu'il a sculptés ; ce sont les divers visages de sa *tristesse*, de son *silence*, du *doute* et du *soupçon* [5] qui le hantent. S'il rit avec méchanceté en les désignant, c'est que son équilibre se détériore au fur et à mesure que l'action se déroule. Bourrelé

1. *Le Sculpteur de masques*, Théâtre, t. I. Paris, Gallimard, 1967, p. 289.
2. *Idem*, p. 242.
3. *Ibidem*, p. 314.
4. *Ibidem*, p. 290.
5. *Ibidem*, p. 307.

de remords, il passe de l'extrême colère au calme inquiétant du dernier acte. Quand Magdeleine lui annonce la mort de Louison, il ne bronche pas :

> Tu dis ça, toi... mais je sais bien qu'elle est partie danser... Elle est partie avec Cador ; je viens de la voir partir... [1]

Le lépreux et Silène n'apparaissent plus dans ces pages ; par contre, on y découvre de nouveaux venus : la sœur Marie-Joseph, d'une désarmante et placide naïveté, le menuisier sournois qui fabrique du malheur (des cercueils), tandis que Pascal, du moins en principe, fabrique de la joie (des masques de carnaval).

Deux personnages se mêlent aux spectres, aux bourreaux et aux travestis qui parcourent la ville. Cador, le vannier, sorte de fou du village. Mi-homme des bois, mi-poète qui s'ignore, il offre à ses amis des oiseaux et des fougères, des champignons et des grenouilles écorchées. Confident du héros, son innocente et rieuse bonhomie préfigure celle d'Estrugo, le scribe fidèle du *Cocu magnifique*. L'autre personnage est le raconteur qui, sous un immense parapluie, commente l'intrigue dont il fait ressortir le pathétique et la dérision.

La foule (celle des jours de fêtes et celle des émeutes) exhibe tour à tour son faciès bonasse, badaud ou méchant. Prête à danser ou à s'enthousiasmer, elle est tout aussi capable (et presque dans le même moment) de huer ou de conspuer.

En 1911, personne n'a été frappé par l'essentiel apport de la pièce : une richesse imaginative dont témoignent peu d'œuvres dramatiques de ce temps. Elle réside, entre autres choses, dans l'utilisation des couleurs plus vives et plus contrastantes que dans *Le Sculpteur* en vers :

> Un collier bleu, des cailloux du ruisseau

ou

> j'étais couverte de poussière rouge

ou encore

> la ville est en or comme une proue de navire [2].

1. *Le Sculpteur de masques*, p. 320.
2. *Idem*, pp. 248, 249 et 250.

Une même variété caractérise la façon d'unir ou de disperser les bruits : tintement de grelots, sonneries d'horloges, brisures de vitres, claquements de fouets, murmures de chansons populaires associés aux phrases entrecoupées de silences et scandées selon un certain tempo répétitif :

> Oui, pleure, pleure, Magdeleine, comme la pluie, Magdeleine, comme la pluie sur les feuilles...

ou cette plainte de Louison :

> Oui... dormir... dormir... dormir... [1]

que reprendra un jour pour son compte l'avare de *Tripes d'or*.

Dans la première version, on décelait déjà une opposition fracassante du ludique au macabre, encore que la versification régulière la dissimulait, malgré tout, quelque peu.

Ici, la prose a libéré les violences et les plaintes que ligotaient la césure et la rime. En sorte que la joie de vivre et le funèbre se côtoient, s'affrontent et se heurtent sans répit.

Masques bariolés, raconteurs d'histoires enfermés dans leur rêve, spectres en transes, mimes échevelés qui passent et repassent au milieu des chants, tandis que des marchands vantent leurs croustillons ou leurs amandes grillées au sein d'une foule qui hue ou rit sans vergogne ; c'est l'atmosphère du *carnaval, avec sa joie nerveuse et barbare* [2]. Les éléments d'ordre pictural et musical finissent par former une fresque animée, que rythme une danse trépidante, quasi ininterrompue. Ce sens de la peinture de l'harmonie et du mouvement mêlés se rencontrent rarement à dose aussi puissante chez un écrivain.

Le *Sculpteur de masques* contient, par ailleurs, de brefs poèmes irréguliers qu'on ne trouvait pas dans les œuvres précédentes :

> Celui dont la barbe s'étend, au moins,
> Jusqu'à plus loin...
> N'a pas vingt ans ni cent ans
> C'est le Temps ! ! [3]

1. *Le Sculpteur de masques*, pp. 262 et 290.
2. *Idem*, p. 297.
3. *Ibidem*, p. 303.

Formes à résonances populaires dont la saveur contraste avec certains couplets baroques qui décrivent la démente prolifération des êtres :

> La vie avait une grappe de gens
> Pendus à ses mamelles.
> Et poussait, portait devant elle
> Son ventre rempli d'enfants !
> La folie
> Avait pour ventre un tonneau,
> Avait pour cœur un grelot,
> Et sous sa mitre de carton
> Avait pour tête une vessie
> Toute remplie
> De hannetons ! [1]

Lyrisme bouffon au ton désinvolte qui répond à la sensibilité d'aujourd'hui. Moderne par ce trait, par la cruauté qu'il développe, par la diversité des types humains et des atmosphères qu'il mélange, le drame l'est encore par des images inattendues :

> Mes terreurs se lèvent et vont coller leur front aux vitres blêmes... [2]

Avec quelques remaniements, il pourrait encore plaire de nos jours. Ses scènes bigarrées et grisantes correspondent au goût de notre époque, fascinée par le jeu combiné des tonalités du tempo et des fantasmes.

Crommelynck ne l'a d'ailleurs pas conçu avec l'intention d'utiliser tel ou tel art qui écarterait les limites d'un réalisme dépassé. Son propos se situe dans l'exergue de ce chapitre. Le dramaturge a voulu raconter des histoires aux hommes comme s'ils étaient des enfants susceptibles d'en être subjugués et d'en redemander d'autres.

De même qu'Apollinaire, il semble avoir choisi pour devise *J'émerveille.* Et il y est parvenu : il laisse libre cours à la fantaisie de la parole et de la cadence qui s'affranchissent de toute norme, frôlant parfois l'invraisemblable.

Au-delà des formules qu'on a tenté d'y appliquer, *Le Sculpteur de masques* est avant tout la gigantesque explosion d'un tempéra-

1. *Le Sculpteur de masques*, p. 304.
2. *Idem*, p. 301.

ment poétique enfin débarrassé de la prosodie ; développant une veine fougueusement sensorielle que l'on va du reste baptiser impressive, nous le verrons.

La première représentation appelle des mises au point. À commencer par la date de la création à Paris, au Théâtre du Gymnase. Ce ne fut pas le 18 février comme l'indique l'auteur dans l'édition Gallimard, mais le 1er ou le 2 [1].

*Le Sculpteur de masques* tint l'affiche jusqu'au 5 février seulement. Non qu'il fît salle vide. Mais Armand Bour, le principal interprète, tomba malade. Ceux qui voulaient le voir pouvaient toutefois se rendre, non loin du Gymnase, au Palace, un cinéma où passait le film que Bour avait tiré du drame.

Autre problème.

On avait annoncé que Magdeleine serait interprétée par Mme Lara. Or, le règlement de la Comédie-Française, dont celle-ci était sociétaire, lui interdisait de jouer sur une autre scène que celle de ce théâtre. Jules Claretie, à l'époque administrateur général de la Maison de Molière, semble avoir fermé les yeux sur l'incident. Mais il les ouvrit bien vite à la suite de nombreuses protestations dont la presse se fit l'écho. Mme Lara fut remplacée, à partir du troisième soir, par Marthe Barthe. L'opinion pouvait alors se passionner pour des faits qui, aujourd'hui, requièrent peu l'attention.

Ajoutons que, dans l'édition Gallimard, l'interprétation est signalée de manière fantaisiste. Une série de rôles, tels que le raconteur, le menuisier, etc., ne sont pas mentionnés. Les spécialistes du théâtre aimeront peut-être les retrouver dans le programme de 1911 [2].

Pour la circonstance, Crommelynck père s'était rendu à Paris afin d'assister à la générale qui enthousiasma certains spec-

1. L'erreur de Crommelynck provient peut-être de ce que la représentation a été remise à plusieurs reprises. On devait la donner en même temps que *La Fraude* de Louis Fallens. Mais cette deuxième pièce ne fut pas montée. La générale et la première eurent lieu les 30 et 31 janvier. Les premiers comptes rendus datent des 2 et 3 février.

2. Iconogr. Entre les pp. 112 et 113.

tateurs et en déconcerta beaucoup. À l'entracte, le critique Ernest Lajeunesse se montrait plutôt réticent à l'égard d'une conception aussi révolutionnaire de l'art scénique. Gustave Crommelynck en fut agacé et lui lança du bout de ses lèvres sarcastiques :

« — Ce n'est pas Ernest Lajeunesse, mais Ernest Lavieillesse qu'on devrait vous appeler. »

Armand Bour avait annoncé partout que la pièce inaugurait le théâtre impressif [1]. Dans l'esprit de l'auteur et du metteur en scène, ce mot signifiait grosso modo : un art de suggestion par opposition au réalisme dont le théâtre de l'époque était tout imprégné. À lui seul, il fit couler plus d'encre que la pièce elle-même. Les « pour » et les « contre » furent longuement développés à travers toute la presse, selon le cas avec humour ou enthousiasme, avec embarras ou méchanceté.

*Le mot impressif n'est pas dans Littré,* s'écrie un journaliste anonyme. *C'est un mot belge. Il n'a d'ailleurs aucun sens* [2]. Or, il se trouve dans le Littré : « Ce qui cause une impression matérielle par opposition à ce qui est purifiant ou éthéré ». Dans la mesure où les scènes de semi-folie et de vigoureux contrastes produisent des chocs, l'adjectif n'est pas inexact encore que celui d'expressionniste, avec ses intentions d'explosivité, conviendrait peut-être mieux.

Mais je doute que Crommelynck et Bour aient analysé de près toutes ces notions.

Faute d'enthousiasme, l'humour — ou ce qui veut l'être — coule à plein bords sous la plume de quelqu'un qui signe La Batte. De plus, les répliques du drame impressif sont, à ses yeux, *amorphes, énigmatiques, approximatives et hypothétiques* [3].

Plus indulgent, Nozière assure que les spectateurs qui sont allés au Gymnase *avec la volonté de s'amuser aux dépens de l'auteur* ont dû en rabattre. Celui-ci a *du talent* et *il ne recherche pas le succès facile ou scandaleux* [4]. Ce fut un peu de baume sur les cœurs ulcérés des deux principaux intéressés.

---

1. Le terme impressionniste, choisi d'abord, avait été ensuite abandonné.
2. *Le Cri de Paris,* 5 févr. 1911.
3. *Fantasio,* 15 févr. 1911.
4. *L'Intransigeant,* 6 févr. 1911.

Pareille incompréhension étonne moins quand on pense aux œuvres qui triomphent à Paris en 1911 : *Le Veilleur de nuit* de Sacha Guitry ou *Le Cadet de Coutras* d'Abel Hermant. Pièces bon teint qui ne risquent pas de bouleverser les normes de la bienséance théâtrale.

Mais, toute querelle mise à part, qu'ont pensé les critiques de cette farce où grouillent pêle-mêle la joie de vivre, la folie d'amour et le grimaçant visage de la mort ?

Paul Souday trouve Pascal assommant :

> Tantôt il s'apitoye, tantôt il s'irrite, non seulement contre sa victime, mais contre sa complice... Rien de plus absurde que ce nietzschéisme de pacotille... [1]

Aux yeux de Pierre Debusschère, *Le Sculpteur de masques* est :

> l'œuvre d'un poète féru des littératures septentrionales. Il faut convenir que ce n'est pas pour la rendre plus conforme à nos goûts [2].

Léon Blum, qui n'est pas enthousiasmé par ce drame, ne le trouve néanmoins pas incompréhensible, ainsi qu'on le lui a fait entendre [3].

Modérément épris de l'œuvre, Henri de Régnier en approfondit objectivement le mécanisme. Elle se développe contre le *procédé usuel* du théâtre en supprimant un maximum d'explications :

> Si vous laissez deviner le drame plutôt que vous ne l'exposez, si vous le faites percevoir et ressentir par le milieu même où il se déroule, par de menus faits qui le suggèrent et le rendent présent sans l'expliquer, si vous le laissez se manifester involontairement par les actes qu'il comporte, si vous vous contentez de le mêler à la vie ordinaire, sans l'en isoler et la suspendre autour de lui, vous aurez ce que M. Armand Bour appelle le « théâtre impressif » et qui est, à y bien regarder, une tentative de réalisme, puisque tout s'y passera davantage comme dans la réalité vivante et non selon les conventions inévitables que nous admettons dans la réalité scénique [4].

1. *L'Éclair*, 2 févr. 1911.
2. *La Presse*, 3 févr. 1911.
3. *Comœdia*, 2 févr. 1911.
4. *Journal des débats*, 13 févr. 1911.

Paradoxalement, ce sont ceux qui ont été les plus favorables au *Sculpteur* qui en ont fait les commentaires les plus médiocres. Car les seuls aspects qui les ont choqués sont précisément ceux qui constituent l'originalité de la pièce.

Firmin Roz, qui la juge *claire, bien menée, émouvante,* déplore toutefois *la perpétuelle tendance de l'auteur à confondre le macabre avec le tragique* [1].

Mieux valait la compréhensive tiédeur de Blum et de Régnier que cette étroitesse de jugement.

La première représentation bruxelloise du *Sculpteur de masques* est montée en 1916 par la troupe de l'auteur, le Théâtre Volant, à la Gaîté. Dans les deux principaux rôles féminins : Anne-Marie Tellier, l'épouse de l'écrivain, et Marguerite Valliers. Crommelynck incarnera Pascal.

Pour Otto Riemasch, journaliste allemand en Belgique occupée, c'est une révélation :

> Tout dans cette pièce est tellement vrai et tellement triste que cela prend à la gorge. Lorsque tout fut fini, on avait l'impression de l'avoir vécu soi-même [2].

L'âme italienne semble y avoir été moins accessible que la germanique. Dix ans après ces événements, le 12 novembre 1926, au Théâtre Odescalchi de Rome, le public lui fait encore grise mine [3].

Mais le bruit mené autour de la représentation parisienne de 1911 ne tient pas seulement à la querelle de l'art impressif. Un autre incident devait encore accroître l'écho de cette œuvre décidément explosive.

L'année précédente, Saint-Georges de Bouhélier avait donné à l'Odéon *Le Carnaval des enfants.* Comme celui de Crommelynck, le dernier acte de la pièce se déroule dans une atmosphère de mascarade et de mort. Plusieurs critiques, François de Nion, Jean Mélia et Paul Souday, aperçurent ce trait commun aux

1. *La Revue bleue,* nº 6, 11 févr. 1911, p. 189.
2. *Belgischer Kurier,* 20 okt. 1916 (traduction de Patrick Crommelynck).
3. *Corriere della Sera,* 14 nov. 1926 et *Giornale d'Italia,* 16 nov. 1926.

deux œuvres et firent entendre qu'il y avait peut-être eu plagiat [1].

Léon Blum, qui s'était également interrogé à ce sujet [2], reçut de Crommelynck une dépêche que *Comœdia* imprima [3] :

> Monsieur,
>
> Vous avez songé au « Carnaval des Enfants », en assistant à la répétition générale du « Sculpteur de masques », au Gymnase.
>
> Laissez-moi vous dire que j'ai publié « Le Sculpteur de masques », un acte en vers, en 1906 d'abord, en 1908 ensuite. (Deman, édit., Bruxelles).
>
> Monsieur de Bouhélier ne l'ignorait pas.
>
> C'est de ce drame, préfacé par Émile Verhaeren, que j'ai tiré les trois actes représentés au Gymnase en ce moment.
>
> Voulez-vous m'aider à faire connaître ce détail aux lecteurs de « Comœdia » ?
>
> Je vous en serai reconnaissant.
>
> Je vous prie de croire, Monsieur, à mes meilleurs sentiments.
>
> F. Crommelynck [4]

Une autre lettre envoyée à l'*Excelsior* [5] dit à peu près la même chose que les précédentes, mais elle est accompagnée de deux billets adressés à l'écrivain par Verhaeren, le 20 et le 26 mai 1906. Le poète promet de préfacer *l'intense, violent et terrible petit drame* dont il a lu un fragment et annonce qu'il va s'installer dans quelques jours chez... Georges de Bouhélier, 45, rue La Condamine à Paris.

C'est en effet à cet endroit que Crommelynck expédia son manuscrit définitif accompagné d'une missive datée du 17 juillet [6].

Or, la lettre suivante, datée du 21 juillet 1906, indique ce qui s'est passé.

Verhaeren a dû quitter pour un certain temps la demeure où il était hébergé. Bouhélier lui a fait suivre son courrier, y compris le manuscrit du *Sculpteur*. Son auteur écrit en effet au « Maître » :

---

1. *L'Écho de Paris*, *L'Événement* et *L'Éclair* du 2 févr. 1911.
2. *Comœdia*, 2 févr. 1911.
3. *Idem*, 3 févr. 1911.
4. Un texte de ce genre est adressé à la même date aux divers chroniqueurs, ceux de *La Presse* et de *La Petite République*, le 4 févr. 1911.
5. Le 5 févr. 1911.
6. Lettre inédite, app. p. 330.

> Je connais peu monsieur de Bouhelier (*sic*), ne l'ayant vu qu'une fois. Il ne me connaît pas du tout. Je ne puis donc pas le remercier de m'avoir servi auprès de vous en vous faisant parvenir le manuscrit et la lettre, envoyés chez lui [1].

Si ressemblance il y a entre les deux œuvres, et on en découvre effectivement (un même mélange de lamentations funèbres et de joie carnavalesque) et si une influence a pu s'exercer, Crommelynck n'est certes pas celui des deux écrivains qui a imité l'autre.

Notons aussi ce fait. Bouhélier qui, en 1911, séjournait dans sa villa d'Antibes, mit près d'une semaine à confier au *Figaro* qu'il avait écrit sa pièce en janvier 1907, que *l'originalité de M. Crommelynck est intacte* et qu'il n'y a eu entre eux *qu'une de ces rencontres d'idées si fréquentes au théâtre...* [2].

Et Verhaeren tant de fois cité à propos de cette polémique, qu'avait-il dit ? Rien qui vaille d'être rapporté, bien que Bouhélier lui ait demandé d'*établir la vérité* [3].

Ami des deux dramaturges, il préféra que ceux-ci se débrouillent entre eux et ne se brouillent pas avec lui.

Plus tard, Mme Verhaeren a affirmé et répété que cette mésaventure ne s'explique que par une coïncidence.

### 4. Une pièce de transition

L'intrigue du *Marchand de regrets* est d'une simplicité qui rappelle celle des fabliaux.

Le héros, un vieil antiquaire, est fort amoureux de sa jeune épouse, Anne-Marie, qui ne l'est pas moins de Claude, un robuste fermier.

Le mari a beau enfermer sa femme parmi des antiquailles poussiéreuses, celle-ci réussit tout de même à retrouver son galant, grâce aux complicités conjuguées de sa servante et d'une voisine.

Mais le fou du village a tout vu. Il s'empresse d'en avertir l'époux qui commence par le battre, puis se rend à l'évidence.

---

1. *Lettre inédite, app.*, p. 331.
2. *Le Figaro*, 7 févr. 1911.
3. Lettre inédite, février 1911 qui appartient au Musée de la Littérature.

Après quoi, il s'en prend à la voisine qui a favorisé les rendez-vous. La mégère l'insulte. Elle l'exaspère tant et si bien que, éperdu de rage, le cocu la poignarde.

L'intérêt du drame, daté de mai 1909, est de condenser en quelques pages l'essentiel de ce que développeront les écrits du dramaturge au cours des vingt-cinq ans qui suivront et d'en esquisser les principaux portraits.

Absente de *Nous n'irons plus au bois* et de *Chacun pour soi,* la foule avait fait une première apparition dans *Le Sculpteur de masques,* sous des déguisements carnavalesques. *Le Chemin des conquêtes* la montre enthousiaste et haineuse, face à l'apôtre Talassin. *Le Marchand de regrets* lui imprime un visage qu'elle ne quittera plus.

C'est un être composite et variable. Ses foucades la font sans cesse osciller de la générosité à la cruauté. Ici, elle apparaît hilare et lâchement vindicative, excitée par une astucieuse villageoise contre un pauvre dément accusé d'avoir *mangé la sainte hostie avec ses dents pour empoisonner le sang de Jésus* et de faire *tourner le lait des nourrices en imitant le cri du hibou* [1] ! Voilà le simple d'esprit couvert d'injures et de fleurs mortes comme s'il allait être enterré. Fantoche berné, il ressemble au Hop Signor de la légende anversoise ou au « Pantin » de Goya que des jolies filles font sauter sur un drap, avec une joie mauvaise au coin de l'œil.

Les chroniques du *Carillon* aident à comprendre toutes ces réactions de la multitude dont on peut attendre le meilleur et le pire : depuis la vitalité des mangeurs de poissons frits et des danseurs de bourrée jusqu'au désarroi du peuple malmené auquel les romans de Tolstoï promettent le partage des terres, en passant par l'opinion des masses qui se retourne pour tout et pour rien.

Les personnages du *Marchand de regrets* préfigurent ceux des pièces suivantes qui hantent déjà l'auteur.

Voici Claude, l'amant de l'héroïne, tout odorant de bonne farine, clair comme l'eau, fort comme la terre qu'il ne veut pas quitter, pas même pour fuir avec son amie. En sa vigueur et sa simplicité, c'est déjà le bouvier du *Cocu magnifique,* amoureux de

1. *Le Marchand de regrets. La Vie intellectuelle,* t. XI, avr. 1913, p. 242.

Stella. Elle-même descend en droite ligne d'Anne-Marie, une fille au gazouillis d'oiseau, éprise de campagne et d'espace libre. Elle a horreur des bois vermoulus où l'antiquaire veut l'enfermer comme entre les barreaux d'une cage.

Quant à ce dernier, il porte en lui seul deux protagonistes du théâtre de Crommelynck : le héros de la célèbre farce de 1920 et le Pierre-Auguste de *Tripes d'or*. Doté de la jalousie de l'un et de l'avarice de l'autre.

Quand Anne-Marie va à la messe, il lui impose de porter des lunettes noires et un châle qui font déjà penser à la mante et au masque dont sera affublée la femme du cocu imaginaire. Comme lui, il regarde sa jeune épouse dormir en épiant les réactions qu'elle pourrait dévoiler dans l'inconscience du sommeil :

> Je suis jaloux de ta pensée, comprends-tu ? Je voudrais la tenir prisonnière, la meurtrir, la détruire !... Oh ! oui, oui, l'écraser comme une bête, — marcher dessus !... [1]

À quoi s'ajoute un tempérament de grippe-sous qui arrache ce cri à l'épouse terrifiée :

> Tu me comptes comme de l'argent, oui, oui, oui !... [2]

L'antiquaire mène de front sa frénésie de possession amoureuse et sa soif de vieux objets qu'il caresse de façon aussi attendrie que le front de la jeune femme.

Sentiments qui le mèneront à des actes de fureur et de démence. Mais le portrait du marchand de regrets est à ceux du jaloux et du ladre ce que les esquisses des maîtres de la peinture sont à leurs chefs-d'œuvre. Et il en va de même de la servante et de la voisine, dessins préparatoires aux visages qu'elles prendront dans *Les Amants puérils*. La première, veule et bête, est la future Zulma et s'exclame, comme elle, à propos comme hors de propos : *Eh bien merci!*

La deuxième, déjà proche de ce que sera l'odieuse Fidéline, feint les meilleures intentions. Elle détecte partout le mal et s'en goberge avec délice, tout en le claironnant à la ronde : *Venez*

1. *Le Marchand de regrets*, p. 235.
2. *Idem*, p. 236.

*voir!... Il s'est enfui comme un perdu, avec le malheur dans le dos!...* [1]

La voisine tient à la fois de la domestique faussement dévouée, de la paysanne madrée et de la maquerelle.

Elle organise les rendez-vous d'Anne-Marie en échange des deniers qui, geint-elle, paieront les soins médicaux de son fils. Joignant l'hystérie au goût de lucre, elle évoque une scène d'enterrement où l'on *pleurait tout haut et à petits coups* dans l'église. Jusqu'au moment où tous les assistants se sont mis *à rire, à rire, non mais à rire!...* [2].

Quand l'antiquaire lui affirme qu'elle a *fait mourir* ses maris, la gueuse, emportée par la rage, commence à tourner sur elle-même, parce qu'elle s'est sentie dénoncée au plus profond de sa noirceur: *Tu as la mort dans tes yeux...* [3].

Par elle, la cruauté s'introduit à l'état brut dans le théâtre de Crommelynck: sans motif, sans limite, sans pudeur, sans autre but que de répandre le mal au maximum.

Un élement capital se fait jour dans la scène où le fou explique au marchand qu'il a surpris son épouse avec Claude:

> L'antiquaire (*sourit, distrait*):
> — Oui?
>
> Le fou (*regardant autour de lui*):
> — Il ne faut pas rire.
>
> L'antiquaire (*bienveillant*):
> — Non?
>
> Le fou:
> — Hier, elle était avec lui dans les blés...
>
> L'antiquaire ( *rit sans entendre*):
> — Oui ? [4]

Cette séquence, dont on pressent qu'elle précède une catastrophe, se déroule pendant un bon moment sur un ton détaché qui déchaîne l'hilarité du spectateur. Jusqu'au moment où le protagoniste s'éveille soudain à la réalité, pousse un cri, bondit,

1. *Le Marchand de regrets*, p. 241.
2. *Idem*, p. 229.
3. *Ibidem*, p. 243.
4. *Ibidem*, p. 240.

frappe le fou, puis se précipite à la recherche de la vérité qui conduit au drame final.

Au mélange du grotesque et du funèbre qui caractérisait *Le Sculpteur de masques,* se substitue celui du comique et du tragique qui, pour la première fois dans l'œuvre de Crommelynck, s'associent étroitement et qui le resteront dans d'autres pièces. Élizabeth-Ann Crommelynck, la nièce du dramaturge, observe avec raison qu'il ne s'agit pas d'un voisinage des héros qui font pleurer avec ceux qui font rire ou même, chez l'un d'eux, de la succession de propos dramatiques et gais, mais de personnages en qui, *dans le même moment, s'allient, se superposent la joie et la douleur...* [1].

Attrait des chansons désuètes (*Mon cœur bat pour elle comme les moulins*), des extases amoureuses (*Tu sens bon comme la vie* [2]) ou des rêveries baignées de fraîcheur (*Les petits arbres de la berge font des ombres rondes dans le soleil* [3]) ou encore lyrique violence pour évoquer les objets de l'antiquaire (*Tes bois vermoulus sonnent creux, comme des os!... C'est le squelette du passé que tu aimes!...* [4]), tout dans *Le Marchand de regrets* contribue à nourrir un langage poétique qui s'accompagne par ailleurs d'adages, d'onomatopées, de néologismes, de locutions et de chants populaires. Cette manière composite et déroutante d'exploiter ce qui peut sécréter de l'effroi et du mystère apparaît ici pour la première fois à ce niveau d'intensité. Elle atteindra peut-être à ses plus riches ressources dans *Tripes d'or.*

Quelques exemples pris dans cet acte en prose suffisent à donner l'idée de ce qu'elle a commencé par être :

> Et vous le diable viendra vous chatouiller les pieds avec des poils de cochon, impie ! — Il ressemble à l'enfant de Christine qui est né d'une envie d'oiseaux et d'une peur des rats ! [5] — Toi ! tu irais voler les morts entre leurs racines, harpie !... [6]

1. *Synthèse du tragique et du comique dans le théâtre de Fernand Crommelynck.* Mémoire de licence. Bruxelles, Université Libre de Bruxelles, 1962, p. 13.
2. *Le Marchand de regrets,* p. 231.
3. *Idem,* p. 238.
4. *Ibidem,* p. 236.
5. *Ibidem,* p. 241.
6. *Ibidem,* p. 243.

Maléfices et conjurations, refrains campagnards et grimaces de bouffons, croyances séculaires et légendes fantasmagoriques créent un monde insolite auquel le support matériel et raisonné de l'intrigue confère, par contrastes, un maximum de présence.

À partir de cette ambiance mi-réelle mi-surréelle, toutes les angoisses et tous les enchantements sont possibles. Et même attendus.

Daté de 1909, l'acte ne parut toutefois dans *La Vie Intellectuelle* qu'en 1913, trois ans avant d'être édité en volume [1].

On le donna, dès avril de la même année, au Théâtre du Parc, en même temps qu'*Une Nuit de Shakespeare* d'Horace Van Offel.

Le soir de la générale, l'excellent poète Paul Desmedt, auquel la première édition de l'œuvre est dédiée, vint sonner à la porte de Crommelynck et offrit à celui-ci un superbe châle de cachemire des Indes, en souvenir de l'événement.

C'était un original qui, vers la fin de sa vie, fit don à ses domestiques de la maison qu'il occupait ; à condition de pouvoir y garder une chambre pour son propre usage. Il fut l'un des premiers à collectionner des tableaux d'Ensor, de Permeke et de Spilliaert et en légua quelques-uns au Musée de Bruxelles. En refusant toutefois de voir figurer son nom parmi ceux des donateurs.

Au dire de la presse, M^lle^ Dudicour, MM. Marey et Blancard ont bien interprété *ce petit drame à la manière noire* [2]...

En dépit de *la funeste esthétique impressive* que Louis Dumont-Wilden y trouve encore (l'étiquette inventée par Armand Bour reste décidément collée au nom du dramaturge), le critique reconnaît :

> c'est l'œuvre d'un poète, incontestablement, que cette étrange pièce. Le dialogue fourmille d'expressions neuves et charmantes — c'est très joli cette façon de désigner un antiquaire : « Le Marchand de regrets » ... [3]

1. Bruxelles, Ed. « Alde », 1916, 50 p.
2. *La Gazette*, 13 avr. 1913.
3. *L'Indépendance belge*, 14 avr. 1913.

Trois ans plus tard, le 8 octobre 1916, Le Théâtre Volant la reprend à Bruxelles avec l'auteur dans le rôle de l'antiquaire et avec sa femme dans celui d'Anne-Marie. Et il la joue une fois encore en 1917.

Otto Riemasch en parle comme d'une *pièce sombre et lourde,* inférieure, croit-il, au *Sculpteur de masques* [1].

Une reprise aura lieu dans cette même ville, dix ans plus tard, en février 1927, aux Galeries [2]. Fernand Crommelynck et sa femme en sont toujours les principaux interprètes.

Charles Desbonnets loue cette langue *châtiée* et *serrée* qui a provoqué une dizaine de rappels [3].

Quatre mois après: regain de succès qui frise le triomphe!

Enthousiasmée par la pièce, Mme C. P. Simon en a composé l'accompagnement musical. Elle parvient même à l'orchestrer brillamment, si l'on en croit l'avis autorisé d'un Florent Schmitt [4]. À telle enseigne qu'en juin 1927, les Pitoëff, séduits par *Le Marchand de regrets,* décident qu'il sera monté au Théâtre des Arts, en même temps que *L'Indigent* de Charles Vildrac et *Le Miracle de Saint-Antoine* de Maurice Maeterlinck.

Efficacité de la partition, perfection du jeu de la grande Ludmilla dans le rôle d'Anne-Marie, mise en scène de son époux, dans une atmosphère moyenâgeuse, tout contribue à une réussite à laquelle l'auteur ne s'attendait guère, mais que Florent Schmitt estime justifiée:

> Là est la véritable originalité de Fernand Crommelynck, la voie d'où l'on souhaiterait ne pas le voir s'écarter.

Georges Pioch admire *l'accent âpre, profond, vrai* de cette œuvre de jeunesse, de dix années la cadette du *Cocu magnifique, qui annonce un grand comique, et un poète* [5].

Lucien Dubech qui, jusqu'en 1927, n'a jamais apprécié le théâtre de Crommelynck, lui est indulgent. Certes, il y va de sa rosserie habituelle:

---

1. *Belgischer Kurier,* 11 jan., 1917 (traduction de Patrick Crommelynck).
2. On donnait en même temps au programme *La Grande Catherine* de Bernard Shaw.
3. *Midi,* 1er févr. 1927.
4. *Paris-Matinal,* 24 juin 1927.
5. *La Volonté,* 20 juin 1927.

> Que Monsieur Crommelynck ait toujours paru, jusque dans son nom, une contrefaçon de Monsieur Maeterlinck, c'est une vérité première à la portée des innocents. Spécialement, « Le Marchand de regrets » ressemble à une parodie de « Pelléas et Mélisande » [1].

Pourtant, il reconnaît que, de tous ses ouvrages, *c'est le seul qui soit supportable* et que sa prose *est ici d'une poésie charmante* [2]. Cette concession venant de Dubech a valeur d'éloge, mais n'en est pas un en réalité.

Le texte date en effet de 1909, époque où l'auteur n'a pas encore rompu toutes ses amarres avec le réel et le rationnel. C'est pour cette raison que ce chroniqueur, maniaque de la clarté, daigne y découvrir un certain talent.

Quoi qu'il en soit, le drame vivifié, rajeuni, prend son élan et connaît une quarantaine de représentations parisiennes dont les principales ont lieu au Théâtre des Arts et au Théâtre de Babylone.

En Belgique, le succès s'est manifesté de manière peut-être moins frappante qu'en France, mais plus continue [3].

Entre 1908 et 1913, Fernand Crommelynck et Horace Van Offel vivent ensemble les débuts de leur carrière.

Ils se retrouvent régulièrement au Cygne, en compagnie de peintres et d'écrivains, tels que Montald et Verhaeren.

Passent des défilés organisés en l'honneur des rois ou des présidents qu'Albert Ier invite. Du 25 au 27 octobre 1910, Bruxelles s'est mise en frais pour recevoir Guillaume II. Les régiments des lanciers (ceux qui allaient être placés en première ligne dès 1914) ont fière allure avec leurs soldats vêtus d'uniformes à brandebourgs et coiffés de chapskas polonais.

Mai 1911. C'est l'arrivée de Fallières, puis, en juillet, celle de la reine Wilhelmine de Hollande dont le chapeau amuse follement nos artistes. Van Offel peint les derniers moments de répit avant le cataclysme dans ses *Confessions littéraires*.

---

1. *L'Action française*, 31 juil. 1927.
2. *Candide*, 30 juin 1927.
3. App. p. 397.

Habitant Bruxelles, Crommelynck conserve toutefois un logis à Paris où il se rend souvent. Peut-être tente-t-il de s'y faire jouer. Mais après *Le Sculpteur de masques*, il n'y parvient guère.

En 1913, il quitte son appartement du numéro 10, rue Friant pour s'installer au troisième étage du 517, avenue Louise, non loin du bois de la Cambre.

Le père d'Anna vient de mourir, laissant à sa fille un petit héritage; les Crommelynck mènent une vie relativement aisée dans un cadre confortable. Au salon couvert d'un tapis rose, trône un portrait de l'écrivain peint par Wagemans. Une annexe de la pièce fait office de salle à manger où l'on sert fréquemment des repas aux camarades.

L'argent, dans les rares moments où il en possède, n'est, aux yeux du maître de maison, qu'un moyen de recevoir et de combler ceux qu'on aime. Il n'a jamais su le conserver.

# IV. LE THÉÂTRE VOLANT

## 1. Salut et adieu aux armes

En 1914, le ménage s'installe dans une maison à façade mauresque de l'avenue de Tervuren. Avec le frère d'Anna, le peintre Hector Letellier, et leur mère malade qui mourra un an plus tard.

C'est le moment où les portes des théâtres bruxellois et parisiens devraient s'ouvrir devant Crommelynck. La guerre va toutefois mettre fin, de longues années durant, à la plupart des projets.

Le roi Albert s'adresse au pays d'une voix sourde mais déterminée.

Dès les premiers jours, règne le désarroi.

Des espions — vrais ou faux — se font tuer dans les rues de la capitale et des trains de blessés commencent à arriver du front.

Lorsque la Belgique est envahie, Fernand Crommelynck veut s'engager, mais ne sait à qui s'adresser. En attendant, il se promène avec Horace Van Offel à la Grand-Place. Non loin du Cygne qui appartient à présent à sa belle-mère.

Le marché s'est vidé de ses fleurs. Les hussards allemands y chevauchent vêtus de gris, tandis que se fait entendre *le chant cadensé des fifres et des tambours* [1].

Van Offel décrit les troupes en traits de plume aigus :

> Masses serrées, manœuvrant chacune comme un cloporte géant. Les chefs de bataillons se tenaient roides en selle, drapés dans leurs longs manteaux couleur de pierre. Ils aboyaient des ordres brefs, en levant leur sabre court.
>
> Devant l'Hôtel de Ville les fantassins prirent le pas de parade. C'était grotesque et terrible, comme une danse de guerriers canni-

1. *Confessions littéraires*. Bruxelles, Nouvelle Société d'Éditions, 1938, p. 156.

bales... Alors nous vîmes entrer à la brasserie du « Cygne » une vingtaine de troupiers... Ils demandèrent à boire [1].

Mais ce que Van Offel ne raconte pas, c'est le bon tour que Crommelynck a joué aux soldats allemands.

L'occupant va bientôt réquisitionner les dépôts de vins des cafés et des restaurants bruxellois. Fernand propose alors aux consommateurs du Cygne qui ont commandé une bière de recevoir un verre ou deux des meilleurs crus pour le même prix. De cette façon, la cave des Letellier sera vidée avant que l'ennemi puisse en profiter.

La brasserie familiale dont personne n'aura désormais la possibilité de s'occuper sera cédée un an après ces événements.

Que faire, pour des jeunes Belges, au moment où leur pays est envahi ? Les deux compagnons essaient de rejoindre le front.

Et les voilà partis à bicyclette. À Vilvorde et à Eppegem, ils ne rencontrent que des ambulances à chevaux. À Waterloo, les commerçants continuent à vendre paisiblement leur viande et leurs frites, leurs cartes postales et leurs souvenirs.

Plus loin, des Prussiens leur offrent à boire. L'écrivain refuse d'un air hautain, si bien que, intrigué, l'un d'eux demande à Van Offel qui il est.

— C'est un poète.

— Ach so ! s'écria le Boche saisi de respect et portant la main à son shako.

Se tournant vers son compagnon, penché sur ses écritures, il répéta :

— Das ist ein Dichter.

L'autre leva la tête et répliqua flegmatiquement :

— Je le voyais à sa figure... [2]

En dépit de cette admirative compréhension, mieux vaut poursuivre sa route.

Tous deux sont affolés à la vue des fermes en feu et des cadavres de soldats belges. Chemin faisant, Crommelynck apprend la mort d'un de ses cousins, Désiré De Paepe.

---

1. *Confessions littéraires*, p. 157.
2. *Idem*, p. 163.

À Ninove, les maisons sont encore intactes. Fernand et Horace y font une halte relativement paisible jusqu'au lendemain.

Après un demi-jour de marche, force est aux jeunes gens de constater que toutes les colonnes ennemies avancent dans la même direction qu'eux. Les voilà repoussés en sens inverse. Trempés de pluie et harcelés par la faim, ils sont pris en pitié par deux jeunes filles qui les cachent dans une brasserie. Des soldats allemands y logent et se distrayent en jouant « Le Beau Danube bleu » sur un vieux piano.

Puis, c'est le départ pour Gand dont l'accès semble relativement dégagé. Mais des régiments viennent de s'installer aux alentours du Beffroi et de Saint-Bavon. Que faire pour subsister et continuer sa route, se demande Van Offel ?

> Je me fiais beaucoup à l'habileté de Crommelynck pour nous tirer d'affaire. Il avait sur lui quelques actions de la ville de Bruxelles [1].

Les banques sont évidemment fermées !

Loin de perdre la tête, le dramaturge se souvient alors d'un hôtel où on l'avait hébergé, quand *il rêvait de devenir champion cycliste* [2]. L'aubergiste les reçoit sur leur bonne mine et sur celle des actions de Bruxelles !...

Il ne leur fait grâce d'aucune de ses opinions sur la politique et sur la guerre dont les Allemands, selon lui, ne sortiront pas vainqueurs. Le lendemain, les compagnons de route suivent la direction d'Alost. Ils croisent de nombreux détachements ennemis.

Sinistre parcours au long des chemins bordés de tombes sur lesquelles sont plantés des casques allemands ou des armes brisées.

Arrivé dans la petite ville, Crommelynck installe son camarade dans une auberge et tente de trouver de la nourriture. Une fois de plus, il se débrouille et revient en brandissant triomphalement deux morceaux de porc et une boîte de petits pois. Comme Van Offel explique en geignant qu'il se sent incapable de reprendre le chemin de la capitale, Fernand lui rétorque avec l'énergique vivacité qui le caractérise :

1. *Confessions littéraires*, p. 171.
2. *Idem*, p. 174.

— Pas de blagues... Ou tu n'as rien ou tu agonises. Si tu n'as rien nous serons à Bruxelles ce soir. Si tu es en train de mourir, autant mourir plus loin qu'ici. En tout cas je ne peux pas t'abandonner [1].

Et les voilà repartis par un soir glacial.

Ainsi s'achève pour l'écrivain la tentative de servir son pays. Il n'y a plus qu'à attendre la fin de la guerre dans les meilleures conditions possibles.

## 2. Le Théâtre Volant

En 1916, les Crommelynck s'installent au Mont des Arts, 57, Montagne de la Cour [2].

Coupé de ses liens avec Paris à une époque peu propice aux projets, que pouvait faire le dramaturge ?

Il eut l'idée de créer sa propre troupe, le Théâtre Volant.

Un homme d'affaires de ses amis, M. Vos, lui apporta une aide matérielle. Il reçut de l'écrivain, en témoignage de gratitude, son portrait peint par Arthur Navez.

Anna tenait sur scène les premiers rôles féminins sous le pseudonyme d'Anne-Marie Tellier, tandis que son frère, le peintre Hector Letellier, brossait les décors. Albert Crommelynck fut réquisitionné pour interpréter les rôles d'enfants.

Des musiciens faisaient partie du groupe. Ils étaient dirigés par deux chefs d'orchestre qui se relayaient : Redeghieri et Carpil.

Ce dernier était d'ailleurs un curieux bonhomme, une sorte d'illuminé, inventeur d'une méthode particulière à l'usage des jeunes : « la culture du beau par la fleur ». Les gosses devaient bêcher, sarcler et planter, au rythme d'une musique qu'il avait inventée. Il s'agissait d'une sorte de gymnastique Dalcroze qui poursuivait un but à la fois esthétique et utilitaire.

Le Théâtre Volant, son nom l'indique, volait d'un endroit à l'autre dès qu'une salle était libre : au Palais de glace, à la Gaîté,

---

1. *Confessions littéraires*, p. 177.

2. C'est leur avant-dernière adresse bruxelloise, avant leur départ définitif pour Paris, le 15 décembre 1918, la dernière étant le 14, rue Froebel.

à la Scala et à la Salle Patria où le célèbre Théâtre du Marais, fondé par Jules Delacre, devait s'installer en 1921 [1].

On pouvait y assister à des séances poétiques au cours desquelles des fables de La Fontaine et des poèmes de Verhaeren étaient dites par Maurice Chomé, professeur au Conservatoire royal de Bruxelles.

Des spectacles pour enfants, intitulés *Les Contes de la grand-mère,* obtinrent un vif succès. C'est Fernand Crommelynck qui les composait et les animait. Habillé d'un costume du XVIIIe siècle, il s'asseyait et ouvrait un livre où il feignait de lire, tandis que des acteurs jouaient ce qu'ils entendaient. De ce texte dont la magie verbale charme et surprend, on n'a malheureusement conservé qu'un fragment dont voici un extrait :

> Cris des oiseaux bavards et des longues étoiles filantes, chants des flots tachetés comme un pelage, murmures des feuillages aériens, des sources diamantines, sifflement du vent qui roule des boules de nuages neigeux, chansons des grillons frileux, des grenouilles au ventre mou : toutes les voix du monde sont enfermées dans ma tête creuse comme le bruit de la mer dans les grands coquillages [2].

Afin que les personnages de ces récits ressemblent à des pantins géants, leur visage était couvert d'un masque. Pour créer l'illusion qu'ils étaient manœuvrés par le haut, leur tête et leurs mains étaient attachées à des fils qui descendaient du cintre du théâtre.

Leurs manches et leurs gants, fourrés de carton, donnaient l'impression de la raideur.

Les principaux héros des *Contes de la grand-mère* sont : le roi et la reine Ghislaine, parents de Clairmondine, le prince charmant, la sorcière Costronyx et le nain noir qui était représenté par Albert Crommelynck, âgé, à l'époque, de 14 ans. Mais l'adolescent tombe malade. La fièvre grippale hâte sa croissance. Il est

1. Au 23 de la rue du même nom. Les meilleurs comédiens belges y passèrent avant d'aller faire leurs débuts à Paris : Raymond Rouleau, Tania Balachova et Lucienne Bogaert. Copeau, Dullin, Baty et Pitoëff louèrent la salle entre 1921 et 1926. Yvette Guilbert y chanta en 1923. Cette scène théâtrale, qui fut aussi une scène politique fréquemment ouverte aux meetings de l'après-guerre 14-18, a été démolie en 1971.

2. *Le Théâtre Volant.* Programme, saison 1916-1917, s.p.

devenu trop grand pour jouer le rôle qui est désormais confié au petit Jean Crommelynck, fils de l'écrivain.

Les mésaventures de la malheureuse Clairmondine prennent trois actes en plusieurs épisodes : *La Naissance de Clairmondine, Le Puits et la tour, La Maison des neiges* et *L'Amour contrarié.* C'est au deuxième acte que se dessinent les événements les plus palpitants tels que *Acariâtre fiancée* et *L'Évasion.* Tout finit bien, comme il se doit, dans la rôtisserie du prince charmant.

L'essentiel du répertoire du Théâtre Volant était composé de pièces classiques ou renommées : *Kean* d'Alexandre Dumas, *Triple-patte* de Tristan Bernard, *Musotte* de Maupassant et Jacques Lenormand, *Les Amants* de Maurice Donnay et *L'Horlogère espagnole,* une comédie bouffe de Franc-Nohain. Marguerite Duterme, un excellent auteur belge injustement oublié, y vit jouer sa *Maison aux chimères.*

Le rôle principal de *La Comédie de celui qui épousa une femme muette* d'Anatole France fut donné à Nossent, qui est mort il y a quelques années. C'était un excellent comique. Selon le dramaturge, ce genre d'acteur est souvent plus expérimenté que les autres ; on peut donc leur confier les rôles les plus difficiles.

En 1940, quand Crommelynck montera *Chaud et froid,* aux Galeries, il voudra que Nossent soit le bourgmestre. L'artiste est âgé. Il vit à l'hospice. Il faut donc aller le chercher et le ramener chez lui chaque soir. Le comédien fera du rôle une inoubliable composition.

Le Théâtre Volant ne manque pas de reprendre les pièces de son directeur artistique : *Le Sculpteur de masques,* tout auréolé encore des remous parisiens qu'il avait provoqués et *Le Marchand de regrets* dont l'auteur et sa femme étaient les principaux interprètes.

L'impression des programmes était payée par de la publicité qui reflète l'ambiance de ces années : après le spectacle, on pouvait se désintellectualiser en dégustant chez soi « le meilleur bouillon Waukee officiellement diplômé ». Hors de chez soi, Bruxelles-kermesse, une brasserie de la rue des Pierres, offrait, en dépit d'une ère de restrictions, des concerts-attractions. Tels étaient les rares points lumineux semés sur le ciel d'une ténébreuse période de privations.

Crommelynck nourrissait, depuis un certain temps déjà, un projet qui ressemblait fort à un rêve : celui d'un théâtre gratuit pour tous. La publicité des programmes en couvrirait les frais.

Il tenta pour la première fois l'expérience en 1917, au Palais de glace. Sa troupe y donna *Le Sculpteur de masques*. L'idée qu'il n'y aurait rien à débourser pour assister à la représentation se répandit rapidement parmi les gens qui se rendaient aux diverses associations de secours créées en 1914.

Il faut imaginer cette atmosphère de guerre, les appétits aiguisés par une faim perpétuelle, les vêtements et les espoirs usés juqu'à la corde. Soudain, on leur propose autre chose que du pain, de la laine et des médicaments, autre chose que le nécessaire. Un luxe suprême : le superflu... C'est avec un sentiment de gratitude émerveillée que plus de quinze cents personnes se rendirent au spectacle qu'on leur offrait.

B. O. Nichemard, journaliste d'un quotidien dont je n'ai pu identifier ni le titre ni la date exacte, a conté l'aventure. Le jour venu, *dès cinq heures, on avait attendu sous la pluie... On avait sorti pour la circonstance la vieille redingote des fêtes carillonnées de jadis, la vieille redingote à présent devenue beaucoup trop large, la robe si souvent déjà raccommodée.*

Puis ce fut l'enchantement d'une représentation qui fit oublier bien des misères. La reconnaissance en accroissait encore le rayonnement. En un mot, ce fut du délire.

*Si vous aviez vu comme moi,* ajoute ce critique, *toute cette salle de pauvres debout, criant à la chute finale du rideau :* « *Merci, merci, merci!...* ».

Bien qu'elle se soldât par des pertes d'argent spectaculaires, l'expérience du Théâtre Volant constitua pour Crommelynck un enrichissement. Il eut l'occasion de se familiariser avec le côté pratique du métier : utilisation des décors, connaissance des divers rôles et des effets qu'on peut en tirer. Enfant de la balle, il y trouva matière à developper un sens scénique dont allaient bénéficier ses écrits. Ce fut le cas pour *Les Amants puérils* qu'il écrivit probablement vers 1913 et qui, nous le verrons plus loin, fut créé à Bruxelles.

Quoiqu'il en soit, c'est durant cet apprentissage que s'ébaucha en lui, vers 1916, une pièce qu'il rédigera en 1919 : *Le Cocu magnifique.*

# V. « LE COCU MAGNIFIQUE »

## 1. Retour à Paris et travail au marbre

Au lendemain de la guerre, ce fut le départ pour Paris : le 15 décembre 1918.

Les Crommelynck y rejoignent Horace Van Offel et le peintre André Blandin qui fut l'ami d'Apollinaire.

Van Offel s'est choisi un curieux logement où il mène une vie de bohème, entouré d'amis, de chats et de décors qu'il prépare pour un théâtre de fantaisie.

Après s'être installé rue Volta, *dans un hôtel borgne, véritable coupe-gorge, avec des filles en carte, des apaches et des duels au couteau à tous les étages* [1], Crommelynck cherche du travail. Il est tout d'abord engagé à *L'Homme libre*, le journal de Clemenceau, où il se fait trois cent cinquante francs par mois. Comme les collaborateurs de cette feuille utilisent des pseudonymes, on peut difficilement savoir quelle est la part que l'écrivain a eue dans les activités du journal.

Puis, il travaille à *L'Éclair* que dirige Émile Buré.

C'est de ce moment aussi que datent les récits qui m'ont permis de restituer l'atmosphère de son enfance à Laeken. Rappelons qu'ils ont paru tantôt dans *Le Matin*, tantôt dans *L'Avenir*.

La rubrique « nouvelles » de celui-ci fait également apparaître les noms d'Edmond Jaloux, de Gustave Kahn, de Roland Dorgelès et de Francis de Miomandre.

Crommelynck y donne, de 1918 à 1919, trois *Contes fantastiques* [2].

---

1. *Confessions littéraires*. Bruxelles, Nouvelle Société d'Éditions, 1938, p. 216.
2. *Textes inconnus et peu connus de Fernand Crommelynck*. Bruxelles, Académie Royale de Langue et de Littérature Françaises, 1974, pp. 285-301.

Le premier, *La Maison des hiboux,* déjà publié en Belgique [1], fut repris dans le quotidien parisien [2].

Cette peinture sordide de l'avarice annonce, par certains aspects, celle de *Tripes d'or,* qui sera représenté en 1925.

Des images telles que *la caravane des dunes* ou *les longues chevelures de sable* situent immédiatement l'action de *L'Ouragan* [3] sur les bords de la mer du Nord.

Un jeune gars, *au visage désachevé,* séduit la femme du robuste pêcheur pour lequel il travaille. Drame qui préfigure *Le Cocu magnifique* puisque le récit, comme la pièce, évoque la jalousie du héros envers un marin nommé Pétrus.

Crommelynck atteint ici, en un minimum de mots, à un maximum d'oppressante puissance dramatique.

Le thème des *Jumeaux* [4] est d'une poignante originalité. Le narrateur attend un enfant de la femme qui, à ses yeux, symbolise l'unicité de leur sentiment. Il en naît deux : des jumeaux qui se ressemblent, mais diffèrent par le caractère. Le père devient fou à l'idée qu'ils ne sont pas le reflet de la pureté inaltérable de l'amour, mais de sa menteuse duplicité. Aussi tente-t-il de les tuer.

Prélude à la démence :

> Un jour, dans mon miroir, j'ai vu ma propre image me mentir. Quand j'y pense, je sens contre ma peau toutes les flammes de l'enfer. Ma propre image ! J'avais ouvert la bouche, tendu le bras, et le miroir m'avait laissé, dans ses profondeurs, immobile et curieux [5].

Les *Contes fantastiques* sont écrits d'une main sèche et preste ; le dialogue se déroule avec une économie de paroles qui dénote l'homme de théâtre. Ils furent composés d'un seul jet. Le plus souvent dans un café, situé en face de la rédaction du journal qui les imprimait le jour même. L'auteur y voyait surtout une source de revenus. Son impécuniosité l'a bien inspiré.

---

1. *Album du premier mai 1913 — En l'honneur de la grève générale.* Bruxelles, Presse Socialiste, 1913, s.p.
2. *L'Avenir,* 24 déc. 1918, p. 3.
3. *Idem,* 22 janv. 1919, p. 3.
4. *Ibidem,* 9 févr. 1919, p. 3.
5. *Textes inconnus et peu connus de Fernand Crommelynck,* p. 301.

Crommelynck n'a pas coupé ses liens avec Bruxelles. Certains de ses poèmes paraissent de temps à autre dans des revues de la capitale. L'un d'eux, *Épitaphe* [1], se situe dans un climat de jeune verdure et de mort au sein desquels s'expriment de puériles amours. Il fait penser, en moins bien, à *Miroir de l'enfance* dont il ne possède ni la simplicité de ton ni la rigueur verbale.

Un autre poème, vraisemblablement écrit à la même époque, paraîtra un an plus tard [2]; il débute par :

> Le dernier souvenir brûle encor sous la cendre...

et se déroule avec une mélancolique lenteur dans un climat de rêve discret proche de celui d'Henri de Régnier :

> Tout devient étranger dans ce bosquet natal ;
> Le jardin sans couleur ni parfum se recueille,
> Apparaît découpé dans un sombre métal... [3]

Désormais, c'est surtout le théâtre qui absorbe l'écrivain.

L'année 1920 est relativement paisible. Un incident l'a cependant perturbée. Il faut opérer le petit Jean d'une mastoïdite, intervention, à l'époque, délicate, sinon dangereuse.

Albert, de passage à Paris, aide son frère à transporter l'enfant à la clinique. Après l'opération, il s'installe au chevet de l'adolescent et dessine le visage bandé de gaze qui essaie de se détendre.

Nous sommes au mois de mars. Crommelynck a quitté l'hôtel de la rue Volta pour un modeste logis, rue Rodier. C'est là qu'il écrit en une nuit le premier acte d'une pièce dont le thème le poursuit, je l'ai dit, depuis 1916 : *Le Cocu magnifique.*

Cette précision me vient de son cadet qui, ce soir-là, partagea avec lui sa chambre étroite. Impossible de fermer l'œil sur le divan où Albert repose et qui se trouve un peu en dessous de la table de l'écrivain. De temps en temps, celui-ci y frappe quelques

---

1. *La Bataille littéraire,* n° 2, avr. 1920, pp. 64-65.
2. *La Nervie,* sept.-oct. 1921, p. 419.
3. Ce dernier vers, qui n'est pas retranscrit dans *La Nervie,* figure dans le poème manuscrit qui appartient à Albert Crommelynck.

coups pour attirer l'attention de son frère et lui fait lire la liasse de feuilles qu'il vient d'écrire.

À l'aube, Anna fait du café pour réconforter son mari et son jeune beau-frère. L'acte est achevé sans une rature. Le deuxième et le troisième le seront en juillet et août 1920, à Saint-Cloud, dans la maison où habita Verhaeren et où vit encore sa veuve, au numéro 5 de la rue qui porte de nos jours le nom du poète et qui, à l'époque où nous sommes, s'appellait rue Montretout.

## 2. Départ pour la gloire

Ah ! Ah ! l'amour est une sacrée farce !
(*Le Cocu magnifique*)

L'action du *Cocu magnifique* se déroule en Flandre, non loin de Courtrai, dans un ancien moulin à eau qui a été transformé en habitation. Une large pièce éclairée par plusieurs fenêtres qui ouvrent sur le ciel et sur la verdure, un escalier qui conduit à la galerie de l'étage où donnent les portes des chambres à coucher, voilà l'essentiel d'un décor que Crommelynck a voulu, au début de l'action, plein de couleurs vives, d'oiseaux familiers et de pots de géraniums. Au second acte, les volets fermés créent une sensation de chaleur suffoquante qui s'accorde avec l'exaltation croissante du héros. Au troisième enfin, l'auteur suggère la présence d'une campagne automnale qui s'assortit à la détérioration des sentiments.

L'évolution des caractères ne peut se définir qu'après une narration précise de l'intrigue :

Stella attend avec impatience le retour de son mari, Bruno, écrivain public de son métier et poète à ses heures.

Il est parti à la ville depuis la veille pour aller chercher leur cousin et ami, officier de marine qui rentre de voyage. Pétrus passera quelques jours de détente chez le jeune ménage.

Tandis que Romanie, la nourrice, prépare le repas qui doit réunir les jeunes gens, l'épouse reçoit des visiteurs inattendus : Ludovicus, le bouvier qui veut l'enlever et que la vieille servante chasse à coups de gourdin, puis le comte de l'endroit qui essaie en vain d'en faire autant et se trouve, à son tour, éjecté.

Mais voici Bruno. Il est seul. Pétrus qui avait à s'occuper de ses bagages ne le rejoindra que plus tard.

Les amants qui s'adorent en profitent pour se cajoler et bêtifier à loisir. Jusqu'au moment où paraît le bourgmestre qui demande à l'écrivain public de lui rédiger une proclamation pour ses concitoyens. Ce dernier la dicte à son secrétaire Estrugo. Mais, au grand ahurissement du brave édile, il truffe à tout bout de champ le texte d'allusions à la beauté de sa femme. Le scribe imperturbable note scupuleusement.

Une dernière missive est réclamée par Ludovicus qui n'a pas craint de revenir. Bien qu'il s'agisse d'une déclaration d'amour à son épouse, le mari accepte en souriant de l'écrire et de la transmettre à qui de droit.

Attitudes étranges qui préludent au futur comportement d'un forcené.

Nous allons assister à la montée de la jalousie à l'état pur, celle que ne justifie aucun motif. Elle rongera progressivement la vie intérieure du héros et finira par la démantibuler.

Pétrus arrive enfin.

Les trois amis évoquent avec bonheur leurs souvenirs d'enfance. Bruno revient pourtant sans cesse à son sujet favori ; à la plus merveilleuse des femmes, la sienne, qu'il importe d'admirer.

Il la fait pirouetter, la prie de montrer ses jambes, puis brusquement lui dénude un sein à la grande confusion de la jeune femme qui se cache le visage.

Mais il croit surprendre une flamme dans le regard de son invité et assène à celui-ci un gigantesque soufflet.

Par là, la comédie devient farce et bientôt, drame. Le héros prend conscience de son excessive jalousie que Pétrus avait d'ailleurs prévue, lorsqu'il avait fait remarquer à son ami :

> Bruno, tu l'aimes trop [1].

Après le départ du voyageur, le malheureux, qui se croit cocu et le proclame à qui veut l'entendre, commence à torturer sa compagne et à lui faire subir un pressant interrogatoire.

1. *Le Cocu magnifique*, Théâtre, t. I. Paris, Gallimard, 1967, p. 41.

Crise de larmes de l'innocente créature qui, loin de le calmer, lui fait au contraire demander à brûle-pourpoint :

Pourquoi pleures-tu ? Pourquoi, qui, qui, pleures-tu ? [1]

Au deuxième acte, Bruno s'entretient avec Estrugo qui symbolise son for intérieur. C'est un personnage qui se tait et donne rarement tort à son maître. Ce dernier ne cesse pourtant de l'accuser de complicité avec son épouse.

Quant le scribe le quitte, le jaloux ouvre la porte de la pièce où Stella est prisonnière. Elle en sort revêtue d'une lourde mante, la figure dissimulée derrière un masque grossièrement peinturluré qui montre à quel degré d'inventive cruauté l'époux en est déjà arrivé.

La pauvrette subit les questions et les injures les plus avilissantes auxquelles elle répond avec résignation et douceur.

Nulle parole ne peut toutefois calmer son bourreau.

Par moments, il se rend compte de son attitude odieuse. Mais l'obsessive angoisse l'emporte et lui suggère un projet monstrueux qu'il confie à sa compagne. Au doute qui le tue, il préfère la certitude d'être trompé tout de suite, sous son propre toit, et avec quelqu'un qu'il connaît. Pétrus, par exemple.

Terrifiée tout d'abord par cette proposition aberrante, Stella finit par se laisser convaincre. Que n'accepterait-elle pour sauver le bien-aimé de sa hantise ?

Estrugo va trouver le marin et réussit à le ramener sous le prétexte de le réconcilier avec son maître.

Quand le cousin apprend le motif véritable de l'entrevue, il en est suffoqué et commence par se rebiffer. Mais, piqué au vif par des remarques désobligeantes quant à sa virilité, il finit par emporter Stella dans la chambre à coucher, sous les yeux de son mari qui s'est arrangé pour être hors d'état de l'en empêcher. Sur son ordre, le secrétaire est chargé d'opérer le constat par le trou de la serrure. Il en est affolé.

Le héros a cependant présumé de ses forces et laisse jaillir ce cri douloureusement comique :

1. *Le Cocu magnifique*, p. 48.

Stella, je me trouve assez cocu !... [1]

En tout cas, il l'est officiellement pour le bourgmestre et pour la foule de villageois qui font irruption sur la scène, au moment où les jeunes gens sortent de la chambre.

Malgré l'évidence de son infortune et l'assurance qui lui en est donnée par Pétrus lui-même, le malheureux n'y croit pas.

Mais si ce n'est pas lui le coupable, qui est-ce donc ? Le sacrifice de la jeune femme n'a donc servi à rien.

Un autre stratagème va peut-être apporter la réponse définitive.

Fait cocu par un seul homme, le héros de la pièce veut l'être avec une magnificence accrue : par les soins empressés de toute une bourgade à laquelle il offre désormais sa compagne.

Le vrai coupable, ce sera celui qui ne voudra pas d'elle.

Les prétendants affluent comme bien on pense. Pour obéir à son tourmenteur, Stella les accueille sans broncher. Elle pleure moins qu'au premier et au deuxième acte. Tout au plus prie-t-elle parfois Bruno de la protéger contre les convoitises trop brutales.

Lui surveille les allées et venues des soupirants, tandis que les villageoises auxquelles ils ont été enlevés commencent à mijoter des projets de vengeance.

Paradoxalement, le seul qui refuse de participer à ce viol collectif, c'est Ludovicus, le bouvier.

À présent, tout tourne à l'envers dans un climat de malsaine bizarrerie, mélange de réjouissance et de fureur : celui de la kermesse au village et de la révolte des femmes trompées.

Stella perd courage. Aime-t-elle encore ? Elle pose la question à sa nourrice par un soir d'été où son époux a quitté la maison ; puis elle monte se coucher.

Passent deux hommes qui chantent la sérénade sous son balcon. C'est Estrugo et son maître déguisés. Ce dernier la supplie de lui ouvrir sa fenêtre, mais elle refuse. Jusqu'au moment où la ressemblance du galant avec son bien-aimé l'émeut et la séduit.

Le jaloux se retrouvera dans le lit de son épouse à l'insu de celle-ci. Il sera fait cocu par lui-même.

1. *Le Cocu magnifique*, p. 78.

Quand Bruno sort de la chambre, il ôte son loup en présence de sa compagne épouvantée et des mégères qui sont venues à point nommé pour se venger et le venger. Elles emportent la malheureuse vers la rivière où elle sera gratifiée d'un bain forcé.

Resté seul, le mari se demande si la rouée ne l'avait pas reconnu sous son masque.

Rien n'est donc fini et le tourment persiste dans la conscience meurtrie du désespéré en proie à ses hallucinations. Il ne voit plus d'autre solution que de supprimer celle qui en est la cause.

Ayant échappé aux harpies, Stella revient du village. Son corps a souffert, mais son âme est apaisée, parce qu'elle a expié ses fautes bien involontaires, faut-il le dire. Misérable et grelottante, elle est enveloppée de la houppelande du bouvier qui l'a sauvée de la mort et qui l'accompagne en souriant.

Quand Ludovicus lui demande s'il peut enfin l'emmener dans sa cabane, la jeune femme dit tout d'abord non, hésite, puis comprend soudain qu'elle est devenue amoureuse de son protecteur. À condition de pouvoir lui *demeurer fidèle* [1], elle est prête à le suivre.

Au moment où elle s'en va, le cocu imaginaire ne pense pas un instant qu'il est abandonné. C'est une nouvelle comédie qu'on lui joue pour égarer ses soupçons, pense-t-il en ricanant.

Non, on ne la lui fait pas ! Voilà la signification du poignant éclat de rire qui retentit, tandis que le rideau tombe.

Crommelynck l'a affirmé :

> Dans « Le Cocu », il y a un personnage, Bruno. Les autres sont des miroirs. Ce jeu de glaces construit et explique la pièce [2].

Ces glaces, elles ont été amoureusement polies et il importe d'examiner leur pouvoir de réverbération dans la mesure où elles éclairent les coins d'ombre de tous les caractères.

Au rebours de la plupart des servantes de Crommelynck, la nourrice ne possède ni franc-parler ni roublardise. C'est une

1. *Le Cocu magnifique*, p. 111.
2. *Comœdia*, 21 déc. 1930.

accorte bonne femme, avec des naïvetés de paysanne et des curiosités de personne qui a servi des maîtres raffinés. Les récits du marin Pétrus l'intéressent, même si la géographie ne lui est pas familière. Pas plus que ne lui paraissent intelligibles les amours tourmentées d'un couple auquel elle ne peut offrir que sa candide sollicitude.

Dieu lare de la maison, gardienne de l'ordre et de la tranquillité, elle règne aimablement sur le potager et la cuisine, servant les mets et versant à boire avec une joie toute bruegelienne. On pense à la Sophie de *Miroir de l'enfance.* Mais davantage encore à la nourrice de Juliette Capulet qui préparait avec amour ses *gâteaux aux dattes et aux coings.* Comme celle-ci, Romanie rappelle volontiers les souvenirs de la mignonne à laquelle elle offrit autrefois son *sein gonflé de lait tiède et bien sucré* [1]...

Elle n'existe qu'en fonction de Stella : pour la consoler et la défendre. Ce n'est pas par attachement à Bruno ou à une morale conjugale qu'elle rosse le bouvier au premier acte, mais afin de protéger son enfant. La preuve : elle ne la retiendra pas, lorsque Ludovicus viendra lui offrir la sécurité et la tendresse.

Certes, la brave fille a peu de phrases à prononcer. Trop peu à mon gré. Sa muette présence crée toutefois un lien entre les héros. Elle est en quelque sorte le cadre sobre qui fait valoir les couleurs et les formes d'un tableau.

Jovialité, bonne volonté et lenteur à comprendre ce qui échappe au quotidien et au réel, tels sont les principaux traits de caractère du bourgmestre, type même du campagnard évolué que ses initiatives ont placé à la tête d'administrés un peu frustes. Il représente avec une bonhomie un peu grosse l'ordre et la bienséance. Sorte de commissaire de guignol dont l'écrivain aime faire rire. Son niveau mental est supérieur à celui du primitif Ludovicus qui est cependant loin d'être stupide.

Quand ce dernier commande une lettre à Bruno, il est prêt à lui donner en payement un cochon de lait. Son sens de l'honneur ne fait aucun doute. Partager la femme aimée avec les gars du

---

1. *Le Cocu magnifique*, p. 98.

bourg ne lui convient guère. Il la veut pour lui seul, en échange de son affection, de sa force physique et de son bien : une *cabane, au milieu des bêtes* [1] avec un lit pour deux.

Sa franchise et sa logique paysannes contrastent avec la galanterie du comte dont les répliques sont d'une prétentieuse superficialité.

Le portrait qui a dû donner le plus de mal à son auteur est, selon moi, celui de Pétrus. Un rien pouvait le rendre factice. L'idée ingénieuse de Crommelynck, c'est d'en avoir fait un ami d'enfance proche du couple par le tact et par les goûts. Sans quoi l'éphémère liaison avec Stella serait d'une insoutenable vulgarité.

De plus, ce rôle ingrat ne doit à aucun prix devenir un rôle ridicule. Le fait qu'il accepte le défi de Bruno ne peut pas déchaîner des rires gras. Crommelynck a donc doté ce héros d'un certain prestige.

C'est à lui qu'il pensait déjà en peignant le Pétrus de *L'Ouragan,* une nouvelle dont on a parlé plus haut. Le jeune pêcheur qui éveillait la jalousie de Stan s'est transformé en capitaine de navire dont l'énergie et la finesse ne manquent pas d'attrait.

Le marin ne cache pas à son cousin qu'il l'a fait cocu *le mieux possible,* mais il quitte Stella en galant homme, sans la blesser. En lui manifestant une déférente affection qui ne suggère aucune idée de retour.

La plupart des pièces de Crommelynck mettent en évidence un personnage collectif : la foule. Ici, il y en a deux : celle des hommes autorisés à berner le mari et celle des femmes qui pâtissent de cette autorisation et s'en vengent.

La première se manifeste dans ses instincts les plus élémentaires. Elle se caractérise non seulement par son grégarisme, mais par la puissance de propagation que recèle celui-ci. Au point de semer le trouble à cent lieues à la ronde :

---

1. *Le Cocu magnifique,* p. 110.

> Dans tous les villages, où s'est répandu le bruit de ton étrange perversité, les échevins sont assemblés, des mesures seront prises. On songe à interdire la sortie de la commune à tous les chefs de famille. Mon cher, c'est presque l'état de siège [1].

Quant à la bande de mégères, promptes à passer à l'action et à plonger Stella dans la rivière, elle figure l'aspect ignominieux de la furie collective dont la cruauté peut aller jusqu'au crime. Aussi dramatise-t-elle à la fois les décisions de Bruno et le sacrifice de sa compagne.

Qui est celle-ci, en définitive? Ni une bourgeoise ni une paysanne, ou alors, comme l'écrit Robert Kemp, une *paysanne d'opéra-comique, comme la Rose du bon Colas ou la Betsy du* « *Chalet* »... *c'est une Dugazon, fraîche, accorte* [2]...

Une femme qui possède assez d'intuitive sensibilité pour comprendre son poète de mari.

Au début de la pièce, on la trouve un peu infantile, éprise de fleurs, d'oiseaux et de rubans qui lui rappellent des souvenirs enjôleurs. Mais ce trait s'efface dès que s'intensifie sa foi dans celui dont les dures exigences lui apparaissent peu à peu.

On l'a comparée à quantité de personnages: à l'Agnès de *L'École des femmes* dont elle n'a ni l'humeur moqueuse ni les astuces, à Desdémone dont elle n'a pas la gravité, à Grisélidis, enfin. Stella ne se veut pas une épouse modèle jusqu'à la niaiserie comme le fut l'héroïne de Boccace. Sa passivité absolue n'a pour but que d'apaiser l'aimé.

On l'a rapprochée aussi de Nyssia, que le roi Candaule dénuda aux yeux de Gygès, son favori [3]. Mais la cruelle se vengea en contraignant ce dernier à tuer son mari. Attitude qui ne rappelle en rien la pitié et la tendresse de la protagoniste de Crommelynck. Celle-ci ressemble plutôt à Geneviève de Brabant, la per-

1. *Le Cocu magnifique*, pp. 90-91.
2. *Le Monde*, 22 janv. 1946.
3. Ce mythe rapporté par Hérodote forme le thème du *Roi-Candaule* de Gide qui fut joué pour la première fois en 1901. Gisèle Feal avance l'hypothèse, selon moi hardie, que cette pièce a pu *inspirer celle de Crommelynck.*
*Romance notes*, n° 2, winter 1971, p. 197.

sécutée. L'amour est à ses yeux une forme de sainteté qui abolit les péchés que l'on commet en son nom. Innocente et torturée, elle reçoit les amants que lui impose Bruno. Comme les martyres allant à leur calvaire, elle proclame sa ferveur :

> Tout ce qui est de toi m'est précieux, ta jalousie, ta dureté, autant que tes plus doux transports ! T'aimerais-je assez si je n'endurais pas ton bon plaisir [1] ?

En échange, son époux ne lui administre qu'insultes ordurières, menaces de réclusion et de mort.

À la voir captive et maltraitée, le spectateur pourrait croire que la victime supporte ses tortures avec une joie morbide voisine du masochisme. Mais sa netteté et sa droiture détruisent rapidement cette ambiguïté. L'épouse n'accepte d'être salie que dans la mesure où cela peut guérir l'être aimé. D'après Mauriac :

> Elle sauve tout par l'ingénuité. Elle est l'Ève charmante de qui l'âme échappe aux souillures de son tendre corps et qu'on imagine, au dernier acte, emportée par les anges [2].

Dès que sa déchéance ne lui paraît pas pouvoir apaiser Bruno, la malheureuse la refuse et s'en fait laver par la plongée que lui infligent les paysannes. La certitude de ne plus aimer son mari la rapproche immédiatement du bouvier qui l'emmène vers une vie saine et paisible.

En vérité, Stella est pure comme la petite Dagmar du cimetière de Laeken que le jeune Fernand imaginait traquée par une horde de chasseurs assez semblables aux harpies du *Cocu magnifique*. Elle personnifie l'intégrité sans cesse menacée par la violence des maudits.

L'attitude de Bruno et le caractère de la farce où il évolue ont donné naissance à des commentaires multiples et divergents. Il n'est donc pas exagéré de soutenir qu'il y a eu, pendant de longues années, une querelle du *Cocu magnifique*.

---

1. *Le Cocu magnifique*, p. 59.
2. *Les Cahiers d'Occident*, 2e sér., no 5, 1926, p. 79.

Bruno est-il ou non un cas de pratique médicale ? Son comportement est-il vraisemblable ? Ses réactions sont-elles risibles ou pathétiques ? Essayons d'y voir clair.

Beaucoup découvrent dans le héros de Crommelynck un psychopathe : *un gaillard qui est mûr pour la paralysie générale,* affirme Henri Bidou. Et de nous décrire le processus de *la maladie mentale en période d'incubation* reconnaissable seulement à *l'excitation de l'esprit* et aux étranges *caprices de l'exhibitionnisme conjugal* [1].

Avec plus de modération, Adolphe Brisson n'en affirme pas moins que *l'érotomane Bruno tourne au dément furieux* [2].

En suivant la pièce, François Turpin croit avoir assisté à un *cours de psychiatrie de la Salpêtrière* [3] et Claude Berton voit dans *Le Cocu magnifique* l'exposé d'un *cas pathologique d'obsession jalouse visuelle* [4].

Les psychologues de métier se devaient de ratiociner à cœur joie, à propos du phénomène dans lequel Heinrich Racker perçoit *un magnifique exemple de la concluante pseudo-logique de paranoïaque* tendant à *consumer la destruction du propre moi.* Il parle aussi des parents du soi-disant cocu dont *le couple amoureux* qu'ils formaient lui aurait donné un sentiment de *frustration sexuelle.* Possible, bien que Crommelynck n'ait jamais fait allusion aux géniteurs en question et qu'il soit difficile de déceler en Estrugo *le père que Bruno a vaincu et soumis et qui veut maintenant se venger* [5].

La façon la plus sensée d'aborder le problème fut peut-être celle de Paul Morand. Pour lui, il existe des manières très différentes d'analyser le jaloux : Sacha Guitry l'aurait fait de façon boulevardière, François de Curel de façon pompeuse Crommelynck l'a fait avec *audace* [6]. Une audace qui n'exclut pourtant pas la référence aux classiques. Pas celle à Molière, dans ce cas. Le dramaturge n'a pas voulu que son héros soit le barbon

---

1. *Journal des débats,* 27 déc. 1920.
2. *Le Temps,* 27 déc. 1920.
3. *La Connaissance,* nº 1, févr. 1921, p. 79.
4. *Les Marges,* t. XX, nº 81, 5 mars 1921, p. 203.
5. *Revue française de psychanalyse,* t. XXI, nº 6, nov.-déc. 1957, pp. 850, 854-855.
6. *La Nouvelle revue française,* t. XVI, nº LXXX, 1er mars 1921, p. 374.

méfiant et grincheux. Lugné-Poe et Jean Renoir, les premiers interprètes, étaient âgés. Aussi mêlaient-ils l'obsession du vieillissement à un sentiment qu'ils dénaturaient par le fait même. Pour donner l'idée de ce vice à l'état pur, il fallait un jeune artiste. Crommelynck n'en trouva un que vingt-cinq ans plus tard, en 1946.

En fait, Bruno est plutôt calqué sur Othello. L'écrivain a d'ailleurs souligné la parenté qu'il avait voulu créer entre ses personnages et ceux de Shakespeare :

> Othello devient Bruno, Cassius devient Pétrus, qui est lui aussi un navigateur. Jago devient Estrugo [1].

Mais, à ses yeux, le célèbre Maure n'est pas encore le vrai jaloux. Les insinuations de Jago et la preuve du mouchoir de Desdémone qu'on a trouvé chez Cassius éveillent les soupçons du héros de Shakespeare, tandis que le sien n'a à l'origine comme mobile que l'éclair du désir qu'il a cru percevoir dans le regard de Pétrus. Vu sous cet angle, il me paraît plus proche de Léontès du *Conte d'hiver*. Ce dernier est aimé d'Hermione comme Bruno l'est de Stella et il n'a aucune preuve que Polixénès est l'amant de sa femme. À certains moments, il va jusqu'à reconnaître le caractère insensé de son attitude et s'en prend à sa passion : *tu rends possibles les choses tenues pour impossibles... Tu coagis avec le fantastique et tu t'associes le néant* [2].

Au rebours de Bruno, il finira par avouer ses torts et par s'amender.

Pour l'auteur du *Cocu magnifique,* aucun de ses protagonistes ne représente cependant le soupçonneux intégral. Dans l'interview que nous citions, le dramaturge ajoute encore :

> Le véritable drame de la jalousie, c'est que ce sentiment s'engendre et se développe chez celui qui en est victime, en dehors de tout élément extérieur

et que

> le jaloux porte son tourment corrosif en lui, qu'il est seul à le créer et à le nourrir... [3].

---

1. *Comœdia,* 30 août 1941.
2. *La Tempête. Le Conte d'hiver. William Shakespeare.* Paris, Ed. de Cluny, 1941, p. 110.
3. *Comœdia,* 30 août 1941.

Rien n'y peut mettre fin. Pas même une vigilante conscience dont le rôle est ici assumé par Estrugo. L'« alter ego » de Bruno demeure passif et le plus souvent muet. Il enregistre ce que dit son maître et mime des appréciations avec une servile cocasserie. Il lui fournit parfois des prétextes à son comportement et ne pousse qu'une fois un cri de lucide protestation devant le sacrilège que représente la prostitution de Stella. Pour le reste, le scribe suit le héros comme une ombre, aussi fidèle qu'elle et aussi impuissant à le guérir de son vice. Rabroué ou consulté, mais jamais obéi, le confident existe pourtant assez pour suggérer un débat où toutes les manifestations de la débâcle intérieure entrent en jeu, sans qu'il y ait, pour autant, dérangement total de l'esprit.

Pas plus que l'avare, pas plus que le malade imaginaire, le cocu n'est un fou. S'il l'était, il relèverait du domaine médical.

C'est Thierry Maulnier qui définit le propos de l'auteur avec le plus de pertinence :

> Le Bruno de M. Crommelynck est la jalousie même... c'est-à-dire dans sa pureté absolue et fatale, la loi de développement de la jalousie [1].

Celle-ci est en outre éprouvée par un poète au caractère hypersensible sur lequel s'est abattu le poids d'un immense amour. La crainte de perdre ce bonheur surhumain exacerbe ses réactions et en fait un dépressif en état de constante panique.

Il est donc saisi par son peintre dans un état de fragilité extrême qui met son équilibre en danger. Dans une phase que l'écrivain estime être l'objet même d'une vision théâtrale, ainsi que je le rappelle en exergue de ce livre :

> Le propre d'une action dramatique est de nous restituer des sujets en état de crise... [2]

Au moment même où une passion atteint à son plus haut degré de tension et fait sortir son protagoniste de son comportement habituel.

---

1. *Essor*, 2 févr. 1946.
2. *Comœdia*, 30 août 1941.

Voilà pourquoi plusieurs critiques, parmi lesquels Gabriel Marcel [1], se sont demandé si le drame du *Cocu magnifique* est concevable.

En réalité, ils sont obnubilés par ce que le regard perçoit des attitudes et des événements qui se situent davantage dans le domaine fantastique que dans le réel. Sans suivre l'avertissement que l'auteur lui-même donne à ce propos :

> Si le public s'en tient à leur aspect extérieur, certains personnages peuvent lui paraître arbitraires, parce qu'il n'établit pas le lien entre leur apparence et la manifestation de réactions intérieures dont cette apparence n'est que l'expression. Quand Bruno, par exemple, enveloppe Stella d'un manteau et lui fait porter un masque, il compose ainsi le monstre qu'à de certains moments elle est pour lui dans son esprit [2].

Ce masque grossièrement barbouillé symbolise, plutôt, la laideur morale du protagoniste. La scène où l'épouse se prostitue sous le regard satisfait de son époux se situe davantage dans l'imagination de celui-ci que sur le plan de la réalité. Elle n'est vraisemblable que dans la mesure où la jalousie se développe selon un processus logique et ininterrompu qui la conduit à ses pires extrémités. Cheminement que ses obstacles rendraient à la longue impossible, mais qui, mis sous les yeux du spectateur, prend un caractère excessif, pour tout dire insoutenable.

Nous sommes donc projetés dans un théâtre du paroxysme qui est, par excellence, celui de Crommelynck, celui où l'on nous fait voir les états de déraison grossis au point de paraître monstrueux.

Pour leur donner une allure énorme, Crommelynck les insère dans une *farce* aux effets éprouvés : la nourrice qui chasse le bouvier à coups de gourdin, le gros rire incrédule du bourgmestre quand Bruno dit de sa femme : *Elle marcherait sur l'eau sans mouiller ses souliers!* [3] ou les pitreries d'Estrugo, le taiseux, auquel le héros ordonne de parler *plus bas.*

1. *Les Nouvelles littéraires,* 31 janv. 1946.
2. *Comœdia,* 30 août 1941.
3. *Le Cocu magnifique,* p. 31.

À l'exemple de Shakespeare, Crommelynck fait voisiner, ici, des traits burlesques avec des réparties tragiques. Par exemple, le poignant aveu de Stella à Romanie : *Je n'aime plus Bruno* [1], indiquant que son sacrifice est devenu intolérable.

Mais à côté de ces éléments, fréquents chez maints classiques, il en existe un autre proprement crommelynckien : l'alliance, dans une seule réplique, de la drôlerie et du pathétique, ce tragi-comique qu'on a vu poindre dans *Le Marchand de regrets* et qui prend sa pleine signification dans *Le Cocu magnifique*. La gifle que Pétrus reçoit de Bruno ou l'exclamation du héros : *Je veux être cocu, mais pas autant!* [2] créent une sensation de totale déroute et donnent naissance à un rire crispé pour ne pas dire grinçant. On dirait par moment un masque grimaçant, plaqué sur le visage de l'acteur. Surtout au cours des scènes où l'amour et le respect de la vie sont bafoués et font de la pièce ce qu'Adolphe Brisson dénomme un *cauchemar bouffon*. Par exemple, quand Stella reçoit dans son lit un Bruno déguisé qu'elle croit être un autre et qui, pour cette raison, se sent cocufié par lui-même ou encore, le gigantesque éclat d'hilarité de l'époux voyant partir sa femme avec le bouvier dont il ne veut pas croire qu'il est aimé d'elle, alors qu'il l'est bel et bien.

C'est dans ces moments-là que l'on se demande avec Francis Ambrière : Bruno est-il *grotesque ou terrifiant* ? [3]

La réponse peut être trouvée dans le texte lucide de Paul Morand qui a mis en lumière la nouveauté de cette conception :

> Nous avons eu en France un théâtre pessimiste. Nous avons un théâtre d'auteurs mal élevés. Entre les deux, — sauf quelques réparties de Jules Renard et quelques scènes de Max Jacob, — il manquait un théâtre déplaisant, au sens de « unpleasant » qu'emploie Shaw. La pièce de M. Crommelynck comble la lacune [4].

« Unpleasant », ce théâtre ne l'est pas seulement parce qu'il effraie, mais aussi parce que, à l'époque, il dérangera la plupart des habitudes de la sensibilité et de l'intelligence françaises

1. *Le Cocu magnifique*, p. 98.
2. *Idem.*, p. 78.
3. *Clartés*, 25 janv. 1946.
4. *La Nouvelle revue française*, t. XVI, nº LXXX, 1er mars 1921, p. 373.

toutes pénétrées de rationalisme bourgeois. Des critiques ont attribué ce fait aux origines étrangères de Crommelynck. Ils lui ont décerné le qualificatif de flamand qui, aux yeux de Claude Berton, est synonyme de *sensualité élémentaire* [1]. Par contre, Armory est subjugué par *ce lyrisme flamand à fond de désespérance* [2] et André Castelot loue un art empreint *de cette truculence à la Jordaens* [3].

En règle générale, lorsqu'il s'agit de cet aspect du dramaturge, toute l'ancienne école de peinture belge, Rubens excepté, est citée avec un à-propos parfois discutable.

Et Crommelynck proteste, le plus souvent, au nom de ses ancêtres, de son enfance montmartroise et de sa vie théâtrale qui s'est surtout développée sur les scènes parisiennes.

C'est ainsi qu'un débat supplémentaire est venu s'ajouter à la querelle du *Cocu*. Après avoir posé des questions, telles que Bruno est-il fou? Bruno est-il jeune ou vieux? Est-il imaginable?, on s'est encore demandé si le talent de l'auteur du *Cocu magnifique* était français ou flamand. Il est l'un et l'autre.

Cette farce relève en partie du classicisme latin: respect des unités de temps, de lieu et d'action et sens de la construction architecturée à la façon de Mansard ou de Le Nôtre. Conception préméditée dont chaque élément est nécessaire à l'équilibre de l'ensemble. Le dramaturge lui-même l'indique. Avant de se mettre au travail, il possède déjà une vue complète de l'œuvre projetée jusqu'à ses moindres détails:

> J'avoue être absolument incapable de commencer à écrire une pièce quand je n'en connais pas le sujet et quand je ne connais pas la dernière phrase de la dernière scène [4].

Dans ces conditions, chaque passage s'enchaîne au suivant. En dépit de l'exceptionnelle richesse du vocabulaire, pas de répliques superflues. Chacune d'elles est l'objet d'une longue réflexion qui lui permet de porter au plus aigu de sa signification. Voilà pour-

1. *Les Marges*, t. XX, nº 81, 15 mars 1921, p. 204.
2. *Les Nouveaux temps*, 9 sept. 1941.
3. *L'Écho de Nancy*, 18 sept. 1941.
4. I.N.R. *Entretien nº 5 de Fernand Crommelynck avec Jacques Philippet*, 1953, app. p. 385.

quoi Crommelynck se fait écouter du début à la fin de la représentation. Alfred Savoir s'en émerveille :

> ... je vous défie de distraire votre attention un seul instant... Vous ne perdrez pas un mot du « Cocu magnifique » [1].

À ces vertus que l'on reconnaît généralement au théâtre du grand siècle, il convient d'en ajouter d'autres qui, n'en déplaise à l'auteur, sont typiquement de son pays.

L'allure bruegelienne de l'œuvre, haute en couleur, apparaît dans le décor aussi bien que dans la frénétique ardeur de vivre proche de celle des tableaux de Jordaens.

Flamand aussi, ce goût des masques et des cortèges bruyants aux traits caricaturaux dont on a parlé à propos du *Sculpteur de masques* et du *Marchand de regrets*. En 1908, déjà, dans ses chroniques, Crommelynck peignait ces *foules effarées et saoules de joies naïves! À l'heure où les lanternes s'allument, elles descendent par bandes hurlantes* [2].

Ambiance pareille à maints égards à celle que la nourrice signale à Stella :

> Tu entends, la fête commence... De là-haut tu verras le défilé des lanternes chinoises, et la kermesse, au loin [3].

Flamand enfin, ce mélange de gaîté débridée, de morne désespoir et d'une poésie dont les répliques se montrent prodigues à tout moment.

On la découvre dans un parler d'amoureux bourré de néologismes et d'onomatopées dont le charme n'a d'égal que la musicalité :

> Verse tes ciels plein moisque, la Stoilée... Vogue, vogue la balancelle, aux bercelis de celui qui dit des l'adore [4] !

Deux courants lyriques distincts se dessinent tout au long de la pièce, celui de la chanson accessible dont la fantaisie surprend et délasse :

---

1. *Bonsoir*, 20 déc. 1920.
2. *Le Carillon*, 1908, dans *Textes inconnus et peu connus de Fernand Crommelynck*, p. 145.
3. *Le Cocu magnifique*, p. 99.
4. *Idem*, p. 26.

Voici venir le soir fourré
Déjà le saule frénétique
Au long du pré
Retient la lune élastique
Entre ses bras !
— Tu la rendras ! Tu la rendras ! [1]

et celui de la poésie en prose. Elle se développe sur un rythme ininterrompu dont la ferveur est proche de celle du *Cantique des Cantiques,* ce rythme dont Crommelynck affirme qu'il ne faut pas le *confondre avec la mesure* et qui, selon lui, est *l'âme du mouvement* [2].

Témoin, ce blason du corps féminin d'un pur dessin que teinte, de temps à autre, un rien de préciosité :

> Et c'est une ligne celle-ci, une seule ligne ! Et il y en a mille comme elle, cent mille, que dis-je ? mille milliards de lignes selon que je tourne autour de ce modèle unique, chacune aussi parfaite, et qui toutes, en faisceaux réunies, festonnées, volutées, onduleuses, droites ou contournées, grasses ou déliées, jaillissantes ou retombantes, vibrantes ou reposées, longues ou ramassées, roulées, ondées, frisées, nouées, distendues, dévidées, fouettantes ou pleuvantes, cinglantes ou pleureuses, ou caressantes, ou tremblées, ou vaguelées, en spire, en hélice, en torsade, l'une après l'autre, ou ensemble, ces lignes-là n'ont qu'une trajectoire, une seule, qui porte l'amour dans mon cœur [3] !

La passion conduite à son ultime sommet d'exaltation produit une extase charnelle. Elle excite le pouvoir d'imager qui découvre alors les volutes du langage grâce auxquelles la phrase s'élève au plus allègre de l'incantation mélodique.

Ici, la poésie se fait paroxystique pour exprimer le tempérament amoureux du héros. Mais elle l'est aussi quand elle peint son vice. Au point d'user des mêmes procédés : phrases dont le tempo s'intensifie et se répète de manière obsessive, donnant l'impression qu'il se brisera durant sa montée, métaphores gonflées jusqu'à la dernière limite du prévisible. Tout cela confère de l'authenticité au dérèglement psychique du jaloux qui, pour se guérir de son incertitude, offre Stella à Pétrus en ces termes :

1. *Le Cocu magnifique,* p. 94.
2. *Comœdia,* 10 juin 1944, app. p. 361.
3. *Le Cocu magnifique,* pp. 34-35.

> Que des étincelles vous sortent du corps comme de deux cailloux frottés ! Enflammez-vous, que j'en crève ! Et plantez-moi sur le front un bois, dont l'ombre obscurcisse toute la contrée... [1]

La poésie dramatique de Crommelynck ne se contente donc pas de recouvrir les thèmes usuels (temps, amour ou mort). Elle définit aussi (on le verra tout au long des pièces suivantes) les péchés des humains à travers un envoûtant mélange de réalisme grotesque et de mystérieuse beauté. Il se peut que ce soit là une de ses principales originalités.

Normes latines insérées dans une nordique pétulance, réalisme psychologique et lyrisme de l'outrance, tragi-comique associé aux dimensions les plus étranges du fantastique, qui ne voit qu'il s'agit ici d'un théâtre de choc, né des plus violentes oppositions qui se puissent concevoir. Son apparition devait provoquer une secousse salutaire dont on analysera les répercussions.

Il ne suffit pas d'écrire un chef-d'œuvre. Il faut que les circonstances en favorisent la découverte et l'interprétation.

C'est ce qui est arrivé au *Cocu magnifique*.

À *L'Éclair*, le dramaturge était le collaborateur de Jacques Reboul, secrétaire général de rédaction. Ce dernier le mit en présence de Lugné-Poe [2] qui nous a laissé le portrait de l'écrivain à la morasse :

> Vous représentez-vous Fernand Crommelynck assis devant une table, face au secrétaire général, les grands doigts du poète allongés, effilés sur son papier et paraissant murmurer un « à quoi bon être là ? »... Ses doigts, oui ses doigts, lorsque Crommelynck est au repos, je l'ai remarqué depuis, maintes fois, ses doigts, je les ai entendus chanter [3] !

L'acteur connaît déjà *Les Amants puérils*. Mais il va s'intéresser à une autre pièce dont Crommelynck lui parle : *Le Cocu*

---

1. *Le Cocu magnifique*, p. 74.
2. Selon Crommelynck, cette première rencontre eut lieu en un tout autre endroit : dans une petite salle de la rue Turgot où Lugné faisait répéter les pièces par ses comédiens. R.T.F. *Hommage à Lugné-Poe*, 1950, app. p. 373.
3. *Dernière pirouette*. Paris, Le Sagittaire, 1946, p. 117.

*magnifique*. L'auteur la lui lira chez un ami commun, un journaliste autrichien nommé Paul Zifferer.

Lugné-Poe l'avait rencontré en 1910 à Paris et le retrouva après la guerre de 14-18 à la légation d'Autriche, au poste d'attaché culturel.

Chez le diplomate, il comprend immédiatement le parti qu'il pourra tirer du rôle de Bruno au Théâtre de l'Œuvre dont il est le directeur.

Plus tard, en souvenir de cette soirée, Crommelynck devait faire cadeau à Zifferer du manuscrit de la pièce. Le Musée de la littérature de la Bibliothèque Royale de Belgique l'a acquis en janvier 1973 [1].

Sortant de chez leur hôte, le dramaturge et l'artiste reviennent ensemble jusqu'à la place des Ternes en devisant de leurs projets. Crommelynck ne remet pas immédiatement ses trois actes à Lugné-Poe, bien décidé à les faire jouer :

> ... j'avais été conquis à la sixième réplique, exactement à la sixième. Le texte de ce théâtre en velours, je ne l'avais jamais lu jusqu'ici. On m'a confié qu'à la répétition générale, un auteur connu s'était retourné vers la neuvième ou dixième réplique et s'était écrié à mi-voix : « Ça sent le chef-d'œuvre ! » ... [2]

À partir de ce moment, Lugné ne lâche plus l'écrivain dont il ne reçoit encore que des fragments de pièce remaniés.

Il est d'ailleurs fort occupé par la réfection de la salle de spectacles à l'Œuvre. C'est en août, au beau milieu de ses travaux, que lui parvient la version définitive du *Cocu magnifique*. Assis parmi les plâtres et les pots de peinture au sein desquels il loge pour gagner du temps, le comédien dévore la pièce dont il imagine déjà la mise en scène et les rôles.

La jeune artiste qui jouera Stella se fait appeler Gina Récamier. Crommelynck lui explique qu'elle a tort de choisir ce pseudonyme qui pourrait heurter les descendants de l'illustre famille (s'il en existe encore). Il lui propose de le changer en Régina Camier et elle suit son conseil. Jean Sarment sera Pétrus.

---

1. Photo du manuscrit, iconogr. Entre les pp. 328 et 329.
2. *Dernière pirouette*, p. 118.

Dans son programme de l'hiver 1919-1920, Lugné-Poe avait annoncé *Les Amants puérils*. Revenu sur sa décision depuis la lecture du *Cocu magnifique*, il en commence immédiatement les répétitions. L'auteur y travaille en homme de métier et de théâtre. Presque autant que la troupe et les réalisateurs.

Peu à peu, le drame prend figure et consistance sur la scène qui va en révéler la profondeur.

Comment s'est déroulée la générale d'une œuvre qui devait atteindre, dit-on un jour, plus de 20 000 représentations? Le témoignage de Robert de Beauplan en donne une idée:

> Il s'est passé samedi soir, au Théâtre de l'Œuvre, un événement assez peu banal: après avoir entendu le premier acte du « Cocu magnifique », un certain nombre de spectateurs qui, une heure auparavant, savaient à peine que M. Crommelynck existait et qu'il avait fait jouer naguère une pièce qui passa à peu près inaperçue: « Le Sculpteur de masques », criaient au chef-d'œuvre et prononçaient les noms de Shakespeare et de Molière [1].

Le 18 décembre, ce fut une sorte de délire qui s'empara du public et de la presse. André Beaunier: *On n'avait jamais rien vu de pareil* [2].

À propos de cette figure de jaloux, Adolphe Brisson affirme qu'elle *déborde du cadre, franchit la rampe, envahit la salle* [3].

Des détracteurs, il en existe, bien sûr: Claude Berton reproche à la farce de Crommelynck d'être un *spectacle curieux, déconcertant par le mélange de certains traits poétiques, bien rares, et de formidables lourdeurs* [4]. Il représente le rationalisme étroit qui, chez certains critiques parisiens, s'accompagne d'une impardonnable imprécision. Sous sa plume, Stella devient Isabelle et Crommelynck voit changer en *i* l'*y* de son nom.

En un temps où n'existaient ni monokinis ni streap-tease, on devine l'effet que produisit la scène où Bruno dénude le sein de Stella! De méchantes langues insinuèrent que ce geste avait à lui seul déclenché un fulgurant succès. Elles furent pourtant rares et se turent rapidement.

---

1. *La Liberté*, 20 déc. 1920.
2. *L'Écho de Paris*, 20 déc. 1920.
3. *Le Temps*, 27 déc. 1920.
4. *Les Marges*, t. XX, nº 81, 15 mars 1921, pp. 203-204.

Dans l'ensemble, les auditeurs se sentirent, de prime abord, subjugués. André Arnyvelde :

> Dès les vingt premières répliques, un grand silence commença de s'établir dans la salle. Un silence bizarre, un silence qu'on perçoit (trop) rarement, un silence de spectateurs surpris, stupéfaits, obligés soudain d'être attentifs... silence du fauve qui sent venir l'homme et se tapit... Dix minutes après les vingt premières répliques, ce cocon de silence craquait, éclatait, s'éparpillait sous le vol irrésistible de l'Applaudissement [1].

Le public se rend compte qu'il s'agit d'une conception nouvelle du théâtre, d'une farce qui fait rire unie à un drame qui fait pleurer, selon des impulsions singulières. De cette mémorable soirée, le conformisme du répertoire habituel sortit à jamais amoindri.

Du jour au lendemain, l'auteur connut la célébrité.

Les journalistes se précipitent à Saint-Cloud où il vit avec sa famille. Un autre artiste occupe une chambre dans la demeure, le dessinateur Tribout. Il fera, pour les affiches et les programmes, les meilleures caricatures qu'on ait publiées des principaux interprètes.

Un des chroniqueurs, Raymond de Nys, parle de cette maison *qui abrite, depuis deux ou trois jours, l'un des plus grands bonheurs et des plus mérités : Crommelynck habite ici* [2].

Au cours de cette interview, Marthe Verhaeren, la veuve du poète, affirme que son mari avait foi dans le talent du jeune écrivain et dans sa faculté de galvaniser les auditeurs par ses propos, aussi singuliers ou choquants qu'ils fussent.

Ainsi s'impose avec éclat une œuvre qui, plus qu'aucune autre de l'époque, bouscule les conventions dont Bernstein et Lavedan sont les représentants caractéristiques.

Pour juger du renversement de la vapeur qu'elle opéra, il faut se reporter à l'historique de la question que Robert Kemp dresse plus tard avec maîtrise :

> Nous avons vu ce que devenait, après plus d'un demi-siècle sans farces, le théâtre français... Il mourait d'habits noirs, d'orchidées, de

1. *Le Carnet de la semaine*, 9 janv. 1921.
2. *Paris-Midi*, 22 déc. 1920.

prédications morales et sociales, style Dumas fils, de lyrisme de boudoir, style Bataille, de tragique pédant, style Hervieu, de préraphaélisme et d'éthers... « Ubu roi » n'est pas grand-chose. Mais « Ubu roi » a éclaté comme un pétard dans les salons où l'on s'ennuyait, dans les chapelles où l'on raffinait. Le succès du « Cocu magnifique » en 1920 a été une de ces « ruptures » dont toutes les jeunesses raffolent et raffoleront... [1]

Tel fut le coup de force du 18 décembre.

Avec lui, naissait un art nouveau dont le souffle achevait de disperser les scories de l'ancien, tout en conservant de celui-ci les normes dont la beauté méritait d'être prolongée.

De 1920 à 1921, le démarrage du *Cocu magnifique* est spectaculaire. En été, la pièce accomplit son tour de France; en automne, elle reprend sa place sur la scène de l'Œuvre.

Désormais, elle ne quitte plus l'affiche.

Victor Basch, professeur au Collège de France, lui consacre une partie de son cours. Confirmation d'une réussite que le père de Crommelynck avait prévue, lorsqu'il avait presque forcé son fils à concourir pour le prix du *Thyrse* et dont il avait gardé l'espoir malgré le demi-succès du *Sculpteur de masques*. Qu'il aurait été heureux d'assister au triomphe de Fernand! Mais il était mort en 1919, un an avant la première du Théâtre de l'Œuvre.

Qu'elles aient été données en France ou ailleurs, les représentations des pièces de Crommelynck sont difficiles à dénombrer. On y est cependant aidé par les registres de la Société des auteurs et compositeurs dramatiques. Encore que ceux-ci contiennent des erreurs et des approximations redoutables. Ils constituent pourtant l'une des rares sources d'information dont on dispose pour mesurer une réussite ou un échec.

Au sujet du *Cocu magnifique* ou des autres œuvres de son auteur, nous renverrons le spécialiste des questions théâtrales à des notes complémentaires qui sont davantage des points de repères que des bilans complets du nombre de spectacles [2]. Au cours de l'étude même, il suffit de signaler les principales reprises et de les commenter plus ou moins abondamment, selon leur importance.

1. *Le Monde*, 22 janv. 1946.
2. App. p. 397.

À la suite du succès obtenu en 1920, Lugné-Poe emmena souvent sa troupe dans des villes de province et des pays étrangers d'expression française.

En 1923, il fut Bruno à Genève, où lui-même établit fort spirituellement par écrit un parallèle entre les activités de ses comédiens et celles des tréteaux de la politique qui se situaient alors à la S.D.N. D'après lui, chaque acteur, qu'il se nomme lord Cecil, le vicomte Isichi ou Mme Salandra, se fait acclamer en toute occasion. *C'est même le seul théâtre où j'aie vu les artistes s'applaudir entre eux dès qu'ils entrent en scène* [1].

On vivait, alors, le conflit italo-grec, le problème du relèvement de l'Autriche et celui des réfugiés d'Asie et des Balkans que le professeur Nansen s'efforçait de sauver.

En 1925, *Le Cocu magnifique* est interprété aux Mathurins. Régina Camier y est toujours Stella. Mais un nouveau Bruno est apparu : Pierre Renoir qui, d'après André Guernes, en fait *un malade, un nerveux que surexcitent l'amour et la jalousie poussés à l'extrême* [2]. Pour lente et lourde que soit parfois cette interprétation, elle étend la signification du rôle jusqu'à en tracer, selon Gabriel Boissy, *une monstrueuse et féroce caricature du cérébral* [3].

Du 20 décembre 1927 au 24 février 1928, *Le Cocu magnifique* réintègre l'Œuvre (pour 67 représentations) et retrouve, en même temps que le succès, son premier Bruno en la personne de Lugné-Poe.

Robert Kemp s'en réjouit :

> La pièce de Crommelynck a résisté à sept années. Sept années de ce temps-ci, terribles démolisseuses !... Elle est solide [4].

À Bruxelles, le 17 avril 1929, un déjeuner est offert par l'Union de la Presse en l'honneur de Fernand Crommelynck et de Régina Camier. Un buste de l'écrivain, œuvre du sculpteur Fontaine, est inauguré aux Galeries où l'on joue les trois actes le soir même. Henry Bosc semble avoir été un jaloux assez quelconque. Les mêmes acteurs vont à Paris pour donner la pièce au Théâtre

---

1. *L'Éclair*, 18 sept. 1923.
2. *Le Soir*, 16 sept. 1925.
3. *Comœdia*, 17 sept. 1925.
4. *La Liberté*, 22 déc. 1927.

Michel. Conquis, Edmond Sée voit en l'auteur un *Sganarelle nordique* [1].

En 1935, un nouveau Bruno apparaît sur la scène des Mathurins : Georges Colin, dont les changements de rythmes respiratoires ont fait grande impression. Régina Camier est toujours la principale héroïne mais, malheureusement, elle n'a plus l'âge de jouer les ingénues.

Les deux reprises du *Cocu magnifique* les plus importantes sont incontestablement celles de 1941 et de 1946 au Théâtre Hébertot (116 et 64 représentations).

Dans l'édition de son *Théâtre,* chez Gallimard, Crommelynck indique le plus souvent la distribution de ses œuvres à la date de leur création. Pour celle-ci, il mentionne seulement les acteurs de la représentation des Galeries de Bruxelles, en 1941. Les principaux rôles étaient tenus par Marcel Roels et Andréa Lambert.

Ces deux comédiens lui plurent tant qu'il les garda pour jouer la pièce à Paris, au Théâtre Hébertot, du 3 septembre au 30 novembre de la même année.

Près de trois mois au cours desquels la salle ne désemplit pas. C'est le cas rare d'une réussite théâtrale qui se répète et même s'intensifie vingt ans après son apparition.

Les acteurs y sont pour beaucoup. Aux yeux de la presse comme à ceux de Crommelynck, Marcel Roels est, de tous les Bruno qu'on ait vus, le plus authentique : *Retenez son nom,* affirme Jacques Hébertot, *demain, il sera célèbre* [2].

Prélude à un concert de louanges dont celles de Georges Pioch marquent l'apothéose :

> Ce comédien belge est un grand acteur français, et le meilleur Bruno qu'il m'ait été donné d'entendre. Sensibilité, intelligence, compréhension, accent, ampleur, mesure... Andrée Lambert ne lui est guère inégale : c'est, avec une ingénuité parfaite, une admirable Stella [3].

1. *L'Œuvre,* 22 mai 1929.
2. *L'Auto,* 3 sept. 1941.
3. *L'Œuvre,* 13 sept. 1941.

Beaucoup pensent que l'actrice soutient la comparaison avec la créatrice du rôle, Régina Camier.

D'aucuns trouvent que son élégance ne convient pas à la physionomie de petite paysanne qu'elle interprète. Remarque qui ne se justifie guère. Stella n'a rien d'une rustaude. Le dramaturge l'a voulue proche d'un Bruno intelligent et cultivé.

Roger Blin est un Estrugo aussi intelligemment composé que celui de la distribution de 1920 et 1921 dont il ne reste plus que Madame Blanchini, nourrice pleine de savoir-faire et de discrétion.

Pour la première fois, la presse mesure judicieusement la profondeur que Crommelynck a apportée à l'analyse d'une passion dévastatrice.

Le moins que l'on puisse dire, c'est que l'on ne parle plus de l'auteur qu'au superlatif. Roland Purnal :

> Écrivain de génie qui échappe au cadre d'un genre, il a d'instinct l'allure du grand ouvrier de théâtre... C'est un chef-d'œuvre : la seule farce authentique que sans doute l'on ait écrite depuis le début de ce siècle [1].

Maurice Rostand a trouvé pour la circonstance une série d'adjectifs qui fait penser à la célèbre lettre de Madame de Sévigné :

> Cette œuvre énorme et délicate, truculente et poétique, lyrique et humaine, baroque et classique, unique en tout cas dans notre production contemporaine et où circule la présence indiscutable de quelque chose qui s'appelle le génie [2] !

Le soir de la reprise à Hébertot, Crommelynck s'est posté au contrôle où il presse nerveusement les gens d'entrer, afin qu'ils ne perdent rien du texte. Les amis sont venus assister à la première.

Pendant l'entracte, les spectateurs, stimulés par l'ambiance enthousiaste, passent en revue tous les grands jaloux du répertoire : Othello, Bartholo...

Ce soir-là, Crommelynck sait enfin qu'il a définitivement gagné la partie auprès d'un public que la guerre a sans doute rendu plus

1. *Comœdia,* 6 sept. 1941.
2. *Paris-Midi,* 6 sept. 1941.

proche qu'il ne l'était jadis de la gravité ou du pathétique des situations.

1945. *Le Cocu magnifique* a vingt-cinq ans. À partir du dernier jour de l'année, il est repris par le Théâtre Hébertot dans un décor nouveau de René Moulaert et avec des costumes dessinés par Marie-Ange Schiklin.

Personne ou presque ne désapprouve la distribution : Maurice Teynac, un Estrugo pittoresque et Hélène Sauvaneix, une Stella un peu sculpturale, mais qui adopte le ton juste.

Grâce à Georges Marchal, splendide gaillard plein de vitalité, la pièce a repris sa pleine signification.

Lors de la création, Lugné-Poe, âgé de cinquante-cinq ans, avait dû couper dans le texte tout ce qui peut faire entendre que le protagoniste est un homme vert, en pleine possession de son pouvoir séducteur. Il avait mis l'accent sur le côté obsession sexuelle qui peut accabler un barbon.

Si l'on en croit Madelin, c'est en *Géronte presque grave* aussi que Pierre Renoir avait été ce héros en 1925, au Théâtre des Mathurins [1].

Marcel Roels, qui devait avoir près de cinquante ans en 1941, avait cependant gardé un air plus alerte que ses prédécesseurs. De plus, il insistait sur l'aspect risible de Bruno qui est avant tout, ne l'oublions pas, un personnage de farce.

À Marchal, par ailleurs excellent comédien, s'offre toutefois un incomparable atout : celui d'être juvénilement emporté par la vigueur de son amour, puis ravagé en diable par l'excès même de son élan.

Selon Pol Gaillard, c'est vraisemblablement pour ces raisons que l'auteur l'a choisi :

> Crommelynck... nous restitue avec Georges Marchal son vrai cocu, jeune, beau, plein de santé et de vie avant d'être atteint par son mal, et d'autant plus saisissant ensuite dans son obsession jalouse que nous aurons vu celle-ci naître et grandir sous nos yeux, coupée de ses causes normales, réduite à sa nature essentielle de folie de l'imagination [2].

1. *L'Éclair*, 16 sept. 1925.
2. *Les Lettres françaises*, 25 janv. 1946.

Le chroniqueur rapporte le point de vue, tout opposé au sien, d'Yvon Novy. Pour ce dernier, Lugné-Poe était le seul à pouvoir rendre l'épreuve que le temps inflige à un homme dont la puissance physique va s'amenuisant.

À quoi Francis Ambrière réplique que *la jalousie d'un vieil homme est comique, celle d'un homme jeune et beau a quelque chose d'inquiétant et de douloureux*. De toute manière, *la création de M. Georges Marchal est une réussite éclatante* [1].

Personne ou presque ne discute plus la valeur intrinsèque de la pièce. L'opinion catégorique de Thierry Maulnier montre qu'elle fait désormais partie du patrimoine de la littérature française :

> Il peut se faire qu'elle soit une des très rares œuvres dramatiques de notre temps à résister aux changements des styles et des modes et qu'elle devienne une des œuvres classiques de notre théâtre [2].

Un quart de siècle après sa création, *Le Cocu magnifique,* qui avait bouleversé la dramaturgie conventionnelle, va rentrer dans le répertoire des œuvres destinées à durer.

1946 le voit aussi triompher à Genève, avec Jean-Louis Barrault. Puis le nombre des représentations diminue.

Pas à Bruxelles pourtant. Le Rideau et les Galeries lui ont toujours réservé bon accueil, avec toutefois des réussites inégales. Werner Degan, qui l'a monté en 1957 sur cette dernière scène, n'a pas gagné la partie. Pierre Michaël ne s'est pas révélé convaincant en Bruno.

En 1966, au Théâtre Molière, Michel Gatineau déclame trop son texte, Nelly Beguin plaît en Stella. C'est surtout Georges Aubrey qui se taille un succès de mime dans le personnage d'Estrugo [3]. La mise en scène et la distribution sont défectueuses :

> ... il y manque cette flamme, ce style et surtout ce climat baroque et délirant sans lesquels le thème du « Cocu magnifique » relève seulement du catalogue des perversions sexuelles [4].

1. *Clartés,* 25 janv. 1946.
2. *Essor,* 2 févr. 1946.
3. *La Libre Belgique* et *La Dernière heure,* 3 et 4 avr. 1966.
4. *La Cité,* 4 avr. 1966.

La représentation parisienne de 1969, à Hébertot, avec Gaëlle Romande et Michel Royer, n'eut pas le retentissement de celles de 1941 et de 1945. Ce fut même un semi-échec que Mathieu Galey constate [1] et dont Thierry Maulnier s'attriste sans en comprendre la raison [2].

La dernière reprise importante dans une capitale date de 1974, du 16 mai au 8 juin, au Théâtre des Galeries. Sa réussite est due, en grande partie, à son metteur en scène, Jo Dua. Par son décor et ses jeux de lumière, il a mis l'accent sur le caractère hallucinatoire et excessif du portrait. Les tréteaux qui surélèvent par moments les acteurs, créent différents plans d'espace où situer l'intrigue. De vastes carrés de bois s'ouvrent sur un ciel pur ou se ferment au monde extérieur pour accentuer la dramatique déroute du moi écartelé. Tout cela fait admirablement ressortir l'aspect paroxystique du héros que Roger Van Hool a recréé avec une fièvre délirante des sens et de l'esprit. Il a toutefois su éviter les grimaces de la folie qui auraient embrouillé ou dénaturé les situations [3].

La réalisation de 1974 présage-t-elle un nouveau départ, une intégration au répertoire des théâtres actuels ? On ne sait pas. Toujours est-il que l'article synthétique de Marcel Vermeulen est caractéristique de l'enthousiasme de la presse à ce moment :

> Mais quelle fraîcheur dans cette pièce vieille de plus d'un demi-siècle ! On la croirait née, hier, de la plume d'un poète de vingt ans, un peu fou, un peu visionnaire, un peu farceur, jongleur de mots et batteur d'âmes, et jetant ses dons au public dans les jaillissements de son esprit enfiévré. On parle beaucoup, aujourd'hui, de la fête théâtrale, eh ! bien, en voici une, avec ses rythmes nerveux, ses couleurs « sonores », son texte éblouissant et ses personnages comme jaillis d'un chapeau de magicien... [4]

Les années qui viennent verront-elles s'accroître — ou tout au moins durer — le rayonnement d'une œuvre qui fit couler tant

1. *Les Nouvelles littéraires*, 13 févr. 1969.
2. *La Revue de Paris*, mars 1969, p. 133.
3. Du moins dans les premières représentations ; par la suite, il a déformé son jeu initial.
4. *Le Soir*, 18 mai 1974.

d'encre pendant plus de cinquante ans? Les paroles récentes d'un Henry Miller, parlant du *Cocu magnifique*, permettent de l'espérer :

> Je le tiens pour la plus belle chose qu'on ait jamais écrite sur la jalousie... Je la mets même au-dessus d'« Othello » de Shakespeare [1].

Il est difficile de recueillir des indications exactes sur le sort qui fut réservé au *Cocu magnifique* à l'étranger, en ces dernières années.

À partir de la mort d'Auguste Rondel en 1934, le catalogue de la bibliothèque de l'Arsenal fournit moins de renseignements sur le théâtre contemporain.

Les registres de la Société des auteurs et compositeurs dramatiques n'ont pas toujours été tenus à jour avec soin.

La guerre et l'après-guerre quarante nous ont en outre privés d'informations sur les programmes des pays de l'Est.

Pour la période qui va de 1922 à 1932 environ, on peut encore recueillir des échos sur l'effet que produisit la pièce dans une dizaine de pays.

Elle suscita, dans un sens comme dans un autre, des réactions explosives.

En Italie et en Angleterre, nombreux furent les incidents.

À Rome, en 1922, au Théâtre de l'Argentina, l'œuvre devait être créée par la Compagnie dramatique Picasso.

La censure ne veut accorder son autorisation qu'à la condition de supprimer une partie du deuxième acte et le troisième tout entier. Bien entendu, la Compagnie refuse [2]. Des protestations de la presse agnostique s'élèvent de toutes parts. Selon elle, ce sont des députés du Parti catholique populaire qui ont monté la cabale [3].

Un an plus tard, le 22 juin 1923, la même Compagnie prend sa revanche.

La farce attire le public en raison des polémiques auxquelles elle a donné lieu un an plus tôt [4].

---

1. Dans Brassaï : *Henry Miller grandeur nature*. Paris, Gallimard, 1975, p. 111.
2. *Secolo*, 30 sett. 1922.
3. *Comœdia*, 2 ott. 1922.
4. *Giornale di Roma*, 23 giugno 1923.

Mais le calme ne se rétablit pas pour autant et la guerre du *Cocu* continue.

En décembre de la même année, *El Becco magnifico,* qui devait être donné au Teatro Grande de Brescia, est interdit par le préfet de police à la suite d'incidents qu'il avait suscités, paraît-il, au Théâtre de Mantoue [1].

Nous le retrouvons, le 2 janvier 1924, au Teatro Carignano de Turin. Annibale Ninchi qui l'a monté s'est vu obligé de pratiquer des coupures qui dénaturent les principales intentions de l'auteur. En dépit de quoi des protestations fusent encore avec véhémence, au troisième acte [2].

C'est à Milan qu'aura lieu la plus grosse bagarre.

*Ci fu vera battaglia,* écrit Renato Simoni [3].

Et quelle bataille !

Au moment où Bruno veut changer le doute que lui inspire la conduite de Stella en certitude de son infidélité, le public forme deux clans dont l'un crie : *Allez à l'Église* et l'autre : *Ayez honte!*

Lorsque Bruno enferme Stella et Petrus dans la chambre conjugale, le vacarme est invraisemblable. Annibale Ninchi qui joue le cocu doit demander aux spectateurs de faire silence afin de pouvoir poursuivre la représentation.

À cette occasion, Henri Béraud écrit un fracassant article dont je n'ai malheureusement pu découvrir que la date [4].

Il reproche aux citoyens du pays de Mussolini de *conspuer le meilleur du talent français.* Et de quel droit ? Car après tout, *l'Italie n'est, en matière de théâtre, qu'une province tapageuse, irritable, outrecuidante.*

Puis, le pamphlétaire enfle le ton. Il va jusqu'à menacer Gabriele d'Annunzio et Luigi Pirandello avec une faconde dont on a plaisir à offrir un échantillon :

> L'auteur de « Six personnages en quête d'un auteur », qui est aussi l'auteur de trente-six pièces en quête de théâtres, ferait sagement de rappeler à ses compatriotes que les peuples ont, comme les individus, chacun leur vérité et aussi que les Parisiens légers et généreux peu-

1. *Corriere della sera,* 19 dic. 1923.
2. *Stampa,* 3 gen. 1924.
3. *Corriere della sera,* 5 mag. 1925.
4. Le 19 mai 1925.

vent se lasser de vêtir ceux qui sont nus... Sans pousser l'honneur jusqu'à la volupté, nous avons notre amour-propre; et notre Henri IV à nous a dit, sur la promptitude des Français, quelques petites choses que nous n'avons pas tout à fait oubliées. M. Benjamin Crémieux, le traducteur de M. Pirandello, est fort qualifié pour les répandre en Italie.

Second insuccès spectaculaire : en Grande-Bretagne.

Il faut attendre 1932 pour que *Le Cocu magnifique* fasse son apparition.

On l'introduit au Stage Society Globe Theater de Londres dans la version anglaise d'Igor Montagu, avec la mise en scène de Komisarjevsky.

M. George Hayes est *the jealous husband* de cette *very continental play* [1].

Le *Times* prévoit avec raison que le drame ne peut déchaîner que d'excessives louanges ou d'excessives réprobations. Il y décèle du Maeterlinck sans la beauté et du Strindberg sans le génie [2].

Aux yeux de l'élite intellectuelle, la pièce est un triomphe. Devançant Henry Miller à cet égard, Bernard Shaw déclare qu'il la préfère à *Othello*.

Mais la pudibonderie anglo-saxonne l'emporte.

La censure ne tarde pas à arrêter sa carrière sur scène. Bien plus : elle interdit sa publication en anglais.

D'autres pays se révèlent plus ou moins conquis.

La traduction médiocre qu'a donnée Elvire Bachrach, du *Prachtvoller Hahnrei*, n'a guère servi son prestige au théâtre de la Königgrätzerstrasse, à Berlin.

Curieusement, Fritz Engel proteste, au nom de la féminité outragée, contre la figure de Stella [3].

Accueil honorable, mais non répété, à Budapest, en 1923, où *Acsodas zarvas* (au sens littéral, *Le Cerf miraculeux*) est donné au Théâtre de la Renaissance dans une traduction qui est l'œuvre de

1. *The Morning Post*, 24 may 1932.
2. *The Times*, 24 may 1932.
3. *Berliner Tageblatt*, 27 nov. 1922.

Frigyes Karinthy, auteur satirique et de Dezsö Kosztolányi, poète à la fois subtil et érudit.

Judith Szanto en a parlé dans un ouvrage d'information générale [1], Artur Bárdos, dans *Jeux derrière le rideau* [2].

Sigurd Bødtker affirme, dès août 1924, qu'en Norvège, *Den praktfulde Hanrej* est un succès [3].

Le baromètre monte lorsqu'on s'achemine vers l'Amérique du Sud où les œuvres de Crommelynck ont d'emblée conquis le public.

*El Burlado magnifico,* dans la version espagnole de Honorio Roigt, a été représenté au Théâtre Cervantès de Buenos Aires, en octobre 1925. Pilar Gómez et Samuel Jiménez en sont les vedettes [4].

Les représentations ont, paraît-il, été nombreuses. Mais les documents précis manquent à l'appui de cette affirmation.

La critique reconnaît dans *El Burlado* l'une des hautes expressions du théâtre d'après-guerre. Elle exalte sa force captivante, son souple lyrisme et son audace dans la façon d'aborder les problèmes psychologiques.

Ce sont — et de loin — les pays slaves qui ont manifesté le plus de goût pour l'œuvre de Crommelynck.

*Le Cocu manifique* est à l'affiche du Théâtre des États de Prague, à partir du 29 avril 1923, dans une traduction de Petr Křička [5].

La presse est unanime à louer la mise en scène [6]. Mais des objections sont formulées au sujet de *Velkolepy Parohāč* (tel est le titre tchèque aux consonances pour nous savoureuses). Kazetka reproche à l'auteur de ne pas avoir analysé avec suffisamment de profondeur les personnages secondaires [7]. En quoi il n'a pas tout à fait tort.

1. *Szinházi Kalauz.* Budapest, Ed. Condolat, 1971, s.p.
2. Budapest, Dr Vajna es'Bokor, 1942, pp. 75, 79, 81, 104-105.
3. *Tidens Tégn,* 2 august. 1924.
4. *Nación de Buenos-Ayres,* 13 oct. 1925.
5. Iconogr. Entre les pp. 112 et 113.
6. *Prager Presse,* 1er mai 1923.
7. *Lidové Noviny,* 1er kveten 1923.

Prévoyant l'attitude des spectateurs épris de réalisme qui pourraient trouver l'action invraisemblable, un autre journaliste, Rutte, leur accorde que ce serait exact s'il s'agissait d'une tragédie descriptive purement extérieure. Mais le drame se situe davantage dans l'imagination des héros. D'où la figuration parfois extravagante des états d'âme [1]. Point de vue qui rejoint entièrement celui qu'avait exposé l'auteur et que la critique française n'a pas compris d'emblée.

Six ans plus tard, à Brno, au Théâtre Vieux, O. Cermak qui est Bruno réalisera une adroite mise en scène qui relancera la pièce [2].

Des indications récentes permettent de constater la durée de ce succès. En effet, 1971 a vu naître deux traductions du *Cocu magnifique* en langue tchèque [3].

Mais le penchant que manifestent les Tchèques pour l'art de Crommelynck est peu de chose à côté de celui qui se dessine en Pologne.

Roquigny déclare que l'enchantement s'y manifeste sans réserve, dès l'apparition du *Cocu magnifique* au Théâtre Maly (Petit Théâtre), en mars 1924 [4]. Il est vrai que la traduction est l'œuvre d'un des plus grands écrivains polonais modernes, Iwaszkiewicz. Mise en scène hardie de Borowski, avec des décors et une illustration musicale d'avant-garde [5].

L'article d'E. Woroniecki offre le double avantage d'être écrit en français dans *Comœdia* et de résumer les principales réactions de la presse polonaise, celle, par exemple, de Grubinski, critique des *Wiadomoscie Literackie* (*Les Nouvelles littéraires*), qui dit de l'auteur :

> Son Bruno appartient à la lignée de types qui sont devenus symboliques, comme Tartuffe, Don Quichotte, Harpagon, etc... [6]

Et il conclut :

---

1. *Narodny Listy*, 1er kveten 1923.
2. *Lidové Noviny*, 9 duben 1929.
3. *Rozkošný Parohdč*. Trad. Jola Bánová. Bratislava, Lita, 1971, 74 p. *Žárlivost*. Trad. Jan Tomek. Praha, Dilia, 1971, 87 p.
4. Dans une traduction polonaise intitulée *Rogacz Wspaniałty*.
5. *Journal de Pologne*, 7 mars 1924.
6. *Comœdia*, 25 avr. 1924.

La liste des chefs-d'œuvre de la littérature mondiale vient d'être enrichie d'un type immortel plus vivant que la vie.

Le journal parisien mentionne aussi les opinions de Lorentowicz, collaborateur de l'*Express Poranny* (l'un des premiers historiens de la littérature du pays) et de Boj-Zelenski du *Kuryer Poranny* (le meilleur traducteur et présentateur des classiques français que la Pologne ait compté).

Le premier souligne le refus du dramaturge de se laisser ligoter par le plausible ou l'explicable, sa volonté aussi d'accumuler les traits caricaturaux qui finissent par constituer une effigie obsédante du jaloux :

Que nous importe l'exagération avec laquelle l'auteur fait amener certains détails du « Cocu magnifique » aux confins de l'absurde, si nous y sentons tour à tour vibrer ou agoniser un cœur humain mis à la torture d'une souffrance sans issue.

Quant au deuxième, Boj-Zelenski, il insiste sur la précision quasi scientifique qui se dissimule sous des apparences désordonnées et qui détermine l'authenticité du personnage :

La pièce se meut dans une sphère d'abstraction. Ses situations audacieusement tendues n'ont et ne veulent avoir rien de commun avec la vérité réaliste. Elles sont dictées par une logique de la passion qui se développe presque mathématiquement. Car M. Crommelynck est un mathématicien hors ligne. Dans son analyse pénétrante et hardie de la jalousie il aboutit au paradoxe qu'est une fin naturelle de chaque sentiment poussé à l'absolu [1].

Crommelynck a dit et redit qu'il avait été joué des milliers de fois en Russie devant un public d'ouvriers enthousiasmés. Mais les précisions manquent, je le répète, dès qu'il s'agit des pays de l'Est.

Nous en possédons un peu plus depuis que Béatrice Picon-Vallin a traduit le tome II d'un ouvrage où il est à plusieurs reprises question du dramaturge : les *Écrits sur le théâtre,* de Vsevolod Meyerhold [2].

1. *Comœdia,* 25 avr. 1924.
2. Lausanne, La Cité, L'Âge d'homme, 1975.

C'est lui qui monta *Le Cocu magnifique* à Moscou, dans son Atelier Libre, le 25 avril 1922.

La traduction était de I. Aksionov et la mise en scène, accompagnée de musique de jazz, bouleversa complètement les habitudes scéniques du moment.

Un article du Copeau russe conte l'aventure [1].

Il venait de prendre possession de la salle du Nezlobine dont il fallut expulser tout un bric-à-brac de toiles peintes et d'accessoires dorés.

L'ancienne troupe, qu'il avait en partie intégrée à la sienne, travailla avec lui à la réfection des lieux et à l'installation des décors de L. S. Popova où rien n'était destiné à plaire selon l'ancienne méthode [2].

Ce n'étaient que lignes droites, plans géométriques et incolores, rouages, échelles et ailes de moulin. Une curieuse machine-outil au nom de l'auteur (CR-ML-NK), mais privé de ses voyelles, trônait sur les planches. Elle affirmait le triomphe de l'art constructiviste sur la fausse théâtralité. S'assortissaient à cet esprit, des acteurs en simples bleus de travail (identiques pour les deux sexes) : Ilinski (Bruno) [3], Babanova (Stella) et Zaïtcikov (Estrugo). Ils accordaient leurs mouvements et leurs modulations de voix à une sorte de jeu collectif à trois, procédé précurseur, semble-t-il, de l'expression corporelle dont la vogue s'est répandue de nos jours.

À en croire les mémoires de Meyerhold, le public fut enchanté et la pièce se maintint longtemps au répertoire de l'Atelier :

> Le succès de ce spectacle se confondit avec le succès de la nouvelle conception théâtrale qui en constituait la base, et l'on peut maintenant tenir pour établi que « le théâtre de gauche » tout entier, non content d'avoir pris sa source dans ce spectacle, continue aujourd'hui encore à rester marqué de son influence [4].

À leur début, les pièces de Fernand Crommelynck ont presque toujours provoqué des remous, parfois même des bagarres. La

1. *Novyi Zritel* (*Le Nouveau spectateur*), nº 39, 1926.
2. Iconogr. Entre les pp. 112 et 113.
3. *Idem.*
4. *Les Écrits sur le théâtre*, t. II, p. 97.

création du *Cocu magnifique* à Moscou ne fait pas exception à cette coutume. Elle a peut-être déterminé le commencement de la disgrâce de Meyerhold.

Un débat l'opposa à Anatole Lounatcharsky — le célèbre homme d'État, dramaturge à ses heures — qui, le 15 mai 1922, engagea une polémique contre la pièce. Il la fit précéder d'un article où il protestait contre cette *raillerie outrageante à l'égard de l'homme et de la femme,* qui l'avait obligé de quitter son fauteuil en pleine représentation [1].

Meyerhold répliqua d'une langue aussi verte qu'insolente que, formé aux petits vers de Rostand, le polémiste ne devait rien comprendre à du Crommelynck :

> Un goût pareil ne pourra jamais admettre ni le rire sain, ni le jeu sain, ni le puissant et sain « ingéniérisme », ni la biomécanique, toutes choses que nous avons mises en jeu dans « Le Cocu magnifique » [2].

Rancœurs personnelles inspirées par l'envie [3] ? Injonctions du régime ? On ne sait pas au juste ce qui guida Lounatcharsky. Toujours est-il que dans son article, *Remarques à propos du « Cocu magnifique »*, il déclara l'œuvre de Crommelynck *décadente et bourgeoise* [4].

Popova fut également répudiée par son groupe qui jugea son décor trop fantaisiste. On l'estima coupable de crime de *lèse-constructivisme* et de s'être compromise avec *l'esthète Meyerhold.*

Nos renseignements peuvent se compléter des recherches d'Inna Dimitrievna Chkounaeva dans son *Théâtre belge de Maeterlinck à nos jours* [5].

Le 26 janvier 1928, reprise au Gostim (Théâtre d'État) dans une nouvelle version scénique que Meyerhold ne commente pas, mais qui a peut-être été réalisée sous l'influence de pressions politiques.

Ce dernier est encore en pleine activité en 1930 puisque, à cette époque, au dire de Nicole Zand, il monte deux pièces antibureau-

---

1. *Izvestia,* 14 mesjac 1922.
2. *L'Ermitage,* n° 2, 1922.
3. Rappelons que, à la même époque, Lounatcharsky écrivait des pièces pour le Théâtre Athée, fondé à Moscou en 1923.
4. *Izvestia,* 14 mesjac 1922.
5. Moskva, Iskousstvo, 1973, pp. 223-277.

cratiques de Maïakovski [1]. Il n'est donc pas exclu que *Le Cocu magnifique* ait encore été joué au cours de cette année.

À partir de 1936, une campagne est menée contre l'artiste. On accuse son art de *laideur gauchiste* et de *formalisme*. Son théâtre est fermé en 1938, parce que ses mises en scène donnent *une idée calomniatrice de la réalité soviétique*.

Arrêté en 1939, on ne sait pas à quel moment il est mort [2].

En 1974, Moscou a célébré avec faste le centenaire de sa naissance en organisant une splendide exposition de textes, de photos et d'archives touchant son action théâtrale.

Il aurait fallu y montrer un document qui n'y figure évidemment pas, celui qui aurait dévoilé la vérité pure et simple : Meyerhold est un glorieux réhabilité dont Staline a détruit l'œuvre et la réputation.

Le beau sujet de pièce à traiter par Crommelynck s'il était encore en vie ! Une prodigieuse et macabre farce qui pourrait s'intituler *Le Ressuscité magnifique* !

---

1. *Le Monde*, 14 mars 1974.
2. *Idem*.

# VI. « LES AMANTS PUÉRILS »

## 1. La vie en famille et en amitié

*Le Cocu magnifique* fut, on le devine, une pièce rentable. Son auteur s'en est évidemment réjoui, mais sans excès.

Une de ses interviews montre que, en dépit des situations précaires qu'il avait connues, il ne fut jamais avide de gain :

> Combien de jours ai-je couru tout le jour après les cent sous qui nous feraient dîner (de quel dîner !) ma femme, mon enfant et moi ! Combien de cruautés rencontrées, d'insouciances assassines, d'aumônes vitales désespérément arrachées ! [1]

Et d'ajouter sur un éclat de rire libérateur :

> Aux plus noirs moments, je n'ai jamais manqué du trésor de force et de confiance. Quels droits d'auteur, me venant aujourd'hui, quels applaudissements, quels dîners somptueux qu'on m'offre de toutes parts, quelles jouissances conférées par l'argent me combleront, me griseront et me feront plus riche que les âpres délices, les luxuriants enfantements de mes pensées, escorte invincible et perpétuelle de toutes mes heures, même les plus noires...

À Saint-Cloud, au premier étage de la maison de Verhaeren, on vit en famille : le dramaturge, sa femme, son fils, son frère et son beau-frère, Hector Letellier. Des amis leur rendent visite : Blaise Cendrars et son épouse, la belle Raymone.

L'après-midi, chez Marthe Verhaeren, au deuxième étage, on retrouve toute une élite artistique : Florent Schmitt et Théo Van Rysselberghe, pour ne citer que ces deux noms. Et la soirée se termine souvent avec la maîtresse de maison, dans le grand salon qui avait été le cabinet de travail du poète. Des débats passionnés

1. *Le Carnet de la semaine*, 9 janv. 1921.

s'y poursuivent jusqu'aux petites heures, tandis que la veuve, affligée d'une semi-paralysie, s'est fait reconduire à sa chambre beaucoup plus tôt.

Les deux frères vont souvent dire bonjour à une amie, la sœur du comédien Pierre Bertin [1]. Ils rencontrent René Gimpel, un marchand de tableaux, grand ami et connaisseur de Proust.

Dans *Journal d'un collectionneur,* il parle de l'intérêt que Crommelynck portait au romancier [2]. Ce sentiment n'eut rien d'un coup de foudre. La première fois que le dramaturge parcourt un de ses romans, il déclare sans ambages à son frère : « Jamais je ne lirai cela ».

Quelque temps après, on le retrouva, le volume à la main et s'émerveillant au point d'en dire des passages à haute voix. Et chaque fois qu'un ami venait lui rendre visite, il lui faisait entendre un fragment de l'œuvre. Crommelynck était coutumier du fait : quand un écrivain lui plaisait, il ne le lâchait plus et en faisait voir la beauté à son entourage.

Plus tard, en 1924, Albert louera un atelier, rue de Varenne. Mais, à cette époque, il fait de longs séjours chez Fernand dont ses goûts le rapprochent. Un même attrait pour les sports (marche, bicyclette et, plus tard, natation) les entraîne sur les routes et vers les piscines. Un même penchant aussi pour les arts et les idées les engage dans des discussions qui durent parfois jusqu'au petit matin.

De seize ans son aîné, Fernand a toujours été un père pour son cadet. Celui-ci se souvient qu'il s'occupait de lui avec une fidèle sollicitude.

L'enfant était excellent élève (tous les Crommelynck le furent et il ne vint en tout cas jamais à l'esprit de leurs parents qu'il pût en être autrement) [3].

---

1. Sous le pseudonyme de Marie Vancalys, Marcelle Bertin a publié aux Éditions de la Sirène un livre de poèmes pour enfants, préfacé par Maeterlinck. (Illustré par Albert Crommelynck.)
2. Paris, Calmann-Lévy, 1963, p. 258.
3. À tel point que lorsque Fernand était à l'école à Montmartre, il devait avoir la croix d'honneur la première semaine de la rentrée ; et sa mère la lui cousait à son tablier pour qu'il soit dans l'obligation de la conserver tout au long de l'année.

Un jour qu'il devait se rendre à une distribution des prix où il allait, une fois de plus, s'entendre proclamer premier, Fernand, passant précisément par Bruxelles, se rendit compte que son frère n'avait rien à se mettre pour la cérémonie. Aussi lui acheta-t-il un costume blanc et de superbes chaussures.

Philomène Crommelynck, qui n'appréciait guère le luxe (ou ce qu'elle estimait tel), jugea sévèrement ces folles dépenses. Au lendemain de la cérémonie, elle se hâta de mettre sous clef ces vêtements superflus.

Quelques mois plus tard, lorsque Albert reçut enfin l'autorisation de porter ses souliers, il ne parvint hélas ! plus à y entrer.

Fernand guida les premières lectures du jeune homme. Il lui fit apprécier les romanciers russes à un âge où le nihilisme désespéré de ceux-ci risque d'abîmer la joie de vivre. Mais qui peut se vanter d'avoir lu les écrivains importants au moment où il faudrait les lire ?

Les dons que manifesta toujours le dramaturge pour le dessin [1] lui permirent aussi de suivre l'évolution de son cadet. De même, Albert était assez au courant de la littérature pour apprécier les pièces de Fernand. Un jour, les rôles allaient être inversés. Âgé et souffrant, l'aîné reçut du peintre maintes preuves de vigilante affection. Et maintenant qu'il n'est plus, c'est ce dernier qui entretient son souvenir.

## 2. Une pièce jouée trop tard

> C'est pendant la jeunesse qu'on est inquiet de la mort et de la précarité de l'amour...
> (Fernand Crommelynck, *À l'occasion des « Amants puérils »*, O.R.T.F., 27 avril 1956)

Crommelynck l'a dit : *Les Amants puérils* furent conçus comme une réaction contre *Le Sculpteur de masques* où il s'était montré un peu trop avare de paroles.

Quelque temps après la création de ces trois actes, il estima que :

1. Iconogr. Entre les pp. 8 et 9.

> l'éloquence était peut-être également utile, ou du moins ce qu'on appelle au théâtre la nécessité d'éclairer sa lanterne [1].

Le dramaturge s'est contredit sur la date à laquelle l'œuvre fut écrite.

En 1953, lors de ses entretiens à la radio bruxelloise, il affirma que c'était en 1913 [2]. Trois ans plus tard, au cours d'une interview donnée à Paris, il se souvint que c'était en 1911 [3].

Cette rectification n'est d'ailleurs pas à exclure. Le climat dans lequel se situe l'intrigue est proche de celui qu'évoquent certaines chroniques du *Carillon*. On y retrouve des phrases entières que le drame reproduit et auxquelles je reviendrai. L'idée de sa pièce a pu se développer durant les vacances de 1908.

L'histoire se déroule vraisemblablement à Ostende. À *la villa des Tritons*, explique l'auteur, par la baie de laquelle on découvre un *gouffre d'air éblouissant et froid* [4].

Bien qu'il soit un peu statique, comparé aux deux autres, le premier acte est diablement animé par la querelle des servantes qui y prélude. Sans doute est-ce aux sorcières de *Macbeth* que Crommelynck a pensé en décrivant ces *noires larves* que sont Quasiment, la revêche, Zulma, la rieuse et Fidéline, aussi haineuse qu'intéressée.

L'une d'elles annonce qu'un hôte des Tritons va partir pour l'hospice. Madame Mercenier, propriétaire de la pension, estime en effet que, devenu gâteux, le riche baron Cazou lui suscite trop d'ennuis.

Cette femme sans pitié est par ailleurs une mère abusive. Elle veut interdire sa porte à Walter, l'amoureux de sa fille, Marie-Henriette.

Au moment de se dire adieu, les amants puérils se parlent avec la mélancolie de ceux que sépare et unit tout ensemble un amour contrarié.

C'est alors que paraît Cazou-le-radoteur qui ne cesse d'évoquer sa splendeur évanouie, du temps où il aimait la princesse de

---

1. I.N.R. *Entretien n° 5 de Fernand Crommelynck avec Jacques Philippet*, 1953, app. p. 386.
2. *Idem*, app. p. 385.
3. R.T.F. *À l'occasion des Amants puérils*, 27 avr. 1956.
4. *Les Amants puérils*, Théâtre, t. I. Paris, Gallimard, 1967, p. 119.

Groulingen et en était aimé. Ses beaux discours sont réduits à néant par les moqueries et les menaces de Fidéline. Mégère inapprivoisable, elle ne consent à s'occuper de lui que contre argent comptant et dans la mesure où il se montrera docile.

L'or du vieillard ne peut du reste le mettre à l'abri du malheur : la veuve Mercenier appelle la police et le fait expulser.

Cela se passe peu après l'arrivée aux Tritons d'une mystérieuse Étrangère.

L'inconnue sursaute en apercevant Cazou, puis s'entretient avec Marie-Henriette qu'elle prend en affection. Ses mains gantées et son visage fardé, recouvert d'une épaisse voilette pendant la majeure partie du spectacle, empêchent de reconnaître en elle une presque vieille dame : la princesse de Groulingen, l'ancienne maîtresse du baron.

Sa voix chaude et sa silhouette gracile ont toutefois fait naître une passion chez un jeune homme qui ne l'a jamais contemplée au grand jour. On l'appelle l'Étranger. En vain essaie-t-elle de le fuir de ville en ville. Il n'arrête pas de la poursuivre. Le voilà qui arrive à son tour aux Tritons.

Au deuxième acte, le couple se rencontre : elle, sachant que la révélation de son âge rendrait toute liaison impossible et lui, de plus en plus exaspéré par le désir. Élisabeth finit par promettre de devenir sa maîtresse le lendemain ; mais elle est bien résolue à quitter la pension dès l'aube.

En attendant, ils poursuivent un dialogue sans issue. L'adoration de l'un répond à l'effroi de l'autre, laissant chacun sur des voies qui ne pourront jamais se rejoindre.

Les amants puérils vivent eux aussi leur drame. Walter n'y voit qu'un dénouement possible : disparaître avec la jeune fille dans les flots. Unir dans la mort ce que la vie veut dissocier.

Les deux épisodes qui se développent sous nos yeux sont distincts, mais une même personne, Fidéline, en dirige le déroulement.

Sous l'aspect insolite des événements, elle subodore une vérité dont sa méchanceté et son âpreté au gain pourraient se servir.

Procédant par chantage auprès de Cazou et de Marie-Henriette, elle apprend l'âge et l'identité de l'Étrangère qui fut aimée du vieux baron, puis agit en fonction de ces révélations.

Au troisième acte, Marie-Henriette rêve à ses amours. Elle entend l'appel de Walter qui l'entraîne vers une mort contre laquelle sa jeunesse proteste avec véhémence : *Non, non, je ne sais pas marcher sur l'eau qui bouge* [1], s'écrie-t-elle, en pensant avec effroi aux vagues qui l'engloutiraient.

Survient Fidéline qui va quitter la pension pour s'occuper du vieillard dont elle espère bien tirer quelque profit. Avant de partir, elle sème dans l'âme de l'enfant une panique qui l'incite à rejoindre son fiancé. Repoussée par sa mère qui la rudoie, l'adolescente cherche un dernier refuge auprès de l'Étranger et de l'Étrangère qui l'ont toujours traitée avec bonté. Arrachés un instant à leurs préoccupations, ceux-ci l'engagent également à se rendre auprès de son ami. Sans se douter qu'ils l'orientent vers une issue fatale.

Et la fillette part, esseulée et pitoyable, pour ne plus revenir.

Le héros explique ensuite à Élisabeth son idéal et son besoin d'évasion en pleine mer. Il s'agit d'une invitation au voyage dont l'aimée sait qu'elle ne profitera guère.

Elle monte se coucher en attendant l'heure de partir.

À ce moment, le misérable Cazou revient en scène et change le cours des choses. C'est Fidéline qui l'a envoyé, afin de dévoiler la vérité sur l'Étrangère.

L'Étranger écoute avec intérêt le vieillard dont il a connu autrefois les amours avec la princesse de Groulingen. Il apprend par lui que celle-ci est précisément à la pension et qu'elle n'est autre qu'Elisabeth !

Ainsi, c'est à cause de son âge qu'elle voulait lui échapper !

Le jeune homme l'appelle avec une furieuse véhémence et la fait sortir de sa chambre. Le visage flétri de celle qui n'a pas eu le courage de le montrer plus tôt apparaît, pour la première fois, en pleine lumière.

Alors, sans un cri, sans un mot, avec un rire silencieux, le malheureux s'esquive comme un voleur.

Dans le même temps, Marie-Henriette, qui n'a rencontré aucune compréhension dans le monde des adultes, a accepté de mourir avec Walter.

---

1. *Les Amants puérils*, p. 194.

Les corps des adolescents sont retrouvés au fond de l'eau et la tragédie est relatée à une mère pétrifiée de douleur.

Le portrait de l'Étranger ne présente guère de relief ou de traits saillants. Il ne déçoit pourtant pas. Son rôle n'exige d'ailleurs pas que nous approfondissions son caractère. Il nous suffit de le voir en homme pressé de conquérir la femme de ses rêves, de percevoir le lyrisme amoureux et le généreux dynamisme qui expliquent le trouble de l'héroïne.

Celle-ci est née d'un lointain souvenir dont l'écrivain a parlé dans l'interview donnée à la R.T.F. et citée plus haut :

> Je remarquais souvent, quand j'allais à Ostende, la femme d'un ambassadeur des pays nordiques qui avait été fort belle.

Crommelynck pense qu'elle devait avoir environ trente-cinq ans ; c'était bien des années aux yeux du jouvenceau qu'il était encore. De là à imaginer que la dame avait allumé une dernière flambée dans le cœur d'un garçon, il n'y avait qu'un pas. Comme Marie-Henriette et Walter, lui-même était encore au moment de sa vie où pareil drame peut être douloureusement ressenti :

> C'est pendant la jeunesse qu'on est inquiet de la mort et de la précarité de l'amour... C'est à vingt ans qu'on se tue par amour [1].

Dans aucune des pièces à venir, ce sentiment ne donnera lieu à autant d'évocations consternantes. Car il demeure associé aux réminiscences du paradis perdu de l'enfance.

Souvenons-nous de Dagmar, la petite Scandinave vêtue de noir qui apparut au milieu des tombes du cimetière de Laeken. Par l'accent et par la grâce, elle semble être une sœur cadette de l'ambassadrice *des pays nordiques* que l'adolescent devait rencontrer quelques années plus tard à Ostende. Élisabeth, c'est la femme en deuil d'elle-même, condamnée à mourir une première fois, lorsqu'elle n'est plus assez jeune pour être aimée. Ce n'est pas la moins pathétique de ses morts.

Crommelynck n'omet de peindre aucune étape de son enfer : la contemplation nostalgique de la jeunesse à travers Marie-

1. R.T.F. *À l'occasion des Amants puérils,* 27 avr. 1956.

Henriette, le regret de ne pas avoir de fille qui puisse prolonger ses vertes années et, enfin, la brutale révélation de son visage fané devant l'aimé à qui elle crie tragiquement sa honte : *Ce n'est plus moi, plus moi...* [1].

Le stade ultime de la décrépitude, c'est toutefois Cazou qui le figure. Tout en lui n'est que contradiction : sa vieillesse le fait parler de lui à la troisième personne, de manière enfantine ; ses jambes ne lui permettent pas plus de marcher que son cerveau de penser. Il va jusqu'à confondre son ombre avec un chien auquel il jette du sucre. Cela crée une sensation d'irrémédiable désarroi et d'irrésistible cocasserie. Pitre inconscient et torturé, il déchaîne à lui seul un comique qui fait à la fois frémir et pleurer : c'est là un comique de dérision qui met en évidence le pathétique aboutissement de toute existence. Le mélange de compassion et d'horreur qu'inspirent ses attitudes prend un caractère intolérable dont Jacques Lemarchand a souligné la nouveauté :

> Il y a, à chaque moment du drame, une abondance dans la cruauté qui est le signe même d'un grand amour de la vie et des êtres [2].

Peut-être est-ce parce qu'ils ont peu vécu que Walter et Marie-Henriette réalisent mal le bonheur d'être de ce monde et le malheur de s'en effacer.

On a l'impression que ces jeunes gens jouent à vivre et à s'inventer un destin légendaire, sans y engager la part la plus importante d'eux-mêmes. Légèreté des êtres neufs qui n'ont pas encore eu le temps matériel de réfléchir.

Lorsqu'on les a retrouvés noyés, leurs corps étaient *liés par la taille* [3], mais on voyait bien qu'ils s'étaient débattus avant de périr. Crommelynck pense que leur amour s'était peut-être brusquement éteint au seuil du suicide. Peut-être ont-ils soudain cessé de croire en la valeur du défi qu'ils s'étaient imposé de lancer.

---

1. *Les Amants puérils*, p. 227.
2. *La Nouvelle revue française*, n° 7, 1er mai 1956, p. 902.
3. *Les Amants puérils*, p. 228.

Peu de dramaturges ont défini avec autant d'émotion et de perspicacité les troubles de l'adolescence: ses hésitations et sa crédulité, sa dissimulation et sa superficialité, ses contradictions et ses angoisses face au monde des adultes.

À peine esquissé dans *Le Marchand de regrets,* le type de la servante hargneuse s'affirme ici avec maîtrise.

La grognonne Quasiment (ainsi nommée parce qu'elle abuse de cet adverbe), c'est le rude égoïsme des campagnards d'autrefois qui entendent faire payer leur dure existence à la nouvelle génération en se plaignant. Sa surdité et sa rigidité semblent symboliser le destin qui ne nous entend pas et qu'on ne peut fléchir.

À l'opposé de ce caractère, mais tout aussi déplaisante: Zulma. Sa placidité femelle et bêtifiante n'a d'égale que sa pleutrerie. C'est ce dernier trait et non la pitié qui la fait hésiter à annoncer la mort de Marie-Henriette à Madame Mercenier.

Fidéline est l'intelligence et la ténacité en personnes, lorsqu'il s'agit de faire le mal. Ses armes principales: la ruse, l'arrogance et l'absence de tout scrupule. Ses joies: rappeler à Zulma sa laideur, voler à Cazou le bâton sans lequel il ne peut marcher, révéler à l'Étranger l'âge de l'Étrangère et renforcer le désarroi de Marie-Henriette qu'elle encourage ainsi à opter pour le malheur.

Sa plus vile, sa plus intime conviction se manifeste en ce cri imprécatoire qu'elle pousse au troisième acte: *Crevez tous!* [1]. L'aspect le plus affreux de son être, c'est la gratuité de sa méchanceté qu'elle exerce parfois sans y trouver profit, pour s'en délecter.

Si caricaturaux soient-ils, tous ces personnages ne se situent pas dans l'ambiance tragi-comique et paroxystique du *Cocu magnifique.* Pas même dans celle du *Marchand de regrets,* écrit, selon Crommelynck, en 1909, alors que la pièce dont il est question aurait été composée en 1911. Ici, c'est plutôt la veine dramatico-amère qui se dessine. Cela confirme donc l'idée que ces pages peuvent très bien avoir été en gestation dès 1908, durant le séjour ostendais.

1. *Les Amants puérils,* p. 199.

Le *Cocu magnifique* vu par Picasso.

Théâtre Impressif

PREMIER SPECTACLE
DE LA SAISON 1911

Deux Représentations Privées

**Le Sculpteur de Masques**

Trois actes en prose, de M. Fernand CROMMELYNCK

La Scène se passe en Flandre, dans la Maison du Sculpteur de Masques, habitée par :

PASCAL, sculpteur sur bois
LOUISON, sa femme
MADELEINE, sœur de Louison

*TROIS ÉPOQUES DE LA VIE DE CES PERSONNAGES :*
EN AUTOMNE — EN HIVER — AU PRINTEMPS

PERSONNAGES DE LA VILLE :

| | |
|---|---|
| Cador | L'Étranger |
| Le Menuisier | Deux Voisines |
| Le Raconteur | Une Étrangère |
| Sœur Marie-Joseph | Un Prêtre |
| Le Médecin | Hommes et Femmes du Peuple |

Décor de M. PAQUEREAU — Costumes de M. GRANIER

TROIS MASQUES { Louison / Broeck le pirate / Amadéi le beau chanteur

Sculptés par M. Raymond SUDRE, Statuaire

Le 2e Spectacle du Théâtre Impressif pour la saison 1911 se composera de :

Théâtre du Gymnase

Les Représentations du Théâtre Impressif seront immédiatement suivies d'une série de Représentations du

**Sculpteur de Masques**

Avec la distribution suivante :

| | | |
|---|---|---|
| Pascal | MM. | Armand BOUR |
| Cador | | DECHAMPS |
| Le Menuisier | | BOUCHEZ |
| Le Raconteur | | Jean LAURENT |
| Le Médecin | | SAURIAC |
| L'Etranger | | LABROUSSE |
| Le Prêtre | | BERTHAUD |
| Louison | Mmes | Gina BARBIERI |
| Madeleine | | Marthe BARTHE |
| Sœur Marie-Joseh | | MARGUET |
| Première Voisine | | BUCK |
| Deuxième Voisine | | PERNY |
| Une femme qui danse | | WALSER |
| L'Etrangère | | COLLINEY |

Décor de PAQUEREAU — Costumes de GRANIER

*Trois Masques de M. Raymond SUDRE*

PRIX ORDINAIRE DES PLACES

*Le Sculpteur de masques*
à Paris en 1911.

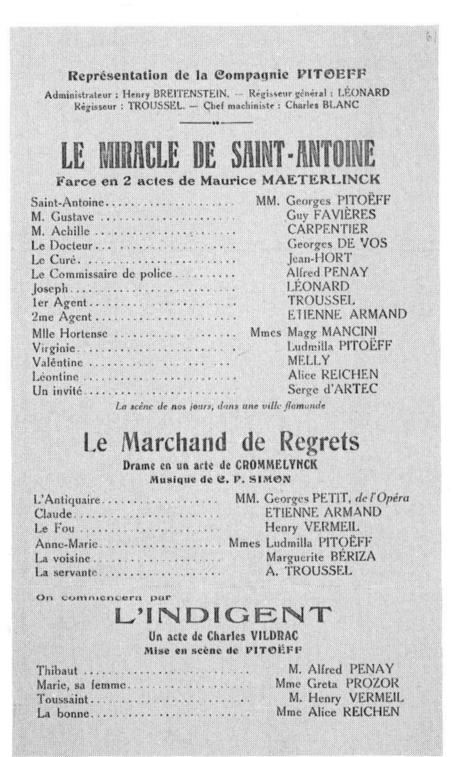

Représentation de la Compagnie PITOËFF

Administrateur : Henry BREITENSTEIN. — Régisseur général : LÉONARD
Régisseur : TROUSSEL. — Chef machiniste : Charles BLANC

**LE MIRACLE DE SAINT-ANTOINE**

Farce en 2 actes de Maurice MAETERLINCK

| | | |
|---|---|---|
| Saint-Antoine | MM. | Georges PITOËFF |
| M. Gustave | | Guy FAVIÈRES |
| M. Achille | | CARPENTIER |
| Le Docteur | | Georges DE VOS |
| Le Curé | | Jean-HORT |
| Le Commissaire de police | | Alfred PENAY |
| Joseph | | LÉONARD |
| 1er Agent | | TROUSSEL |
| 2me Agent | | ETIENNE ARMAND |
| Mlle Hortense | Mmes | Magg MANCINI |
| Virginie | | Ludmilla PITOËFF |
| Valentine | | MELLY |
| Léontine | | Alice REICHEN |
| Un invité | | Serge d'ARTEC |

*La scène de nos jours, dans une ville flamande*

**Le Marchand de Regrets**

Drame en un acte de CROMMELYNCK
Musique de C. F. SIMON

| | | |
|---|---|---|
| L'Antiquaire | MM. | Georges PETIT, *de l'Opéra* |
| Claude | | ETIENNE ARMAND |
| Le Fou | | Henry VERMEIL |
| Anne-Marie | Mmes | Ludmilla PITOËFF |
| La voisine | | Marguerite BÉRIZA |
| La servante | | A. TROUSSEL |

On commencera par

**L'INDIGENT**

Un acte de Charles VILDRAC
Mise en scène de PITOËFF

| | |
|---|---|
| Thibaut | M. Alfred PENAY |
| Marie, sa femme | Mme Greta PROZOR |
| Toussaint | M. Henry VERMEIL |
| La bonne | Mme Alice REICHEN |

*Le Marchand de regrets*
chez Pitoëff en 1927.

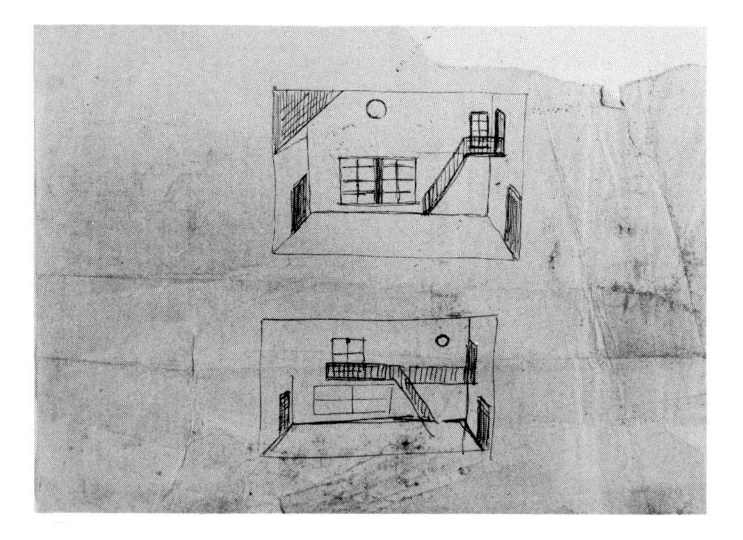

Croquis de l'auteur
pour *Le Cocu magnifique*.

Le décor constructiviste
pour le *Coca*
à Moscou en 1922.

Igor Ilinski,
qui fut l'interprète de Bruno
en 1922.

Marcel Roels,
Bruno
en 1941.

STAVOVSKÉ DIVADLO

V neděli 29. dubna 1923. Mimo předplacení.

Po prvé:

Pohostinsku vystoupí Anna Sedláčková.

FERNAND CROMMELYNCK:

VELKOLEPÝ PAROHÁČ

Satirická komedie o třech dějstvích.

Přeložil Petr Křička.

Režie: Václav Vydra. Scénická výprava: J. M. Gottlieb.

Bruno . . . . . . . . . . Václav Vydra
Stella . . . . . . . . . . Anna Sedláčková j. h.
Petrus . . . . . . . . . . Jiří Steimar
Kojná . . . . . . . . . . Vilemína Hájková
Starosta . . . . . . . . . . Florentin Steinsberk
Cornelie . . . . . . . . . . Eugena Engelbertová
Estrugo . . . . . . . . . . František Roland
Florence . . . . . . . . . . Míla Holeková
Volák . . . . . . . . . . Karel Jičinský
Hrabě . . . . . . . . . . Emil Focht
Ten z Ostkerque . . . . . . Otto Rubík

Vesničané, vesničanky, hudebníci.

Děje se za našich dnů ve Flandřích.

Po prvním a druhém dějství přestávka.

Začátek o 7. hod. Konec před 10. hod.

POŘAD HER TOHOTO TÝDNE:

Dne 30. 4. Jánošík. (Pro Proletkult.) 1. 5. se nehraje. 2. 5. Velkolepý paroháč. (Anna Sedláčková j. h.)

Cena 1 Kč. Tiskem Grafie v Praze.

Programme
des représentations à Prague.

Saison 1920-1921. — QUATRIEME SPECTACLE DE LA COMÉDIE MONTAIGNE

# LES AMANTS PUÉRILS

Pièce en 3 Actes de M. CROMMELYNCK

*Distribution dans l'ordre d'entrée en scène :*

| | | | |
|---|---|---|---|
| *Marie-Henriette* | Mme MARGUERITE JAMOIS | *L'Étrangère* | Mme BERTHE BADY |
| *Fidéline* | MADELEINE CÉLIAT | *Une Voisine* | Mme SUZANNE FER[illegible] |
| *Zulma* | Mme PIZANI-DEHELLY | *Une Voisine* | BETTY |
| *Quasiment* | MARCELLE DUVAL | *Un Voisin* | MM. MAMY |
| *Mme Mercenier* | CHARLOTTE CLASIS | *Le Commissaire* | JEAN FLEUR |
| *Walter* | MM. HIÉRONIMUS | *Un Homme* | ARNAUD |
| *Cazou* | CROMMELYNCK | *L'Étranger* | S. DE PEDRELLI |

*Orchestre de scène sous la direction de* M. ANDRÉ CADOU

Décor meublé par Mme B.-J. KLOTZ

L'ACCÈS DE LA SALLE SERA RIGOUREUSEMENT INTERDIT APRÈS LE LEVER DU RIDEAU

LA DIRECTION ET LES ARTISTES DEMANDENT AU PUBLIC DE NE PAS APPLAUDIR AVANT LA FIN DE L'ACTE

*Les Amants puérils:* le programme de la création, celui d'une reprise en 1956 et une photo de la pièce en Pologne (Poznam, 1965).

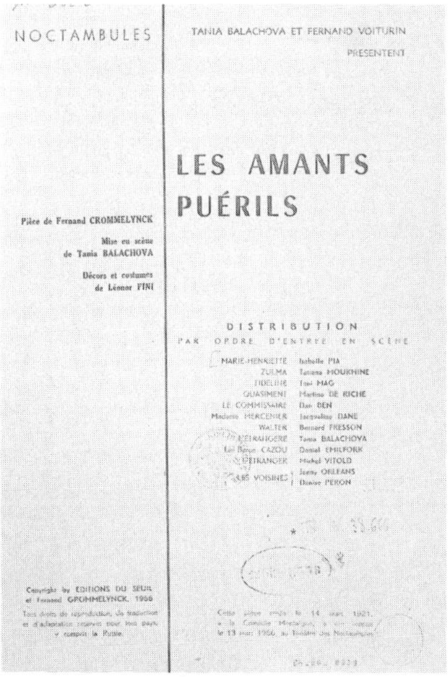

NOCTAMBULES

TANIA BALACHOVA ET FERNAND VOITURIN PRESENTENT

LES AMANTS PUÉRILS

Pièce de Fernand CROMMELYNCK

Mise en scène de Tania BALACHOVA

Décors et costumes de Léonor FINI

DISTRIBUTION PAR ORDRE D'ENTRÉE EN SCÈNE

| | |
|---|---|
| MARIE-HENRIETTE | Isabelle PIA |
| ZULMA | Tatiana MOUKHINE |
| FIDÉLINE | Toni MAG |
| QUASIMENT | Martine DE RICHE |
| LE COMMISSAIRE | Dan BEN |
| Madame MERCENIER | Jacqueline DANE |
| WALTER | Bernard FRESSON |
| L'ÉTRANGÈRE | Tania BALACHOVA |
| Le Baron CAZOU | Daniel EMILFORK |
| L'ÉTRANGER | Michel VITOLD |
| LES VOISINES | Jenny ORLEANS<br>Denise PERON |



Cette pièce créée le 14 mars 1921, à la Comédie Montaigne, a été reprise le 13 mars 1956, au Théâtre des Noctambules.

*Carine :* la création
au Théâtre de l'Œuvre.

**CARINE**

OU LA JEUNE FILLE FOLLE DE SON AME

De CROMMELYNCK

Mmes

| | |
|---|---|
| Carine . . . . . . . . . . | Anne-Marie TELLIER |
| Christine . . . . . . . . . | Gisèle PICARD |
| La Mère . . . . . . . . . | Valentine de HALLY |
| Nancy . . . . . . . . . . | Suzet MAIS |
| La Gouvernante . . . . . . | BIANCHINI |
| Evelyne . . . . . . . . . | Madeleine VALBRUN |
| Solange . . . . . . . . . | Mara ARCHINARD |

MM.

| | |
|---|---|
| Frédéric . . . . . . . . . | Maurice LAGRENÉE |
| Le Baron . . . . . . . . | Camille BERT |
| Le valet de chiens . . . . . | Jacques FERRÉOL |
| De Brissague . . . . . . . | Raymond DESTAC |
| Deuxième valet . . . . . . | Paul PAULET |

*Les Dominos sont joués par :*

Mmes Sourdéac, Wendling, Valbrun, Archinard,
MM. Léo Peltier, Pierre Debout, Paulet, Vilder

Tous les Artistes sont gantés par la Maison ALEXANDRINE
10, rue Auber et 80 avenue des Champs-Élysées

*Une Femme qu'a le cœur trop petit :*
la création
au Théâtre de l'Œuvre en 1934.

**Une Femme qu'a le cœur trop petit**

Comédie en 6 tableaux
de Fernand CROMMELYNCK

*Distribution par ordre d'entrée en scène :*

| | |
|---|---|
| Xantus . . . . . . . . . . . . | M. Arthur DEVERE |
| Minna . . . . . . . . . . . . | Mme RAYMONE |
| Isabelle . . . . . . . . . . . | Annette POIVRE |
| Patricia . . . . . . . . . . . | Josette DAY |
| Constant . . . . . . . . . . . | MM. Jacques FERRÉOL |
| Gabriel . . . . . . . . . . . | Marcel HERRAND |
| Olivier . . . . . . . . . . . | Henry ROGER |
| Balbine . . . . . . . . . . . | Mmes Madeleine LAMBERT |
| La Faille . . . . . . . . . . | Claire GERARD |

La mise en scène a été réglée par l'Auteur
Décor de Paulette PAX

*Un seul entr'acte pendant le spectacle*

LIQUEUR
BENEDICTINE
D.O.M

COMÉDIE DES CHAMPS-ÉLYSÉES
Direction : LOUIS JOUVET
Téléphone : Elysées 72-42, Elysées 72-43, Elysées 72-44
*13-15, Avenue Montaigne, 13-15*
Téléphone : Elysées 72-42, Elysées 72-43, Elysées 72-44

Mr Auguste Rondel

REPRESENTATION
" TRIPES D'OR "

le 29 avril 1935 à [illegible]

M. Louis JOUVET prie Monsieur Auguste Rondel

*de lui faire l'honneur d'assister à la REPRÉSENTATION de :*

"TRIPES D'OR"
Farce en 3 Actes de M. Fernand CROMMELYNCK

qui aura lieu le 29 avril 1935 à [illegible]

CE BILLET EST ABSOLUMENT PERSONNEL EN CAS DE NON UTILISATION, IL DOIT ÊTRE RETOURNÉ
- - A LA DIRECTION DU THÉATRE. IL ~~NE DISPENSE PAS D'ACQUITTER LES TAXES HABITUELLES~~ - -
*Les places, même numérotées, sont garanties jusqu'au lever du rideau seulement*

*Tripes d'or :*
une invitation...

Crommelynck expliquant
*Une Femme qu'a le cœur trop petit*
à ses interprètes en 1934.

Alice Cocéa,
a Léona de *Chaud et froid*
en 1944.

Deux interprètes
de *Chaud et froid*
en Pologne (1962).

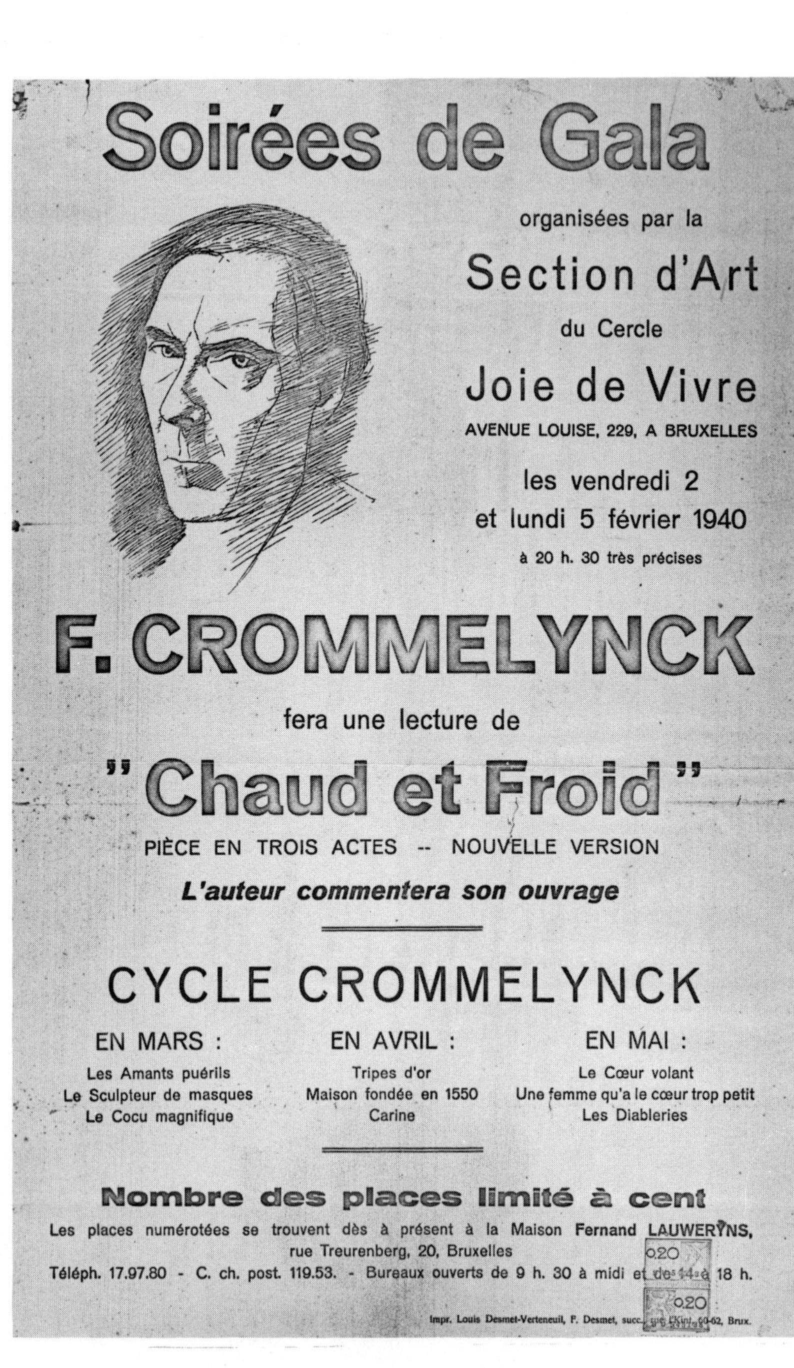
Soirées de Gala

organisées par la

Section d'Art

du Cercle

Joie de Vivre

AVENUE LOUISE, 229, A BRUXELLES

les vendredi 2
et lundi 5 février 1940

à 20 h. 30 très précises

F. CROMMELYNCK

fera une lecture de

" Chaud et Froid "

PIÈCE EN TROIS ACTES -- NOUVELLE VERSION

*L'auteur commentera son ouvrage*

CYCLE CROMMELYNCK

| EN MARS : | EN AVRIL : | EN MAI : |
| --- | --- | --- |
| Les Amants puérils | Tripes d'or | Le Cœur volant |
| Le Sculpteur de masques | Maison fondée en 1550 | Une femme qu'a le cœur trop petit |
| Le Cocu magnifique | Carine | Les Diableries |

**Nombre des places limité à cent**

Les places numérotées se trouvent dès à présent à la Maison Fernand LAUWERYNS,
rue Treurenberg, 20, Bruxelles
Téléph. 17.97.80 - C. ch. post. 119.53. - Bureaux ouverts de 9 h. 30 à midi et de 14 à 18 h.

Impr. Louis Desmet-Verteneuil, F. Desmet, succ., rue l'Kint, 60-62, Brux.

Une affiche de 1940 citant trois pièces inconnues.

L'idée dominante des *Amants puérils*: rien n'a de sens dans l'existence. Ni la noirceur dévastatrice de Fidéline, véritable fauve déchaîné, sans raison. Ni la jeunesse qui ne connaît pas son prix. Ni la vieillesse qui le connaît, mais ne peut rien tirer de son expérience.

Walter et Marie-Henriette qui pourraient s'aimer s'acheminent vers la mort. Élisabeth à qui l'amour est désormais interdit est condamnée à vivre en se détériorant.

L'absurde triomphe sur toute la ligne. Dans la conjoncture des événements et dans l'attitude des personnages.

L'Étranger mis à part, chacun d'eux parle selon ses propres convictions, enfermé en elles, sans essayer de communiquer avec autrui. En fait, rien ne les relie les uns aux autres. Ils *veulent vivre leur vie, sans foi commune, essentiellement pour eux seuls,* déclare Crommelynck à André Le Bret [1].

Plus tard, dans un entretien radiophonique, l'auteur insistera sur le fait que cette pièce est *le procès d'une époque sans foi* [2]...

Pareilles réactions s'étaient déjà manifestées dans les chroniques du *Carillon* dont sourd, à tout moment, une sorte de haine de la société 1900 et de son plat matérialisme.

Crommelynck réagit en se situant hors de cette caste, aux côtés des artistes et des intellectuels influencés par une éthique et une esthétique venues de l'étranger: symbolisme des préraphaélites anglais et wagnérisme, pitié profonde des romanciers russes et utopies des Rose-Croix conduits par un illuminé français, le Sar Péladan. Ces courants contribuent à forment un idéal fait de confiance dans le monde moderne et de fraternité entre les hommes, de mysticisme vague et de nostalgie des grands départs vers l'inconnu. Voilà qui s'accorde à merveille avec les tons énigmatiques de la mer, avec l'élan échevelé de ses vagues aux boucles d'écume, paysages que reflètent les textes de 1908 et *Les Amants puérils*.

1. *L'Événement*, 14 mars 1921.
2. I.N.R. *Entretien n° 6 de Fernand Crommelynck avec Jacques Philippet*, 1953, app., p. 387.

*...Nous allons à la mer comme vers une fenêtre ouverte sur l'abîme,* écrit Crommelynck dans *Le Carillon* [1]. L'Étranger, lui, parle de s'évader jusqu'au moment où l'*on se tournerait vers le rivage; et l'inconnu qui nous attire serait alors derrière les fenêtres éclairées, celle-ci ou une autre...* [2].

Et le chroniqueur d'Ostende, qui se délecte du *bon temps pour partir sans but, devant soi,* sur des *bateaux de pêche* d'où l'on peut rêver à l'Orient, à ses *caravanes* dans *le désert* [3], tient à peu près les mêmes propos que l'amoureux d'Élisabeth de Groulingen, avide de *voguer sans fin vers l'horizon, dans cette barque* ou de *partir! Mais au large avec les pêcheurs* ou encore d'accéder au-delà des océans à *la solitude du désert où se perdent les caravanes...* [4].

C'est pour donner une impression de dissociation entre les diverses démarches des héros que Crommelynck a entremêlé les épisodes de sa pièce qui, en dépit des apparences, ont toutefois un lien commun. François Mauriac affirme qu'en ces pages, il a négligé *l'unité d'action* au profit de *l'unité d'inspiration* [5].

Pour faire vivre côte à côte dans le même moment des personnalités diverses animées par des buts opposés, le dramaturge (il s'en est expliqué tout au long d'une interview) a *voulu faire du théâtre-simultané* [6].

Le grand Antoine comprit, dès 1921, que le décousu de l'œuvre était inhérent à ce que l'auteur désirait évoquer :

> La vie intérieure de ses bonshommes, inlassablement obsédés d'une idée fixe, qui ne se répondent point, ne s'écoutent pas les uns les autres, surgissant de tous les coins obscurs, obstinés vers quelque chose qu'ils ne disent point [7].

1. *Le Carillon,* 1908, dans *Textes inconnus et peu connus de Fernand Crommelynck.* Bruxelles, Académie Royale de Langue et de Littérature françaises, 1974, p. 213.
2. *Les Amants puérils,* p. 212.
3. *Le Carillon,* 1908, dans *Textes inconnus et peu connus de Fernand Crommelynck,* p. 86.
4. *Les Amants puérils,* p. 212.
5. *Les Cahiers d'Occident,* 2e sér., n° 5, 1926, p. 80.
6. R.T.F. *À l'occasion des Amants puérils,* 27 avr. 1956.
7. *L'Information,* 21 mars 1921.

D'où l'impression d'incohérence qui heurta le public lors de la création. Elle fut encore accentuée par une écriture dont le véhément lyrisme déborde à tout bout de champ et finit par créer une sorte d'illuminisme extatique chez ceux qui y sont sensibles.

La force drue et la juteuse verdeur du langage tiennent en grande partie au parler des servantes.

Mélange de poétiques locutions populaires, de croyances fantastiques ainsi que de médisante drôlerie inspirée des potins de village, les propos de Fidéline fouettent la conscience et l'esprit, leur imposant de salutaires pirouettes dont on sort tout ragaillardi :

> Elle n'est pas honteuse de manger le pain de nos trente-deux dents pour nourrir sa vermine [1].

Sa langue bien pendue se gausse de manière savoureuse du corps de Cazou, lorsqu'il s'avance en tremblant : *...C'est la sauce qui tient les morceaux!* [2] et de l'indécision de Madame Mercenier ; elle dit cette dernière *si molle qu'on la couperait en deux, avec un fil !* [3].

Sans doute est-ce Sophie, la jeune servante belge évoquée dans *Miroir de l'enfance,* qui a gravé dans la mémoire de Fernand des expressions du terroir comme : *Faiseurs d'embarras* ou *Eh bien! merci !* [4] dont usent sans répit Zulma et Fidéline.

Celle-ci dira de l'Étrangère qui fuit les grands éclairages :

> Le soir elle n'aime que les lampes maigres [5].

Verbiage fantasmagorique dont la singularité enchante et envoûte, cependant qu'à tout endroit la poésie du drame jaillit de façon ininterrompue. Source de merveilleux, lorsque Walter et Marie-Henriette se laissent bercer par des contes qui les arrachent à leur désarroi, elle est marée à la cadence montante

1. *Les Amants puérils,* p. 122.
2. *Idem,* p. 166.
3. *Ibidem,* p. 195.
4. *Ibidem,* p. 126.
5. *Ibidem,* p. 192.

lorsque l'Étranger fait entendre les plus frénétiques accents de sa passion :

> Quand tu marches dans ta robe légère, tu as l'air de jouer nue contre le courant d'un ruisseau [1].

Elle s'insère enfin dans les paysages, vivant d'une même vibration : dans *l'air et sur l'eau,* dans *les nuages dont l'ombre lente caresse le dos de la mer* [2].

Un reptile aux tons changeants frangés d'écume s'avance tout au long des *Amants puérils* : la mer du Nord tour à tour apaisée ou furieuse qui s'accorde aux élans ou à la méditation de celui qui la chante. Parfois, l'attrait des gouffres et des cimes se confond avec celui de l'aimée et emporte l'âme sur un rythme enivré de lui-même, vers l'inconnu :

> Mon esprit s'attache au dessin noir des pilotis sur l'eau qui brille, là-bas, comme au signe révélateur des étendues... Les premiers hommes ont vu la même lumière sur les mêmes marées. Leur âme s'emplissait aussi de cette rumeur infinie. Quel sablier, par tout le sable des plages, comptera l'âge des océans [3] ?

La richesse symbolique de la langue jointe à l'impression de désordre qui se dégage, à première vue, de la multiplicité des démarches, firent juger la pièce obscure. Si bien, qu'on ne perçut pas l'essentiel.

Cette œuvre est avant tout le poème des forces océanes divisées ou rassemblées, selon l'angoisse ou l'espoir des regards qui s'y accrochent et les interrogent avec intensité.

Les *Amants puérils* fut créé à Bruxelles aux Galeries en octobre 1918, au cours d'une série de représentations intitulées « les Matinées Crommelynck ». L'Étranger et l'Étrangère étaient interprétés par l'auteur et par sa femme.

L'un des seuls journaux (sinon le seul) qui en donne un compte rendu a été retrouvé par Linda Vidts (assistante à l'Uni-

---

1. *Les Amants puérils,* p. 156.
2. *Idem,* p. 182.
3. *Ibidem,* p. 212.

versité de Louvain). Max Florian y conseille vivement *aux amateurs d'art étrange, mais beau* (!) de se rendre à ce spectacle [1].

La pièce fut jouée à Paris, pour la première fois, le 14 mars 1921, à la Comédie Montaigne, sous la direction de Firmin Gémier dans un décor que décrit Pierre Scize :

> Une architecture fixe dressée une fois pour toutes et sur laquelle des meubles, des accessoires ou plus simplement des lumières jouent et créent l'ambiance [2].

De nombreuses personnalités, Isadora Duncan, Mme Simone, Canudo, assistèrent à la première d'une œuvre qui tomba après la treizième soirée.

Fernand Gregh avait préféré *Les Amants puérils* au *Cocu magnifique*. Il y apprécia *une veine de poésie, de tendresse, de volupté, de tristesse...* [3]; mais l'incompréhension l'emporta.

*Trop de mystère* est le sous-titre qui en dit long d'un article d'Alfred Savoir [4].

Edmond Sée ronchonna :

> Tout ceci doit paraître parfaitement incohérent et l'est [5]...

Jane Catulle-Mendès soupira :

> Vainement j'ai cherché à découvrir l'idée directrice de l'auteur... Je me suis bien ennuyée [6].

Paul Ginisty jugea la pièce *fumeuse* [7].

Paradoxalement, on la critiqua en raison de ce qui forme aujourd'hui son principal attrait : action simultanée, sens de la négation et fertilité de l'invention verbale dont on vient de souligner l'irremplaçable rayonnement.

Ce fut une première cause d'échec.

La deuxième, c'est le moment où elle fut créée. Trois mois après *Le Cocu magnifique* dont le public attendait une sorte de

1. *Le Messager de Bruxelles*, 29 oct. 1918.
2. *Bonsoir*, 16 mars 1921.
3. *Comœdia*, 16 mars 1921.
4. *Bonsoir*, 16 mars 1921.
5. *L'Œuvre*, 16 mars 1921.
6. *La Presse*, 16 mars 1921.
7. *Le Petit parisien*, 17 mars 1921.

réédition sous une autre intrigue. D'où une déception presque unanime que traduit l'article de Robert de Beauplan :

> ... Un public recueilli et conquis d'avance à l'admiration enthousiaste attendait avec émotion un chef-d'œuvre.
> Le chef-d'œuvre n'est pas venu [1].

Eut-elle été donnée avant *Le Cocu magnifique* que la pièce aurait plu au moins autant que *Le Sculpteur de masques* dont elle est proche et que, à mon sens, elle dépasse de loin.

Troisième et dernière raison d'insuccès. Elle ne bénéficia pas d'interprètes comparables à Lugné-Poe, Régina Camier ni même Serge Plaute qui avait fait d'Estrugo une saisissante composition.

*Les Amants puérils* auraient dû être joués en 1914 par Marthe Brandès à la Porte-Saint-Martin. Mais la guerre éclata.

En 1921, l'auteur choisit pour le rôle de l'Étrangère l'actrice à laquelle l'œuvre était dédiée :

> À la grande Berthe Bady qui avant d'être la princesse de Groulingen toute frémissante du désespoir enivrant de l'amour donna sa foi à cette image d'une époque sans foi [2].

Elle était Belge (née à Lodelinsart).

Dans un article dont les références sont incertaines, Lugné-Poe s'étonne qu'elle ne soit pas honorée dans son pays et qu'elle n'ait pas une plaque de marbre à son nom apposée au Théâtre du Parc de Bruxelles, par exemple [3].

Celle qu'on nomma la vestale du symbolisme disait admirablement les vers de Verlaine, de Rimbaud et de Maeterlinck.

Sa carrière débuta au Théâtre Libre puis à l'Œuvre où Lugné l'engagea. Elle joua les héroïnes d'Ibsen à Paris et à Oslo, en 1894. Cette année-là, le dramaturge norvégien fut particulièrement ému par la grandeur de son interprétation. Après la soirée, il la reconduisit à son hôtel et la fit apparaître au balcon de la chambre qu'elle occupait. De là, elle put voir la foule qui l'acclamait.

1. *La Liberté*, 16 mars 1921.
2. *Les Amants puérils*, p. 115.
3. *Le Soir*, 16 ou 17 avr. 1938 (?).

Berthe Bady fut en outre l'actrice préférée de Bataille, surtout dans *Maman Colibri* qui arracha des sanglots au Tout-Paris de la Belle Époque.

À première vue, Crommelynck avait de la chance. L'artiste était célèbre. Son âge lui permettait de ressentir en connaissance de cause la terrifiante approche de la vieillesse. En réalité, son jeu n'apporta que déception.

Si de nombreux critiques étaient encore influencés par sa renommée, d'autres lui reprochèrent ses trémolos excessifs.

Elle commit en outre l'erreur de mettre sur son visage un voile trop transparent qui découvrit d'emblée son âge.

Venons-en au plus grave.

En 1921, il y a déjà trois ans que la comédienne s'est retirée de la scène pour des raisons de santé. Elle en a donc perdu l'habitude et cela se sent. Contre l'avis des médecins, elle reprend un rôle trop écrasant pour ses forces déclinantes. Bady est morte de cet effort : *seule dans un hôtel comme l'héroïne de la pièce,* déclara Crommelynck, en 1956, au cours d'une interview radiophonique [1].

Lui-même accepte de composer le personnage du vieux Cazou, parce qu'il n'a trouvé personne pour le faire. Bien qu'il n'en ait jamais éprouvé l'envie, le dramaturge a joué, à plusieurs reprises, dans ses drames. En fait, il avait toutes les difficultés du monde à mémoriser ses propres textes qu'il était sans cesse tenté de modifier.

En 1929, lors de la création de *Carine,* il sera obligé de remplacer le jeune premier au pied levé. Albert Crommelynck eut l'idée d'inscrire les répliques de Frédéric sur de grandes pancartes placées sous ses yeux dans les coulisses. De cette manière, son frère pourra les lire et les acteurs sauront avec certitude à quel moment ils devront intervenir. Vaine tentative, d'ailleurs. Sur un sujet qu'il connaît évidemment mieux que quiconque, Crommelynck brodera tout de même de nouvelles phrases qui décontenanceront ses partenaires.

Si l'on en croit Lugné-Poe [2], l'écrivain ne semble pas avoir *été fameux comme extériorisation scénique de son baron Cazou.*

1. R.T.F. *Interview de Fernand Crommelynck,* 10 août 1956.
2. *L'Éclair,* 22 mars 1921.

L'article apporte d'autres éclaircissements sur le destin des *Amants puérils*.

L'œuvre lui était familière depuis plus d'un an et il aurait voulu la *jouer d'abord*.

Il n'avait cependant pas pu trouver les *trois couples d'acteurs disciplinés et variés* qu'il faut pour la monter.

De toute façon, on aurait manqué de temps pour les répétitions qui, selon lui, doivent être nombreuses : *la forme de Crommelynck est plus difficile que du Claudel.* (C'est également l'avis d'un des derniers interprètes du *Cocu magnifique,* en 1974, Roger Van Hool.)

Dans son esprit, le rôle de l'Étranger était plus ingrat que celui de Bruno et lui aurait fait courir un risque qu'il refusa. Il en existait d'ailleurs un autre tout aussi important et un rien inquiétant pour un acteur de son âge : la comparaison qu'on pouvait établir entre lui et Walter, le puéril amoureux de Marie-Henriette. S. de Pedrelli qui prit sa place n'avait malheureusement pas autant de classe que lui.

Madeleine Cléliat semble avoir été quelconque dans le rôle de l'odieuse Fidéline dont la fielleuse insolence et l'inventive fureur permettent à une comédienne de donner la mesure de son talent.

Loin de mettre le texte en valeur, la distribution ne fit que le desservir. *Cette pièce si simple devrait être jouée simplement,* observe, à bon escient, Régis Gignoux [1]. Elle ne le fut pas.

En dépit *de défauts souvent exécrables* qu'il lui trouve, André Beaunier estime qu'elle *continue de révéler en M. Crommelynck une sorte de sombre génie* [2].

Mais les critiques l'emportent sur les éloges. Celle de Marcel Azaïs se teinte de mauvaise foi :

> L'art de M. Crommelynck est aussi puéril que ses amants. Il a découvert que l'homme vieillit et que la vieillesse est une décrépitude. Il le fait dire par l'Étrangère en un style morne qui ne rappelle que par antithèse les « Regrets de la Belle qui fut heaulmière » [3].

---

1. *Le Figaro,* 16 mars 1921.
2. *L'Écho de Paris,* 16 mars 1921.
3. *Essais critiques,* 3e sér., no 23, 1er juin 1921, p. 75.

Finalement, la pièce fut mise en sommeil. Elle ouvrit un œil en 1942, aux feux de la rampe, aux Galeries de Bruxelles (17 représentations), puis le referma pour près de quinze années.

En 1956, Tania Balachova eut l'idée de réveiller cette belle endormie. Elle la mit en scène et la joua.

La Communauté radiophonique des programmes de langue française la choisit pour son deuxième gala. Celui-ci eut lieu à Versailles, le 13 mars, au Théâtre Montansier et fut retransmis en direct sur les antennes des radios de Belgique, de Suisse et sur la chaîne Paris-Inter. Une autre retransmission fut réalisée le 22 avril, sur la Chaîne nationale.

La soirée à laquelle assistèrent les officiels de la radio, des arts et du quai d'Orsay a été décrite avec esprit par Annette Vaillant :

> A tout Paris venu en veston par l'autoroute, une troupe de comédiens admirables a insufflé là son hallucinant malaise qui, si éloigné des bergeries XVIIIe, contrastait, en puissance maléfique, avec les douces cariatides drapées de bleu roy, et avec ses balcons où courent des guirlandes or et jonquille [1].

La même troupe s'installe, le 30 mars, au Théâtre des Noctambules. Elle y restera jusqu'au 30 mai.

*Les Amants puérils* qui n'avaient pas eu de chance en 1921 connurent, en 1956, un immense succès qui, d'ailleurs, faillit être compromis par quantité d'infortunes.

Tania Balachova avait déjà voulu monter le drame en 1954. Mais l'acteur qui devait jouer l'Étranger tomba malade.

La générale de 1956 fut également remise : Tatiana Moukhine qui jouait Zulma s'était fait mordre par un chien, Isabelle Pia tomba d'un scooter et Tania Balachova s'était fait renverser par une auto. Quelques jours après la première, le directeur du Théâtre des Noctambules manqua mourir d'asphyxie.

Les seules réserves dont la presse se fait l'écho ont trait à la manière de présenter l'œuvre.

1. *Les Nouvelles littéraires*, 5 avr. 1956.

C'est Léonor Fini qui a créé les costumes et le décor que Béatrice Sabran trouve *précieux et surréel* [1]. G. Joly déplore le goût que manifeste l'artiste *pour les effets à la Rembrandt ou à la Georges de La Tour* [2]...

Morvan Lebesque s'irrite surtout du caractère obscur de l'ambiance :

> La mise en scène de Mme Balachova dans un sombre décor de Léonor Fini, comporte un parti-pris de « mystère » et d'« éloignement » un peu excessif, peut-être, un peu facile [3].

La distribution en revanche est unanimement appréciée.

Curieusement, la plupart des artistes de 1956 sont d'origine étrangère. Est-ce ce qui les rend accessibles à une affabulation qui s'écarte à tout moment du réel et du rationnel dont le théâtre français est resté si longtemps imprégné ?

Tania Balachova, qui, selon Jean Guignebert, est la princesse *avec une sorte de flamme continue, une sorte de pudeur* [4], a vu le jour à Leningrad. Michel Vitold, le jeune premier, est de père géorgien et de mère lithuanienne. Daniel Emilfork, un extraordinaire baron Cazou *à la von Stroheim,* est né au Chili, de parents russes. Tatiana Moukhine est originaire d'Alexandrie, Toni Mag qui, au dire de Renée Saurel, est la servante Fidéline avec *vigueur et un certain style* [5], est Sarroise.

La francité est représentée par une Belge, Jacqueline Dane qui a joué admirablement un rôle de second plan, celui de Mme Mercenier, et par une Française, Isabelle Pia, qui fait des débuts étourdissants en prêtant son émouvant visage à Marie-Henriette :

> Quelle « présence », quelle incarnation miraculeuse du caractère le plus pathétique peut-être d'une œuvre qui n'en manque pas : cette petite fille que tout le monde, sciemment ou non, pousse vers la mort, et qui tente en vain d'échapper à son destin [6].

1. *Aspects de la France et du monde,* 4 mai 1956.
2. *L'Aurore,* 30 mars 1956.
3. *Carrefour,* 11 avr. 1956.
4. *Libération,* 4 avr. 1956.
5. *L'Information,* 3 avr. 1956.
6. *Le Franc-Tireur,* 15 mars 1956.

Crommelynck ne s'est pas le moins du monde occupé de la reprise de 1956.

Le 29 mars, veille de la générale aux Noctambules, il en attend des nouvelles dans un café voisin du théâtre. Avec d'autant plus de scepticisme qu'il est contre cette mise en scène sur laquelle personne ne lui a d'ailleurs demandé son avis. Lorsqu'on vient lui annoncer que le public est enthousiaste, il semble aussi vexé que ravi. *Il est clair que je n'y comprends plus rien,* constate-t-il. *La pièce qu'on joue est de moi, mais ce n'est pas ma pièce* [1].

Détestant avoir tort, mais non pas avoir recueilli des applaudissements, notre écrivain se trouve parfois *Entre deux chaises* ! C'est le titre d'une amusante interview qu'il a donnée au moment de la reprise des Noctambules :

> Tout dernièrement, à l'étranger, j'ai assisté à une comédie dont j'étais nommément l'auteur, plus guère davantage. À la chute du rideau j'allais m'élancer vers la coulisse, y clamer mon indignation pour ce que j'appellerais une audacieuse transposition, quand l'enthousiasme du public éclata en acclamations. Que m'aurait répondu le directeur de la compagnie ? « Venez saluer la salle, elle vous réclame. » Ce qu'il fit, sans que j'aie à protester. Le lendemain les journaux nous couvraient d'éloges. Aurais-je dû prier les critiques de les rengainer et, désavouant les artisans du triomphe, donner raison à quelques voix discordantes [2] ?

À l'engouement du public se joint bientôt celui d'une presse unanime à adorer en 1956 ce qu'elle avait brûlé en 1921.

C'est que les temps ont changé. Les dramaturges étrangers, qui apparaissent de plus en plus à Paris, orientent les esprits vers des critères inattendus.

La limpidité de l'écriture ne constitue plus une vertu cardinale et l'excès d'imagination verbale n'est plus imputé à péché. Bien au contraire.

À cet égard, l'approbation de Jacques Lemarchand ne semble souffrir aucune discussion :

> Une pièce qui vit avec force et laisse peu de répit ; où le comique et le pathétique s'imposent avec une ingénuité égale et se confondent

1. *Femina-Théâtre,* n° 27, juil.-août 1956, p. 2 couverture.
2. *Arts,* n° 563, 11-17 avr. 1956, p. 3.

souvent. J'aimerais évoquer des scènes et des personnages — et ce qu'on appelle des moments de théâtre — que je n'oublierai plus, pour leur exacte et belle cruauté, pour l'intelligence aiguë de la scène qu'ils révèlent chez cet auteur de vingt-cinq ans — une intelligence qui se confond avec l'instinct [1].

Mieux vaudrait ne pas se souvenir de la deuxième reprise parisienne des *Amants puérils*.

Elle eut lieu du 10 au 26 mai 1967 au Chaptal 347. Montée par la Compagnie du Grenier, sous la direction de Marcel Lupovici, dans une mise en scène de Michel Hermon, l'œuvre fut transformée en spectacle grand-guignolesque.

Edmond Gilles en décrit *les scènes de rampades au sol et les ballets sabbatiques... d'une agitation désordonnée* qui effarent le public [2].

Mise à part la reprise de 1956, cette pièce a décidément grandi sous le signe « pas de chance ! » Peut-être retrouvera-t-elle quelque jour un animateur à sa mesure ?

Sa cadence poétique, sa structure dissociée, son pessimisme contestataire, son sens de la cruauté et de l'aveugle stupidité du destin ainsi que l'incessante fuite de ses personnages vers leurs fantasmes, en font une œuvre dramatique d'aujourd'hui et de toujours.

Supprimés de l'affiche à Paris, l'année même de sa création, *Les Amants puérils* n'en ont pas moins poursuivi leur carrière à l'étranger.

Joués à Brno, en octobre 1925, sous leur titre tchèque, *Dětinní Milenci,* traduits par Jindřich Hořejši, ils sont encore à Prague en 1926. Un chroniqueur nommé Cassius y décèle une originalité forte et nouvelle [3].

Même succès en Allemagne, dès 1924. Alfred Kerr estime que ce *mélange de réel et de fantastique est admirable* [4].

1. *Le Figaro littéraire,* 7 avr. 1956.
2. *L'Humanité,* 16 mai 1967.
3. *Lidové Noviny,* 11 brezen 1926.
4. *Berliner Tageblatt,* 23 jan. 1924.

À partir de la deuxième guerre, on n'obtiendra plus de nouvelles de ce qui se passe dans les pays de l'Est du point de vue littéraire. Des photos chargées d'inscriptions que Jean Crommelynck a conservées indiquent toutefois que le Theatr Polski de Poznan a donné la pièce traduite en polonais en 1965 (avec Irena Maslinska dans le rôle de l'Étrangère) sous le titre de *Diecinni kochankowie* (1965) [1].

C'est, à tout le moins, un signe que l'œuvre n'a pas cessé d'être accueillie dans la Pologne d'après quarante et qu'elle correspond toujours à la sensibilité actuelle.

1. Iconogr. Entre les pp. 112 et 113.

# VII. « TRIPES D'OR »

## 1. « Les Choses de la vie »

De 1920 à 1923, les années passent, calquées, semble-t-il, sur le même modèle : travail, de préférence la nuit, amitiés ou sports le jour, et vacances estivales à la mer du Nord.

Chaque été, Ostende voit arriver la famille au grand complet. Elle niche tantôt rue Musin, tantôt rue Peter Benoit.

Le soir, on se réunit chez Spilliaert dont l'écrivain découvrit le talent, dès 1908 :

> ... sa conception est aiguë, exaspérée. Il formule nettement. Je crois que nul avant lui n'avait compris aussi bien la grande inquiétude qui enfièvre notre siècle, ni le profond désir qui le régit [1].

Moins portraitiste que paysagiste, l'artiste nous a toutefois laissé de l'auteur du *Cocu magnifique* trois images intéressantes : l'une datée de 1921, l'autre qui me paraît quelque peu idéalisée, la troisième enfin, qui représente un Crommelynck un peu hirsute à l'air satanique. Elle figure dans une monographie que M. Edebau, conservateur en chef du Musée de la ville d'Ostende, a consacrée au peintre [2]. L'original n'a pas été retrouvé.

À la côte, le dramaturge rencontre aussi Henri Vandeputte, le poète des *Petites Lumières,* auquel les historiens de la littérature n'ont pas suffisamment rendu justice.

Cet écrivain devait donner (au *Courrier du Littoral* d'Ostende de 1949) d'étincelantes chroniques consacrées à la Reine des plages et à son animateur, Georges Marquet. Comme ce dernier, Vandeputte fut directeur du Kursaal. Fernand écrit alors à son ami :

---

1. *Le Carillon,* 1908, dans *Textes inconnus et peu connus de Fernand Crommelynck.* Bruxelles, Académie de Langue et de Littérature Françaises, 1974, p. 90.
2. *Léon Spilliaert.* Antwerpen, De Sikkel, 1950.

> Le bruit court dans le Paris des théâtres que le grand maître de la prochaine saison d'Ostende est Monsieur Henri Vandeputte. J'en accepte l'augure.
>
> Je vous ai dit que mes phynances étaient basses et ma santé mauvaise. J'ai besoin d'un long séjour à la mer. S'il est vrai que votre influence soit grande, ne voyez-vous pas le moyen de me faire auprès de vous, au Kursaal, un coin quelconque [1] ?

Mais le projet ne prendra pas forme.

La royauté de Vandeputte fut éphémère. Joueur et, si j'ose ainsi m'exprimer, les deux pieds hors de la réalité, l'ex-directeur perdit sa fortune et vendit une collection de maîtres de la peinture moderne belge qui, à elle seule, aurait suffi à remplir une salle de musée.

Une missive du dramaturge au poète parle de sa rupture avec son ami de jeunesse :

> Entre autres événements j'ai supprimé Van Offel de ma vie... Je ne sais rien de plus bas, de plus fourbe que lui [2].

Cri du cœur blessé. Et cet autre qui indique un invincible besoin d'intégrité absolue en matière d'art :

> Ne pas signer ce que je n'aime pas, être probe, n'est-ce pas là la vraie, la seule dignité d'auteur dramatique dont il faille tenir compte [3] ?

Cela explique que Crommelynck ait si souvent refusé de ses œuvres à un directeur de théâtre ou qu'il les ait supprimées.

Au printemps de 1922, des ombres passent sur la joie de créer et de profiter de l'existence. C'est ce qui apparaît déjà dans une lettre inédite à Paul Zifferer auquel, on s'en souvient, l'écrivain avait fait cadeau du manuscrit du *Cocu magnifique* :

> Je me soigne vigoureusement, ma santé étant bien compromise. La radiographie nous a révélé des atteintes au pylore, on ne sait pas au juste quoi. Dans quelques jours nous serons fixés [4].

---

1. Lettre inédite du 19 avr. 1922, app. p. 339.
2. Lettre inédite du 2 avr. 1922, app. p. 336.
3. Lettre inédite du 26 avr. 1922, app. p. 340.
4. Lettre inédite du 14 avr. 1922, app. p. 342.

Le professeur Pascalis décide d'opérer. Crommelynck marque son accord, puis change d'avis au dernier moment. Le praticien qui s'est préparé à une intervention s'estime lésé. Il réclame des dédommagements que le dramaturge ne consent évidemment pas à lui payer. Le médecin va jusqu'à entamer des poursuite judiciaires pour récupérer ce qu'il estime être son dû.

Mais son patient lui offre pour tous honoraires cet amusant poème (inédit) qui commence par l'anagramme de son nom :

Asclipas [1], prince de l'Art,
Me veut sans délai ni terme,
Extraire le bézoard.
Trop de hâte et je tins ferme !
Désespérant du scalpel,
Il l'attaque par le glaive.
Là, condamné sans appel,
Demain, Thémis me l'enlève.
Non, rentre l'arme au fourreau !
Je me l'arrache moi-même,
Craignant, menace suprême,
Ton confrère, le bourreau... [2]

Il s'est soigné à sa manière et semble avoir eu raison contre le professeur, puisque le mal finit par disparaître.

En 1923, Crommelynck rencontre une jeune femme qui tiendra une place importante dans sa carrière : l'active Paulette Pax.

Elle était l'amie d'un certain Shepperd, un banquier anglais, qu'elle avait rencontré en Russie, en 1917. Rentré à Paris, son riche protecteur lui avait acheté, rue de Prony, l'hôtel de la célèbre Marie Bashkirtseff.

Au cours de l'été 1923, l'écrivain accompagne le couple en Bretagne. Il y retournera en 1924, à La Trinité-sur-Mer, accompagné de sa famille.

Un ami de Shepperd l'invite en vacances au château de Fitz-James, dans le nord de la France, en 1925.

C'est là qu'il fait la connaissance d'un original, Smith Archibald Cochran (surnommé « le plus riche célibataire d'Amérique »).

---

1. Anagramme de Pascalis.
2. Appartient à Albert Crommelynck.

Ce dernier veut lui acheter une maison d'éditions. Fernand refuse. Il rêve plutôt d'avoir une salle où il installerait un théâtre gratuit pareil à ce qu'avait été jadis le Théâtre Volant.

Pour des raisons que l'on ignore, le projet ne se réalisa pas.

La sœur de Shepperd est souvent des leurs et voue à l'écrivain une admiration passionnée. Pendant de longues années, elle accomplira pour lui les diverses besognes d'ordre matériel qui auraient pu le fatiguer ou l'excéder.

Rentré du nord de la France, Crommelynck se remet au travail tout en se donnant du mouvement, ainsi qu'il en a l'habitude. Ce garçon blond au type longiligne possède des poumons robustes et des muscles exigeants. Par tous les temps, il va à la piscine de la Butte aux Cailles où il a appris à nager. Un jour de l'été 1924, il y contracte une double otite qui dégénère bientôt en mastoïdite. Il faut opérer.

En vain. L'oreille malade est perdue. Cette demi-infirmité a sans doute contribué à le rendre parfois tranchant et irascible. Certains entêtements, certaines brouilles avec les metteurs en scène s'expliquent en partie en fonction de cette infortune.

## 2. Une pièce à tirage limité

> Oui, l'argent me tient. C'est dit: l'argent me tient autant que je le tiens!... Il faut se battre!... C'est la lutte de moi-même contre moi-même.
>
> (*Tripes d'or*)

Le décor pourrait être celui du *Cocu magnifique*. La salle de séjour d'une maison de campagne au mobilier rustique, mais confortable: celle de la plupart des œuvres du dramaturge.

Face aux spectateurs, une haute cheminée, qui jouera un rôle important, sépare deux fenêtres aveuglées par des branches d'arbres. Cela change de l'habituel escalier qui mène à un demi-étage où donnent les portes des chambres à coucher.

Tout commence, comme à l'accoutumée dans les pièces de Crommelynck, par le va-et-vient des acteurs qui discutent entre eux.

Jusqu'au moment où quatre robustes gaillards apportent allégrement le corps inerte de Pierre-Auguste Hormidas.

Est-il encore vivant ? C'est la question que se posent non seulement sa famille (Mélina, Prudent et Frison), mais aussi un couple de serviteurs (Muscar et Froumence) attachés à la maison où nous nous trouvons.

Le médecin étant absent, Froumence consulte le vétérinaire. Barbulesque constate que l'homme est seulement évanoui.

Le malaise s'est produit chez le notaire, au moment où Pierre-Auguste a pris connaissance du testament de son oncle, propriétaire des lieux où nous sommes. Il a encore le parchemin dans sa poche. De l'avis du praticien, il faudrait lui en administrer pour le faire revenir à lui.

Au long de cette lecture qui semble exercer un effet bénéfique sur le patient, nous apprenons que le joyeux Anne-Romain Hormidas, du village d'Houtemme, est décédé *content de corps et d'esprit* [1]. Ayant largement profité de l'existence, il a voulu la quitter en se pendant afin de satisfaire une dernière et *paillarde envie* [2]. L'entourage en est scandalisé. Il le sera davantage en apprenant les dispositions testamentaires du disparu.

L'un de ses neveux, Frison, hérite de son dernier soupir qu'il a tant attendu.

Le jour de leur mariage, les jeunes villageoises de plus de vingt ans recevront une somme d'argent égale *au prix d'une vache adulte* [3], à condition qu'elles soient encore pucelles.

Anne-Romain n'a pas oublié ses domestiques, Muscar et Froumence, qui se voient octroyer un petit pécule. Ils devront rester au service de son neveu, Pierre-Auguste, légataire de tous ses biens et de deux cent mille francs en or qui se trouvent emmurés dans la cheminée de la salle commune.

Mais voici que retentit la voix du malade. Elle monte du fond de ses rêves sur un rythme monocorde :

> Dormir !... Dormir !... aimer !... boire et manger !... Dormir !... [4]

---

1. *Tripes d'or,* Théâtre, t. II. Paris, Gallimard, 1968, p. 23.
2. *Idem,* p. 25.
3. *Ibidem,* p. 26.
4. *Ibidem,* p. 28.

À demi-conscient, le héros s'entretient avec Azelle, sa bien-aimée, et lui fait part de ses projets d'avenir.

Jusqu'ici, Pierre-Auguste avait retardé leur mariage pour avoir le temps de réunir quelques pièces qu'il a d'ailleurs patiemment gravées à l'effigie de sa fiancée. La fortune va peut-être avancer le moment tant espéré des épousailles.

Réveillé, Hormidas manifeste, tout d'abord, des intentions louables. Il offre à ses cousins de demeurer sous son toit et dépêche Muscar avec mission de ramener Azelle. Sur son ordre, Mélina attaque à coups de pioche le manteau de la cheminée derrière laquelle se trouve le coffre au trésor :

> L'argent ! Pierre-Auguste ! L'argent est là, en personne ! [1]

L'héritier commence par en distraire quelques parcelles au profit des siens.

Après avoir étalé sur la table ses propres écus, il les purifie en y mélangeant ceux qui sont à l'image de son amie.

Mais brusquement, il prend conscience de l'attrait qu'exerce sur lui la fortune et entre de plain-pied dans l'avarice. À partir de ce moment, le film tourne à l'envers.

Le radin fait reprendre les magots qu'il avait spontanément offerts à sa famille. Froumence doit devancer Muscar à l'auberge où il est allé chercher Azelle, pour l'empêcher de la ramener.

Pris de remords, le maître de maison se ravise et rappelle la servante.

Mais elle n'est plus là.

Furieux de son comportement, le ladre s'empare d'un bâton et se met à battre l'or qui en est la cause. Avec toute la rage du désespoir.

Au deuxième acte, Muscar revient de sa mission. Il prétend avoir vu Azelle plongée dans une tristesse qu'il dépeint en pleurant.

Après les sanglots, les fanfaronnades. En vérité, le gars a passé le plus clair de son temps au cabaret et se trouve dans un état

1. *Tripes d'or*, p. 36.

d'ivresse avancé. La preuve, c'est que, brusquement excité, il joue du couteau devant un Pierre-Auguste ahuri qu'il semble sérieusement menacer.

Mais voici Froumence que le valet aime et dont il est aimé. Elle se campe devant lui et arbore un sourire redoutable qui ne la quittera pas durant toute l'entrevue. Posant les questions et y répondant en lieu et place de la jeune femme qui ne pipe mot, le malandrin s'accuse d'être buveur, menteur et pleutre. Après avoir attendu en vain l'absolution, Muscar jette son arme dans un tiroir et quitte la pièce l'air penaud, tandis que son épouse part d'un grand éclat de rire.

Puis elle prépare la table pour le repas prévu en l'honneur d'Azelle.

Tout en l'aidant, son patron ne cesse de réfléchir à la conservation de ses biens.

Pour ne pas allouer de prime aux rosières du village, il suspecte devant elles leur vertu. La seule qui risque de rester vierge, c'est Herminie-la-laide. Il faudra donc l'amadouer.

Méfiance et profit semblent désormais les principaux mots d'ordre de l'avare.

Arrive le directeur d'une troupe ambulante, le Théâtre Volant. Au bord de la ruine, le malheureux sollicite un prêt. Le grippe-sous y consent à condition de pouvoir récupérer la somme à n'importe quel moment, dès qu'il en aura besoin. Faute de quoi, il lui prendra baraque, décors et costumes.

Jusqu'ici, Froumence a supporté avec une relative patience les restrictions de son maître sur le budget vêtements, nourriture ou gages. Mais lorsqu'Hormidas lui ordonne de *contremander Azelle* [1], à laquelle il ne veut même plus offrir un repas, elle comprend avec effroi que l'amour est définitivement évincé en faveur de la fortune.

Elle explique à Pierre-Auguste, avec une calme insistance, à quel point il se fourvoie et obtient de lui que le tête-à-tête amoureux ait lieu, comme prévu.

Barbulesque survient toutefois à point nommé pour inverser le cours des événements.

1. *Tripes d'or*, p. 75.

Armé d'une idée aussi filandreuse que bizarre, il parvient à convaincre son client d'absorber de *l'or potable* [1], produit qui guérit toutes les maladies, sauf celle d'aimer l'or en question.

L'affreux grigou en râpe une parcelle dans la pâtée destinée aux chiens, l'y mélange et l'avale gloutonnement.

Quand la servante annonce l'arrivée d'Azelle, le rapiat est déjà repris par son vice. Il n'accueille pas sa bien-aimée qui frappe en vain à la porte ; Pierre-Auguste ne répond pas.

Les coups se répètent, s'espacent, puis cessent.

L'or a triomphé, l'amour succombe, le rideau tombe.

Au troisième acte comme au premier, le héros parle dans une sorte de demi-sommeil qui n'a rien de réparateur.

Le métal précieux lui bouche les intestins et lui donne des crampes. La méfiance le maintient en éveil.

Réactions qui paraissent d'autant plus ridicules qu'il est accoutré en Roi-Soleil ; ce costume, il l'a repris, avec plusieurs autres, au directeur de troupe qui n'a pu lui restituer l'argent assez vite à son gré. L'entrée de Froumence, vêtue en soubrette de répertoire, accentue encore le caractère dramatico-funambulesque de la scène qui va suivre.

Tout est grotesquement misérable dans cette maison où le maître de céans espionne son entourage, invente des cachettes et essaie de brouiller les pistes qui pourraient mener au trésor, afin de déjouer les manigances probables des futurs héritiers.

Dépêché au village, Muscar a reçu ordre de séduire les pucelles, ce dont il s'acquitte avec joie. Sauf en ce qui concerne Herminie-la-disgracieuse dont il n'a pas le courage de délivrer Pierre-Auguste. Peu importe d'ailleurs. Ce dernier a toujours des idées de rechange.

Le domestique ne pourrait-il le débarrasser de l'avide cousine Mélina en la faisant discrètement basculer dans l'autre monde ? Le compère a l'air d'approuver, mais il se garde bien d'accepter ces diaboliques suggestions.

Du moins voit-on par là que l'avarice peut conduire au crime ou à la complicité dans la perpétration de celui-ci.

---

1. *Tripes d'or*, p. 82.

On constatera bientôt qu'elle mène aussi à la violation des lois et au faux serment.

Pierre-Auguste va en effet demander Azelle en mariage. Seulement, les épousailles se feront par procuration : avec Herminie, à l'insu de celle-ci. Le temps de renoncer à sa prime et la pauvre fille apprendra la vérité. Ainsi seront conciliées deux choses en principe inconciliables : l'amour et l'intérêt.

Pour convaincre le bourgmestre de contourner la loi, Hormidas lui promet monts et merveilles.

Vêtus de costumes louis-quatorziens, les héros se préparent à la cérémonie : Herminie fait des agaceries au maître du logis qui se retranche sur sa chaise percée au-dessus de laquelle on a ouvert un immense parasol rouge.

Tout irait pour le mieux si la constipation obstinée du radin ne risquait point de le faire passer de vie à trépas. De l'avis de Barbulesque, seul un gros saisissement pourrait délivrer le malade du métal perturbateur.

Ce sera Froumence qui s'y emploiera. En jouant à son maître une comédie de sa composition.

La jeune femme reprend la scène où elle s'était contentée d'un rôle muet et souriant. Mais cette fois-ci, elle invective son mari et lui distribue des coups de fouet.

Ce spectacle d'une surprenante loufoquerie provoque la colique de Pierre-Auguste et un éclat de rire gigantesque qui s'arrête brusquement sous l'effet d'une ultime crampe.

Dans le même moment, l'avare a rendu son or et... le dernier soupir.

Si *Tripes d'or* est la pièce de Crommelynck qui contient le plus de personnages, beaucoup d'entre eux sont à peine dessinés.

Le bourgmestre n'est plus qu'un instrument qui s'achète au profit de la mesquinerie ou du mensonge.

Frison et Prudent sont esquissés à vagues traits. Mélina n'est qu'une pâle ébauche de Pierre-Auguste. Son avidité et sa sécheresse s'expriment de manière sommaire. Sauf à un endroit où elles sont mises en relief par la drôlerie de la répartie : *Je ne veux pas qu'il le soigne; c'est mon parent* [1], affirme-t-elle, en voyant que l'on va faire venir Barbulesque pour ranimer l'héritier dont elle veut prendre la part.

La foule intervient rarement. Sa psychologie n'évolue guère, contrairement à ce qu'elle faisait dans les œuvres précédentes.

Barbulesque manque de présence. C'est un rôle de composition aux attitudes facétieuses et aux propos ébouriffants. Mais le vétérinaire est davantage un porte-parole qu'un être humain dont l'évolution serait précisée au long de l'intrigue. Il ressemble aux médecins hâbleurs de Molière, sans offrir un caractère aussi nettement marqué; il est un langage plutôt qu'un personnage.

Toutes ces physionomies dont l'étude n'est pas suffisamment poussée rendent peu plausibles les réactions qu'elles suscitent. L'intérêt de l'action en est quelque peu affaibli.

Par contre, Froumence est peinte en profondeur, avec ses qualités maîtresses: droiture et pitié humaine. S'y ajoutent les traits des domestiques de Molière: bons sens et gaieté. À son maître qui refuse de remplacer sa robe élimée, elle déclare sans ambages: *Je m'assieds sur plus de peau que de drap* [2]. Comparée à la Dorine de *Tartuffe* ou à la Toinette du *Malade imaginaire,* elle a beaucoup de distinction.

En fait, cette humble fille est une dame. Elle nuance ses jugements, même quand il s'agit de son ribaud de mari.

> Il y a de tout là-dedans, du miel et des piqûres!... [3]

Son insolence jaillit en gerbes drues. Surtout lorsqu'elle s'adresse à l'avare: *Les mots ne vous « coûtent » guère* [4], raille-t-elle. Ses remarques ne sont toutefois teintées d'aucune bassesse. Elle les formule autant que possible de façon discrète, mais se sent incapable de les dissimuler. *Je ne sais pas parler à l'oreille* [5] est la phrase qui définit le mieux la sensibilité et la franchise du seul visage qui éclaire par instants l'atmosphère de cette pièce noire.

---

1. *Tripes d'or,* p. 17.
2. *Idem,* p. 63.
3. *Ibidem,* p. 53.
4. *Ibidem,* p. 58.
5. *Ibidem,* p. 57.

Muscar ne possède qu'une qualité : le don d'aimer et de se faire aimer (*Est-ce ma faute à moi, si je l'aime?* [1], s'écrie sa femme). Sa compassion pour Azelle touche, même s'il en force l'expression. Les défauts en tous genres ne lui manquent pourtant pas : roublardise, paillardise et agressivité ; *Muscar au cœur sauvage qui n'a jamais pardonné* [2] cherche souvent querelle et n'hésite pas devant les moyens, fussent-ils « coups et blessures » : *Voici le couteau de Muscar qui brille au milieu du brouillard* [3].

Pourquoi lui sommes-nous en définitive indulgents ? C'est que, menteur, le valet affabule avec une imagination qui n'est jamais prise de court. Au point de se faire poète lorsqu'il parle du chagrin d'Azelle : *J'ai vu son cœur sur un océan de larmes... son cœur comme une barque perdue !* [4]

Son sens de l'humour l'assure de notre gratitude : *C'est lourd un homme qui a perdu ses esprits* [5], déclare-t-il devant son futur maître qu'on rapporte évanoui. Sa cocasserie offre quantité d'aspects qui vont de la loufoquerie — *Si tu peux rire d'un œil et pleurer de l'autre...* [6] — à la fausse bonhommie. Il joue par moments au mari soumis et repentant, proche en cela de Jacquinot dans la *Farce du Cuvier*. Pour amadouer une compagne affectueuse, il se livre à quelques pitreries qui lui vaudront son pardon.

De la couleur, de la chaleur, un sens communicatif de la drôlerie font oublier ce que le personnage peut avoir d'abject et qui s'atténue d'ailleurs face à l'inacceptable Pierre-Auguste.

Si Crommelynck accumule en la personne du domestique autant de défauts, c'est sans doute pour montrer à quel point ils sont anodins comparés au plus odieux de tous : l'avarice d'Hormidas. Elle est l'unique sujet de la pièce.

Compatissant et amoureux au début de l'action, ce dernier cesse de l'être sous l'effet de l'argent dont l'attrait le domine. À

1. *Tripes d'or*, p. 122.
2. *Idem*, p. 61.
3. *Ibidem*, p. 50.
4. *Ibidem*, p. 48.
5. *Ibidem*, p. 17.
6. *Ibidem*, p. 61.

la fin du premier acte, il se révolte encore contre l'emprise de son péché ; au deuxième, il le laisse croître librement et renonce pour lui à la femme aimée. Peut-être que ce sacrifice dénote une certaine peur de se donner à autrui. C'est ce que pense Gisèle Feal qui voit une parenté entre ce héros et ceux de deux pièces précédentes : Pascal et Bruno. Elle lit en eux une même et progressive *intensification de la fuite devant l'amour* [1]. Thèse qu'elle reprend de manière approfondie dans un autre essai [2].

Toujours est-il que l'on verra successivement Hormidas flouer un misérable, inciter son domestique au meurtre et transgresser la loi. Tel un sarcome, sa ladrerie prolifère au point de détruire entièrement sa personne morale. Processus logique que la critique parisienne n'a toutefois pas jugé normal. À ses yeux, Pierre-Auguste est fou, bien plus fou encore que Bruno : *fou à lier,* précise André Beaunier [3].

En fait, il ne l'est pas davantage que l'avare volé de Molière, clamant, on s'en souvient :

> Je suis assassiné ; on m'a coupé la gorge... Je suis mort ; je suis enterré. N'y a-t-il personne qui veuille me ressusciter ?...

D'après certains journalistes, ce moment de déraison ne se manifeste qu'une fois chez Harpagon et c'est moins de la folie qu'un affolement passager. Ont-ils perdu de vue la scène du cinquième acte ? Quand le commissaire demande au pingre qui il soupçonne de vol, celui-ci répond :

> Tout le monde ; et je veux que vous arrêtiez prisonniers la ville et les faubourgs [4].

Le besoin de mettre la cité entière en état d'arrestation est-il plus raisonnable que celui de battre son argent ?

Certes, le protagoniste de Crommelynck agit dans une tension et une agitation de tous les instants. Mais sans que cela en fasse un dément.

---

1. *Symposium,* vol. XXVI, nº 4, hiver 1972, pp. 328-329.
2. *Le Théâtre de Crommelynck-érotisme et spiritualité.* Paris, Lettres Modernes - Minard, 1976, 224 p.
3. *L'Écho de Paris,* 1er mai 1925.
4. *Œuvres complètes de Molière.* Paris, A. Laplace, 1876, t. II, pp. 212 et 214.

C'est plutôt la manière dont il est peint qui se situe hors du commun. Ses états paroxystiques encadrés de scènes outrancières : par exemple, Pierre-Auguste mélangeant *l'or potable* à la pâtée qu'il engloutit aussitôt.

Voilà pourquoi Edmond Sée pense que la pièce est *une sorte de transposition de « L'Avare », écrite par un halluciné...* [1].

Cette démesure aurait pu être dessinée par Goya. Pour le dramaturge et pour le peintre, il est des degrés de perturbation que le réalisme ne saurait rendre et que de cauchemaresques évocations peuvent restituer. Ce n'est pas vrai dans l'apparence, mais dans l'esprit, au niveau d'une réalité plus profonde que celle qui se perçoit à première vue.

*Tripes d'or* relève aussi de la peinture flamande, la seule qui ait exprimé la joie de boire et de manger.

Avant d'être rongé par son vice, Hormidas parle de *bâfrer avec les doigts, le menton dans la sauce* [2]. Denis Marion estime que Crommelynck évoque ici :

> ... un aspect de la Flandre, vivant, authentique, qui rejoint la terre et le peuple flamands non dans ce qu'ils ont de superficiel, mais dans leurs traits profonds et immanents [3].

Les intentions caricaturales à la manière de Jérôme Bosch ou d'Ensor se développent avec plus de pathétique âpreté que dans *Le Cocu magnifique.* La scène où Muscar se fait les reproches que serait en droit de lui faire une Froumence qui ne pipe mot, est d'une drôlerie qui vire rapidement au poignant. Le valet repentant, aux pieds de sa compagne, c'est chacun de nous en proie à ses mesquineries et à son égoïsme que contredit notre soif d'amour et d'élévation. Les larmes montent aux yeux à l'idée qu'on est ainsi fait.

C'est du tragi-comique à l'état pur. Il atteint à son sommet au moment des préparatifs du mariage et du spectacle burlesque que la servante offre à son maître. Lorsque l'avare va mourir de rire sur la chaise percée qui lui sert de trône.

---

1. *L'Œuvre,* 1er mai 1925.
2. *Tripes d'or,* p. 29.
3. *La Nouvelle revue française,* n° 192, 1er sept. 1929, p. 426.

Mort qui glace autant qu'elle suscite l'hilarité; celle-ci est redoublée par l'impayable exclamation d'Herminie-la-laide : *Hélas! Je suis veuve et pucelle!* [1]

Dans *Tripes d'or* apparaît pour la première fois un élément dont Crommelynck se servira rarement: le « non-sens ».

Les chiens affamés de Pierre-Auguste maigrissent au point que leurs côtes forment de véritables cerceaux et font dire:

> S'ils avaient encore le cœur de jouer, ils pourraient se sauter à travers [2].

Humour noir, qu'intensifie une situation impensable dont on retrouvera plus tard l'équivalent chez le Norge des *Oignons*.

Mélange de pompe versaillaise et de scatologie, de bouffonnerie macabre et de loufoqueries, la farce de Crommelynck atteint à un comique de dérision qui la dramatise au plus haut degré.

Georges Pioch en fait foi:

> L'œuvre de théâtre la plus douloureuse, la plus torturante, la plus désespérante même, qu'il m'ait été donné d'entendre depuis « La Danse de mort » de Strindberg, ce chef-d'œuvre atroce [3].

Les trois actes s'insèrent dans les dimensions classiques de lieu et de temps qui conviennent particulièrement à cette étude de caractères méticuleusement ordonnée. Pour fantasmagoriques que paraissent les tableaux qui clôturent chacun d'eux (l'avare battant ses deniers, le refus de faire entrer Azelle qui frappe à la porte et la mortelle colique par laquelle le malade restituera son or), ils n'en illustrent pas moins avec vigueur la progressive dégradation d'un comportement.

Gaston de Pawlowski a incontestablement tort d'avancer que les idées sont *présentées sans ordre, sans art, sans métier...* [4]. L'œuvre est au contraire clairement bâtie avec des réactions psychologiques qui découlent visiblement les unes des autres. La

1. *Tripes d'or*, p. 122.
2. *Idem*, p. 60.
3. *L'Ère nouvelle*, 2 mai 1925.
4. *Candide*, 28 mai 1925.

cohérence de ses personnages et la rigueur de sa construction se dissimulent parfois sous un langage touffu aux multiples excroissances. Ce dernier pourrait à lui seul faire l'objet d'une étude linguistique qui conduirait à des recherches dans les domaines de la pharmacopée, de l'argent et du droit.

Fernand Crommelynck semble avoir été inondé de mots :

> C'est dit, qu'on me berne, me gruge, me pille, me dépouille ! qu'on me plume tout vif... [1]

Les images se multiplient sans arrêt et sans lourdeur, même si, grivoises, elles évoquent des filles qui perdent au plus tôt leur virginité :

> Eh ! Bouturée ! C'est Finet qui t'a fait l'encoche ! — Toi, dans le pré !... Elle a encore des vers luisants au mitan ! [2]

Selon l'auteur de *Tripes d'or,* une burlesque application de la langue parlée aux ridicules de la société est le plus sûr moyen de les combattre ou tout au moins de les dénoncer.

La jargon de Barbulesque est un déferlement continu de vocables rares ou curieux. S'en dégage le côté grotesque d'un certain savoir médical. Une ostentatoire énumération de plantes médicinales et de produits chimiques nous transporte dans une officine, pleine de calomel et de gomme-gutte, de séné et de tamarin, de julep et de brione. Sans compter les remèdes imaginaires, tels que l'huile de Mussolin. Comme les médecins de Molière, le vétérinaire énonce des lieux communs prétentieusement érigés en sentences :

> Si tu as des flatulences, tu feras un rêve gazeux ; une cloque au talon, un rêve pédestre [3].

Tout aussi vides de sens que les ordonnances, les questions en cascades sont destinées à brouiller l'esprit :

> Mangez-vous ? Buvez-vous ? Dormez-vous ?... Éructez-vous ?... [4]

1. *Tripes d'or,* p. 64.
2. *Idem,* p. 65.
3. *Ibidem,* p. 81.
4. *Ibidem,* p. 103.

Sans compter les formules types dont le dramaturge remplace les verbes connus par d'autres:

> Pense lentement... Pense profondément. Bon. Pense fort. Pense plus fort... [1]

Paroles interchangeables comme celles qu'Ionesco utilise dans *Jacques ou la soumission*, par exemple. Au moment où les termes *pommes de terre au lard* prennent diverses significations (études scolaires, sagesse ou bienséance), suivant le contexte où elles se trouvent et les intonations que les personnages leur donnent.

Autre façon de combattre le préjugé par l'écriture: l'arme affûtée de l'aphorisme ou du proverbe inattendu décochés à bout portant. Des adages rosses ou féroces s'attaquent aux iniquités de la morale conventionnelle.

> Un riche qui parle, on l'entend de loin [2].

ou encore:

> Un pauvre doit scandaliser [3] !

Le bon sens paysan excite sans ambages la verve cruelle:

> ... pour aboyer un roi vivant vaut mieux qu'un chien mort [4].

Autre trait de la faconde populaire: la satire de la gent féminine qui se rattache à une tradition toujours vivace en littérature:

> Dix langues de femmes font plus de bruit sans raison qu'un rang de peupliers [5] !

Salace sans être vulgaire, Crommelynck secoue la conscience en distrayant l'esprit, par telle piquante apostrophe aux filles à marier:

> Allez, femelles! monstres à deux issues dont l'une toujours contredit l'autre [6].

1. *Tripes d'or*, p. 21.
2. *Idem*, p. 64.
3. *Ibidem*, p. 63.
4. *Ibidem*, p. 106.
5. *Ibidem*, p. 16.
6. *Ibidem*, p. 66.

De la saveur du dicton et des croyances du terroir à la création des mythes légendaires, il n'y a qu'un pas que l'écrivain franchit avec allégresse en établissant une cosmogonie inattendue.

Lorsqu'il maudit le premier couple, Dieu divisa Adam en tronçons dont chacun prit figure, puis se perdit dans la nature.

Pour fragmenter davantage encore l'existence, le Seigneur envoya aux hommes *Le Temps avec sa faux et la Personnalité avec son masque* [1]. En sorte que chacun eût son âge et son nom.

L'accumulation des termes déroutants dévoile parfois la poésie où l'on ne s'attend pas à la trouver. Hormidas-l'avare enfourche Pégase avec autant d'aisance que de subtilité:

> l'amour remplit mon cœur comme l'œuf sa coquille [2].

Ou bien, à propos d'Azelle:

> Elle tient sa fourchette si gracieusement qu'il semble que d'un long pinceau elle dessine au fond de son assiette un personnage avec une devise [3].

Et il en va de même du notaire, lorsqu'il discute avec son client de *vente des reflets ou cession des ombres, transfert des chants d'oiseaux, hypothèques sur tes nuages...* [4].

Est-ce qu'un ladre comme Hormidas, un homme âpre au gain comme le notaire peuvent vraiment s'exprimer en poètes? En éprouvent-ils même jamais le besoin? De tels propos ne contribuent pas à rendre leur physionomie vraisemblable.

Ajoutons à cela ce qui a été dit de certains protagonistes à peine ébauchés et nous comprendrons que le spectateur soit parfois désorienté. Le déchiffrement des riches et nombreuses trouvailles qui viennent d'être commentées augmente encore son embarras. Pour le commun du public, la pièce n'est donc guère accessible ni de prime ni parfois de deuxième abord.

Cela explique que, grand admirateur du dramaturge, Paul Werrie ait déclaré que, dans *Tripes d'or,* Crommelynck *se trompe théâtralement, si l'on peut dire sans paradoxe* [5].

1. *Tripes d'or,* p. 115.
2. *Idem,* p. 45.
3. *Ibidem,* p. 34.
4. *Ibidem,* p. 39.
5. *Le Nouveau journal,* 17 déc. 1940.

Qu'importe, au reste ! Ce qui compte, c'est l'espèce de fascination qui se dégage de l'œuvre.

Pourquoi paraît-elle statique à première vue ? Parce que son protagoniste dialogue presque uniquement avec lui-même parmi des personnages d'ordre secondaire. En réalité, c'est la pièce de Crommelynck la plus féconde en mouvements et en contrastes intérieurs.

Fresque animée d'une constante vibration, elle fait passer de l'immobilité du sommeil à l'éclat des matins de village, de la prostration à la fête et de cette fête à la mort.

Hormidas progresse dans un univers pestilentiel dont il vérifie sans cesse les issues et les limites. Dieu de l'or égaré dans un ballet d'êtres hallucinés par sa présence qu'ils révèrent et haïssent tour à tour. Rien de plus mobile que les expressions pour ainsi dire simultanées de ce visage d'homme qui passe de la tendresse à la froideur, de la torpeur à la violence, du rire au ricanement, de l'abattement à la loufoquerie, de la terreur de disparaître à l'espoir forcené de durer grâce à on ne sait quelle barbulesquienne recette. C'est par lui, par l'alternance de l'amour de la vie et du funèbre effroi de son héros, que le dramaturge atteint à une dose de tragi-comique qu'il ne dépassera plus. Elle est transmise par un vocabulaire percutant au rythme agressif dont le spectateur sort marqué, non seulement dans son esprit, mais aussi dans sa chair.

On ne pouvait imaginer meilleur moment que 1925, l'année de l'Exposition des Arts décoratifs, pour faire connaître une œuvre nouvelle à Paris.

La Comédie des Champs-Élysées jouera en alternance : *Knock* de Jules Romains, *L'Amour passe* des frères Quintero, *Snob* de Carl Sternheim et, enfin, *Tripes d'or*. Les premières répétitions commencent en avril. Pierre Lazareff nous dit dans quelle atmosphère [1]. Errant sur le plateau et dans les coulisses, il rencontre les comédiens : un garde-champêtre qui lutine une fille des champs, puis Jouvet qui, une perruque du plus beau roux sur la tête, se transforme en Muscar. Au milieu de cette effervescence, Gaston Baty vient dire bonjour à ses camarades, en voisin.

1. *Le Soir*, 29 avr. 1925.

Crommelynck fait les honneurs de la maison au journaliste. Il lui parle d'une de ses idées favorites : ne pas travailler pour une élite, mais pour le peuple. *Le Cocu,* déclare-t-il en substance, *a été joué pendant plus de trois ans en Russie, devant les ouvriers, avec un immense succès* ! Selon lui, les sentiments que contient *Tripes d'or* sont *élémentaires.* Il n'ignore pas cependant qu'il n'est guère aisé de développer pareil thème.

*Le héros,* explique-t-il, *est possédé par l'argent, mais n'en possède pas. J'ai montré les ravages que peut causer la trop grande âpreté au gain. C'est un sujet difficile à traiter. Plus d'un s'y est cassé les os.* « *L'avare* » *même n'eut que dix-huit représentations!*

*Tripes d'or* n'en aura que cinq.

La salle de la générale est cependant favorable à l'auteur. Le décor, dessiné par Jeanne Dubouchet et exécuté par André Boll, a ravi d'emblée.

Le lendemain, la presse tout entière déchaînée raille le comportement du héros et le lyrisme des dialogues.

Il y a, bien entendu, les comptes rendus du genre méchant ou sommaire qui amusent plus qu'ils n'intéressent. Des bons mots dépourvus de finesse comme ceux de Max et Alex Fischer : *Ces* « *Tripes* », *hélas! ne valent pas tripette* [1], ou encore la mauvaise foi réactionnaire d'un Lucien Dubech qui résume l'action d'une manière monstrueusement rudimentaire :

> M. Crommelynck montre un Flamand qui devient fou après avoir touché un héritage. Il finit par manger son or et meurt de constipation sur une chaise percée [2].

Autant dire que *Phèdre* est l'histoire d'une belle-mère qui a envie de coucher avec son gendre. Il est des prosaïsmes qui accablent plus le critique que l'écrivain.

Les reproches essentiels se résument, une fois de plus, à un seul mot : obscurité.

Pour Fred Orthys, *Tripes d'or dépasse de beaucoup notre modeste compréhension* [3].

1. *La Liberté,* 2 mai 1925.
2. *Candide,* 7 mai 1925.
3. *Le Matin,* 2 mai 1925.

Antoine lui-même, d'habitude indulgent, juge qu'il s'en dégage *une impression d'incohérence tumultueuse* [1].

Plus nuancé, Paul Lombard trouve l'auteur *trop riche, de dons originaux* qu'il a *dissipés sans mesure* [2].

Chœur de dépréciations et de regrets dont dédommage à peine une étude de Mauriac où les défauts du dramaturge tournent à sa gloire :

> ... Cette pièce manquée nous a paru fort supérieure à d'autres mieux réussies. Il s'en est fallu de peu pour que Crommelinck (*sic*) nous imposât sa furie aussi souverainement qu'il le fit avec son « Cocu magnifique ». Crommelinck est un Molière frénétique et qui aurait perdu cet instinct modérateur, grâce auquel le Poquelin du « Médecin par force » savait jusqu'où (selon le mot de Cocteau) il est permis d'aller trop loin. Peut-on imaginer un Molière en état d'ébriété, et qui voudrait se faire aussi énorme que Rabelais ? Tel est Crommelinck [3].

Visiblement, le romancier demeure à deux doigts de l'enthousiasme. Reste à voir dans quelle mesure il s'y serait abandonné si l'interprétation avait mis en valeur l'originalité du texte. Jouvet excepté, un admirable Muscar, ce ne fut pas le cas.

À l'origine, *Tripes d'or* devait être représenté à l'Œuvre sous la direction de Lugné-Poe. Une brouille du dramaturge avec celui-ci allait tout compromettre. Albert Crommelynck a gardé un souvenir très net de ce qu'il a appelé avec raison un « coup de théâtre ». Aussi vais-je simplement transcrire ce qu'il m'a rapporté :

« En fin 1924 ou début 1925, lors d'une répétition, Lugné-Poe, qui était sur le plateau avec les acteurs, interpelle mon frère, assis dans la salle. Il lui demande de raccourcir une scène qu'il juge trop longue. Refus courtois, mais catégorique de l'auteur. La répétition se poursuit. Lugné revient à la charge pour s'entendre répondre vertement que, en cas de récidive, la pièce lui serait retirée. Il insiste à nouveau, déclarant que, sous sa forme actuelle, elle est

1. *L'Information*, 4 mai 1925.
2. *La Renaissance*, 16 mai 1925.
3. *La Nouvelle revue française*, t. XXIV, 1er juin 1925, p. 1051.

injouable. Mon frère interrompt à tort la répétition, exige son manuscrit en retour et quitte la salle en déclarant, malgré les objurgations de l'interprète, qu'il interdit à l'Œuvre de donner ses trois actes. Le jour même, le texte est remis à Jouvet qui l'accepte avec enthousiasme. Cette péripétie fit grand bruit dans le monde du théâtre. Lugné ne pardonnait pas l'affront public. Il monta une cabale pour faire tomber la pièce. Son autorité, son influence étaient grandes. Nombreux furent ceux qui prirent son parti, condamnant l'impétuosité, voire même l'ingratitude de l'auteur.

Le comédien ne manquait pas une occasion de faire le procès de *Tripes d'or* auprès des journalistes ; il en éventait le sujet. »

Fernand n'ignore rien de ce qui se prépare. *Quelques critiques ont été touchés par la Maison de l'Œuvre,* confie-t-il à Raymond Cogniat à la veille de la générale [1]. Mais il n'éprouve que dédain pour ces *manœuvres abortives.*

Afin de donner le change, Lugné propose une reprise du *Cocu magnifique* dans les tout prochains jours. Crommelynck s'y oppose car il est *révolté de la lâcheté de cette attaque* qui a suivi le retrait de sa pièce.

Mais il y a plus grave. *La Maison de l'Œuvre,* déclare le dramaturge, *tente d'accréditer la légende d'une inspiration de « Volpone » par Ben Johnson.*

Calomnie immédiatement réfutée. Il n'a jamais lu cet auteur.

Qu'à cela ne tienne, on lui impute, sans plus de fondement, un autre plagiat.

Le dernier acte de *Tripes d'or* rappelle, paraît-il, une œuvre de Raymond Roussel intitulée *Locus solus.*

L'histoire des emprunts de Crommelynck à Saint-Georges de Bouhélier semble se reproduire et défrayer la chronique. Mais, cette fois, d'une façon plus explicite.

L'interprète de Pierre-Auguste sera André Florencie.

Albert Crommelynck, qui assista également aux répétitions des Champs-Élysées, me dit à son propos :

« Pendant les dernières répétitions, chez Jouvet, Florencie-Hormidas suscitait l'admiration de tous par son jeu fait de fantaisie et

1. *Comœdia,* 29 avr. 1925.

de diversité qui répondait aux directives de l'auteur. Or, le soir de la répétition générale, il joua tout différemment, d'une manière si lourde, lente et monocorde que mon frère, au comble de la colère, fut sur le point d'arrêter la représentation ! »

De là à conclure que le premier rôle avait été manœuvré par Lugné-Poe, il n'y a qu'un pas à franchir. Mais on peut difficilement le faire. Le peintre m'a parlé de l'acteur d'après le souvenir qu'en a gardé sa femme. Celle-ci faisait en effet partie de la troupe du Théâtre du Marais de Bruxelles, à l'époque où il y jouait les premiers rôles. C'était, selon elle, un colérique qui n'acceptait aucune observation. Il avait la réputation de s'enivrer souvent. Peut-être pour combattre le trac. Albert observe encore :

« — Faut-il en conclure que sa trahison est attribuable à l'alcool autant qu'à sa révolte contre la domination d'un auteur exigeant ? Je ne sais, mais cela me semble plus vraisemblable que la version selon laquelle il aurait transformé son jeu sous l'instigation de Lugné. Pour quel prix un artiste troquerait-il sa réputation ? D'ailleurs, la critique ne lui fut pas entièrement défavorable, même si on y lit quelques réticences. »

Celle, par exemple, de Régis Gignoux :

> Le rôle eut peut-être gagné à être interprété moins méticuleusement, au besoin avec plus de risques. L'excellent comédien indique et détaille plus qu'il ne suggère [1].

Non content d'avoir monté une cabale contre l'écrivain, le directeur de l'Œuvre se venge encore de lui dans un article où sa façon de louer le protagoniste n'est qu'une manière détournée de critiquer le texte dramatique :

> Quel comédien aurait osé jouer le rôle ? Il mérite de la reconnaissance à une époque où les comédiens dispensent leur talent au compte-gouttes : il a voulu le succès de l'auteur, il sera le seul qui l'ait vraiment voulu. J'ai de loin l'impression, connaissant à fond la pièce, ses qualités et ses vices, que Florencie a apporté à la création de cet avare une générosité que personne autour de lui n'a montrée [2].

1. *Comœdia*, 1er mai 1925.
2. *L'Éclair*, 1er mai 1925.

La suite du compte rendu est plus perfide encore. Elle affirme que Crommelynck a été hanté *de la splendide pensée de nous apparaître à la fois le Molière et le Shakespeare de notre époque.*

C'est inexact.

Emprunter un thème à un auteur n'est pas nécessairement vouloir s'assimiler à lui et lui succéder sur le trône du génie. Le dramaturge use simplement de références prises à l'écrivain qu'il admire pour les transformer à la lumière de sa propre conception. Parti d'Othello, il a insisté sur sa volonté de créer un jaloux différent de celui-ci. De même, il a précisé qu'il n'avait jamais projeté de *refaire L'Avare de Molière.* Leur passion mise à part, les deux héros n'ont pas tellement de traits communs. Harpagon est vieux, Pierre-Auguste, jeune et aimé.

Loin de se réjouir de voir évoquer ses illustres modèles, Crommelynck était exaspéré, lorsque les critiques voyaient en lui un Shakespeare ressuscité ou un *Molière en état d'ébriété* [1].

Les querelles entre grands du théâtre sont fréquentes et violentes, mais rarement de longue durée.

Quatre ans plus tard, le dramaturge devait dédier *Carine* à Lugné-Poe.

Après la mort de celui-ci, il fit à la radio son éloge funèbre en insistant sur sa manière judicieuse de présenter les spectacles :

> Il avait l'impression qu'il n'était pas nécessaire d'accorder aux décors, aux lumières et aux costumes, une trop grosse importance, et qu'il valait mieux faire entendre le texte, c'est-à-dire présenter au public une sorte de lecture [2].

Dernière cause d'un échec qu'une interprétation défectueuse ne peut expliquer à elle seule. Elle est d'ordre matériel et c'est Jouvet qui l'explique en affirmant qu'il a monté *Tripes d'or* à une époque de sa carrière *où les huissiers dans les couloirs du théâtre étaient bien aussi nombreux que les spectateurs dans la salle...*

Terminons cette décevante relation sur une note humoristique. Quand le même comédien raconta à Antoine qu'il avait monté

1. *La Nouvelle revue française,* t. XXIV, 1er juin 1925, p. 1051.
2. R.T.F. *Hommage à Lugné-Poe,* 18 juin 1950, app. p. 374.

cette œuvre et lui en exposa le sujet, son interlocuteur s'assombrit et lui dit :

> Dommage ! C'était une pièce sur l'argent ; jamais, au théâtre, on n'a gagné d'argent en en faisant le thème de la pièce [1].

Ce fut vrai pour *L'Avare* de Molière comme pour *Tripes d'or.*

C'est la pièce de Crommelynck qui a été la moins jouée.

Comme *Le Cocu magnifique* et *Les Amants puérils,* elle fut contestée en Italie. Plus particulièrement en 1926, au Théâtre Argentina de Rome. À lire Fausto Martini, la célèbre troupe d'Annibale Ninchi ne réussit pas à la faire apprécier en dépit de l'excellente traduction qu'en avait donnée Cominetti [2]. Elle n'obtint d'ailleurs pas meilleur accueil trois ans plus tard à Bologne où, aux dires de la presse, ce fut une *tumultuosa recita* [3].

Le 30 avril 1955, sous le titre de *Goudendarm,* elle fut montée au Stadsschouburg d'Amsterdam par le célèbre Johan De Meester dans la traduction de Karel Jonckheere qui, selon ce metteur en scène, est *vigoureuse et poétique* [4]. Ko van Dijk était Pierre-Auguste.

C'est en Belgique qu'on la comprit le mieux : lors des représentations au Parc, en 1938 (du 12 au 14 octobre et du 1er au 6 décembre). Armand Thibaut se délecta de ses *traits, grossis en caricature* [5].

Le Palais des Beaux-Arts la donna en 1940 (du 11 au 31 décembre), dans l'exceptionnelle réalisation de Marcel Josz. Encore que certains critiques aient reproché l'aspect trop expressionniste de l'ambiance qui s'y trouvait recréée.

Autre tournée en 1945 à Bruxelles (du 7 au 16 décembre). Elle se termina à Bruges et à Courtrai.

Aussi épris de l'œuvre que paraisse Paul Werrie, il convient de ce que certaines intentions de l'auteur ne passent pas la rampe.

1. *Réflexions du comédien.* Bruxelles-Paris, Éditions du Sablon, 1944, p. 32.
2. *Giornale d'Italia,* 1 luglio 1926.
3. *La Nazione,* 30 apr. 1929.
4. Lettre inédite du 5 avr. 1955.
5. *L'Étoile belge,* 14 oct. 1938.

S'il a tort d'affirmer que, dans son ensemble, le théâtre de Crommelynck est du *théâtre de luxe à tirage limité* [1], cette réflexion s'applique cependant à *Tripes d'or,* la pièce la moins scénique du dramaturge.

On n'y découvre pas moins une profusion de symbolisations caractérielles et de beautés formelles qui la maintiennent au niveau des œuvres littéraires destinées à durer.

1. *Le Nouveau journal,* 17 déc. 1940.

# VIII. « CARINE OU LA JEUNE FILLE FOLLE DE SON ÂME »

## 1. Déchirements et succès

En 1926, Paulette Pax a loué pour Crommelynck un théâtre qui portera le nom de la rue de la Croix-Nivert où il se trouve. Fernand le dirige pendant un an et y donne, entre autres choses, une pièce de Pirandello qu'il a traduite sous le titre de *Comme avant mieux qu'avant* [1].

Deux ans plus tôt, on lui a aussi demandé de monter la *Jeanne d'Arc* de Péguy à La Comédie-Française.

Cette représentation eut lieu le 14 juin 1924, au profit de l'Association des Mutilés de Guerre et des Écrivains combattants. Les principaux rôles étaient tenus par Paulette Pax et Mady Berry, Gabriel Signoret, Jean Hervé et Pierre Fresnay. Si la mise en scène est mentionnée dans la presse [2], le texte que le dramaturge avait remanié et adapté à cette occasion n'est point commenté et n'a pu être retrouvé dans les archives de la Comédie-Française.

De l'opinion générale, l'auteur des *Amants puérils* devrait figurer au répertoire de cette salle. Georges Pioch le dit à ferme voix dans un article intitulé *Crommelynck chez Molière* [3].

Au cours des quatre années qui séparent *Tripes d'or* et *Carine ou la jeune fille folle de son âme,* son étoile n'a guère pâli. *Le Cocu magnifique* est, rappelons-le, repris maintes fois au Théâtre Michel et à l'Œuvre. L'interprétation du *Marchand de regrets* par les Pitoëff, en 1927, a connu, on s'en souvient, un retentissement auquel il ne s'attendait plus.

---

1. Inédit.
2. *Théâtre et Comœdia illustré,* 10 sept. 1924.
3. *Le Soir,* 25 oct. 1931.

Pourtant, on ne saurait imaginer que sa vie puisse se dérouler longtemps sans incident. Celui qui éclate en décembre 1927 n'a d'ailleurs rien à voir avec ses écrits.

Cette fois, c'est son honneur qui est mis en cause. Et par un personnage important : Thierry Sandre, président de l'Association des Écrivains combattants. Il a tenu à son sujet des propos injurieux devant des amis qui les lui ont rapportés.

Durant la guerre 14-18, des Belges auraient été fusillés par l'ennemi, à la suite de dénonciations du dramaturge.

Ce dernier se rend immédiatement chez Thierry Sandre qui ne le reçoit pas. Il se propose d'y retourner à nouveau, accompagné de ses camarades parmi lesquels : Gabriel Boissy, rédacteur en chef de *Comœdia,* Delange, directeur de l'*Excelsior,* le cinéaste Abel Gance, le poète Canudo et le journaliste André Arnyvelde de qui je tiens le récit qui suit [1].

Cette fois, le groupe est accueilli. Le président reconnaît :

— J'ai dit... qu'on m'avait dit...
— Qui ? demande Crommelynck...
— Cela m'a été dit, il y a deux ans, dans un banquet.

Sandre ne se souvient plus de celui qui a parlé et estime que, de toute manière, il n'a pas à divulguer ce qui fut raconté chez lui.

On lui objecte que son titre et ses fonctions l'obligent à se montrer prudent dans sa façon de répandre des calomnies.

Il se borne à répéter lamentablement :

— Ce n'était pas moi ! Ce n'était pas moi !

L'affaire en reste là.

L'auteur du *Cocu magnifique* veut toutefois lui donner une conclusion. Il a droit, depuis longtemps, à une décoration dont il se soucie peu, mais qu'il va réclamer pour faire taire les mauvaises langues.

Pareille distinction implique en effet un examen minutieux du dossier de celui qui se la voit octroyer. Fernand Crommelynck devient chevalier de l'ordre de Léopold, dès décembre 1927.

Après la deuxième guerre mondiale, il sera une fois encore victime des mêmes procédés.

---

1. *La Rumeur,* 6 janv. 1928.

À l'occasion de cette décoration, Gaston Pulings fait de celui qui la reçoit un amusant portrait où il est question de ses fugitives apparitions à Bruxelles.

À peine l'y rencontre-t-on de temps à autre à la terrasse d'un café littéraire, qu'il fuit déjà vers un rendez-vous ou un train à prendre. Inutile de lui envoyer une lettre ou de lui fixer une entrevue, il n'écrira ou ne viendra pas.

Interrogé sur ses projets, *il vous répondra par une impertinence spirituelle ou par un mot d'esprit! Il a gardé depuis sa jeunesse, il l'a même accentué cet air mystérieux qui vous fait demander s'il est sincère ou s'il se moque de vous* [1].

En novembre 1928, l'écrivain est invité à faire une conférence aux Amis de la langue française, dans la salle du Casino lyrique de Bruxelles.

Il y déplore le goût trop répandu de l'individualisme et de la fausse originalité et insiste sur le bien-fondé de certaines traditions éprouvées en matière d'art [2].

En avril 1929, le voici de nouveau dans notre capitale avec Régina Camier, à l'occasion d'une représentation du *Cocu magnifique,* et d'un déjeuner qui, on l'a dit plus haut, fut donné en son honneur.

Aujourd'hui comme autrefois, il ne désire nullement rompre avec ses attaches bruxelloises et sa nationalité. Se sent-il Belge ou Français ? Question qu'on lui a souvent posée et à laquelle il répond avec une pointe d'agacement :

> Moi, Flamand ? Un critique est allé jusqu'à écrire dernièrement qu'on sentait, en effet, que j'étais né « sous un ciel bas ». Voilà, au moins, un homme bien renseigné ! Tout le monde sait, ou doit savoir que le ciel de la Flandre est loin d'être bas ; il est, au contraire, immense, et sa lumière d'une rare qualité. Certes, je ne renie pas mes origines, mais que voulez-vous, j'ai bel et bien vu le jour sous le ciel gris-perle de Paris dans le XVIII$^{e}$ arrondissement, d'une mère savoyarde et d'un père lui-même fils et petit-fils d'une Bourguignonne et d'une Tourangelle. Y a-t-il beaucoup de « purs » Français qui le soient autant que moi ?... [3]

1. *Les Nouvelles littéraires,* 24 déc. 1927.
2. *Le Soir,* 11 nov. 1928.
3. *La Nation belge,* 16 janv. 1930.

Aux vacances à la mer du Nord, succèdent des évasions ensoleillées. Son amie, Mme Bachrach, la traductrice allemande du *Cocu magnifique,* invite Crommelynck dans sa propriété d'Ascona dès 1926.

Albert n'est pas venu le rejoindre, et pour cause. Il vient d'épouser une jeune actrice de 19 ans (qui, à cette époque, jouait au théâtre du Parc), Élisabeth Fallens, la fille du dramaturge, auteur de *La Fraude* et des *Deux Amis,* auquel Fernand voua toujours une fidèle affection.

Mais dès 1927, le peintre y retrouvera les siens. Les deux ménages louent et meublent à peu de frais des maisons que l'on peut voir reproduites dans un paysage d'Hector Letellier [1].

La mastoïdite dont Fernand a gardé des traces ne ralentit cependant en rien ses performances nautiques tout au long du lac Majeur !

Giacomo Antonini, qui lui a rendu visite à cette époque, se rappelle l'avoir vu, assis sous un grand chêne, dans le jardin de la villa San Materno. Entouré de toute la famille, il lisait *Tripes d'or* à haute et persuasive voix :

> Ce prince de la bohême,

écrit-il,

> qui a voulu toujours vivre à sa guise, sans accepter aucune contrainte sociale, a, en réalité, le tempérament d'un patriarche. Il a été, il est, un père admirable [2].

Sentiment qui sera bientôt mis à rude épreuve et qui n'empêchera pas la destruction des liens les plus chers.

Deux femmes ont occupé une place importante dans la vie de l'écrivain.

Que représenta Anna pour lui ?

On se souvient qu'il la rencontra à la brasserie du Cygne de la Grand-Place où il revint chaque jour lui conter fleurette, tandis qu'elle versait de la bière, dans la plus pure tradition de Bruegel.

---

1. La toile appartient à Albert Crommelynck.
2. *Femina-Théâtre,* n° 27, juil.-août 1956, p. 3 couverture.

Sur la buée du comptoir, le soupirant écrit à l'envers des mots d'amour que déchiffre la jouvencelle dont il apprécie la finesse et la culture.

Jusqu'au moment où le mariage est décidé.

Anna joua souvent dans les pièces de son mari. En 1927 encore, elle a été l'Anne-Marie du *Marchand de regrets* où elle s'est révélée une *artiste sensitive et intelligente* [1].

Lorsqu'ils prennent leurs vacances à Ascona, les Crommelynck ont connu près de vingt ans de vie commune avec des hauts et des bas : aisance et privations, insuccès et réussites. C'est le théâtre rose et le théâtre noir de ceux qui, d'une façon ou d'une autre, ont lié leur destin à celui de la scène.

Anna Letellier mettait de la simplicité et de l'intuition en toutes choses : dans son jeu aussi bien que dans sa manière d'être en famille. Quand elle chantait de vieux airs populaires en s'accompagnant au piano ou quand elle écrivait ses souvenirs. Sous le titre de *Ce Temps si court...* [2] elle a en effet évoqué sa jeunesse avec une justesse de ton qui la fait voir en sa fraîcheur d'âme :

> ... dans le grand miroir me faisant face, apparut une jeune fille étendue, vêtue d'une longue robe blanche à l'empiècement de guipure, des liserons dans les cheveux... [3]

Crommelynck a préfacé le volume avec émotion :

> Anne-Marie Tellier a marché d'un pas d'ange entre tous les pièges. Candeur, naturel, humilité sont les nécessités premières d'une confession efficace. Leur vertu éclaire chaque page du livre qu'on va lire [4].

Compagne des jours graves ou légers, Anna accueillait les événements avec bienveillance et tranquillité.

Je me suis laissé dire que l'ordre et les vertus ménagères n'étaient pas ses qualités essentielles. Mais sa générosité et sa compréhension étaient inépuisables.

L'avoir auprès de soi dans la riante quiétude d'Ascona, n'était-ce pas ce qu'un artiste pouvait souhaiter de meilleur à vivre ?

1. *Midi*, 1er févr. 1927.
2. Bruxelles, Ed. des Artistes, 1942, 148 p.
3. *Idem*, p. 147.
4. *Ibidem*, pp. 11-12.

Pourtant, rien n'est moins sûr que le climat des lacs italiens. D'inquiétants orages couvent parfois au sein du bleu le plus calmement pur.

La scène se passe par un soir de 1926, dans un hôtel de l'endroit tout bruissant de musique. Autour d'une table ronde, des visages attentifs suivent les propos d'un homme aux yeux clairs et aux mains expressives.

Comme à l'accoutumée, Fernand Crommelynck fascine l'assistance par son brio et ses traits d'esprits.

Non loin de là, deux jeunes femmes l'écoutent en se demandant qui il peut être.

« Je voudrais bien qu'il m'invite à danser », dit l'une d'elles. « Le connais-tu ? » Sa compagne, une Allemande nommée Aenne Grünert, ne peut lui répondre.

C'est elle qu'il vient chercher et qu'il entraîne sur la piste.

Coup de foudre réciproque.

Fernand et Aenne font une promenade nocturne, puis se séparent :

« Nous ne devons plus nous quitter. À demain », affirme-t-il.

« Nous ne devons plus nous revoir. Demain, je ne serai plus à Ascona », rétorque-t-elle.

L'un et l'autre se rendent compte du danger qu'ils courent.

Aenne ira apprendre le chant en Allemagne. Elle aura pour condisciple Marlène Dietrich avec laquelle elle offre des traits de ressemblance : mêmes intonations pimentées d'accent étranger qui caressent agréablement l'ouïe. Même façon de se tenir droite sans rigidité.

De l'intelligence chez cette sportive qui conduit sa voiture avec beaucoup de souple fermeté.

Elle était (elle est encore) de celles dont l'allure un rien virile met leur féminité en valeur.

Un an après. Crommelynck revient à Ascona.

Il prend son petit déjeuner à la terrasse d'un café, quand une voiture s'arrête en face de lui. Aenne en descend !

Cette fois, la fatalité a joué. Tous deux comprennent qu'ils sont perdus. Fernand sait qu'il ne s'agit pas d'une passade et qu'il fera souffrir sa famille.

Quel déchirement pour lui dont la fidélité dans le domaine affectif ne s'est jamais démentie !

Aussi lutte-t-il avec lui-même autant qu'il le peut.

Mais la passion dont on retarde le jaillissement ne brille-t-elle pas d'un éclat plus envoûtant que celle qui se réalise dans l'immédiat ?

Et le moyen d'éviter l'être dont on ne saurait se passer !

À partir de ce moment, l'aimée ne cesse de recevoir des lettres qui préludent au plus profond attachement que le dramaturge ait ressenti. Ces missives sont perdues, mais des passages en subsistent sur les lèvres de Frédéric, héros de *Carine ou la jeune fille folle de son âme,* la seule pièce de l'auteur, avec *Chacun pour soi,* qui soit en partie autobiographique :

> Carina ma belle jeune fille ! Pourquoi es-tu triste à présent ? Veux-tu que je t'aime davantage ? Je ne le puis. Pas un atome de moi n'est à moi !... [1]

Pages de jubilante adoration où se reconnaît l'un des plus beaux dialogues d'amour que le théâtre français du XX$^{e}$ siècle ait fait entendre.

C'est de la fin du séjour de 1927 à Ascona que date la liaison d'Aenne et de Fernand.

Rien ne pouvait l'empêcher. Pas même le « vécu ensemble » qui cimente tant d'unions à travers les pires tourmentes.

Au cours de la saison 1928-1929, la jeune femme vient habiter à l'hôtel de la Paix, boulevard Raspail.

Le dramaturge lui rend visite au sortir des répétitions de sa dernière pièce dont elle est l'héroïne.

1. *Carine ou la jeune fille folle de son âme,* Théâtre, t. II. Paris, Gallimard, 1968, p. 143.

## 2. Un grand amour nommé Carine

Je suis un pur. Carina, c'est moi.
(Fernand Crommelynck:
*Les Nouvelles littéraires,* 2 mai 1946)

L'œuvre ne se subdivise pas comme les précédentes en actes, mais en trois tableaux dont des astérisques désignent à quel endroit on peut éventuellement introduire une coupure. Ne fût-ce que par un bref changement d'éclairage.

Le décor — un château richement meublé donnant sur un parc — indique immédiatement que l'action ne se situera pas chez des artistes ou chez des bourgeois, milieux que Crommelynck a le plus souvent choisis.

Un bref escalier conduit à une galerie où se découpent les portes et les fenêtres des appartements. L'auteur précise, cette fois, son caractère particulier: elle doit faire penser à *un pont sur un canal dans une ville italienne de la Renaissance* [1].

De la pierre blanche, des torches de bronze, des bois et des tapis précieux créent une sensation de surcharge baroque et de luxe corrupteur qui contrastent avec la saine montée du feuillage dans la libre végétation du domaine.

Au lever du rideau, deux amies de pension de Carine viennent la saluer à l'occasion de son mariage qui a eu lieu la veille. Elles assisteront à la fête qui le suivra.

Ce matin, on chasse, ce soir, il y aura bal masqué. D'où un va-et-vient continuel de valets de chiens et de serviteurs dans une atmosphère qu'enfièvre l'approche du plaisir.

Nous sommes en automne, *le parc est pourri!... le soleil est vieux* [2]. Tout annonce l'ambiance perverse que le chasseur cynique et dépravé, l'oncle de l'épousée, veut créer.

À Christine que tente surtout un sororal amour, il préfère la sensuelle Nency qui accepte ses caresses furtives.

Les mariés se sont éveillés.

---

1. *Carine,* p. 129.
2. *Idem,* p. 130.

Carine ouvre sa fenêtre, tandis que Frédéric descend l'escalier de la passerelle en lui parlant.

Il doit se rendre au chevet de sa mère malade et s'absentera durant une heure. C'est peu, mais c'est beaucoup pour deux amants qui viennent d'apprendre à se connaître.

Le départ du jeune homme est précédé d'une des scènes d'adieux les plus belles qu'on ait écrites depuis Shakespeare.

À son mari qui lui demande si elle est heureuse, l'héroïne répond : *Je suis au-dessus du bonheur !* [1]

Exultante, certes, et fière aussi de sa belle âme transparente dont on s'empressera, hélas ! de ternir l'éclat.

Au cours d'une promenade à cheval, la mère de Carine et M. de Brissague qui habite le château ont eu un accident. Ils ont franchi en même temps une barrière et sont tombés.

La châtelaine avoue à sa fille le côté sordide de l'événement : elle a provoqué la chute, afin de mourir avec celui qui est son ami mais désire la quitter. Vieillissante, elle a tout fait pour le garder ; elle a même encouragé le sentiment de Brissague pour sa propre enfant qui était loin de s'en douter.

L'odieuse querelle qui éclate entre les deux cavaliers porte au comble la honte de Carine. Ce n'est malheureusement qu'une première épreuve.

Voici Nency, Évelyne et Solange qui scrutent d'un regard à la fois curieux et impudique la nouvelle expression de leur amie. Quelle joie de contempler le trouble de la jeune femme dont on disait au pensionnat : *Celle-là, elle ne vit pas, — elle neige* [2]. Et chacune d'exciter sa confusion en racontant ses aventures les plus croustillantes.

Sur ce, Christine-l'amazone confesse que, au couvent déjà, elle éprouvait pour sa condisciple une amitié particulière dont le feu n'est pas près de s'éteindre.

La fête commence. Des couples vêtus de dominos argent et noirs forment un véritable ballet, autour de la mariée, sans la toucher. Mais leurs dialogues lubriques sont autant de glaives qui la transpercent de toutes parts.

1. *Carine*, p. 142.
2. *Idem*, p. 158.

Épouvantée, elle les fuit ; quand Frédéric rentre, elle lui lance cette plainte déchirante :

> Non, il n'est pas possible que le mensonge ressemble à la vérité [1] !

Il voudrait la rejoindre. Mais elle s'enferme dans sa solitude. Ne fut-ce que le temps de remettre au frais et au propre leurs souvenirs qu'on a essayé de polluer.

Au deuxième tableau, Frédéric frappe nerveusement à la porte de leur appartement. Carine paraît à la fenêtre et lui demande de prendre patience jusqu'au moment où elle se ressaisira.

Il accepte, à condition de pouvoir lui redire l'amour qu'elle lui a inspiré depuis l'adolescence.

Il affirme l'aimer *gravement... avec des ressources infinies* [2] et dénombre les couleurs du cristal qui composent son indestructible sentiment. Ses paroles forment une scintillante échelle au long de laquelle Frédéric-Roméo monte vers le cœur de l'élue.

De cette incantation, jaillit une sonorité platonicienne dont on ne trouve pas d'équivalent dans les autres pièces de Crommelynck.

Lorsque la fenêtre se referme, le héros tombe du ciel.

C'est sur le vide de son cœur que se déversent les propos d'un personnage épisodique : la gouvernante. Elle lui résume de manière sommaire ce que Carine vient d'entendre : le récit de la liaison coupable de sa mère et les questions indiscrètes des amies.

— *Que faire?* se demande l'époux qui conçoit l'étendue du désastre.

— *Vivre,* lui répond le chasseur qui passe fortuitement par là. *Même le chagrin n'est pas fidèle* [3].

L'épouse reparaît. Égarée parmi les couples que leur propre débauche excite de plus en plus, elle s'affole de ne plus retrouver son compagnon. Des masques lui proposent une escapade et vont jusqu'à pénétrer dans la chambre nuptiale qu'ils souillent de leurs

1. *Carine,* p. 171.
2. *Idem,* p. 175.
3. *Ibidem,* p. 182.

pensées malsaines. Convoitée, salie par des regards concupiscents, la malheureuse appelle Frédéric à son secours.

Le voilà !

Venu à temps apaiser l'ange blessé.

Au troisième et dernier tableau, les amants se délectent toujours de leur présence consolatrice. Ils ne se lassent pas de se raconter mutuellement leur fabuleuse épopée, du temps où Carine était enfermée au couvent.

N'imaginant pas que son épouse l'a fui uniquement pour préserver leur amour de toute dégradation, Frédéric la questionne avec inquiétude.

Nency dont il fut l'amant, lorsqu'on le séparait de sa fiancée lui aurait-elle conté leur passade ? Dans ce cas, il lui en demande pardon. Or, la jeune femme ignore cette aventure dont la révélation achève de l'anéantir.

Le malheur n'arrête pas de la poursuivre.

Sa mère vient la supplier de se rendre au chevet de Brissague et de lui demander de ses nouvelles. Ainsi aura-t-il l'impression qu'il peut en même temps conquérir la fille et punir sa maîtresse. *Il restera pour cette vengeance escomptée.*

Carine laisse alors tomber ces mots, pareils à des gouttes de sang jaillies d'une plaie :

> Je ne me tuerai pas, mais faites, faites, faites, que je ne leur ressemble pas !... [1]

À qui s'adresse le *faites* ?

Ce verbe appelle un nom qui n'est pas prononcé, mais dont on peut imaginer qu'il est celui de Dieu.

Avant de rejoindre sa mère, elle écrit à son époux une longue lettre et la laisse sur la table. S'y trouvent définis tout ce qui a détérioré leur amour et le marasme dans lequel a sombré un bonheur désormais compromis. Le contenu en est révélé par le valet de chiens et la gouvernante qui, après le départ de l'héroïne, s'emparent du message et le lisent de façon stupide.

En revenant de chez Brissague, Carine a changé d'avis.

---

1. *Carine*, pp. 211 et 212.

L'amour doit l'emporter et s'épanouir. Il ne faut pas que son mari lise ces pages douloureuses.

Quand il la voit déchirer la missive, Frédéric lui demande à qui elle vient d'écrire et ne croit pas que c'était à lui.

Pris de jalouse fureur, il rassemble les fragments de papier pour voir si elle a menti ou non.

La vérité apparaît et le bouleverse. Trop tard hélas !

L'offense a achevé d'anéantir l'aimée qui en meurt. Son ami l'appelle en vain pour lui demander pardon.

Les silhouettes grises et noires de la mascarade sont seules à entourer l'inconsolé qui tombe soudain évanoui. À moins qu'il n'ait cessé de vivre.

La pièce finit sur cette incertitude.

Si le tragi-comique et même le comique sont presque absents de ces pages (seules les scènes entre les domestiques suscitent encore le rire), la cruauté du trait descriptif y est en revanche fortement développée.

Le chasseur, maître pervertisseur d'une bande d'invités amoraux, a, selon Michel Déon, *versé dans la coupe de chacun un philtre aphrodisiaque qui provoque des étincelles* [1].

C'est lui qui a dirigé Nency vers un pavillon de glaces issu de son imagination lubrique.

À son instigation, la jouvencelle s'y est mise nue devant et sous des miroirs qui lui renvoient par centaines des images de son corps plus excitantes les unes que les autres.

Elle devine mal les cheminements d'un érotisme morbide qui l'a fait s'enflammer à son insu. Proche de la Zulma des *Amants puérils,* sa mollesse et sa sensualité la situent à l'opposé de Christine, brûlante chasseresse qui se consume pour son ancienne camarade.

C'est la première lesbienne que Crommelynck ait évoquée dans son œuvre théâtrale. Dans *Chaud et froid,* Alix en fournira une étude plus approfondie.

Les personnages secondaires sont tracés de manière floue. Mais cela ne nuit pas à la pièce comme c'était le cas pour *Tripes d'or.* Là, ils devaient influencer le cours de l'action. Ici, il leur suffit de

---

1. *Aspects de la France et du monde,* 22 sept. 1949.

former une toile de fond. Leur turpitude est simplement destinée à faire ressortir l'éclat d'une aventure amoureuse qui se déroule à hauteur d'âme.

Une partie de la critique fut déroutée par le couple Carine-Frédéric. Elle l'examina à travers les lunettes d'un réalisme grossier, toutes embuées par la grisaille des considérations terre-à-terre dont les répliques d'un Porto-Riche ou d'un Bataille avaient, jadis, répandu le goût.

Hubert de la Massue s'étonne de ce que, initiée à la bassesse de son entourage, Carine *continue d'aimer avec emphase* [1].

Comme si la découverte du mal pouvait détourner du bien des êtres épris de sacrifice et de grandeur !

Raisonneur trop raisonnable, Maurice Martin du Gard met en doute l'adoration mutuelle des époux : *Quand on aime, est-on si bavard ?* A-t-il perdu de vue l'éloquence nocturne des amants de Vérone ? Le dramaturge, lui, semble s'en être souvenu à maintes reprises sans l'imiter pour autant.

Du Gard y va en outre de sa petite leçon de morale, à propos de l'attitude de la jeune femme qui se tue :

> ... au lieu de changer d'air, de fuir avec son mari une compagnie si peu recommandable... [2]

Autant dire que Roméo et Juliette ont manqué de débrouillardise et qu'un peu de jugeote les aurait écartés du malheur.

Reconnaissons-le ; au temps des Guitry et des Bernstein, il n'était guère aisé de déchiffrer pareils messages. H. R. Lenormand se demande :

> Comment analyser des personnages qui se présentent à nous, non pas sur le plancher solide de la réalité, mais glissant en équilibre sur le fil du rêve ?

Et il poursuit avec sagacité :

---

1. *La Griffe*, 23 janv. 1930.
2. *Les Nouvelles littéraires*, 28 déc. 1929.

> Il y a une vérité qui se moque de la substance vivante et de l'étude des caractères. C'est elle qui confère aux œuvres la durée. Les pantins du théâtre naturaliste perdent déjà leur crin [1].

Outre qu'il détermine le climat poétique de l'œuvre, l'onirisme est le gîte de prédilection du couple qui s'y réfugie et s'y protège :

> Nos rêves ne sont qu'à nous, avec leur voix sans écho, leur couleur d'un éclat local. Et l'esprit, comme un astre dans son terrible isolement, plane sur ce Monde qu'il sait sans but et sans témoin [2].

Puisque le songe est un asile, le sommeil comporte un risque d'isolement qu'il faut tenter d'éviter :

> Si je m'endors, je pense si fort ton visage, que je le sens se poser doucement sur le mien, par le dedans... [3]

L'ascèse de Carine et de Frédéric est jalonnée de combats. Elle débute à la première rencontre dans le rayonnement de l'innocence éblouie :

> J'étais sous le charme du profond et mystérieux accord de tes regards, de ta voix, de tes gestes, de ta démarche, de toute ta personne visible et invisible. [4]

Comme Héloïse, la jeune fille a connu le couvent. Elle s'y est enfermée avec son amour et en a empli tout l'espace.

C'est là qu'elle a compris de quel poids de flammes pouvait s'illuminer son attente dont la lumière rejaillirait sur l'aimé qui en est tout resplendissant.

Exercice qu'elle a pratiqué pendant cinq ans et dont elle se souvient, au lendemain des noces :

> L'absence n'apportait pas la solitude à la mesure où la présence me comblait [5].

À cet état d'âme, s'ajoute aujourd'hui une tendresse physique qui entraîne Carine à exalter la beauté virile de son époux.

---

1. *L'Intransigeant*, 26 déc. 1929.
2. *Carine*, p. 145.
3. *Idem*, p. 144.
4. *Ibidem*, p. 174.
5. *Ibidem*, p. 205.

À ce niveau d'émerveillement, le lit devient l'autel où s'est parachevée l'union des être l'un à l'autre prédestinés :

> Que personne jamais n'y entre que toi et moi et la naissane et la mort qui se sont rejointes en nous [1].

L'aboutissement de pareille transe spirituelle et charnelle c'est, on le devine, le don mutuel de chaque parcelle de soi. Au bout du *pays étendu* ou du *riche silence partagé,* les regards se rejoignent en dépit des distances ou des intrus.

Lorsque l'enfer des autres aura dévasté leur paradis, les époux feront retentir ce cri de pathétique regret : *Nous étions ensemble tissus !* [2].

En fait, Carine et Frédéric disposent d'une maïeutique personnelle qui leur permet de s'authentifier pour mieux s'identifier l'un à l'autre. Qui pourrait imaginer une fusion plus parfaite que la leur ?

> Tu es là, tout me vient de toi et retourne à toi. Comme ton satellite je tombe vers ta lumière d'une chute toujours corrigée [3].

La montante ferveur des amants fait penser au développement d'une expérience mystique. Le voisinage de celle-ci avec un vigoureux appétit de vie dont témoignent par ailleurs les autres personnages de la pièce est fréquent dans la littérature de notre pays.

Gaston de Pawlowski en a été frappé :

> De là, ce mélange étonnant et très séduisant que l'on trouve chez tous les artistes belges d'un matérialisme truculent et d'un mysticisme éperdu [4].

Terre de kermesses et de ripailles, la Belgique est également une terre de poésie et d'extase religieuse.

La présence des mangeurs de Bruegel et de Verhaeren n'y exclut nullement la spiritualité de Memling ou de Ruysbroeck l'admirable.

---

1. *Carine,* p. 146.
2. *Idem,* p. 175.
3. *Ibidem,* p. 175.
4. *Le Journal,* 24 déc. 1929.

Carine et Frédéric vivent comme le couple du *Burlador* de Suzanne Lilar, à hauteur d'ange.

*La sacralité,* qui scelle leur union d'un cachet ardent et inoubliable, implique un comportement exigeant sur un plan plus vaste encore que celui de l'amour.

Il semble que Fernand Crommelynck se soit orienté dès son adolescence vers la recherche d'une inaltérable pureté. Tendance que figure souvent dans ses écrits l'image d'une jeune femme innocente, traquée par les manifestations du vice et n'y échappant que par la mort.

Cette vision s'est cristallisée dès l'âge tendre, à la suite du terrifiant récit d'un viol que Frédéric raconte à son épouse :

> Lorsque j'étais enfant, une femme fut surprise dans un bois par plusieurs hommes. (Pardonne-moi !) Elle en mourut. Dans mon ignorance, je ne concevais ni la nature ni l'horreur du crime... Mais-j'ai-vu-le-tombeau ! J'ai vu, dans le cimetière de Laeken, le tombeau de cette innocente élevé par l'époux, et je n'ai pu l'oublier... Carine, je n'invente rien, on peut voir encore aujourd'hui ce monument du désespoir et de la folie. (Pardonne-moi : de ma folie !) À la face de marbre noir le drame est conté en lettres gravées et sous une promesse de vengeance le malheureux a fait incruster un poignard [1] !

Le dramaturge a répété l'histoire à son frère cadet. Albert affirme qu'il a pu l'entendre de leur mère qui, le soir venu, lisait souvent des faits divers à voix haute.

Pareille sensation de souillure, Crommelynck l'a éprouvée lui-même, quand il était gosse, le jour où *une horde de gamins embusqués* l'attaque lâchement sans véritable motif. Après l'avoir maintenu au sol, les petits voyous achevèrent leur ignoble exploit :

> l'un d'eux m'ayant de force desserré les dents, ils me crachèrent ensemble dans la bouche [2].

Cette peur de voir salir ce qui est immaculé, l'enfant l'a ressentie aussi, à la même époque, on l'a déjà dit. Quand Dagmar, la

1. *Carine,* p. 198.
2. *Miroir de l'enfance,* dans *Textes inconnus et peu connus de Fernand Crommelynck,* Bruxelles, Académie Royale de Langue et de Littérature françaises, 1974, p. 312.

jeune Scandinave qui partageait ses jeux au parc de Laeken, cessa d'y venir :

> Sais-je pourquoi, vers le soir, je la voyais en imagination poursuivie par une horde de chasseurs cruels, se jeter à la nage dans les étangs du Roi... [1]

Souvenons-nous aussi de *Clématyde* [2] violée par une bande de guerriers déchaînés jusqu'à ce qu'elle rende le dernier soupir.

La persécution de l'ingénuité sans défense se dessine encore dans un poème maladroit au titre naïf dont on a parlé plus haut, *La Vengeance des papillons* [3].

*Carine* est le reflet le plus parfait de cette obsession de la pureté.

Déchirée par les propos dégradants de son oncle et de ses camarades de classe, par le spectacle de l'avilissement maternel et, enfin, par la jalousie de Frédéric, il ne lui reste plus qu'à mourir.

Face aux pires salissures, elle garde son credo :

> Je ne crois pas qu'il y ait dans le monde une chose naturelle où la candeur ne puisse entrer [4].

Ainsi que le dit avec beaucoup d'art Jean Gandrey-Réty, à son propos :

> À chaque pas, à chaque geste, elle se heurte aux parois trop lisses du beau cercueil de cristal, miroir déformant qui protège son âme du monde extérieur. À chaque heurt, un morceau du miroir se brise et son arête pénètre cruellement dans la chair et jusqu'à l'âme de Carine, qui est bientôt couverte de blessures [5].

Douloureuse poursuite de l'intégrité que le dramaturge a fréquemment décrite ; nul doute qu'elle soit la sienne.

Un journaliste nommé Septime a cru le comprendre :

---

1. *Miroir de l'enfance*, dans *Textes inconnus et peu connus de Fernand Cromlynck*, p. 316.
2. *Clématyde*, dans *Textes inconnus et peu connus de Fernand Crommelynck*. p. 279.
3. *Le Masque*, nos 6-7, oct.-nov. 1910, p. 206.
4. *Carine*, p. 205.
5. *Chantecler*, 25 janv. 1930.

> On a l'impression que M. Crommelynck s'identifie avec son héroïne, qu'il est, lui aussi, fou de son âme et que c'est elle qu'il poursuit à travers tous les rêves que construit son imagination sans frein [1].

Plus significative encore, cette confidence de l'écrivain à Guillot de Saix: *Je suis un pur. Carina, c'est moi* [2].

De prime abord, *Carine* et *Tripes d'or* n'offrent guère de traits communs. On peut cependant faire certains rapprochements.

Ces œuvres peignent des êtres intacts : Azelle qui n'apparaît pas, mais dont la pudeur et la résignation ne cessent de s'affirmer, la jeune femme *folle de son âme* qui lui ressemble et Frédéric qu'anime un même besoin d'élévation.

Ces visages nus tranchent de toute leur lumière sur ceux qui les entourent et portent des masques.

Les chasseurs et les dominos sont des travestis comme l'étaient Muscar et Hormidas dans leurs habits du XVII^e siècle. Leur mascarade sert à dissimuler la laideur de leurs péchés. L'innocence seule ose se montrer au jour.

À vrai dire, ces discriminations symboliques entre la bassesse et la sainteté trahissent une préoccupation morale constante.

Le dramaturge ambitionnait sans doute d'élaborer un théâtre dont les figures, tantôt extatiques, tantôt terrifiantes, finiraient par répondre aux interrogations angoissées de la conscience.

Ainsi rejoignait-il le jeune homme de vingt-deux ans qui, jadis, face à la mer ostendaise, s'interrogeait sur des aspirations métaphysiques que le vague mysticisme du XX^e siècle naissant ne pouvait combler.

C'est à la lumière de cette réflexion que s'explique peut-être le jumelage de *Tripes d'or* et de *Carine*, volets aux teintes sombres et claires d'un même diptyque dont se dégage une même volonté d'opposer l'ascèse spirituelle à l'anéantissement dans la boue commune.

Une étroite parenté d'intentions se manifestera aussi entre deux pièces écrites dans les années trente: *Une Femme qu'a le cœur trop petit* et *Chaud et froid*.

1. *L'Ami du peuple*, 29 déc. 1929.
2. *Les Nouvelles littéraires*, 2 mai 1946.

Qu'il procède de l'éros ou de l'idéalisme, ce cheminement découle d'une sublimation de sentiments dont le véhicule est plus et mieux que jamais le langage poétique. Il se compose ici de mots *moelleux,* légers *comme les plumes de l'alouette perdue au ciel* qui forment des essaims d'images d'une impalpable beauté. On ne cesse de s'aventurer à dos de songe au féerique pays des monts et merveilles.

Que *Carine* soit un poème théâtral, maints critiques l'ont fait entendre, mais qui d'entre eux en a apprécié l'idée ?

Ainsi que l'observe H. R. Lenormand :

> Un geste poétique étonne ou détonne toujours, dans un monde littéraire où, d'un bout de l'année à l'autre, la politesse salue l'honorable médiocrité [1].

Dès lors, il importe peu qu'un Paul Reboux transforme ce qui me paraît être un cantique de grâce peint aux couleurs de la vie intérieure en un *nauséeux charabia* formé *de truismes aux termes bouffis et de comparaisons creuses comme coloquintes* [2].

Victor Basch met fin à toute discussion. Dans ce texte d'une incandescente beauté, il perçoit tout ensemble :

> Un jaillissement de poésie qui l'apparente aux œuvres hautes de notre littérature dramatique, une frénésie de lyrisme dont la houle ne peut pas ne pas soulever et emporter tout spectateur sensible, un débordement de vie et une intensité de dynamisme qui suffiraient à aimanter une vingtaine de pièces de théâtre [3].

À tant d'années de distance, *Carine* n'a rien perdu de son éclat. Elle demeure une éblouissante quête d'absolu où se trouve célébrée l'alliance du sacré et du profane au sein du couple.

Elle a été créée au Théâtre de l'Œuvre, le 19 décembre 1929, sous la direction de Paulette Pax.

Au cours des répétitions, Crommelynck reçoit les journalistes, l'air maussade :

---

1. *L'Intransigeant,* 26 déc. 1929.
2. *Paris-Soir,* 21 déc. 1929.
3. *La Volonté,* 26 déc. 1929.

— Je veux bien parler de la jeune fille folle de son âme, mais cela ne me fait aucun plaisir pour deux raisons : la première est que je n'aime pas parler de moi et la seconde que mes pièces ne m'intéressent vraiment plus aussitôt qu'elles sont écrites ; c'est déjà pour moi du passé — et je préfère l'avenir au passé [1].

Paroles dont se dégage la mauvaise humeur d'un être qui se sent à la fois déprimé et divisé.

Aimant Aenne comme, la quarantaine venue, on aime une femme sensiblement plus jeune que soi, il est cependant ravagé à l'idée de s'éloigner de son foyer. Elle attend de lui un enfant. Et c'est dans cet état qu'elle se rend à la première de l'Œuvre.

Anne-Marie Tellier interprète l'héroïne. Agée de quarante-trois ans, ce rôle ne lui convient guère. Son mari le lui a confié parce que, torturé de remords, il veut à toute force lui offrir une compensation.

Mais c'est au détriment de sa pièce. Toute la presse le reconnaît.

Pierre Brisson :

Il y a malheureusement une erreur d'interprétation qui altère le spectacle d'une façon grave. Le personnage de Carine devrait avoir la fragilité de l'extrême adolescence... Or, l'actrice chargée du rôle, Mme Anne-Marie Tellier, ne peut nous donner cette image. Elle a des dons de sincérité et d'émotion. Mais son pathétique est celui d'une femme et d'une femme avertie. Le spectateur dès lors doit faire à chaque moment un effort pour rétablir l'intention vraie de l'auteur [2].

Maurice Lagrenée, *mal accommodé de son personnage*, comme le dit Jean Prudhomme [3], fait ce qu'il peut pour être un Frédéric acceptable.

À partir du 1er février, il a un engagement au Gymnase et c'est Crommelynck qui le remplacera. Ainsi en a décidé Paulette Pax qu'un féroce échotier baptise impitoyablement *La Nurse* :

Gageons qu'elle ira tous les soirs, une heure avant la représentation, le chercher en voiture chez lui pour être assurée qu'il n'oublie pas et qu'il viendra bien [4].

---

1. *L'Ami du peuple*, 17 déc. 1929.
2. *Le Temps*, 30 déc. 1929.
3. *Le Matin*, 21 déc. 1929.
4. *Aux Écoutes*, 1er févr. 1930.

L'écrivain, on l'a déjà dit, n'est pas l'interprète idéal de ses propres œuvres. L'est-il, par exception, dans Carine ? On serait tenté de le croire, car une salle enthousiaste l'acclame debout. En vérité, c'est à l'auteur, non à l'acteur, que l'on fait accueil.

Une fois de plus, le choix des comédiens n'a pas été heureux. Une exception pourtant : Suzet Maïs, qui débute sur la scène dans le rôle de Nency : *de la vraie jeunesse, une diction juste,* observe Étienne Rey [1].

Bien qu'il affirme à cette occasion sa foi dans le génie de Crommelynck, Pierre Bost s'interroge sur ce qui a gâché son plaisir en écoutant *Carine.* Il finit par rejoindre la conclusion de Brisson en l'amplifiant : *la faute en est aux interprètes, dont pas un seul n'a su faire rayonner ce texte, même dans les plus admirables de ses moments* [2].

Paulette Pax, qui défend en bloc l'œuvre et ses comédiens, décide alors de militer en leur faveur. C'est elle, semble-t-il, qui a suggéré le manifeste que signent des célébrités du théâtre et de la critique : Marcel Achard, Saint-Georges de Bouhélier, Roger Ferdinand, Paul Haurigot, Henri Jeanson, André Lang, H. R. Lenormand, Marcel Pagnol, Stève Passeur, François Porché, Maurice Rostand, Armand Salacrou, Jean Sarment, Alfred Savoir et Paul Raynal (l'auteur du *Tombeau sous l'Arc de triomphe*).

L'idée de la jeune femme prête à discussion et celle-ci ne manque pas d'éclater. Décidément, une pièce de Crommelynck ne peut jamais se dérouler sans qu'il y ait bagarre !

L'écrivain Jean-Jacques Bernard écrit à la directrice de l'Œuvre que l'estime dans laquelle il tient l'auteur l'empêche de *donner en sa faveur une signature de complaisance* et qu'elle a eu tort de la lui demander. Il ajoute que la médiocre réalisation de *Carine* le rend incapable de se *faire une opinion définitive* [3].

Froissée, Paulette Pax rétorque qu'elle n'a jamais demandé de *complaisance* à personne et que l'initiative est venue de quelques-uns des signataires du manifeste. Si Jean-Jacques Bernard n'aime ni *Carine* ni ses comédiens, fort heureusement, cela n'a pas été le sentiment d'*un public chaque soir plus nombreux* [4].

---

1. *Comœdia,* 21 déc. 1929.
2. *Revue hebdomadaire,* 1er févr. 1930, pp. 102 et 107.
3. *Comœdia,* 10 janv. 1930.
4. *Idem,* 12 janv. 1930.

*Carine* fut en effet donnée du 20 décembre 1929 au 2 mars 1930 [1]; Édouard Caen y voit la preuve que...

> Crommelynck est sans doute un des plus grands écrivains dramatiques contemporains de langue française [2].

Elle a rarement été accueillie par la province, mais souvent à Bruxelles: en octobre 1930, (année où elle valut à son auteur le prix triennal), au Palais des Beaux-Arts, en 1934, au Parc, et surtout pendant la dernière guerre, aux Galeries, du 1er avril au 9 mai 1943. Elle ne reviendra à Paris qu'en 1949, à l'Œuvre, du 7 septembre au 9 octobre.

André Ransan admire Jeanne Stora en *jeune fille folle de son âme,* bien qu'il *l'eusse souhaitée, par moment, un peu plus immatérielle.* Serge Lhorca semble avoir *défendu avec talent un rôle terriblement ingrat* (Frédéric) [3]. Des noms tels que Lucienne Lemarchand et Jacqueline Maillan garantissent l'homogénéité d'une distribution qui explique en partie l'enthousiasme d'un chroniqueur tel que G. Joly:

> Drame hors la vie, dans lequel un romantisme à la Radcliffe se mêle au plus violent, au plus agressif des réalismes... Œuvre verveuse, apparemment désordonnée, bien d'une montée très sûre vers son noir dénouement, d'une richesse et d'une ampleur toutes flamandes [4].

Ce n'est évidemment pas le triomphe des grandes reprises du *Cocu magnifique* (1941 et 1946) ou des *Amants puérils* (1956). Mais compte tenu de la qualité lyrique et intellectuelle de ce texte destiné à une élite, le nombre de représentations signalées à l'appendice est impressionnant. Il confirme un fait désormais indéniable: la plupart des pièces de Crommelynck n'obtiennent leur maximum de rayonnement que vingt ans après leur apparition. C'est si vrai que *Carine* a exercé une indiscutable influence sur un jeune dramaturge qui faisait alors ses débuts: Jean Anouilh [5].

1. App. p. 398.
2. *Le Monde,* 20 sept. 1930.
3. *Ce Matin,* 8 sept. 1949.
4. *L'Aurore,* 8 sept. 1949.
5. App. p. 399.

# IX. « UNE FEMME QU'A LE CŒUR TROP PETIT »

## 1. Au pays de la poésie et du septième art

En 1930, rien n'est encore résolu pour Crommelynck sur le plan de sa vie personnelle.

Un divorce, il ne pourra jamais en accepter l'idée.

Aenne habitera 1, rue des Saints-Pères, dans la maison de Remy de Gourmont (propriété de l'éditeur Bernouard) où Fernand la rejoindra bientôt de façon définitive.

Milan, son premier fils, naît en janvier ; le second, Aldo, verra le jour à Monte-Carlo, le 26 décembre 1931 ; Piero, à Rapallo, le 22 août 1934.

Le dramaturge s'est beaucoup occupé d'eux.

Le cadet aurait pu devenir cinéaste et l'aîné, écrivain. Mais tous deux ont préféré suivre les traces d'Aldo dans le domaine de la gravure où ils allaient un jour se manifester avec éclat.

Aenne avait l'art de découvrir des demeures ravissantes à un prix abordable. En 1931, la famille s'installa dans un ancien palais du roi de Saxe, au bord du lac de Garde. Elle rejoignit ensuite Albert qui se trouvait à San Terenzo, près du golfe de La Spezia, se fixa quelque temps à Lereci et enfin à Beaulieu-sur-Mer, dans une villa située non loin de Monte-Carlo. La jeune femme s'y rendait fréquemment pour tenter sa chance à la roulette. Elle emportait une martingale que son compagnon avait inventée et qui est reproduite dans *Monsieur Larose est-il l'assassin ?*. De l'avis du dramaturge, ce système ingénieux ne permet pas de récolter des monceaux d'or ; mais au plus, des gains modestes qui, paraît-il, feront vivre les Crommelynck pendant quelques mois.

Un an plus tard, Aenne et ses deux enfants habitent une pension à Ville-d'Avray, tandis que Fernand est rentré à Saint-Cloud où résident toujours sa femme et Jean. A-t-il été tenté de réintégrer son ancien foyer ? On ne sait.

L'écrivain se réinstalle auprès de sa deuxième compagne en 1934, dans une villa de la Côte d'Azur qui appartient à ses amis Megglé, La Ferrane. C'est sous ce titre qu'il publiera un poème, témoignage de gratitude à ses hôtes [1]. La couverture porte la date de 1935, alors que l'achevé d'imprimer est de 1938.

Ces douze strophes d'alexandrins sont des acrostiches au nom d'Armand et de Renée Megglé, de leurs enfants et de quelques-uns de leurs amis.

> Maison du long sommeil, Mausolée, abri d'ombres
> Erigé dans ces murs, clair sur les sapins sombres...

L'influence de Valéry est visible. Même ton, même vocabulaire que ceux de l'auteur du *Cimetière marin*:

> Regard du Temps, azur que l'azur perpétue...

Vers qui reflètent une fougue de Nordique tempérée de sérénité méditative.

Aux sombres élans des tempêtes succèdent maintenant les blondes houles de lumière et les lentes volutes de la tranquillité.

Si l'ensemble se rattache à un courant résolument classique, certaines images s'affirment, au contraire, d'une étincelante originalité: celles d'*éventail d'éclairs* ou de *Mistral, roi bleu dont flambent les bannières* et celle, inoubliable, d'une rose transpercée qui scintille dans cette interrogation digne de Nerval ou des romantiques allemands:

> Rose des vents musards, étoile versatile
> Es-tu clouée au cœur par le trait du zénith ?

Après la Côte d'Azur, la montagne où Crommelynck va rendre visite à un écrivain célèbre, au Contadour. C'est un hameau situé au nord de Banon, dans les Basses-Alpes.

À partir de 1935, Jean Giono décida d'y réunir périodiquement des jeunes gens et des artistes qui venaient s'entretenir avec lui de politique et de littérature. On vivait sous la tente, en pleine amitié. De véhémentes discussions à tendances pacifistes étaient salubrement interrompues par quelques corvées eau, bois ou vin.

---

1. *La Ferrane des Megglé*. Paris, La Typographie, 1935, s.p.

C'est dans l'euphorie de ces rencontres que furent créés *Les Cahiers du Contadour* qui consignaient les activités du groupe.

Crommelynck fut accueilli au village le 6 septembre 1936 par Giono qui entama avec lui une plaisante discussion :

> « Giono (à Crommelynck) — Tu devrais nous écrire une pièce, pour nous, qu'on jouerait ici...
>
> Crommelynck — Pourquoi pas toi ?
>
> Giono — Je ne sais pas écrire pour le théâtre (qu'il dit. Voici « Lanceur de Graines » ; voici « Le Bout de la Route »). Mon boulot, c'est les livres.
>
> Crommelynck — C'est pourquoi je n'écris pas de livres. Quand j'ai envie d'en lire, je prends « Que ma joie demeure ». Tandis que les pièces de théâtre, je ne trouve pas bien celles que les autres écrivent. Alors j'en fais moi-même. » [1]

Les amitiés admiratives ne lui ont pas manqué. Dans une lettre adressée en 1936 à Maeterlinck, Franz Hellens fait entendre que son correspondant et l'auteur du *Cocu magnifique* sont les seuls dramaturges authentiques que la Belgique possède à ce moment [2].

Sans être spécialement portée au luxe, Aenne ne pouvait se contenter d'un décor médiocre. Fernand aimait recevoir ses amis avec générosité et ne voulait rien négliger non plus pour assurer l'éducation de ses trois garçons. Il lui fallait donc des revenus qu'une situation de petit fonctionnaire ou d'employé subalterne ne pouvait fournir. Situation à laquelle son tempérament autoritaire et indépendant n'aurait du reste jamais pu s'accommoder. Il aura donc l'idée de tenter sa chance dans un domaine qui, croit-il, n'étouffera pas sa sensibilité d'artiste : le cinéma.

L'écrivain y avait déjà tenu des rôles à l'occasion : dans *Sang belge,* en 1924 [3], à côté de Bella Darms, une danseuse du Théâtre de la Monnaie, et en 1929 dans *Fumées,* tourné à Bruay-les-Mines (près de Béthune). Est-ce alors qu'il s'initia à l'ambiance du monde cinématographique ?

Ce doit être un peu plus tard, dans les années trente, quand il s'installa à Neuilly dont les studios bien connus ressemblent éton-

1. *Les Cahiers du Contadour,* II, 6 sept. 1936, p. 111.
2. Lettre inédite du 31 janv. 1936 qui appartient au Musée de la littérature.
3. JEANNE, René et FORD, Charles : *Histoire encyclopédique du cinéma.* Paris, S.E.D.E., 1952, t. II, p. 391.

nament à ceux du Point-du-Jour évoqués dans *Monsieur Larose est-il l'assassin?*. Comme le héros de son roman, il s'est senti pénétré de leur odeur: *colle et vernis des décors frais, ozone des lampes à arc, parfum des fards et des poudres, relents des loges et des « petits endroits »* [1].

Ce roman dote d'une vie singulière et autonome le fouillis d'appareils, de câbles, d'échelles ou de tréteaux que traversent les acteurs, les techniciens et les réalisateurs. Par moments, ce sont, retracés en quelques lignes, des portraits d'époque: le metteur en scène (veste à carreaux, foulard, bas de laine claire sous la culotte de golf) ou la star aux stupides caprices dont le modèle encombrant tend à disparaître de nos jours.

Peu à peu, Crommelynck se voit confier des adaptations pour l'écran.

En 1925, il écrit le texte d'un film belgo-autrichien qu'Harry Southwell a tiré du *Juif polonais* d'Erckmann-Chatrian. Neuf ans plus tard, aidé par Henri Jeanson, il met en dialogue *Les Aventures du roi Pausole,* de Pierre Louÿs, que Granowsky fait jouer par des vedettes: Edwige Feuillère, André Berley et Armand Bernard. Même genre de travail pour *Miarka* (1937) dont le réalisateur est Jean Mercanton et où Réjane apparaît dans son dernier rôle. Mêmes prestations enfin pour un film de Jean Choux, *Paix sur le Rhin* (1938), avec Dita Parlo et Françoise Rosay: tourné peu avant la guerre, il ne devait pas sortir.

En 1938 encore, Crommelynck compose le scénario de *La Cité des lumières* qui a pour cadre la vie universitaire de Paris. Deux étudiants (un jeune homme qui appartient à la noblesse et une jeune fille née de parents commerçants) s'y rencontrent, s'aiment tout en potassant le droit et finissent par triompher des préjugés de classe qui auraient pu les séparer. Une pléiade d'artiste connus (Daniel Lecourtois, Larquey, Yolande Laffon et Madeleine Robinson) enrichit le film *en l'honneur duquel,* écrit pourtant René Jeanne, *personne n'illuminera* [2].

1. *Monsieur Larose est-il l'assassin?* Bruxelles-Paris, Ed. de La Main Jetée, 1950, p. 35.
2. *Le Petit journal,* 13 déc. 1938.

La presse accueille mieux *Je suis avec toi* (1943), un film d'Henri Decoin écrit par le dramaturge pour Yvonne Printemps, Pierre Fresnay et Bernard Blier.

Jean d'Esquelle [1], Roland Migliévi [2] et Jean Laffray [3] l'apprécient, tandis que François Vineuil [4] juge banal le sujet que voici : un homme mis en présence d'une jeune femme qui ressemble à la sienne de façon frappante s'en éprend, lui fait la cour sans éprouver le moins du monde la sensation d'être infidèle. À vrai dire, on a mésusé du texte de l'écrivain qui, furieux, le désavoue.

Plusieurs autres tentatives dans ce domaine n'ont pas abouti : *Sois belle et tais-toi*, avec Emil Jannings, par exemple.

Crommelynck a travaillé avec des producteurs tels que Walter Rupp et Blumwalle. Les encyclopédies cinématographiques associent son nom à des titres à succès : *Aventure chez les nudistes* (1951) et *Passion de femmes* (1954) [5].

Parmi tant de besognes de second ordre, une réussite, en 1932 : les dialogues de *Don Quichotte* de Pabst, animés par la puissance vocale et artistique de Chaliapine. Ceux-ci sont généralement attribués à Paul Morand auquel on les demanda, en effet. Mais Crommelynck fut pressenti le premier. Lorsqu'il se présenta avec son manuscrit, ou lui recommanda de s'entendre avec son concurrent.

Dans sa *Petite Chronique bruxelloise*, Lucien Georges-Lucien affirme qu'il n'y parvint pas, *l'ancien diplomate exigeant de signer seul le scénario*. Et le journaliste de conclure :

> Quant à la suite... Ne nous la demandez pas. Ne vous avons-nous pas déjà dit que l'adaptation de « Don Quichotte » était de Paul Morand [6].

Remarque ambiguë, pour ne pas dire ironique ; elle semble donner raison au frère de l'écrivain qui, lui, n'a jamais eu de doute à propos du véritable auteur de ce texte admirable. Voici ce qu'il

1. *Vedette*, 25 févr. 1943.
2. *Panorama*, 6 janv. 1944.
3. *L'Œuvre*, 8 et 9 mai 1944.
4. *Le Petit parisien*, 8 janv. 1944.
5. Bessy, Maurice et Chardans, Jean-Louis : *Dictionnaire du cinéma et de la télévision*. Paris, Jean-Jacques Pauvert, 1965, t. I, p. 502.
6. *Atrium*, nº 2, 30 mars 1933, p. 9.

m'a confié à ce propos : « J'ai vu mon frère lire passionnément l'œvre de Cervantes, souvent à haute voix pour ses intimes. Cette étude lui apporta maintes découvertes sur le symbolisme politique de l'auteur. Pendant de nombreuses semaines, il travailla pour faire la synthèse du monumental *Don Quichotte* et pour écrire son scénario (ce manuscrit original, important devrait pouvoir être retrouvé). »

Pour ses propres œuvres, Crommelynck n'a pas trouvé de metteur en scène capable d'en traduire l'esprit et l'atmosphère.

*Le Cocu magnifique,* réalisé en 1946 par E. G. De Meyst, joué par Jean-Louis Barrault et Maria Mauban [1], est un film raté. Même échec pour la version italienne de la pièce tournée en 1964, par Antonio Pietrangeli, qui bénéficiait cependant d'interprètes de choix : Claudia Cardinale et Ugo Tognazzi. Mastroianni qui aurait dû la réaliser ne put s'en occuper.

Si Crommelynck a beaucoup donné au cinéma, le cinéma ne le lui a guère rendu ; l'écrivain n'était peut-être pas fait pour le comprendre.

On le voit en lisant les articles qu'il lui a consacrés (*Théâtre et cinéma, arts jumeaux,* par exemple [2]).

Contrairement à ce qu'il y affirme, les hommes de théâtre et les cinéastes ne possèdent pas nécessairement des dons identiques ou interchangeables et une pièce intégralement filmée ne peut devenir un bon film.

Les arrangements qu'il fournit pendant tant d'années pour l'écran constituaient essentiellement une source de revenus. Malheureusement, ils absorbaient un temps précieux qui aurait pu être accordé à sa production dramatique. Aussi s'en est-elle trouvée ralentie.

En 1933, Crommelynck réunit ses récits (publiés dans *L'Avenir* et *Le Matin*) sous le titre *Miroir de l'enfance* dont il a déjà été question.

Cette même année, il achève une nouvelle comédie, *Une Femme qu'a le cœur trop petit,* dont l'héroïne se nomme Balbine.

---

1. Entourés d'acteurs belges : Werner Degan, Marcel Josz, Joseph Gevers, Hubert Daix et Viviane Chantel.
2. *Spectateur,* 3 sept. 1946, pp. 1 et 6.

## 2. Une pièce qui plaît à Paris et fait courir toute la province

> Pourquoi dissimulerai-je que j'ai en partie (en partie seulement, car j'estime que 60 % des femmes ressemblent à Balbine) eu le dessein d'en faire l'allégorie d'une certaine vertu française, d'une certaine France, méticuleuse, juriste, tatillonne, sans élan, que je n'aime pas beaucoup ? C'est toujours elle qui a raison, et elle provoque pourtant des catastrophes, suscite la démoralisation.
>
> (Fernand Crommelynck : *Je suis partout,* 20 janvier 1934)

La salle à manger d'un domaine campagnard en été. *Une passerelle conduit aux chambres de l'étage.* Ce décor d'*Une Femme qu'a le cœur trop petit* est plus proche de celui du *Cocu magnifique* que de ceux des autres pièces. Nous y retrouvons la galerie habituelle qui facilite le déroulement de l'action simultanée sur plusieurs plans. À quoi s'ajoute la lumineuse gaieté d'une ambiance pareille à celle qui enveloppait Stella au moment où elle attendait Bruno.

Au lever du rideau, Xantus et Minna, les domestiques, nettoient la maison tout en se disputant en des termes aussi bourrus que comiques.

Apparaissent, alors, Isabelle et Patricia, la fille de la maison, qui fait des confidences à son amie : son père, veuf de longue date, vient de se remarier avec une femme bourrée de qualités. Cette nuit même, ils sont rentrés de leur voyage de noces.

Quand Constant, l'oncle de Patricia, un médecin plein de bon sens, vient aux nouvelles, il est fort étonné d'apprendre que les mariés ne couchent pas dans la même pièce.

Un inconnu se joint bientôt au groupe : Gabriel, l'agronome, qui descend de la chambre de Patricia où il semble s'être introduit du dehors par une échelle. C'est le notaire qui a conseillé à ce sympathique farfelu de venir chercher du travail au domaine d'Olivier, le maître de céans. Faute d'en avoir trouvé, il a du moins rencontré l'amour en la personne de la jeune fille qu'il a vue du jardin et dont il s'est épris avant même de lui avoir adressé la parole.

Arrivant chacun de leur côté, voici les époux.

Balbine n'a pas fait la grasse matinée. Elle a déjà visité la demeure et les terres. D'emblée, elle a perçu tout ce qui laisse à désirer et confie ses impressions avec gentillesse.

Mal exploitée, la propriété est en outre livrée au vagabondage des voisins. L'habitation est en désordre puisque les gens de maison ne sont pas stylés ; aussi leur remet-elle un code écrit à leur intention dont les divers commandements leur seront fort utiles.

Et que dire des habitudes de chacun ? Patricia va et vient à sa guise. Son père devrait mieux protéger sa vertu. Mais lui-même ne parvient pas à s'imposer des règles de vie et d'hygiène.

Tout cela, dit sans méchanceté, avec le visible souci de bien faire. Balbine n'a pas ou peu de défauts. C'est ce qui la rend si sensible à ceux des autres. Au point de défaillir chaque fois qu'elle en découvre des traces. La pauvre — le titre l'indique — a *le cœur trop petit,* vite débordé par un excès d'émotion qui la fait aussitôt perdre le fil de ses idées et murmurer : *dis-je, dis-je...* Dynamique, en dépit de cette faiblesse, elle se met tout de suite au nettoyage de la maison et des consciences.

Or, dans son entourage, tout tournera à l'inverse de ce qui était prévu. Se sentant surveillée, la romanesque Patricia réagit en s'inventant un amant italien. À l'entendre, Aldo vient chaque nuit dans sa chambre. Isabelle en est choquée au point de ne plus mettre les pieds chez son amie.

L'ordre que Balbine tente d'établir dans les comptes de cuisine trouble l'esprit des domestiques et les oblige à utiliser des subterfuges peu édifiants.

Obsédée de propreté et d'économie, de conformisme social et de sécurité, la maîtresse de maison l'est davantage encore de bonnes vie et mœurs sexuelles. Une conversation avec son mari la montre pleine de froide réticence à l'égard du plaisir physique dont elle ne veut guère parler. Très amoureux, Olivier s'en émeut et espère la changer.

Une autre conversation révélatrice à cet égard a lieu avec La Faille, la prostituée du village, propriétaire d'un terrain que Balbine voudrait acquérir pour arrondir son patrimoine.

C'est une ardente quadragénaire encore appétissante qui connaît bien les gars du pays et leurs histoires de famille. La jeune femme ignorait le métier de la dame. Elle est obligée d'écouter maintes allusions à des ébats amoureux qui ne semblent créer de remords chez personne. Comment ne pas s'évanouir !

Troisième scène non moins saisissante. Les bons principes et les vêtements décents que la maîtresse de maison a imposés aux domestiques n'ont pas servi à grand-chose. Minna a perdu son pucelage par la faute de Xantus qu'elle avoue avoir encouragé.

La fille *au cœur trop petit* s'effondre, une fois encore. Rien de ce qu'elle a tenté de redresser ne s'est plié à son louable effort. Va-t-elle enfin cesser de corriger le monde ?

Au début du deuxième acte, Balbine demande à Patricia pourquoi Isabelle ne vient plus les voir et si quelqu'un l'a froissée. Auquel cas, elle se rendrait chez celle-ci pour dissiper le malentendu. La jouvencelle redoute cette entrevue avec une amie qui en sait trop sur elle.

Passe Gabriel qui pourra peut-être la tirer d'affaire.

Qu'il aille chez Isabelle et lui recommande de ne pas dire à sa belle-mère qu'elle s'est amourachée d'Aldo. Navré d'apprendre cette nouvelle, l'agronome n'en accepte pas moins de s'acquitter de la mission.

Rassurée, l'adolescente peut bavarder allégrement avec son père. Sous l'influence de Balbine, Olivier a fini par ressentir divers maux dont il s'ouvre à sa fille qui ne les prend pas au sérieux.

Rien ne résiste à l'œuvre régénératrice de l'héroïne qui entre, précisément, suivie de ses serviteurs. Xantus et Minna psalmodient les commandements avec une touchante application :

> Chaque soir, tu te coucheras
> À la même heure exactement... [1]

Pareille à Monsieur Purgon, Balbine tente de remédier à tout par des principes simplistes. Elle se heurte toutefois au bon sens de l'anti-Purgon, le docteur Constant, jovial célibataire dont elle voudrait également régenter la vie privée.

1. *Une Femme qu'a le cœur trop petit,* Théâtre, t. III. Paris, Gallimard, 1968, p. 235.

La jeune femme a appris l'existence d'une de ses liaisons dont il a eu un aimable bambin. Elle a aussitôt décidé d'organiser un mariage dont le principal intéressé ne veut pas. Ayant déjà une série d'enfants nés de ses amours passagères, il n'a aucune raison de faire une exception pour la dénommée Rose qui, selon lui, *n'est épousable que de la taille aux genoux* [1].

Pauvre Balbine !

Ce n'est pas tout !

Xantus a ranimé, à sa façon, une lavandière, tombée à l'eau en ne négligeant rien *pour attirer le sang à la peau* [2].

La-dessus, Olivier, habituellement indulgent, prend un air de plus en plus lointain et triste. Serait-ce une première fêlure dans un sentiment qui lui faisait tout pardonner à la bien-aimée ?

Arrive enfin La Faille, porteuse d'un désolant racontar. On dit au village que Patricia a un amant nommé Aldo.

Nouvelle chute de tension de l'héroïne, nouvel obstacle à surmonter.

Pour éviter le scandale, Balbine offre la main de sa belle-fille à Gabriel. Accepterait-il celle-ci défigurée ou déshonorée ?

Bien sûr, puisqu'il l'aime !

Mais Patricia refuse et le dit sans ménagement à la femme dont le cœur se fait de plus en plus petit et qui s'exclame :

> Oh ! C'est épouvantable ! Tout le monde ! Tout le monde est contre moi ! Pourquoi ? [3]

Au troisième acte, la maîtresse de maison, en proie à une crise de somnambulisme, s'abandonne à sa passion du nettoyage. Réveillée, elle s'affole de ne plus savoir où elle est et de voir sa robe entièrement souillée.

Une conversation avec Patricia la ramène tout à fait à la réalité. Celle-ci annonce son intention d'épouser Gabriel. Sans attendre plus d'explications, l'héroïne se précipite chez l'agronome pour lui annoncer ce qu'elle considère comme sa propre victoire.

1. *Une Femme qu'a le cœur trop petit*, p. 242.
2. *Idem*, p. 245.
3. *Ibidem*, p. 270.

Le jeune homme n'est toutefois point sot. N'ayant trouvé au village aucune trace d'un Italien nommé Aldo, il pense que ce dernier pourrait bien avoir été inventé de toutes pièces et en conclut que sa dulcinée l'aime.

Mais la belle-mère ne l'entend pas de cette oreille. Patricia *doit* avoir au moins un amant, afin que le succès de son initiative matrimoniale lui revienne. Aussi s'ingénie-t-elle à donner tort à Gabriel qui en est tout bouleversé.

La « mégère non apprivoisée » n'a donc pas volé la catastrophe qui va fondre sur elle : on est sans nouvelles de son époux qui n'est pas rentré de la nuit.

Pour couronner le tout, Minna annonce que le parc est saccagé, les grilles sont démolies, les champs entourés de flammes.

Arrive enfin le maître de maison scandaleusement saoul.

Les reproches pleuvent sur la *déesse au lait de coco* [1].

Tout est passé au crible avec l'impitoyable franchise des ivrognes. Impavide, Balbine entend railler son amour de la bienséance et de la prévoyance. Cette dernière qualité ne lui aura d'ailleurs servi à rien.

En vérité, c'est Olivier qui a mis à mal et à feu leurs propres terres. L'assurance ne paiera pas des dégâts dont il se proclamera seul responsable.

Puis il titube jusqu'à sa chambre en entraînant Minna qui en sort peu après à tout le moins décoiffée.

*Balbine, ton mari n'est pas heureux* [2], murmure la jeune femme consternée.

Pourtant, elle ne semble pas encore avoir désarmé. Toute la chaîne des interdits recommence à tourner. La comédie jouée par son compagnon — car la scène de l'ivresse en était une — ne change guère son comportement.

Faudrait-il utiliser la méthode suggérée par Constant ? D'après lui, il n'est qu'une bonne correction qui puisse venir à bout de la frigide rebelle.

L'époux se sert cependant d'un dernier subterfuge pour exciter la jalousie de Balbine. La Faille est priée de lui faire croire que c'est avec elle qu'il a passé la nuit.

1. *Une Femme qu'a le cœur trop petit*, p. 296.
2. *Idem*, p. 303.

Mais pleine de pitié pour la jeune femme, la brave fille oublie sa mission et lui indique comment elle doit s'y prendre dans les bras de son mari pour le garder.

Découragé, Olivier comprend enfin qu'il ne peut se fier à personne et que le remède de Constant s'impose :

> Il faut la battre... C'est un homme qui te parle !... et c'est un médecin qui te parle [1].

Il la fait donc monter dans la chambre et la suit. Derrière la porte refermée, retentissent les clameurs qu'arrache à la patiente une raclée bien administrée. Au point que, effrayés, tous les personnages de l'intrigue accourent sur scène.

Les cris se calment. Un silence prometteur de réconciliation succède au vacarme.

Débarrassés de la belle-mère, les jeunes gens se parlent enfin à cœur ouvert et reconnaissent qu'ils sont faits l'un pour l'autre.

Puis Balbine reparaît l'air détendu, Belle au bois dormant éveillée à la vraie vie, enfin ! Tout prend, à ses yeux, sa juste place : la maison avec ou sans poussière, le parc gardé ou non. Tout est d'une pénétrante et neuve saveur. L'amour, tel que le lui avait décrit La Faille, ne ressemble en rien à ce qui vient de lui être révélé :

> dites à cette femme malheureuse, dites-lui de ma part qu'elle se trompe... Dites-lui qu'elle en a menti ! [2]

Une pièce radieuse. Le dramaturge s'est engagé dans une voie comique et satirique à l'état pur, où il s'est surpassé.

La Faille décrit elle-même de façon désopilante son genre de vie :

> Debout, couchée, debout, couchée, mais surtout couchée [3].

La dame de petite vertu ne craint pas d'affirmer :

---

1. *Une femme qu'a le cœur trop petit*, p. 312.
2. *Idem*, p. 326.
3. *Ibidem*, p. 213.

> quelle différence entre celle qui change d'homme plusieurs fois par jour et celle qui reçoit plusieurs fois par jour le même ? Comptez, — le nombre y est [1].

Les chroniques de 1934 ont déploré que de chastes oreilles aient eu à pâtir de ce qu'André Bellesort appelle *une regrettable invention* [2].

Les comptes rendus féminins ne traduisent aucune farouche réprobation. Si Colette formule une objection à l'égard de la rieuse quadragénaire et de ses récits croustillants, c'est pour remarquer, avec raison d'ailleurs, que *la débauche authentique n'est point si gaie* [3].

Irène Nemirovsky s'émerveille de ce personnage *d'une fille galante sur le retour, une Marie-les-Fossettes épanouie, grasse et contente d'elle-même et de la vie* [4]...

Quant à Gérard d'Houville, elle trouve les scènes qui se déroulent entre La Faille et Balbine *d'une certaine impudeur verbale, mais si amusantes* [5]*!* Elles le sont restées. Grâce au vert langage de la prostituée et à l'opposition juteuse de ces tempéraments qui font de La Faille la meilleure anti-Balbine qu'on puisse imaginer. Sa vulgarité et l'origine de sa fortune devraient la rendre méprisable, face à une dame que son rang et ses mœurs irréprochables mettent à l'abri de toute critique. Il n'en est rien.

La courtisane n'est pas seulement riche en deniers et en terres. Mais en expérience et en bonté. N'explique-t-elle pas à l'héroïne que des rapports cordiaux ou amicaux valent plus que la conclusion d'un marché avantageux ?

En initiant la jeune épouse à l'attitude amoureuse qui seule peut favoriser l'entente du ménage, elle fait même de Balbine son obligée ou presque.

Celle-ci a beau lui manifester son dédain, la brave femme ne discerne aucune trace de dénigrement ou d'hostilité chez celle qu'elle a prise en affection. Manière d'être qui perdure au cours de

1. *Une femme qu'a le cœur trop petit,* p. 317.
2. *Journal des débats,* 22 janv. 1934.
3. *Le Journal,* 21 janv. 1934.
4. *Aujourd'hui,* 18 janv. 1934.
5. *Le Figaro,* 22 janv. 1934.

trois entrevues et crée un succulent malentendu. Chacune des héroïnes est, en effet, à tous moments ce que l'on n'attendait pas du tout qu'elle soit ; l'une offre sa pitié à l'autre qui n'en veut pas et désire marquer sa condescendance ; la fille de joie traite en égale la bourgeoise qui se sent tellement au-dessus d'elle.

Le public est seul à saisir l'énormité du quiproquo qui, en se développant, accroît l'hilarité.

Antoine s'enthousiasme pour *un Xantus naïf et finaud et une Minna malicieuse et délurée, venant tout droit des fabliaux populaires* [1]. Ces adjectifs ne définissent qu'imparfaitement les deux joyeux lurons dont le caractère paysan a été perçu par l'auteur avec lucidité.

Au rebours de ce qu'affirme le grand homme de théâtre, ni Minna ni Xantus ne sont des naïfs. Certes, leur manière de voir et de commenter les choses implique de la simplicité. Mais il s'y introduit de la subtilité, parfois même de la moquerie.

Quand Balbine dit à son valet que toute la maisonnée est assurée contre n'importe quel risque, Xantus conclut (mais est-ce sans arrière-pensée ?) :

> ...Je puis donc me désosser le pied, me dévisser le genou, me décarcasser le rein, me déboîter le crâne, — les maîtres n'auront rien à dépenser [2] ?

*Finaud* est plus juste mais ne satisfait pas entièrement.

Ce qui frappe chez le valet et la servante, c'est une roublardise qu'ils n'avaient pas eu l'occasion d'exercer sous le règne d'un maître indulgent à leurs travers et qui va se développer sous une férule moins clémente. Cela ira de la comédie du suicide que Xantus joue pour apitoyer Minna jusqu'à la manière adroite dont le compère se dégage des mensonges où il s'est emberlificoté. La discussion au sujet du bois vendu, deux fois payé, et de l'argent que Minna conseille de ne pas rendre à sa patronne, est un petit

1. *L'Information*, 24 janv. 1934.
2. *Une Femme qu'a le cœur trop petit*, pp. 246-247.

chef-d'œuvre de rouerie paysanne fermement raisonnée. Les deux larrons analysent avec beaucoup de logique le processus par lequel ils ont cessé d'être honnêtes :

> Et je ne suis pas une voleuse et j'ai volé pour faire plaisir à Madame ! Et je ne suis pas une coureuse et j'ai fauté [1] !

Minna et Xantus ne manquent ni de mémoire ni de réflexion. Ce n'est donc pas leur ingénuité ou leur bêtise qui font rire, mais leur comportement fruste et rusé.

Sans être graves pour autant, les jouvenceaux de la pièce semblent les moins joyeux.

Sans doute est-ce parce qu'on les sent traversés d'une romantique inquiétude liée aux problèmes de leur âge ?

Dans les rares moments où l'auteur dévoile leurs fiévreux excès de paroles, c'est avec un attendrissement amusé.

Les jeunes premiers sont toujours des personnages difficiles à réussir, même quand le portraitiste se nomme Molière. Ceux de Crommelynck manquent parfois de présence, qu'il s'agisse de l'amoureux d'Elisabeth de Groulingen ou du bouvier de Stella.

Gabriel existe surtout parce qu'il est cohérent avec lui-même. Idéaliste, l'argent lui paraît source de pourriture :

> C'est seulement dans la ruine que le monde actuel trouvera son salut [2].

Cet agronome-poète, amoureux et distrait, est pourtant capable de se concentrer sur ce qui lui importe au premier chef : son travail et la jeune fille dont il s'est épris.

À Balbine qui lui demande s'il aime toujours Patricia, il répond :

> L'aurais-je aimée, si je ne l'aimais plus [3] !

Ses images primesautières s'entrelacent en jeux de mots surprenants qui le grisent :

1. *Une femme qu'a le cœur trop petit,* p. 230.
2. *Idem,* p. 210.
3. *Ibidem,* p. 263.

> On t'appelle Patricia. Ce nom qui te désigne et te fait réelle m'accompagnera désormais comme le vaste chœur des grillons poursuit le voyageur solitaire. Le pâtre ne sait plus s'il écoute l'innombrable chant de la terre ou le fourmillement du silence. Ainsi de moi ! Patricia, je suis pâtre, tu es patricienne, j'ai une nouvelle Patrie, me voici empatricié [1] !

Réplique qui atteint aux mille et une couleurs d'un songe musical, bourré d'allitérations et de rythmes soutenus.

Colette ne s'y est pas trompée :

> « Une Femme qu'a le cœur trop petit » est l'œuvre d'un vrai poète... Que Crommelynck n'écrive pas en vers, cela ne change rien à mon opinion. Il chante secrètement en écrivant ses pièces. Il est l'auteur du « Cocu magnifique ». Le « Cocu magnifique », c'est sa « Carmen » [2].

Mais le lyrisme verbal tient ici moins de place que dans les pièces précédentes.

Gabriel qui en est soulevé n'affirme pas moins son goût du savoir précis et de la méthodique déduction. De ce dernier trait, Crommelynck décrit spirituellement les tatillonnes pérégrinations.

Lorsque Balbine l'interroge sur sa conception de l'amour, l'ingénieur agronome fait entendre un exposé biologique dont la maniaque pédanterie étourdit et divertit :

> Les espèces ont une énergie autonome, — oui. Preuve : un mulet, un chapon, ne reproduisent pas. — Selon les dangers courus, une espèce se développe en profondeur, ou en étendue, c'est-à-dire par le nombre ou le volume ou la durée [3].

À peine terminée, la phrase repart et s'étend avec une emphase et une volubilité dont il est impossible d'arrêter le cours.

Mélange de gravité poétique et de réalisme cordial, Gabriel n'a qu'un travers : c'est un aimable ratiocineur dont Crommelynck se gausse, comme Ionesco le fera vingt ans plus tard du professeur de *La Leçon*.

1. *Une femme qu'a le cœur trop petit*, p. 180.
2. *Le Journal*, 21 janv. 1934.
3. *Une Femme qu'a le cœur trop petit*, p. 261.

À quoi rêvent Patricia et Isabelle ? À l'amour fou. Celui des jeunes filles de Musset auxquelles elles ressemblent. Avec, toutefois, cette différence qu'elles sont de leur temps : avides de vivre à leur guise, débarrassées des préjugés qui hissent les parents sur un socle. Elles tendent au contraire à se faire d'eux des confidents.

Le romanesque de Patricia apparaît, dès le début du premier acte, dans sa manière de décrire Olivier à son retour de voyage de noces :

> ...c'était comme dans un conte ! ... Oh ! que mon père était beau [1] !

Parce que son amie lui a décrit ses cinq amoureux, la jouvencelle veut absolument s'en inventer un qui soit extraordinaire et qui parle l'italien : langue destinée aux cœurs épris, pense-t-elle.

Affabulations et contradictions liées, les unes et les autres, à l'âge d'un tendron. Son inconsistance ressemble à celle de la Marie-Henriette des *Amants puérils* :

> Fragments épars d'un jeu de patience pour longues soirées, la jeune fille n'est pas rassemblée [2] !

Tout aussi passionnée, mais plus avertie et plus secrète, Isabelle a plus d'expérience que sa compagne. Sa façon de décrire la nudité virile la révèle moins candide que Patricia ; elle a sans doute goûté au fruit défendu.

Crommelynck se tait sur ses sentiments, alors qu'on s'attendait à la voir se fiancer comme le fera sa camarade.

Le dramaturge a raison d'éviter ce dénouement conventionnel et laisse d'ailleurs planer sur le sort de son personnage un certain mystère. Isabelle aime peut-être Constant ? L'amant qu'elle décrit à son amie donne l'impression d'être un homme expérimenté, assez semblable au médecin.

On imagine celui-ci, la quarantaine bien sonnée, avançant des idées bonnes à dire sinon à entendre par d'aucuns.

---

1. *Une femme qu'a le cœur trop petit*, p. 175.
2. *Ibid.*, p. 265.

Sa profession et son célibat confèrent un maximum d'indépendance à ses jugements. Son exceptionnelle santé physique et morale en font un solide appui pour son entourage.

Cet « homme tranquille » — et il l'est en dépit de sa vie sentimentale animée — se plaît à redresser les herbes folles sur son passage. Aimablement ironique avec Balbine, il lui assène parfois un coup de patte énergique ; quand sa belle-sœur veut s'immiscer dans sa vie privée, le beau-frère lui parle avec une brutalité et une crudité qui la renversent au sens physique et moral du terme :

> Lorsque j'escalade le lit d'une belle garce, il me déplaît de penser... que l'œil du maire serait au trou de la serrure... [1]

À vrai dire, Olivier a grand besoin d'un conseiller de cette espèce. C'est non seulement un tendre, mais un débonnaire. Loin d'être exaspéré par Balbine qui remet toute la famille au pas, il la questionne avec affabilité : *Eh bien, es-tu satisfaite des gens, des choses, — de moi ?* Et comme la réponse est favorable, il conclut avec aménité : *Tu es une chère femme* [2]*!*

Ce faible se laisse aisément envahir par les maux les plus fictifs ; son *cœur est toujours un peu boiteux* et son sang lui *bat si fort aux tempes que les veines en deviennent parfois prodigieusement gonflées* [3].

Pareille mollesse va souvent de pair avec beaucoup d'attrait. Ce mari attentif est de surcroît un amant raffiné. Mais la volonté lui manque dès que la tempête — en l'occurence Balbine — souffle sur la poussière de la maison avec une violence qui risque de déchaîner les pires catastrophes. Quand, au dire de Xantus, *tout tourne à l'aigre, ... comme le lait sous l'orage et la mayonnaise à côté de la femme malade!* [4]

À ce moment, il se réfugie dans sa vie intérieure, ce qui lui vaut d'être traité de *mystique* et de *sentimental* par le docteur [5].

---

1. *Une femme qu'a le cœur trop petit*, p. 242.
2. *Idem*, p. 203.
3. *Ibidem*, p. 232.
4. *Ibidem*, p. 277.
5. *Ibidem*, p. 183.

Du point de vue théâtral, il est habile que le charmant laisser-aller de l'un et la fermeté de l'autre appartiennent à des frères qui tout d'abord s'opposent, puis se comprennent. À eux deux, ils personnifient l'idéal de modération crommelynckien de façon plus frappante que ne le ferait un seul héros.

L'irritation qu'éveille Balbine chez le spectateur va croissant, bien qu'elle soit tempérée de temps à autre par l'envie de rire que provoquent ses manies.

La jeune femme ne possède ni l'aggressivité ni le tempérament colérique de la mégère de Shakespeare. Selon André Bellesort, elle ne mérite même pas sa tripotée finale :

> Elle n'insulte ni ne gifle personne ; elle ne pousse pas de cris à ameuter le village [1].

Ses mérites sont au contraire innombrables (honnêteté et obligeance, économie et prévoyance, persévérance et gaieté, ordre et méthode). Elle s'apprête à les utiliser dans une maison où, la veille encore, il n'existait ni calendrier, ni horloge, ni règle de vie. Tant de vertus domestiques vont hélas ! se retourner contre elle.

La sévérité avec les serviteurs en fait des voleurs et des hypocrites ; les interdits lancés aux paysans déchaînent la révolte et le pillage. Et c'est parce que Balbine veut précipiter Patricia et Gabriel dans les bras l'un de l'autre, qu'ils seront bien près de rater leur affaire.

La dame au *cœur trop petit* s'en étonne et s'explique en toute innocence :

> J'ai pesé, mûri chaque mot et basé mes préceptes sur une morale heureusement sans âge... [2]

En fait, ses qualités poussées à l'extrême ont abouti à un inassouvissable besoin de sécurité (elle n'a peur *que de l'inconnu, du fuyant, de l'insaisissable* [3]) et à un obsessif désir de propreté

1. *Journal des débats*, 22 janv. 1934.
2. *Une Femme qu'a le cœur trop petit*, p. 250.
3. *Idem*, p. 281.

physique et morale. Quand elle frotte, brosse, protège tout au moyen de tabliers, de housses ou de mitaines immaculées, c'est elle-même qu'elle nettoie et balaie : ses mauvais penchants aussi bien que ses appétits normaux sur tous les plans.

L'amour dans son esprit n'a rien à voir avec les revendications de la chair. On le *tisse patiemment, d'heures, de jours croisés fil sur fil...* [1].

C'est une toile bien froide qu'elle pose sur l'ardeur qui anime Olivier ! Le pauvre doit s'entendre murmurer :

> S'il vous plaît, ne me tutoyez pas dans une conversation où ma pudeur est déjà trop à l'épreuve [2].

Faut-il qu'il en soit épris pour supporter que, durant leurs rapprochements amoureux, elle l'appelle cérémonieusement : *Monsieur !*

Dans la cervelle de Balbine bourrée de dogmes insignifiants et de préjugés étriqués, il n'y a pas de place pour les vérités fondamentales. Elle a *le cœur trop petit,* et le reste (car, selon Robert Kemp, *le titre de la pièce, si l'on a mauvais esprit, pourrait paraître polisson...* [3]) pour accueillir l'amour donné, reçu, partagé en toute acceptation, fût-elle humble et résignée. On dirait aujourd'hui qu'elle ne s'assume pas en tant qu'amante.

Les critiques de l'époque ont commenté l'excès de vertu de l'héroïne, mais ne lui ont cependant découvert aucun vice. Il en est un pourtant et de dimension : l'orgueil sans lequel elle n'aurait pu accomplir avec autant d'alacrité ses performances ménagères et le ratissage des consciences. Malgré les difficultés, elle est sûre de pouvoir mener ses tâches à bien et ne cesse d'en tirer gloire.

En vérité, la jeune femme devrait apprendre avec joie que Gabriel et Patricia s'aiment et que ses démarches dans le but de les marier ont été inutiles. Mais, on l'a vu, elle préfère croire que sa négociation a été indispensable.

Dans *Tripes d'or,* Hormidas était haïssable, Froumence personnifiait la finesse et le bon sens réunis.

---

1. *Une femme qu'a le cœur trop petit,* p. 260.
2. *Idem,* p. 205.
3. *La Liberté,* 17 janv. 1934.

Carine était parfaite, sa mère odieuse. Ici, rien de pareil.

Chacun mêle des qualités à ses défauts. La faiblesse d'Olivier s'accompagne de générosité. La vulgarité de La Faille, de bienfaisance. La ruse des serviteurs est compensée par leur fidélité. *Balbine* (c'est l'opinion de Robert Destez) *est à tuer* [1], mais son altruisme et sa bonne volonté ne sauraient être mis en doute.

Cette grandissante objectivité confère aux caractères plus de crédibilité et insuffle à la comédie une vitalité jamais atteinte.

De toutes les pièces de Crommelynck, c'est celle qui a suggéré aux critiques le plus de comparaisons avec des dramaturges célèbres : Shakespeare, Molière et Musset, Pirandello et Giraudoux. Cela se justifie à condition d'introduire des nuances dans toutes ces filiations, ainsi que le propose Robert Kemp :

> Quand, dans Shakespeare, Petruccio épouse Catarina, il sait ce qu'il fait et que Catarina est insupportable. Olivier — la chose est plus étonnante — a trouvé Balbine exquise... Xantus et Minna, — correspondent à l'Alain et à la Georgette de « L'École de Femmes », ou au Lubin et à la Claudine de « Georges Dandin »... Le Gabriel de M. Crommelynck est plus parleur que Fantasio... Les dialogues de ces jeunes filles (Patricia et Isabelle) sont charmants et d'un incroyable raffinement stylistique. Certes, Ninette et Ninon, dans Musset, parlent, quoique en vers, avec plus de simplicité [2].

En dépit de ces références, *Une Femme qu'a le cœur trop petit* frappe par l'originalité du thème aussi bien que par la multiplicité des intentions que l'auteur y introduit.

D'une exceptionnelle hardiesse, l'œuvre analyse les rapports sentimentaux et charnels d'un couple.

Les répliques où Olivier reproche à Balbine sa pruderie, celles où dans l'intérêt du ménage, La Faille se met à instruire la jeune femme et à lui conseiller, par exemple, de faire *au moins semblant de trouver bon d'être touillée* [3] firent scandale en 1934. D'autant que l'enseignement venait d'une fille de joie.

1. *Le Figaro,* 17 janv. 1934.
2. *La Liberté,* 17 janv. 1934.
3. *Une Femme qu'a le cœur trop petit,* p. 319.

Émile Mas déplore — à tort — avec conviction cette *scène malpropre, malsaine* [1].

Fallait-il aussi que Constant dévoilât toutes ses turpitudes sans mâcher ses mots ? Oui, afin d'abattre définitivement l'hypocrisie héritée de la Belle Époque qui, dans les années trente, s'efforçait encore de cacher la nudité du cœur et du corps.

Lorsqu'elle revint à l'Œuvre en 1942, la pièce suscita beaucoup moins l'indignation des moralistes et très peu en 1953, lorsque le Théâtre de l'Humour la mit au programme. Ce fut d'ailleurs pareil en Belgique au cours des reprises de 1940 et de 1950. Pourtant, lors des représentations de 1955, au Théâtre National, Georges Sion dut encore la défendre contre ceux qui voyaient de la licence là où il faut percevoir de la sincérité et de l'équilibre.

> Dans les verdeurs du dialogue, rien n'appelle aux douteux pensers du libertinage, rien n'est complicité pour le sous-entendu ou pour le vice. Au contraire, la santé des propos s'étale sans ruses ni fards, dans une franchise rieuse qui lui ôte toute intoxication [2].

Semblable plaidoyer ne serait plus utile de nos jours où tout se raconte et se pratique sur scène, y compris les ébats amoureux. Que Crommelynck ferme ou non une porte discrète sur pareils épisodes, le thème se dessine avec netteté : le couple et ses problèmes qui prennent souvent racine dans l'inconscient. À ce propos, l'auteur épouse étroitement les idées de la psychologie moderne dont il semble avoir connu les éléments.

L'effroi de Balbine devant les poussières, les flocons et les toiles d'araignées, l'invincible besoin de les effacer sont signes d'insatisfaction sexuelle et recherche de compensations sur un autre plan. Lorsque son mari lui interdit de se livrer aux besognes ménagères et qu'elle le fait pour ainsi dire en dormant, le mot refoulement n'est pas prononcé, mais qu'est-ce donc d'autre que le cas de la femme au *cœur trop petit* ? Et quel autre moyen peut-on trouver de le résoudre si ce n'est l'application d'un traitement de choc ; en l'occurence, celui que pratique Olivier sur le conseil du docteur Constant ?

1. *Le Petit bleu,* 18 janv. 1934.
2. *Les Beaux-Arts,* 16 déc. 1955.

Dans *Equus,* une œuvre dramatique récente de Peter Shaffer, un procédé audacieux du même genre, utilisé par un psychiatre, finit par guérir un adolescent de ses phantasmes érotiques et religieux. Il l'arrache à son enfance tourmentée et en fait un homme comme les autres (non sans se modifier, lui, d'ailleurs, par la même occasion).

Une comédie gaie datant d'une époque où le psychique était moins pris aux sérieux ne peut se comparer entièrement à cette pièce contemporaine.

Pour rudimentaire que soit encore la thérapeutique subie par l'héroïne (la correction qui fait de Balbine une femme capable de voir les choses telles qu'elles sont), il n'en est pas moins surprenant de découvrir que pareille thèse ait été défendue par un dramaturge dès 1934.

Plutôt que de faire disparaître le couple dans sa chambre, montrez la scène de réconciliation finale, transformez le médecin de campagne en psychiatre et vous aurez trois actes qui pourraient être datés d'aujourd'hui.

Il s'en dégage par ailleurs d'autres significations à divers niveaux de réflexions.

La première, c'est que les vertus sont inutiles si, comme l'affirme Patricia à propos de Balbine, *elles n'ont aucune racine dans le cœur.*

De plus, leur excès est un mal plus profond que celui qui proviendrait de leur absence.

Il s'agit, en définitive, d'un appel à la mesure et au bon sens lancé par un médecin un peu coureur et par une fille publique, bien sûr. Mais cela n'en frappe que davantage.

L'intrigue, développée sur un mode drôle et pétulant, est donc riche d'un débat gravement et justement nuancé sur le comportement humain.

Crommelynck n'a pas seulement voulu montrer que *l'exigence dogmatique de la vérité* est source de *mensonge* [1].

1. *Je suis partout,* 20 janv. 1934.

Balbine reflète à ses yeux la mesquinerie et l'étroitesse d'une certaine caste :

> La bourgeoisie médiocre qui a toutes les vertus mineures et aucune des vertus majeures, qui demande donc à être battue non pas par un étranger, mais par son propre mari, par celui qu'elle aime [1].

C'est ce qu'a bien compris et commenté Georges Pioch lorsqu'il parle d'une pièce *allégorique* représentant *une nation jalousement souciée de sa sécurité... statique comme le cartésianisme lui-même* [2].

Un quatrième sens pourrait être découvert dans la critique du régime politique d'un autre pays latin où le système des purges et des embrigadements dans un parti unique exerçait ses ravages depuis 1922 : l'Italie de Mussolini à laquelle le dramaturge a pu penser.

Bourrée d'intentions subversives, telle apparaissait *Une Femme qu'a le cœur trop petit* à Crommelynck lui-même. Il ne lui semblait pas douteux qu'elle se heurterait à l'opinion et qu'elle susciterait des chocs en retour. Témoin cette réflexion qu'il fit à la veille de la première à Benjamin Crémieux :

> Chacun de mes ouvrages est une gageure, donc une bataille à livrer. Le jour où on ne combattrait pas une de mes pièces nouvelles, je commencerais à être inquiet sur moi-même [3].

Ici Fernand Crommelynck délaisse le tragi-comique au profit du comique pur et simple. Celui-ci émane en grande partie du couple de serviteurs. Il est tantôt d'ordre gestuel, tantôt purement verbal.

Xantus et Minna progressent sur scène presque toujours ensemble. Leurs attitudes sont symétriques. Leurs répliques alternent sur un même rythme et un même ton monocorde. Ainsi récitent-ils les fameux « commandements » de Balbine.

Tous deux, *la tête rejetée en arrière, la bouche au large, font un couple d'anges chanteurs* [4], indique Crommelynck :

---

1. I.N.R. *Entretien n° 6 de Fernand Crommelynck avec Jacques Philippet*, 1953, app. p. 387.
2. *La Volonté*, 17 janv. 1934.
3. *Je suis partout*, 20 janv. 1934.
4. *Une Femme qu'a le cœur trop petit*, p. 235.

« D'abord fais prendre l'air aux draps
Et aux couvertes longuement. »
« Retourne les deux matelas,
Bats le traversin mollement. » [1]

Pour surprendre un entretien entre Balbine et La Faille où il sera peut-être question de lui, Xantus passe à intervalles réguliers derrière les deux femmes en *ployant avec exagération sous le poids d'une échelle* [2]. Il le fait quatre fois, jusqu'à créer chez l'héroïne une hantise de l'objet qu'accentue encore sa réflexion biscornue sur toutes les échelles en général.

Deuxième source de rire : le langage de ces rustauds qui consiste souvent à prendre un mot pour un autre. Lorsque Balbine exécute ses travaux ménagers en dormant, au lieu de la qualifier de somnambule, Xantus dit *noctambule* et Minna le corrige aussitôt : *funambule, idiot!* [3].

Certaines expressions ajoutées à une phrase en intensifient la drôlerie. Supprimons le *par hasard* de la réplique de Xantus : *Monsieur n'aurait pas — par hasard — partagé la couche de Madame, cette nuit?* Écrivons : Voici que Madame revient à elle à la place de : *Voici que Madame revient à Madame* [4] et l'on verra à quel point certaines insertions ou substitutions de termes peuvent porter le comique d'une scène à son effet le plus paroxystique.

À noter par ailleurs : le goût campagnard des dictons, tels que *Il y a du diable dans le sexe contraire* [5], la cocasserie imagée du parler de Minna : *Tu mens serré comme un artichaut* [6] ou de Xantus, au moment où il a décidé de quitter la maison et de marcher sans répit :

Jusqu'à ce que le pied me passe au bout de la chaussure comme une platée d'asperges ! [7]

Des tours grammaticaux à caractère répétitif, que souligne la symétrie des gestes, accentuent l'allure bouffonne des dialogues.

1. *Une femme qu'a le cœur trop petit*, p. 193.
2. *Idem*, p. 251.
3. *Ibidem*, p. 274.
4. *Ibidem*, p. 292.
5. *Ibidem*, p. 202.
6. *Ibidem*, p. 170.
7. *Ibidem*, p. 276.

La conjonction *et*, fréquemment introduite au commencement d'une phrase :

> Et j'entends le renard courir... Et j'entends les fourmis emporter leurs œufs sur le toit... Et j'entends les araignées tisser leur toile... [1]

marque d'une sorte d'accent tonique les débuts de la réplique. Elle dénote un enfantin besoin de surenchérir qui, chez des personnes adultes, ne peut que susciter l'hilarité.

Mais l'effet le plus désopilant que Crommelynck ait tiré du procédé est l'inlassable répétition, sous une forme interrogative, de l'affirmation précédente, accompagnée d'un pronom personnel. Le valet et la bonne s'en servent dès les premiers dialogues de la pièce :

> *Minna* : Parle plus bas. Tu réveilleras Mademoiselle.
> *Xantus* : Je réveillerai Mademoiselle, moi ?
> *Minna* : Oui, tu réveilleras Mademoiselle. On dirait que tu parles dans un tonneau.
> *Xantus* : Je parle dans un tonneau, moi ? Et toi, tu parles dans une cuvelle. [2]

La querelle se poursuit sur le même mode, de façon à peu près ininterrompue, pendant cinq pages !

Et Xantus prend le même ton avec la maîtresse de maison. Au point que, amusée, elle plaisante (c'est bien la seule fois que cela lui arrive) et affirme en riant :

> Mon ami, si vous apprenez par cœur tout ce qui se dit, vous aurez la cervelle encombrée [3].

Le passage le plus caractéristique à cet égard est celui où Balbine lui demande avec étonnement :

> Oh ! Xantus !... — vous êtes déjà de retour ?

Et le domestique, visiblement embarrassé, de répondre :

> Suis-je déjà de retour, moi [4] ?

---

1. *Une femme qu'a le cœur trop petit*, p. 172.
2. *Idem*, p. 169.
3. *Ibidem*, p. 187.
4. *Ibidem*, p. 203.

Cette forme d'interrogation n'est pas uniquement une juteuse particularité de langage. Elle donne à ce couple, dont l'esprit est à la fois roublard et lent, un temps de réflexion supplémentaire qui leur évite de prononcer des paroles imprudentes.

La *vis comica* de la pièce repose aussi et surtout sur le constant renversement du prévu ou du prévisible.

Rien ne se passe comme on s'y attendait. Des interdits lancés contre les dangers de l'amour et contre le vol, naît le goût du morbide et du pillage, de l'obéissance aux ordres, le désordre. Gérard d'Houville le dit : il s'agit des *méfaits de l'honnêteté, de l'intégrité absolue* [1]...

La marche qui s'opère à rebours du trajet attendu décuple les effets des évocations cocasses.

À l'unité du ton, s'ajoute celle d'une construction dépouillée d'autant plus apparente qu'aucune ombre tragique n'en dissimule le schéma.

L'auteur lui-même a laissé entendre que la cohérence ne lui a jamais fait défaut :

> Je n'écris jamais sur mon manuscrit : Scène I, Scène II. Quand j'ai eu terminé « La Jeune Fille (*sic*) qu'a l' cœur trop petit », je me suis amusé à compter les scènes : il y en a dix-neuf par acte. Est-ce de l'équilibre ou non [2] ?

Dès lors, on comprend que Pierre Brisson juge le thème traité *avec beaucoup d'ordre et de méthode, sinon de brièveté* [3]...

Dans la mesure où le classicisme implique une préméditation en vue d'un propos organisé, *Une Femme qu'a la cœur trop petit* en est l'illustration. Chaque épisode est la résultante de celui qui précède. Et s'il s'accompagne de digressions poétiques, celles-ci sont plus rares et plus nécessaires au développement de l'intrigue qu'elles ne l'étaient dans *Les Amants puérils* ou dans *Carine*.

Que peut-on supprimer ici qui ne soit intimement lié au dénouement ? Rien ou presque.

---

1. *Le Figaro*, 22 janv. 1934.
2. *Je suis partout*, 20 janv. 1934.
3. *Le Temps*, 22 janv. 1934.

Chose exceptionnelle, la première eut lieu à Bruxelles, au Palais des Beaux-Arts, le 11 janvier 1934. Celle de Paris, quelques jours après, le 15 janvier, avec les mêmes acteurs, à l'Œuvre où les représentations dureront jusqu'au 4 mars.

La veille du spectacle bruxellois, Crommelynck est dans la salle, surveille les apprêts et donne des interviews.

Selon un journaliste, il ponctue ses paroles de ses *longs doigts de musicien, qui épinglent toujours quelque chose dans l'air et vont parfois l'y reprendre* [1]...

Paulette Pax indique un lumineux décor qu'elle a exécuté elle-même et dont elle parle avec le dramaturge.

— *Vous vous en moquez?*... demande l'actrice sur un ton badin, sachant le peu d'importance que son interlocuteur y accorde généralement.

— *Parbleu! non,* rétorque l'écrivain, *c'est lui qui le plus souvent se moque de moi... Alors j'aime autant m'en passer...* [2]

Dans l'ensemble, la capitale belge n'est pas peu fière de cette générale qui précède de cinq soirs celle de Paris.

Richard Dupierreux s'émerveille des prouesses de l'auteur:

> c'est le bondissement dans un ciel d'étoiles d'un acrobate qui jouerait à saut de mouton avec l'anecdote [3].

Critique accueillante, salle comble, Crommelynck peut avoir foi en l'avenir de sa pièce.

Quelques jours plus tard, au cours des répétitions qui précèdent la représentation parisienne, il confie aux journalistes ses intentions *d'entr'ouvrir* un théâtre qu'il appartiendra aux spectateurs d'ouvrir davantage s'ils sont satisfaits. Cela doit se faire prochainement dans une demeure entièrement renouvelée de la rue Fontaine.

Mais le projet ne se réalisera pas.

À la veille de monter sa comédie, l'auteur redit l'espoir qu'il met dans un public qui lui a toujours fait meilleur accueil que bien des critiques, ces *demi-cultivés* [4]. S'il a été joué en Russie des milliers

1. *L'Indépendance belge*, 12 janv. 1934.
2. *Idem.*
3. *Le Soir*, 12 janv. 1934.
4. *Je suis partout*, 20 janv. 1934.

de fois devant des ouvriers, c'est parce qu'il est sûr de pouvoir communiquer le rythme de ses œuvres à la foule.

Personne n'a dénigré la distribution.

Le comique belge, Devère, jusqu'alors inconnu des Parisiens, s'est rendu célèbre du jour au lendemain dans son interprétation de Xantus. Jacques Copeau ne tarit pas d'éloges :

> Ce n'est pas assez de dire qu'il y est excellent. On n'imagine pas sous d'autres traits, avec d'autres gestes, d'autres clins d'yeux, un autre accent ce personnage dont l'acteur a fait une merveille de naturel malicieux [1].

Quant à Madeleine Lambert, toujours selon Copeau, elle a *joué à miracle* la trop parfaite ménagère. C'est d'autant plus difficile que Balbine doit se garder de paraître odieuse ou grotesque. Il y a au contraire dans ses réactions une sorte de candeur dont elle est en définitive la première victime.

Copeau ne formule de réserve qu'à l'égard d'Henri Roger, le mari : *il manque d'aplomb, d'autorité naturelle.*

Deux jeunes personnes dont le cinéma français confirmera la réussite font alors leurs débuts dans les rôles de Patricia et d'Isabelle : Josette Day et Annette Poivre.

Malgré tant d'atouts, l'œuvre n'est pas toujours jugée avec indulgence :

> nous ne saurions être émus par ce divertissement purement littéraire, arbitraire et « fabriqué », — fabriqué uniquement avec des lectures, et pas une vérité humaine, pas une observation directe et simple...

Tel est l'avis de Franc-Nohain [2].

Certains (Charles Méré [3], François Porché [4], Étienne Rey [5] et Cardinne-Petit [6]) regimbent contre les longueurs. Celles-ci tiennent principalement en des comparaisons aux rebondissements multiples qui s'enchaînent, se chevauchent et finissent par crouler les unes sur les autres, comme des fruits opulents gorgés de sève.

---

1. *Les Nouvelles littéraires*, 27 janv. 1934.
2. *L'Écho de Paris*, 17 janv. 1934.
3. *Excelsior*, 18 janv. 1934.
4. *La Revue de Paris*, n° 3, 1er févr. 1934, pp. 714-717.
5. *Comœdia*, 17 janv. 1934.
6. *Le Quotidien*, 17 janv. 1934.

Beaucoup de critiques s'en sont grisés. Il est même arrivé que les plus sourcilleux partisans de la rigueur n'aient rien trouvé à redire. Pour Paul Reboux, *la syntaxe est irréprochable* [1].

Crommelynck l'avoue; c'est en définitive l'article de Pierre Audiat, le célèbre nervalien, qui, contrecarrant d'injustes reproches, met le plus de baume sur son cœur :

> Impossible d'analyser les qualités de ce style, d'une densité, d'un éclat et d'une précision extraordinaires [2].

Pour lui, un mot surtout s'en détache : *précision.* Il scintille de mille feux aux yeux de cet imaginatif qui s'est toujours soucié de minutie et de logique.

À quoi s'ajoute un dernier témoignage : celui de Copeau dans l'article déjà cité. Se plaçant du point de vue plus étendu de l'évolution du théâtre auquel il faut inoculer un sang nouveau, il conclut :

> L'homme qui a écrit « Le Cocu magnifique », certaines scènes de « Tripes d'or », de « Carine » et qui vient de nous donner « Une Femme qu'a le cœur trop petit », cet homme est certainement doué de génie dramatique [3].

Retenons ce mot de *génie* qui sera si souvent prononcé, lorsqu'il est question de l'auteur.

Ce qui frappe, c'est qu'on aime sa pièce pour des raisons diverses qui n'ont guère de liens entre elles : parce qu'elle est construite de manière symétrique. Moins truffée de symboles que les précédentes, elle a paru moins obscure. Sans compter que son aspect moralisant la rend proche de certains fabliaux.

On se plaît en outre à la croire d'inspiration nordique. C'est l'avis d'Henry Torrès ; il voit en Crommelynck : un fils de...

> cette Flandre à la fois tourmentée d'infini, assoiffée d'impossible, solidement accrochée à son sol plantureux et gourmande de toutes les voluptés terrestres [4].

1. *Le Petit parisien,* 16 janv. 1934.
2. *Paris-Soir,* 17 janv. 1934.
3. *Les Nouvelles littéraires,* 27 janv. 1934.
4. *Gringoire,* 26 janv. 1934.

Si cette opinion s'applique à bon nombre de ses pièces, ce n'est pas particulièrement le cas pour *Une Femme qu'a le cœur trop petit* dont l'allègre prestesse n'a rien de particulièrement flamand.

C'est, après *Le Cocu magnifique,* la pièce de Crommelynck la plus fréquemment jouée.

À Bruxelles, aux Galeries, à partir du 28 décembre 1940, avec Berthe Angely dans le rôle de Balbine. Arthur Devère, le créateur du rôle de Xantus, six ans auparavant, incarne toujours l'irrésistible valet.

Une fois de plus, Paul Werrie commente l'intrigue avec une incomparable lucidité :

> De toutes les œuvres de Crommelynck, celle-ci est peut-être la plus lumineuse, en effet, et la plus consciente. La plus équilibrée sans doute, la plus mesurée, par une exposition parfaite et un déroulement que l'on peut presque dire chronologique des « scènes à faire », de la péripétie. On ne cesse au surplus d'y être porté par une légèreté, un esprit aérien qui se résout constamment dans le rire [1].

Du 18 février au 26 avril 1942, la comédie fait salle comble à l'Œuvre pour environ 74 représentations. Les interprètes ont été choisis avec discernement : Andréa Lambert est Balbine. La romantique ingénuité de Blanchette Brunoy et d'Annette Poivre convient particulièrement à la physionomie des jeunes filles.

Succès sur toute la ligne : celui des artistes et celui des idées aux yeux d'une presse devenue plus accessible qu'avant la guerre aux troubles de l'inconscient. D'où le compte rendu nuancé de Jacques Berland :

> Chez Mr. Fernand Crommelynck, ce sont les différences d'états d'âme des personnages, leurs complexes qui s'élèvent progressivement et nous les découvrent, leurs virtuosités qui bondissent sans une chute. Quel tourbillon ! Quel vertige à la fin de la soirée [2] !

Les titres des chroniques de l'époque attestent à eux seuls la confiance accordée à cette œuvre. Celui qu'adopte, par exemple, un René Trintzius : *De Molière à Crommelynck* [3].

1. *Le Nouveau journal,* 31 déc. 1940.
2. *Paris-Soir,* 23 fév. 1942.
3. *La Gerbe,* 9 avr. 1942.

Onze ans plus tard, du 7 juillet au 1er août 1953, lorsqu'elle sera donnée au Théâtre de l'Humour et que l'une de ses scènes sera interprétée à la radio [1], on ne découvrira plus aucune trace de déception. En dépit d'une distribution sans éclat où dominent les noms nouveaux de Reine Courtois (en Balbine) et de Michel Périer (en Gabriel), Christine de Rivoyre ne mesure pas son plaisir :

> ...On communie avec Crommelynck, apologiste du désordre et de la fantaisie... Cette « Femme qu'a le cœur trop petit » pourquoi la maison de Molière ne lui donne-t-elle pas le sien [2] ?

Et G. Joly affirme que cette comédie *a gardé la fraîcheur de ses vingt ans* [3].

La province française lui a fait fête. La Belgique tout autant [4].

Peut-être parce que le public de Colmar ou d'Anvers, de Nancy ou de Liège, et même de la capitale belge, pouvait mieux que tout autre goûter une satire de la ménagère confite en besognes journalières, alors que Paris devait enregistrer la progressive disparition de ce type humain.

Après 1950, Bruxelles a fourni quatre reprises de cette œuvre rayonnante de salubre gaieté.

La première, au Rideau, montée en 1951, par André Berger, déçoit. Le chroniqueur Mosca loue Andréa Lambert en Balbine, Claude Dauzun et Maurice Vaneau qui jouent le couple de valets. Mais il n'est guère enchanté de Werner Degan, un Olivier artificiel. Ni de Simone Bary, une Isabelle peu conforme à l'idée que s'en faisait le dramaturge [5].

C'est Florent Crommelynck, neveu de l'auteur, passé depuis du théâtre à la peinture, qui est Gabriel, l'agronome.

Tout autre est la seconde reprise au Théâtre National, en 1955, dans la mise en scène de Luc André avec des décors et des costumes dessinés par Denis Martin.

---

1. R.T.F. Extrait. Avec Raymond Bussière et Annette Poivre, 10 mai 1956.
2. *Le Monde*, 25 juil. 1953.
3. *L'Aurore*, 8 juil. 1953.
4. App. p. 399.
5. *Pourquoi pas ?*, n° 1685, 16 mars 1951, pp. 800-801.

Jean Welle en fournit un commentaire dithyrambique :

> Charmante, malicieuse, impertinente, poétique, drôle, salace par moment et parfois presque grave, décidément cette pièce a beaucoup de qualités [1] !

Tout a contribué à la réussite du spectacle. Jacqueline Huisman a fait une excellente Balbine, Catherine Fally et Georges Aubrey ont campé des domestiques d'une verte saveur paysanne, Marcel Berteau a créé un Olivier dont la scène contestataire a enthousiasmé l'assistance.

Selon André Paris, ces éléments ont restitué à l'œuvre sa

> ... drôlerie tantôt burlesque, tantôt exquise... un spectacle réussi au-delà de toute attente. Réussi et émouvant aussi. Car Fernand Crommelynck assistait à la soirée... Et il a été, à l'issue de la représentation, l'objet d'un hommage enthousiaste qui prenait assez l'allure d'un triomphe [2].

En 1962, *Une Femme qu'a le cœur trop petit* est joué, sous le titre de *Serce Babiny* (Le Cœur de Balbine), au Théâtre Stary (Vieux) de Cracovie.

En 1963, elle élit domicile à Bruxelles au Molière par les soins de Georges Jamin, son metteur en scène ; Ginette Favre est Balbine, Marcel Berteau reprend son rôle d'Olivier. Le clou de la soirée est, paraît-il, la création du rôle de La Faille par Marie-Jeanne Nyl qui a été d'une innénarrable cocasserie.

Herman Closson s'émerveille en connaissance de cause théâtrale et y va de sa plume allègre :

> Quelque chose d'irrésistible vous impose ces créatures de Crommelynck, car elles sont intensément vivantes, présentes, encombrantes, indéniables [3].

1976. La pièce est revenue au Rideau avec des acteurs de premier ordre.

À mon sens, Françoise Oriane est Balbine avec beaucoup de métier ; mais elle n'a pas le physique du personnage. Par contre, Ralph Darbo est éblouissant de vérité dans le rôle d'Olivier.

1. *Pourquoi pas?*, nº 1932, 9 déc. 1955, p. 82.
2. *Le Soir*, 8 déc. 1955.
3. *Le Phare-Dimanche*, 3 nov. 1963.

Les jeunes filles sont parfaites, en leur justesse d'interprétation nuancée. Surtout Sylvie Mogin en Minna et Ania Guedroïtz en Patricia.

En avril 1977, toute la troupe a joué cette œuvre à Leningrad et à Moscou. Ce sont les Russes qui ont choisi celle-ci dans le répertoire de Claude Étienne.

Le programme de 1976 reproduit un beau texte de Ghelderode qui figurait déjà dans celui du même théâtre en 1951 : *Fernand Crommelynck ou l'enchanteur pathétique*. Il avait été écrit lors de la création bruxelloise de 1934 dont on a parlé plus haut. L'auteur de *Sire Halewyn* le lut, le 13 janvier de cette année-là, au cours d'un déjeuner de l'Union de la presse théâtrale, présidé par le bourgmestre Adolphe Max qui avait marié Anna et Fernand.

Le héros du jour était entouré de célébrités, qui se nommaient ni plus ni moins : Paul Claudel, Max Reinhardt, Pierre Fresnay, les Pitoëff et Darius Milhaud. Tous dégustèrent ce commentaire pénétrant dont un passage peut servir de conclusion à l'analyse d'*Une Femme qu'a le cœur trop petit*. Cette pièce est, techniquement parlant, l'une des plus solidement bâties de l'auteur :

> Le destin marqua cet homme pour le théâtre. Le théâtre il l'a empiriquement dans les talons. Il en manie tous les registres et, sur des pédales profondes, crée l'instrument théâtral, combinaison du cri et du silence. Du théâtre, il osa choisir la plus grave formule : une vision du monde. Avec une telle exigence, on existe puissamment ou l'on n'est pas. D'où une certaine démesure dans ses œuvres, et sa faculté de bâtir plus grand que nature. À cette altitude, tout se simplifie et le théâtre pivote autour de quelques axes incandescents, s'alimente de sang et non plus de raison [1].

Moins révolutionnaire dans ses conceptions que *Le Cocu magnifique,* moins poétique que *Les Amants puérils* et *Carine, Une Femme qu'a le cœur trop petit* est cependant l'œuvre où l'auteur s'est le mieux rendu maître de l'*instrument théâtral* dont parle Ghelderode. Avec une virtuosité sans défaut.

1. *Les Beaux-Arts,* 5 janv. 1934.

# X. « CHAUD ET FROID OU L'IDÉE DE MONSIEUR DOM »

## 1. Léona ou l'anti-Carine

Nous avons connu de ces mythes politiques auxquels, dans *Chaud et Froid*, j'ai fait allusion.
(Fernand Crommelynck : I.N.R., 1953)

De toutes les pièces de Crommelynck, c'est celle dont le titre a le plus varié.

En 1934, lors de la création, elle s'intitulait *Chaud et froid ou l'idée de monsieur Dom* (ce dernier mot signifie stupide en flamand).

En 1944, à la demande d'Alice Cocéa qui l'avait mise en scène et interprétée, elle devint *Léona* (du nom de l'héroïne) *ou le matin du troisième jour*, pour redevenir *Chaud et froid* en 1956 et le rester jusqu'à nos jours.

Le décor est celui d'une maison de campagne meublée avec recherche. Il témoigne à la fois du raffinement de ses occupants et de la solidité de leurs revenus.

La porte de la chambre à coucher se trouve un peu en retrait, à côté d'une cheminée et non en haut d'un escalier.

Au lever du rideau, Ida, une appétissante villageoise, arrive furibonde chez Léona qui lui a pris Thierry, son époux. Elle demande à Alix, l'indolente servante, d'aller au plus vite quérir sa patronne à laquelle elle veut administrer une solide raclée.

Entre alors Bellemasse, l'instituteur du village, un autre amoureux de madame Dom.

Mais comment donc s'y prend-elle pour accomplir tant de ravages dans les cœurs ? C'est simple, il lui suffit de murmurer des *Toi!... Toi!... Qui te résisterait?* [1] et de décocher des regards provocants.

---

1. *Chaud et froid ou l'idée de Monsieur Dom*, Théâtre, t. II. Paris, Gallimard, 1968, p. 348.

La servante annonce à Ida que Madame est dans son bain et la prie de revenir la battre plus tard. La visiteuse s'en va en assurant qu'on aura bientôt de ses nouvelles.

Et l'instituteur de questionner, avec une jalouse nervosité, une Alix qui se déclare amoureuse de lui et ne consent à lui répondre qu'au prix d'un baiser. Or, c'est au moment où, mi-anxieux mi-séduit, Bellemasse prend la jouvencelle dans ses bras, que sa belle amie fait une entrée spectaculaire en poussant un cri de douloureuse surprise. Le malheureux a beau protester de sa passion, il est chassé de la maison.

Après son départ, les deux complices éclatent de rire. La bonne n'a joué son rôle de fille énamourée que pour débarrasser la jeune femme d'un soupirant ennuyeux. En vérité, les hommes ne l'intéressent guère. D'autant moins qu'elle aime d'un sentiment trouble une Léona qui la paie chichement de quelques gentillesses et la commande durement.

Quant à monsieur Dom, le maître de maison, c'est un personnage peu encombrant (on ne le verra pas) ; il s'en va chaque matin et ne rentre que le soir. Précis comme un automate, silencieux comme une ombre.

Voici maintenant le troisième larron, Odilon, un fils de fermier au sang chaud, le dernier amant en date (et, semble-t-il, le préféré). Ce jour-là, il devait vider le coffre-fort de ses parents pour pouvoir enlever la dame de ses pensées. Seulement, il n'a rien trouvé au paternel logis et s'en vient tout confus. Si sa dulcinée consent à le suivre, il jure de travailler pour elle. Hélas ! Elle n'est pas de celles qui se contentent d'une chaumière. Au désespoir, l'amoureux trop pressé lui propose alors de tuer ou d'empoisonner son époux.

Mais il devra patienter ; car l'intelligente madame Dom ne songe pas un instant à courir de tels risques.

Sur ce, voici le retour imprévu, en plein jour, de monsieur Dom, malade, accompagné d'un médecin et d'une infirmière.

Après avoir fait disparaître son ami dans une pièce contiguë, l'héroïne se prépare à soigner son mari. C'est le moment où la vindicative Ida vient pour rosser sa rivale ! Loin de la chasser, Léona lui dit de faire vite et de s'en aller au plus tôt, car Alix affirme que son patron va bientôt mourir.

Le bourgmestre arrive aux nouvelles. Il est suivi de Thierry et de Bellemasse auxquels se joint Odilon sorti de sa cachette.

Les trois amis de la dame constituent une sorte d'assemblée à laquelle la présence de l'édile confère un caractère officiel du plus cocasse effet. Ils échangent des lieux communs jusqu'au moment où Alix sort de la chambre pour annoncer que son maître est mourant.

A-t-il parlé, demande-t-on à la jeune fille ? La servante lui a simplement entendu dire qu'il avait une idée (*l'idée de monsieur Dom* qui sous-titre la pièce) ; mais il rendra le dernier soupir avant de pouvoir en préciser le contenu.

Or, chacun des amants la revendique aussitôt afin d'en tirer parti. D'où une querelle que le bourgmestre s'efforce d'apaiser en agitant une petite sonnette.

Tous comprennent qu'il serait bon de récupérer la fameuse idée, de s'accaparer de la personnalité du mort, de ses hauts faits, de sa légende, d'en faire le symbole des aspirations politiques et autres de leur petit groupe.

Cependant, une ravissante inconnue nommée Félie arrive. Elle se précipite dans la chambre à coucher. C'est la maîtresse d'Amédée Dom depuis dix ans !

Stupéfaction de Léona !

Mais en présence de la jeune femme éplorée qui sanglote auprès de la couche mortuaire, force est de se rendre à l'évidence.

Alors, sortant de la féline douceur dont elle voile habituellement sa nature calculatrice, Léona pique tout à coup une crise de colère, confondant dans une même haine l'époux cachottier et la geignarde amante qu'elle s'apprête à écraser.

Sa prudence la ramène bientôt au calme et à la réflexion. Un projet naît alors en elle : s'emparer du défunt, de ce qu'on lui prête de passé prestigieux et en demeurer la seule et glorieuse héritière.

Pauvre Odilon, qui attend toujours sa récompense ! Il n'a plus devant lui qu'une créature préoccupée, distante et pressée de le voir partir. Et voilà que celle-ci se détourne entièrement de lui pour accueillir Félie à bras ouverts et lui offrir une compréhensive pitié :

> Oui, oui, nous nous souviendrons ensemble [1].

---

1. *Chaud et froid*, p. 286.

Au deuxième acte, Odilon interroge en vain la jeune Alix sur le sort qui sera réservé à ses amours. Celle-ci ne lui donne que de vagues nouvelles de sa maîtresse et de Félie, à présent installée sous leur toit.

L'héroïne doit bientôt faire face à un soupirant irrité qui menace de la quitter. Qu'il se rassure, elle partira bientôt avec lui. Mais pas avant de s'être vengée :

> J'arracherai monsieur Dom à Félie. Je le lui déracinerai du cœur, de l'âme, de la mémoire !... Il est à moi. Je le veux à moi tout entier. Et puis, le tromper à mon tour, avec toi que j'aime [1] !

Voici le bourgmestre, porteur d'une mauvaise nouvelle : sous prétexte d'un danger de contagion, le personnel communal des pompes funèbres refuse d'envoyer des croque-morts.

Très agité, l'édile explique qu'il a cueilli à la prison deux gars capables de lui venir en aide.

Après avoir avalé un coup de vin à la cuisine, les compères porteront le cercueil au cimetière. S'il y parviennent vite, les habitants des villages voisins, qui revendiquent l'honneur d'avoir vu naître le mort, n'auront pas le temps de réclamer sa dépouille.

Tout se présente donc bien pour madame Dom ! *Pas d'obsèques* [2] qui risquent de provoquer des incidents, puisque l'inhumation doit être hâtée. Pas de chagrin spectaculaire de Félie devant les villageois réunis. Et le bourgmestre signe un arrêté au terme duquel l'accès au champ de repos est désormais exclusivement réservé à la famille des défunts.

Reste encore à répandre la légende dont la veuve tient à devenir la fidèle gardienne.

On possède une relique du grand homme : le globe qui recouvrait le bouquet de mariée de Léona et sur la surface duquel s'est fixé le regard du moribond au moment où il a eu son idée.

L'héroïne s'achemine vers la victoire. Celle-ci est complète lorsque Thierry entend divorcer pour l'épouser. Elle refuse.

En fait, la dame se prépare à avoir avec Félie un entretien où se feront jour la méchanceté de l'une et la candeur de l'autre.

1. *Chaud et froid*, p. 296.
2. *Idem*, p. 303.

La diabolique créature a inventé pour la circonstance un jeu de portraits de Dom-l'amant et de Dom-le mari. La maîtresse et l'épouse vont les dessiner tour à tour. Celui de Félie est souriant, disert et poète ; celui de Léona ronfle au coin du feu, fait entendre des borborygmes la nuit et n'a aucune imagination.

Résultat : la première, blessée dans ses sentiments, s'effondre, cependant que l'autre se grise de malfaisance.

Revenus du cimetière, le bourgmestre, Bellemasse, Thierry et Odilon racontent ce qui s'y est passé : les sauveteurs, les gymnastes et les pompiers étaient là. Le mort a été interpellé par ses nom et prénoms : Amédée, Jacques, Louis, Dom. La foule toute entière a répondu avec enthousiasme : *Présent* [1] !

C'est l'apologie d'un disparu dont rien à première vue (ni même à seconde), ne justifie pareille exaltation.

Léona désormais est célèbre. Les notables du village lui témoignent un respect auquel sa vie dissolue ne semblait pas lui donner droit. Elle en est ravie. Cette considération dont on l'entoure, elle ne veut pas en être dépossédée.

Mais *Les soldats de l'Idée* [2] ont des soucis.

L'un d'eux rappelle que le « grand homme » avait, depuis quelques années déjà, une liaison. Il faut éviter que cela porte préjudice au mythe dont l'intégrité doit être conservée.

Bellemasse et Thierry comprennent que leur amie se doit de demeurer fidèle au souvenir de celui qui n'est plus.

Sur ces entrefaites, celle-ci vient leur annoncer une catastrophe. Dans les dernières volontés de son époux, il est stipulé que *la créature hérite* [3] d'une place dans le caveau de Dom.

C'est pourquoi Félie lui est apparue radieuse et parée, en ce *matin du quatrième jour* [4], pour elle l'ultime et le plus merveilleux, celui où elle va se tuer pour rejoindre Amédée-Jacques dans l'éternité. Un tel suicide ruinerait la réputation de madame Dom. Il faut attaquer le testament. Mais comment ? Nul ne peut résoudre le problème.

1. *Chaud et froid*, p. 326.
2. *Idem*, p. 338.
3. *Ibidem*, p. 341.
4. *Ibidem*, p. 328.

L'heure est décisive. Les domistes se séparent en s'inclinant les uns devant les autres avec componction.

Léona reste seule, raidie par la douleur et l'angoisse. Des larmes coulent lentement sur ses joues. Au point qu'Alix, effrayée, sous le coup de l'émotion, avoue avoir commis un mensonge. L'agonisant ne lui a pas dit qu'il avait eu une idée. Mais sa patronne l'écoute à peine, se hâte de convoquer Odilon et tente de le reprendre dans le filet de ses mots tendres. Utilisant une invraisemblable gamme de cajoleries, la veuve calme l'agressive impatience de l'aimé tout en s'expliquant.

Elle ne supporte pas que Félie rejoigne son amant dans la tombe. Qu'Odilon la poursuive de ses assiduités et la séduise, lui ôtant ainsi toute possibilité de se prévaloir de son grand amour.

Le jeune homme accepte de jouer cette ultime comédie. Il surprend Félie au moment où elle se croit seule, lui déclare sa flamme et abuse de la faiblesse d'une malheureuse à bout de nerfs. Elle cède et défaille à l'instant même où, cela va de soi, Alix et sa patronne font une triomphale irruption.

À présent, plus question d'accepter l'héritage.

Odilon s'est toutefois laissé prendre au rôle qu'on l'avait contraint de jouer. Son plus cher désir est désormais d'emmener sa proie.

Qu'importe à Léona ; elle a remporté la bataille et conquis Dom :

> Il est à moi, à moi seule, et tout entier [1].

Dès lors, c'est le déroulement d'une apothéose. L'Idée a progressé et les hameaux s'unissent de plus en plus autour d'elle. — La chambre du disparu sera transformée en sanctuaire. Le globe recouvrira désormais un parchemin où s'inscrira un texte important. De toutes parts, arrivent des délégations pour rendre hommage, communier et célébrer.

Ivre de sa propre réussite, Léona finit par croire qu'elle aime celui qu'on vénère et en est aimée. Au point d'imaginer être Félie et d'entendre les propos passionnés que monsieur Dom destinait jadis à son amie.

---

1. *Chaud et froid*, p. 358.

Privé de la moindre fantaisie, d'intelligence médiocre, le bourgmestre apparaît comme un homme plein de crédulité.

Au deuxième acte, au moment où il accourt pour annoncer que les fossoyeurs sont en grève, Alix le plaisante : *Il y a le feu à l'asile des fous ?* Le brave édile qui ne comprend rien à l'ironie répond par une question angoissée : *Non ?* [1].

Il ne lui vient aux lèvres que des lieux communs : *Elle doit être affreusement malheureuse* [2], dit-il de la veuve.

Rien ne freine son utilitarisme, pas même la mort de Dom qu'il évalue en perte sèche pour la commune.

> Cette habitation-ci, avec ses gens, les dépendances, fermes et terres, paie une lanterne sur cinq et un bon bout de la route [3].

*L'Idée* ne l'intéresse que dans la mesure où elle peut servir ses ambitions.

Il invite chacun à la circonspection et à la temporisation : *Nous serons respectueux et prudents* [4]. Un rien le terrifie : *Vous ne m'accuserez pas, pourtant, de l'avoir assassiné* [5], fait-il peureusement.

On ne l'imagine pas un instant en audacieux meurtrier !

C'est sa sonnette, bien plus que ses discours à fleur de terre, qui lui confère un minimum de prestance.

Parfois, il s'enivre d'improvisations aux excentriques métaphores :

> La pensée des morts n'est pas monnaie de numismate ; elle court le monde sonnante et « trébuchante » [6].

Toutefois, cet être mou est la sauce qui maintient les morceaux de résistance dont est formé le groupe social. Elle les réchauffe ou les attiédit, selon les besoins du moment.

Le dramaturge s'est gaussé avec cruauté du bourgmestre, parce qu'il représente le conformisme. Il l'a campé en personnage enflé

1. *Chaud et froid*, p. 297.
2. *Idem*, p. 269.
3. *Ibidem*, p. 270.
4. *Ibidem*, p. 279.
5. *Ibidem*, p. 276.
6. *Ibidem*, p. 278.

de corps, mais étroit d'esprit, scrupuleux, mais inefficace, affairé, mais impuissant, solennel et creux.

L'édile est un héros burlesque dont l'autorité est sans cesse tournée en dérision, tandis que Bellemasse, tout aussi borné que lui, se rattache plutôt à la lignée des grotesques dont les traits sont déformés jusqu'à l'irréel.

C'est la haine que nourrissait Crommelynck à l'égard des petites natures et des scientistes qui lui a inspiré ce personnage.

Son savoir et ses dons didactiques accentuent encore la bêtise au front de taureau de ce pédant.

Quant la jalouse Ida lui demande si c'est lui, à présent, qui remplacera son mari auprès de Léona, il répond avec empressement :

> Je ne remplace personne ; les élèves sont en vacances... [1]

La gaffe est sa spécialité.

Comme tous les imbéciles instruits, il fait volontiers étalage de ses connaissances, en utilisant, de façon ostentatoire, les subjonctifs. Ou en conjuguant un verbe à tous les temps. Sans compter les clichés sur la beauté des femmes.

Ses lapalissades réjouissent : *Oui, l'eau entraîne l'eau et le mot le mot* [2].

Ses adages, forgés pour le besoin de la cause, amusent d'autant plus que leur drôlerie lui échappe :

> Après quelques années, le mari n'est plus pour sa femme qu'un parent un peu proche, un peu indiscret... [3]

Affligé d'incontinence verbale, Bellemasse n'arrête pas d'endoctriner. À tout propos et le plus souvent hors de propos.

Amoureux, il glose :

> De même que le paléontologue, à la vue d'un seul fragment d'os, pour recomposer le squelette entier du plésiosaure et du mammouth,

1. *Chand et froid,* p. 240.
2. *Idem,* p. 278.
3. *Ibidem,* p. 250.

au contact d'un petit coin de ta chair, je puis dessiner en mon esprit toute ta charmante personne [1].

« Philosophe », l'instituteur se grise de sa propre phraséologie, surtout lorsqu'il contemple le globe-relique de Dom

... lieu de l'espace où l'idée s'est assemblée; voici son noyau limpide, son essieu de cristal, son pivot parfait. Voici la ruche idéale... [2]

Un esprit à la fois encombré et superficiel, tel qu'on n'en n'avait pour ainsi dire jamais représenté sur scène. Il y a bien plus en lui que l'*acide cocasserie* qu'y décelait un Maurice Rostand [3]. Sans doute est-ce Bellemasse qui fait écrire à Pierre Franck, metteur en scène de la pièce, en 1967:

Cette comédie me semble avoir beaucoup de points communs avec le théâtre d'aujourd'hui, surtout avec Ionesco [4].

Vingt-cinq ans avant l'auteur de *La Cantatrice chauve*, Crommelynck découvre que les stéréotypes du langage et de l'intonation verbale sont susceptibles de définir les hommes et provoquent, chez le spectateur, de façon quasi automatique, un rire qui, sous l'empire d'un inexplicable malaise, se fige soudain sur leurs lèvres.

Des trois amants de Léona, Paul Achard écrit, à juste titre, qu'ils *incarnent l'un le principe d'autorité* (Thierry), *le second l'idéologie* (Bellemasse), *le troisième (un lourdaud de campagne) l'amour...* (Odilon) [5].

Point de départ qu'il convient de compléter.

Si Bellemasse personnifie la sottise pontifiante et les doctrines élémentaires, Thierry, lui, est une brute certaine du bon fonctionnement de son jugement et de ses muscles. Toujours prêt à riposter à l'offense, il s'y emploie avec brusquerie et grossièreté.

1. *Chaud et froid*, p. 249.
2. *Idem*, p. 308.
3. *Paris-Midi*, 8 févr. 1944.
4. *Les Nouvelles littéraires*, 9 févr. 1967.
5. *L'Ami du peuple*, 22 nov. 1934.

*Je suis innocent de toute liaison coupable avec Léona,* lui affirme, non sans ingénuité, l'instituteur.

Et Thierry de répondre au minable : *Tant mieux pour elle!* [1].

Sa femme, Ida, l'égale en violence et en vulgarité. Tous deux usent volontiers d'insultes vindicatives, triviales ou sapides : *Fond de clapier! Excrément de jaunisse* [2]; verts propos dont Crommelynck a inventé une gamme surprenante.

Thierry nourrit évidemment au sujet des « femmes-objets » des convictions rudimentaires :

> Elles sont toutes les mêmes, seuls le chapeau change et la jupe !... [3]

Du trio d'admirateurs de madame Dom, c'est lui le plus antipathique.

Goujat, quand il annonce à la veuve comment il pourra divorcer de son épouse (qui en est amoureuse), sous prétexte qu'elle n'a pu lui donner d'enfant : *La stérilité, égalable à la mort, fait le divorce naturel!* [4].

À ses côtés, Ida-la-furieuse dont Colette évoque la silhouette *de costaude trahie* [5], en devient presque sympathique : capable envers Léona, par exemple, de remords et d'humilité.

*Très beau visage, malgré le front court sous les cheveux bruns et les pommettes fortes* [6]. C'est ainsi que Crommelynck nous présente Odilon Monaste de la ferme des Quatre-Trous.

L'auteur a voulu en faire un bellâtre un peu fruste sans toutefois y réussir pleinement.

Épris jusqu'à la moelle des os, le favori de Léona erre, comme un matou en folie, obsédé par une femelle qui le fait tourner en rond au gré de ses caprices. Il dit : *la fièvre me tisonne!* [7].

Cela fait ravagé-qui-s'analyse plutôt que fermier.

1. *Chaud et froid,* p. 268.
2. *Idem,* p. 272.
3. *Ibidem,* p. 268.
4. *Ibidem,* p. 313.
5. *Le Journal,* 25 nov. 1934.
6. *Chaud et froid,* p. 255.
7. *Idem,* p. 334.

Car il est des subtilités de langage qui étonnent de la part d'un campagnard récemment dégrossi :

> Je ne sais pas si je t'aime, mais ma chaleur aime la tienne [1].

Ce terrien-né, intoxiqué par l'amour, est évidemment le moins apte des trois amants à s'intéresser à la politique.

En vérité, son rôle est plus décisif qu'il n'y paraît à première vue.

Non seulement il a séduit Félie et assure ainsi le triomphe de Léona mais, selon Armory, il pourrait être la *raison psychique* de la mort du mari :

> Monsieur Dom aurait été tué à distance, c'est-à-dire que le désir de sa suppression fut si fort chez le jeune amant que la victime dut succomber d'elle-même à cette pensée criminelle [2].

Hypothèse un peu hardie, mais qui se situe bien dans la ligne des intentions hypersymboliques de l'auteur.

Dom, dont le nom en flamand, rappelons-le, veut dire bête, est l'une des créations les plus originales du théâtre de Crommelynck. Nous ne le voyons sur scène ni bien portant ni moribond. Pourtant, il ne nous quitte pas. Omniprésent dans les esprits de son entourage, il motive entièrement l'intrigue. Plus encore après sa disparition que de son vivant.

D'après son épouse, l'homme qui, chaque matin, quittait la maison en automate, était dépourvu d'attrait : *Toute sa vie est cadrée, noir et blanc, comme un damier* [3] que n'animèrent jamais les couleurs de la fantaisie et de la tendresse. Elle devait donc chercher des amants qui la distrayaient sans réussir, semble-t-il, à la combler. Mais démasqué par la mort, ayant enfin révélé son vrai visage fait de sensibilité, d'imprévu et — qui sait ? — de prescience politique, le voici qui éveille en Léona des sentiments inattendus.

1. *Chaud et froid*, p. 355.
2. *Les Nouveaux temps*, 8 févr. 1944.
3. *Chaud et froid*, p. 259.

Quand il était chaud, elle le regardait d'un œil froid. Devenu froid, il allume en elle un instinct de vengeance et de possession. Doté, qui plus est, d'une pensée qu'il n'a jamais développée, mais qui a le pouvoir d'éveiller l'ardeur d'un groupe social.

Ne représente-t-il pas l'absurde du destin de l'homme avec toutes ses contradictions ?

Non content de mener l'action, ce disparu exigeant triomphera sur toute la ligne.

*C'est,* observe fort bien James de Coquet, *le souvenir de M. Dom qui l'emportera. Il aura une veuve modèle, et Odilon en sera pour ses frais. Le mort dessaisit le vif* [1].

Bien plus, au *matin du troisième jour* (le sous-titre de la pièce) ou si l'on veut du troisième acte, il aura, selon Crommelynck, repris vie et acquis gloire dans tous les esprits [2].

Pourtant, cet être n'existe qu'à travers ce que son entourage a bien voulu mettre en lui.

Paul Werrie a raison d'observer que l'auteur ne fait que *marquer d'un plein un personnage qui n'est que vide* et que, à cet égard, son théâtre, ainsi que les plus puissants, est *un théâtre de l'Invisible* [3].

Au troisième acte, précise Crommelynck, cet absent finira par prendre une place essentielle et *se drapera, présent, en sa gloire de grand homme* [4].

Une fois de plus, le rapprochement entre le dramaturge et Ionesco garde sa valeur.

Ce défunt, dont l'importance s'accroît sous nos yeux, ressemble étonnamment à celui d'*Amédée ou comment s'en débarrasser,* dont on se rappelle le sujet :

Un couple qui a commis un meurtre vit depuis des années le remords de ne pas l'avoir avoué. Celui-ci se matérialise par le cadavre du disparu que l'on voit pousser, au point qu'il occupe toute la chambre.

L'auteur du *Cocu magnifique* dédaigne ce genre de subterfuge :

---

1. *Le Figaro,* 21 nov. 1934.
2. *Comœdia,* 4 mars 1944, app. p. 357.
3. *Cassandre,* 17 févr. 1940.
4. *Comœdia,* 4 mars 1944, app. p. 357.

> Un homme qui grandit à vue d'œil sur la scène, dont les pieds atteignent un mètre cinquante... Une femme à demi ensevelie, qui s'enterre peu à peu pour symboliser la brièveté de la vie... C'est de l'allégorie assez primaire [1] !

Son écriture suffit à tracer de Dom un de ces portraits de morts dont on oublie vite qu'on ne les a pas connus vivants, tant l'évocation de leurs traits s'impose, se grave et s'étend dans notre mémoire.

Félie est, au dire de Georges Sion, *un personnage d'une grâce douce et blessée dont Crommelynck a le secret* [2].

Sa timidité et sa nature inquiète en font une faible que son amour réussit quelque peu à enhardir : *Je veux le voir!... Je le guérirai* [3], s'écrie-t-elle avec autorité lorsque, propulsée par l'amour, elle se précipite sans vergogne au domicile de son amant et pénètre dans sa chambre de malade.

Les mots gentiment bêtes qu'elle prononce au chevet du mourant révèlent sa naïveté et jettent une bouffée d'air frais dans une atmosphère remplie de convoitise et d'hypocrisie.

Grâce à ses atouts (sa foi dans son amoureux défunt, le testament de celui-ci et d'inoubliables souvenirs), la jeune femme devrait triompher de Léona. L'évocation de son idylle, si riche de poétique affection, donne d'abord l'impression que, inconsciente des turpitudes dont on la voit entourée, elle pourrait s'élever au-dessus des pièges qui lui sont tendus et rejoindre l'aimé par le rêve ou dans l'au-delà. Mais il lui manque l'étoffe dont on fait les Carine ou les Léona. Ainsi que le remarque Paul Werrie :

> Félie est une manière d'Ophélie, assez somnambule, brusquement tirée de son sommeil aux yeux ouverts, par le choc d'Odilon [4].

Née victime, il lui faut périr telle entre les bras de l'homme vigoureux qui l'emporte loin de son chagrin. Jolie proie anesthésiée par une mâle tendresse.

---

1. *La Table ronde*, n° 220, mai 1966, pp. 28-30, app. p. 367.
2. *Les Beaux-Arts*, 12 oct. 1951.
3. *Chaud et froid*, p. 274.
4. *Le Nouveau journal*, 26 nov. 1940.

*Ah! les morts sont lâches* [1] est le navrant adieu qu'elle lance à Dom ; un misérable cri d'oiseau meurtri qui d'ailleurs, on le devine, retrouvera bien vite, au contact de la protection virile, une nouvelle raison de gazouiller.

Alix. Son indolence, ses gestes feutrés, ses prestes glissements, font penser à une chatte dont elle possède la souplesse et l'attachement à la maison avec laquelle sa silhouette ne cesse de faire corps. La petite servante va, dépoussiérant les objets, écoutant aux portes, fouinant partout.

Ses péchés mignons sont le mensonge et la dissimulation. *Oh!... comme vous parlez!...* [2] susurre-t-elle à la coléreuse Ida, cachant son ressentiment sous son habituel *sourire en fente de tirelire.*

*Une vraie anguille visqueuse!* [3] s'écrie Odilon dépité, voyant qu'elle le fuit au sens physique et affectif du terme.

En vérité, Alix vit d'une existence secrète que sa pensive lenteur extériorise à peine. Elle est la femme sans homme qui, dans ses rares élans de franchise, s'écrie sans ambages :

> Je n'en voudrais pas dans mon lit de toutes vos bêtes à gros nez... [4]

Ce qui rachète quelque peu les manigances de la petite lesbienne, c'est son amour sans arrière-pensée pour Léona. Elle va jusqu'à se laisser embrasser par des jeunes gens pour rendre service à sa maîtresse ; elle supporte toutes les duretés de celle qui l'a envoûtée : ses amants, ses ordres sans réplique, les cinglantes observations qui l'obligent à filer doux. Mais pas sa rageuse douleur, qui la bouleverse :

> Tu ne vas pas tomber ! Léona !... Étrangle-moi, si cela peut te sauver [5] !

La voyant se décontracter, puis s'animer, la servante reprend vie à son tour.

1. *Chaud et froid*, p. 356.
2. *Idem*, p. 238.
3. *Ibidem*, p. 289.
4. *Ibidem*, p. 239.
5. *Ibidem*, p. 344.

Amour ambigu, certes, mais chimiquement pur où n'entre aucun compromis.

Alix est de celles que le théâtre des années trente ne représentait pas encore. Son portrait s'affirme, pour l'époque, audacieux. Il n'y entre ni éloge ni dénigrement. Son peintre s'y montre, une nouvelle fois, un précurseur. Franck Jotterand le souligne en établissant un rapprochement entre le couple Léona-Alix et celui des *Bonnes* de Genêt [1].

Léona, quant à elle, est un être maudit qui n'est cependant pas entièrement dépourvu de sincérité. Ses fugues nocturnes sont connues de son mari. Elle ne ment à ses amoureux que lorsqu'il le faut. La façon dont elle leur parle permet de déceler immédiatement le degré de tendresse qu'ils lui inspirent. Cela va de l'indulgente condescendance jusqu'à l'élan qui l'entraîne vers Odilon :

> Appuie ton regard au mien ; laisse-le peser de toute la force de son désir !... Tu vois, mon regard est ici, présent, plus fort [2].

Amour qui, certes, ne triomphe pas d'un égoïsme fondamental, mais qui existe, même s'il est troublé par la moisissure de la rancœur envers autrui :

> il fallait à ma vengeance, justement ! cette tendresse égale à mon exécration [3].

Le charme de madame Dom se compose d'éléments subtilement amalgamés. Beauté, grâce et élégance auxquels s'ajoute son indéfinissable « je ne sais quoi ». Une intonation ou un geste font de ses moindres paroles un procédé magique qui enjôle ses victimes. Le ton de litanie exclamative qu'elle prend avec ses conquêtes s'accompagne de câlineries qui leur font perdre la tête.

Quand, par exemple, la belle leur saisit vivement *la main droite, y couche sa joue, s'en caresse* [4].

1. *La Gazette de Lausanne,* 24 nov. 1956.
2. *Chaud et froid,* p. 280.
3. *Idem,* p. 296.
4. *Ibidem,* p. 314.

Elle connaît toutes les subtilités de l'amour physique et les multiples raffinements qui peuvent l'épicer.

Françoise Giret qui joua le rôle, en 1971, au Théâtre du Parc de Bruxelles, a peut-être le mieux fait ressortir ce côté « vamp » que relève le chroniqueur d'un hebdomadaire satirique belge :

> C'est la femelle éternelle, celle qui affole les hommes d'une ébauche de caresse, d'un mot chaudement glissé dans le creux de l'oreille, d'un doigt promené sur le torse [1].

Ses admirateurs l'aiment-ils ? De Léona, ils se grisent ou s'intoxiquent comme d'une drogue. Au point d'accepter d'en être trompés par crainte de ne pas la revoir.

La luxure n'est qu'un des péchés de la dame. Sa mutabilité s'affirme avec une audacieuse vigueur.

Léona cherche à travers diverses incarnations de la virilité une plénitude qu'elle ne semble guère découvrir. Aussi donne-t-elle à ses amis la sensation de ne jamais s'abandonner entièrement.

Son besoin de changement subsiste même lorsqu'elle éprouve un attachement profond. Madame Dom prévient Odilon de ce que elle aura besoin de fards et de toilettes pour paraître chaque jour autre à ses yeux, et qu'il devra travailler durement pour les lui procurer. Que deviendra donc la vulnérable délaissée pendant qu'il trime ?

> Que ferais-je pour t'oublier ? Je te tromperais... [2]

Son attrait auprès des hommes réside précisément dans cette incapacité à refuser l'aventure qui rend ses moindres dons éphémères, par le fait même précieux. Léona, c'est Don Juan fait femme. Un Don Juan dont monsieur Dom a été la seule défaite et qu'il lui importe donc au plus haut point d'annexer. À partir du moment où il est mort, il devient sa conquête. La plus difficile, la plus excitante.

On a parlé, abusivement de jalousie posthume et on a souvent comparé l'héroïne au cocu magnifique alors qu'il n'existe aucune commune mesure entre les deux protagonistes.

---

1. *Pan*, 20 janv. 1971.
2. *Chaud et froid*, p. 258.

Bruno est jaloux de ce qu'il aime. La dame ne saurait l'être d'un époux dont elle n'a jamais été éprise. Elle lui en veut de l'avoir flouée, d'avoir été l'amant qu'elle ignorait qu'il sût être et l'homme dont la renommée aurait éventuellement pu rejaillir sur elle. Ce n'était donc pas le distrait ridicule qu'elle imaginait gruger à bon compte. Comme l'écrit Lemarchand :

> Il n'était pas un mari aveugle, mais un mari complaisant, indifférent. C'est une idée qui enrage Léona — et il y a là toute une casuistique de l'adultère, que Léona exprime en raisonnements d'une saveur délicieuse... [1]

Délicieuse ? C'est peut-être acide qu'il conviendrait de dire.

La plaie qu'elle porte au cœur, c'est son amour-propre blessé. C'est lui qui la pousse à dominer plusieurs amants et à reprendre possession d'un mort. Tâche ardue qui la mènera au plus explosif d'elle-même. Là où elle ne pourra plus arrêter d'agir dans le sens choisi.

Mais rien ne s'accomplirait de ce que projette l'héroïne, si elle n'était mue par un ressort que l'auteur lui-même indique :

> Elle hait avec rage, jusqu'au délire. Enragée d'avoir été sa dupe, elle ne songe qu'à tuer le mort [2].

Ainsi fait-elle entendre d'étranges cris : *La haine me nourrit!...* [3] ou encore : *Ma haine! ma haine, au secours!* [4]

Paul Werrie a raison de remarquer que ses sentiments sont explicables chez une femme, sinon fréquents, et d'y ajouter que :

> Ce qui sera plus rare sans doute est la mise à exécution, autrement que par les propos venimeux qui consistent à souiller la mémoire du défunt dans l'esprit de l'aimée... [5]

En fait, nous sommes en présence d'une colérique qui sait toutefois se contrôler. Son sang-froid et ses roideurs en font une sœur des grandes souveraines du XVI^e ou du XVII^e siècle. Elle en

1. *Le Figaro littéraire,* 24 nov. 1956.
2. *Comœdia,* 4 mars 1944, app. p. 358.
3. *Chaud et froid,* p. 290.
4. *Idem,* p. 293.
5. *Le Nouveau journal,* 26 nov. 1940.

possède l'aplomb, la clairvoyance, la tenue, en fonction de laquelle elle ne cesse de calculer.

Madame Dom mesure le danger que font courir les mots :

> On finit par leur obéir, comme des mécaniques [1] !...

Jusqu'à s'engager sur la voie de la violence et du crime qui ne rapporte rien. Sa lucidité l'aide tantôt à vaincre son emportement, tantôt à en apprécier le bienfait dans la mesure où ce péché capital l'incite à entretenir son besoin de vengeance.

Le milieu du deuxième acte, on s'en souvient, la montre superbement dominatrice, tenant en mains tous ses atouts : l'arrêté du bougmestre au terme duquel Félie se voit interdire l'accès du cimetière et la soumission complète de ses trois soupirants. Sans compter l'adoration inconditionnelle et attentive d'Alix.

Pareil résultat ne s'obtient qu'au prix d'une tension continue. Un dernier effort reste à accomplir : détruire l'amour de Félie en opposant le mari prosaïque qu'elle a connu au bien-aimé de la jeune femme. L'audace et la méchanceté qu'elle y déploie sont effarantes. Pour les rendre, l'auteur ne s'est accordé aucune facilité.

La sordide peinture que la perfide créature trace de l'amant de sa rivale ne tuera pas l'amante. Elle l'anéantira moralement, ce qui est pire. Cette victoire que madame Dom a obtenue de haute lutte, elle la parachève, ainsi qu'on l'a vu plus haut, en faisant séduire (presque violer) la malheureuse Félie, ôtant par le fait même à celle-ci le droit d'accéder à la couche funèbre de son ami.

La veuve ne se contente d'ailleurs pas d'être respectée et abusive. Il lui faut être à la fois couverte d'honneurs et recevoir les louanges amoureuses destinées à Félie. À force de volonté, elle réussit à se substituer entièrement à sa rivale, si bien que le couple dont l'indifférence à son égard lui faisait injure se trouve définitivement dépossédé.

N'est-il pas absurde de jubiler, comme le fait l'héroïne, parce qu'elle a pu apaiser sa hargne, alors qu'elle a perdu l'essentiel amour, celui d'Odilon ?

---

1. *Chaud et froid*, p. 260.

En vérité, elle est arrivée au plus haut degré de sa crise paroxystique. État (et c'est aussi celui de Bruno et d'Hormidas) où elle est incapable de tenir compte des impulsions du cœur.

Le cri de triomphe de la veuve, quand elle s'est enfin appropriée du mort, ne provient pas seulement d'une jalousie calmée, mais d'une volonté de puissance à jamais assouvie.

Intelligence, colère, cruauté, orgueil, besoin d'emporter en un possessif élan l'âme longuement convoitée d'un mort, qui ne reconnaît dans ses traits ceux du maudit, de celui dont le principe même s'oppose à la connaissance de Dieu ?

Léona, c'est aussi Satan fait femme, indissolublement attaché à sa proie.

De toutes les pièces de Crommelynck, *Chaud et froid* est celle dont les personnages s'apparentent le moins à ceux que des dramaturges célèbres ont créés.

On n'y trouve ni valets roublards, ni servantes au franc-parler chères à Molière, ni jeunes filles rêvant à la manière de celles de Musset, ni âmes ivres de pureté, proches de Desdémone ou d'Andromaque. Tous ces types humains, avec lesquels Muscar et Froumence, Patricia et Carine offraient plus ou moins de ressemblance, ont fait place à des caractères nouveaux, d'une singulière complexité : le pédant épris de lui-même (Bellemasse), le politicien raisonnable, mais borné (Thierry), la lesbienne rouée (Alix) et, enfin, la femme insatiable d'honneurs et de conquêtes (Léona).

Quant aux physionomies que nous avions déjà rencontrées précédemment — l'édile conformiste et cauteleux ou le rustaud dégrossi par l'amour — l'auteur les analyse ici avec une minutie jamais atteinte. En réalité, on ne trouve pas dans *Chaud et froid* de personnages frustes, tels que la nourrice du *Cocu magnifique* ou l'Isabelle d'*Une Femme qu'a le cœur trop petit.* Pas d'esquisse, rien que des portraits longuement médités, patiemment retouchés.

Le thème de la pièce a parfois inspiré des paroles qu'on aimerait pouvoir gommer.

Celles de Maurice Rostand indiquent que le texte a été écouté d'une oreille pour le moins distraite :

Léona, la femme infidèle par excellence, commence à aimer son mari le jour où il est mort [1].

Mais son amour envers Dom ne se dessine à aucun moment! Non plus que la *réhabilitation posthume d'un cocu* qu'y discerne, on ne sait trop pourquoi, un Cardinne-Petit [2].

Jacques Copeau saisit mieux les intentions de l'auteur. Dans son esprit, l'œuvre dévoile *la personnalité d'un mort inconnu se recréant à travers la double image que s'en forment deux femmes rivales* [3].

L'un des sujets de *Chaud et froid*, c'est visiblement la vengeance d'une avide flouée de sa part de bonheur et qui la récupère sous forme de considération sociale.

Au-delà de ce propos, c'est de la mésentente du couple qu'il s'agit ici ou, plus précisément, de la persistance de celui-ci, en dépit et peut-être en raison de la haine qui s'y installe.

Des époux ennemis soudés l'un à l'autre par leur animosité autant et peut-être plus qu'ils ne pourraient l'être par leur affection. Ils ne se sont jamais quittés et ne se quitteront pas, même lorsque l'un d'eux disparaîtra. C'est le ménage strindbergien ou bergmanien, l'alliance du mal avec le mal qui triomphe de tout, y compris de la mort ; cependant que l'amour, lui (celui de Félie et celui de Léona), sort vaincu.

C'est à ce premier thème (les liens d'une vivante avec un mort) que correspond le titre *Chaud et froid* ; le deuxième se rapporte au sous-titre « *l'idée de monsieur Dom* », qui, si l'on s'en tient au nom de son propriétaire, ne peut être que stupide, mais qui, d'après ce qu'en dit Crommelynck à un journaliste : *fait boule de neige, devient une éthique, un élément de politique* [4]. L'auteur en précise d'ailleurs le contenu au cours de cette interview. Il assure qu'il a *voulu montrer comment naissait une légende* et dépeindre *les différents stades de sa cristallisation.*

Elle s'établit sur une réflexion que n'a probablement pas émise un agonisant. L'eût-il fait que, de toute façon, il n'aurait pas été

1. *Paris-Midi*, 8 févr. 1944.
2. *Le Quotidien*, 22 nov. 1934.
3. *Les Nouvelles littéraires*, 8 déc. 1934.
4. *Combat*, 13 nov. 1956.

capable de la développer avant sa mort. De ce comble de l'inexistence germe la tentation de tirer une doctrine qui servira des intérêts communs. Elle sera d'autant moins contestée que son initiateur présumé n'est plus de ce monde :

> En ces temps de confusion et de discorde, où tous les vivants sont suspects, il n'est plus, pour l'ambitieux, que de faire parler un mort [1].

Construit sur le vide, le domisme possède toutefois des insignes et des projets : édifier un jour la statue de leur grand homme et peut-être même un musée où conserver ses reliques.

À peine adopté, le système fait du chemin. Des sections se forment à Blique-sur-l'Aste, à Estouves et autres bourgs. Phénomène qui implique des conséquences dont le bourgmestre ne tarde pas à être effrayé :

> Les vieilles rivalités assoupies se sont réveillées en sursaut comme sous un afflux de vie. On peut dire que Monsieur Dom est mort en donneur de sang [2] !...

Le domisme a aussi ses liturgies : appel du grand chef défunt salué d'une extatique ovation, célébration de sa veuve, glorieuse survivante d'un passé désormais historique.

On a vu — on voit encore — de ces démonstrations spectaculaires organisées par les régimes forts dont le propos est de galvaniser les masses pour les faire s'ébranler au pas. De préférence en rangs serrés. Ainsi que le dit Crommelynck : *Chaud et froid* est *le procès d'une société qui se crée des mythes* [3], ceux de Mussolini, d'Hitler ou de Staline.

Dans les pièces précédentes, le dramaturge a toujours fait apparaître l'étrange attitude de la foule : son irréflexion et sa passivité, sa cruauté et sa bestialité qu'intensifie encore sa conscience de constituer un bloc redoutable. Elle était essentiellement bande joyeuse ou inquiète, cortège carnavalesque déchaîné ou émeute en folie adoptant une formule proche du lynchage (la lapidation et le bain forcé de Stella, dans *Le Cocu magnifique*).

1. *Chaud et froid*, p. 277.
2. *Idem*, p. 299.
3. I.N.R. *Entretien n° 6 de Fernand Crommelynck avec Jacques Philippet*, 1953, app. p. 387.

Dans *Chaud et froid*, la multitude ne constitue plus une manifestation momentanée et isolée. Elle se groupe autour de croyances prestigieuses et s'ordonne en milices combatives: les soldats de Dom...

La critique n'a pas compris ces intentions. Edmond Sée regrette ce *symbolisme idéologique un peu naïf* [1], Georges Oltramare se demande : *Pourquoi mêler à l'intrigue trois politiciens de village dont le grotesque est à peine ébauché* [2] *?*

Roland Purnal est l'un des seuls à avoir pénétré le phénomène :

> La farce de Crommelynck nous montre encore un cas de psychose collective créée à vingt lieues à la ronde par un fait qui n'existe pas [3].

En dénonçant, dès 1934, un comportement dont on n'allait mesurer la monstrueuse croissance qu'aux approches de la guerre de quarante, l'auteur témoigna d'une précoce lucidité dont l'étendue n'a pas été suffisamment remarquée.

L'arme choisie pour fustiger tant de péchés contre le bonheur et l'équité, c'est, bien sûr, la satire.

Dans *Une Femme qu'a le cœur trop petit*, le comique provenait en grande partie de situations qui se développaient à l'inverse de ce qu'on en avait attendu. La lutte pour le bien et pour l'utile menait tout droit au mal et au dérèglement des mœurs.

Ici, le ridicule procède au contraire le plus souvent du hasard. Des contingences imprévisibles donnent lieu à une invraisemblable série d'embrouillements dans l'intrigue.

Fortuit, le retour de Dom et la rencontre des soupirants de Léona autour de l'époux mourant qui les oblige à attendre ensemble l'issue fatale.

Tout aussi inattendue, la possibilité qu'ont les amants de communiquer par l'esprit avec le grand homme dont la disparition était souhaitée par chacun d'eux et qu'il leur faut à présent révérer.

1. *L'Œuvre*, 22 nov. 1934.
2. *Aspects de la France et du monde*, 3 mars 1944.
3. *Comœdia*, 5 févr. 1944.

Le paradoxe règne en maître, donnant lieu à des épisodes biscornus. Exemple : quand le bourgmestre, parangon de la dignité et de la bienséance (ou qui devrait l'être en principe), préside l'assemblée des amis de Léona, il donne la parole à chacun d'eux et calme leur fringale d'éloquence à grand renfort de coups de sonnette. Ce passage traduit d'ailleurs des réminiscences de l'une des scènes les plus connues du *Mariage de Mademoiselle Beulemans* de Fonson et Wicheler que Crommelynck montera au Théâtre des Galeries.

Autres exemples de féroce cocasserie : lorsque chaque amoureux forme des projets d'avenir pour la future veuve ou bien prononce son éloge. Et aussi lorsque tous trois se partagent le gâteau politique que constitue, à leurs yeux, le domisme, doctrine de leur défunt rival.

À partir de circonstances aberrantes, les raisonnements se déroulent toujours sans accroc, ce qui contribue à créer une sensation de loufoquerie intégrale.

Au moment où Léona ordonne à Alix et à Odilon d'écouter à la porte de la chambre les paroles entrecoupées de sanglots qu'adresse Félie à feu son amant et de les lui rapporter (*Coco chéri... Doudou... mon babo...*), tous deux s'exécutent avec un parfait ensemble, mais ne se font pas moins gronder par l'impatiente veuve :

> Ah ! ne hachez pas les phrases en petits bouts de serpents [1].

À quoi les choristes répondent à bon droit que ce n'est pas eux qui le font. Cela frise le « non-sens ».

Dans *Une Femme qu'a le cœur trop petit*, l'héroïne finissait par s'amender et l'équilibre s'installait pour le plus grand réconfort de chacun.

Dans *Chaud et froid*, tout se termine par le triomphe de la haine et de la bêtise, par la défaite de l'amour et de la liberté. L'absurde l'emporte, provoquant un rire grinçant proche de celui que suscitent *Le Cocu magnifique* ou *Tripes d'or*.

Encore qu'il ne provienne pas ici, comme dans ces deux pièces, du tragi-comique, mais d'un élément qui apparaît pour la pre-

1. *Chaud et froid*, pp. 283 et 284.

mière fois dans le théâtre de Crommelynck : l'humour macabre. Supprimons le décès de Dom, remplaçons-le par son absence : la pièce perd les neuf dixièmes de sa drôlerie. C'est sur le négatif de cette mort que s'inscrivent, comme sur un cliché photographique, les claires arabesques d'un rire plein d'éclat. Depuis le bourgmestre, spécialiste de fâcheux lapsus, qui parle d'*une idée de derrière la terre* [1], jusqu'à l'arrêté qui règle la circulation dans le cimetière, interdisant *d'y laisser jouer les enfants, d'y dénicher les oiseaux, d'y flâner, de s'y reposer* (Bellemasse ajoute aussitôt à ce verbe l'adverbe *prématurément* [2]), le funèbre ne cesse d'exciter la gaieté.

Dans ce registre, on ne peut inventer mieux que l'épisode des deux remplaçants des croque-morts. Ils ont commandé trois litres de vin, *à chacun le sien* : deux pour eux et un pour le défunt. Après quoi, ils parcourent la campagne dans l'état que l'on devine, bringuebalant sous le cercueil, au grand effroi du bourgmestre qui s'inquiète du destin posthume de Dom : *Ils finiront par le perdre en route!* [3].

Rien ne déchaîne autant le rire que l'association du comique au lugubre. Le spectateur sent monter en lui une crise d'hilarité d'autant plus irrépressible qu'il se refuse le droit de s'y abandonner.

Dans l'acerbe et macabre truculence qui caractérise *Chaud et froid*, certains critiques ont discerné à juste titre un trait étranger au génie latin. Cette ébriété dans les manifestations de la gaieté et du désarroi, ce rouge des fêtes carnavalesques qui ne cesse de se mêler au noir des évocations d'outre-tombe, voilà qui est d'un pays dont les artistes ont souvent fait déambuler des squelettes aux côtés des travestis et des marionnettes.

Vivant, monsieur Dom sortait de chez lui, *chaque matin, le visage posé sur le col comme le masque du vrai mari* [4]. Il revenait chez lui, le soir, revêtu du même faux-semblant. Jusqu'au jour où s'impose la rigide figure des trépassés :

---

1. *Chaud et froid*, p. 279.
2. *Idem*, p. 309.
3. *Ibidem*, p. 310.
4. *Ibidem*, p. 242.

La tête renversée, le visage en peau de tambour, avec du poil on dirait collé dessus, pour imiter les sourcils et les moustaches [1].

Le joyeux enterrement du héros de la pièce, avec ses croque-morts ivres, accompagné de délégations (*pêcheurs à la ligne, colombophiles* ou *Fanfarons de Lourmières*) [2] qui défilent au son d'allègres fanfares, toutes ces évocations, hautes en couleur, appartiennent bien à une terre où, d'être sans cesse opposée au néant, la drôlerie se veut plus éclatante qu'ailleurs. Le voilà, selon Jean-Jacques Gautier, ce *goût flamand* qui déborde un peu des normes et *ressort comme les taches de rousseur d'une blonde au soleil* [3]. Mais cette joviale propension à créer des groupes, des « sociétés », avec leurs pantins, leurs géants et leurs travestis, ne caractérise-t-elle pas plutôt la Belgique tout entière ?

La pièce présente de prime abord un aspect chaotique. De trop fréquentes entrées et sorties étourdissent le spectateur. Crommelynck a dû s'en apercevoir puisqu'il a rendu facultative la scène où Ida vient faire amende honorable devant Léona.

Les trois actes d'*Une Femme qu'a le cœur trop petit* sont mieux équilibrés que ceux de *Chaud et froid* (quarante-neuf, cinquante et une et cinquante-quatre pages). Ici, la répartition (cinquante-deux, trente-neuf et trente-deux pages) est moins judicieuse. Mais dans *Léona*, Crommelynck a accumulé les difficultés.

Il a greffé l'un sur l'autre deux thèmes (psychologique et social) qui évoluent pourtant d'une manière autonome et dont chacun engendre une riche diversité de situations. Il importait de mettre en place, dès le début, le dispositif d'une double action : avec l'histoire d'un couple et celle d'une communauté soumise à des événements multiples.

Ainsi voit-on que les deux derniers actes languissent après le premier que Mario Fralié juge : *coloré, pittoresque et inattendu...* [4].

---

1. *Chaud et froid*, p. 261.
2. *Idem*, p. 358.
3. *Le Figaro*, 21 nov. 1956.
4. *Paris-Soir*, 23 nov. 1934.

Celui-ci contient en effet de si nombreux événements qu'il pourrait à lui seul former une courte pièce.

Georges Sion en dit qu'il est *une merveille d'équilibre* et que *Crommelynck n'a sans doute rien écrit de plus parfait* [1].

Dans le deuxième acte, on ne relève que deux faits importants : la conversation entre Léona et Félie et l'interdiction qui est faite à l'amante de se rendre au cimetière.

L'auteur n'aurait-il pas mieux fait d'y ajouter les scènes finales : la découverte du testament de Dom et la séduction de la jeune femme qui prive celle-ci de ses droits ? Rien n'est moins certain. En vérité, les nombreux renversements de situations et les réactions qu'ils provoquent exigent de la part de chaque personnage une réflexion et une adaptation aux circonstances qui, sous peine de paraître invraisemblables, ne peuvent s'opérer trop vite. D'où la nécessité d'étendre la pièce sur trois actes.

Le langage de *Chaud et froid* déferle avec impétuosité. Vagues de mots pressants et pressés de vivre, charriant pêle-mêle l'insolite, le bouffon et le lyrique.

Une fois de plus — et plus que jamais — les néologismes offrent des consonances dont l'inattendu égale la saveur. Cela se lit principalement dans les noms de villages aux sonorités wallonnes (*Saillie-les-Bois* et *Creumont, Villou et Beauvisu* [2]. Les injures nées d'une intarissable fantaisie devraient faire descendre celui qui en est accablé plus bas que terre (*Poussière de mites! Croupion de microbe*, etc.) [3]. Les termes lestes ou gros relèvent davantage de la gaillardise que de la trivialité (*Et tu demanderas pardon à genoux, le cul sur les talons*) [4].

Chez Crommelynck, l'inspiration populaire ne perd jamais ses droits. Elle se manifeste ici dans des appréciations d'ordre médical, à propos d'*une maladie sournoise, qui désagrège par le dedans* [5].

1. *Les Beaux-Arts*, 12 oct. 1951.
2. *Chaud et froid*, pp. 307 et 309.
3. *Idem*, p. 272.
4. *Ibidem*, p. 264.
5. *Ibidem*, p. 266.

Certains adages ou dictons ont pu être recueillis dans la tradition orale des paysans.

> La guigne n'aime que les maigres [1] !

ou bien :

> Passé le seuil de la maison tous les maris se font aimables [2].

D'autres développent une verve sarcastique :

> Pleurez, pauvre amie, pleurez sans gêne : les chagrins secs comme les accouchements sont les plus durs à passer [3].

La plupart font s'esclaffer ; encore qu'on en trouve d'une grave profondeur :

> Si l'on s'aime !... Il n'y a de séparation que dans la mort de l'amour [4].

La drôlerie peut provenir de formules stéréotypées dont l'auteur se sert en les déformant : celle de la servante stylée pour annoncer à Ida :

> Madame s'excuse, elle ne peut pas recevoir de gifles en ce moment [5].

Ou celle du procès-verbal en jargon policier qu'un garde forestier dresse à Dom et à Félie :

> Ce manège se répétant et le quatrième baiser debout ayant eu, montre en main, une durée de deux minutes et trente-six secondes, il augura « que les ci-dessus avaient quelque part rendez-vous avec eux-mêmes » ... [6]

Ce premier coup d'œil donne un aperçu de la *richesse d'imagination et d'expression* qu'admirait Charles Méré [7].

---

1. *Chaud et froid,* p. 260.
2. *Idem,* p. 333.
3. *Ibidem,* p. 300.
4. *Ibidem,* p. 331.
5. *Ibidem,* p. 243.
6. *Ibidem,* p. 325.
7. *Excelsior,* 23 nov. 1934.

Vingt-trois ans après la création, l'*invention de l'auteur* frappe encore Georges Léon qui la voit *sans cesse en éveil. Elle coule de source,* ajoute-t-il, donnant naissance à *une suite de variations subtiles sur un thème savoureusement macabre...* [1].

Colette jubile, dès la première, en présence des feux d'artifices poétiques qu'offre l'auteur :

> La félicité illumine ce poète sans langueur, telle que par moments je suis près de préférer sa joie à la mienne...

Elle commente abondamment cette *langue riche, chargée d'images* dont se dégage *une tension analogue à celle qu'impose Claudel* [2].

L'incantation amoureuse s'enveloppe du luxuriant vêtement de la nature ; l'allégresse de la chair s'associe à celle de l'univers végétal, l'écoulement des saisons aux dimensions du temps humain :

> Aujourd'hui, mon âme élargie peut contenir un monde et le retenir prisonnier ! Il y a d'autres rivières, d'autres feuillages, d'autres oiseaux : il n'en est pas de plus vifs !... Ce matin-ci a la perfection transparente de souvenirs d'enfance ou d'amour [3] !

La poésie a gardé tous ses droits et les a même étendus à de nouveaux registres, celui de la colère, par exemple.

La crise de fureur intérieure de Léona contre une Félie en pleurs donne ceci :

> J'écraserai du pied les fleurs que ses larmes feraient pousser [4].

Ou encore à propos des gifles que l'héroïne a reçues d'Ida :

> Je te dis que ses paumes se sont multipliées dans mon âme, qu'elles y frémissent sans repos, comme un feuillage vénéneux [5] !

L'absence morale de Dom à son foyer est évoquée par d'insolites métaphores. Elles font voir la vide rondeur et l'immuable éclat d'un regard qui ne se pose sur rien :

1. *L'Humanité,* 20 févr. 1967.
2. *Le Journal,* 25 nov. 1934.
3. *Chaud et froid,* p. 330.
4. *Idem,* p. 285.
5. *Ibidem,* p. 314.

Ses yeux avaient l'indifférente intégrité d'une monnaie de changeur [1]!

Il s'agit d'une poésie psychologique que Crommelynck réussit à faire vibrer, grâce à ce que Christine Garnier appelle ses *ballets de mots* [2] dont on admire les facettes et les tournoiements multiples. Tout dans *Léona* est dicté par un rythme prestigieux qui emporte son auteur.

Le mouvement de ta marche sous ma main trouble à la fois mon âme, mon cœur et ma chair. Viens. Le jeu élastique des muscles!... Je ferme les yeux et je vois, à ton contact, se développer une danse admirablement conduite. J'écoute: la danse invente sa musique. J'écoute mieux: la musique invente ses paroles! Tu ne dis rien, et voici ton beau discours bien ordonné [3]!...

Alternance de séquences longues et brèves dont le tempo se communique au corps et à l'esprit.

De ces phrases qui brillent, bougent et pétillent, Béatrice Sabran dit, à juste titre, qu'elles font penser à *un feu de sarment* [4].

*Chaud et froid ou l'idée de monsieur Dom* a été créé à Paris à la Comédie des Champs-Élysées, le 21 novembre 1934, et y est resté jusqu'au 19 décembre.

Léon Treich juge le décor que Moulaert a fait pour la pièce *extraordinaire de lumière, de joie de vivre, d'ironique sensualité* [5].

Crommelynck est le metteur en scène.

Yvon Novy le décrit au cours des répétitions:

Si quelque chose ne va pas, il se lève, prend la place de l'artiste et exécute lui-même le jeu de scène [6].

À un autre journaliste, Paul Auroch, le dramaturge confie:

1. *Chaud et froid*, p. 293.
2. *La Revue des deux mondes*, 1er avr. 1967, p. 437.
3. *Chaud et froid*, p. 348.
4. *Aspects de la France et du monde*, 4 janv. 1957.
5. *L'Ordre*, 22 nov. 1934.
6. *Le Jour*, 18 nov. 1934.

> C'est la première fois qu'une de mes pièces est bien jouée !... Répétez, je vous en prie, que tous mes camarades artistes se sont surpassés [1].

Gérard Bauer affirme que la distribution est d'*une parfaite intelligence* [2]. Selon Pierre Lièvre, Rachel Berendt, en Léona, *se montre une fois de plus l'interprète désignée pour les rôles difficiles.* Suzet Maïs, en Alix, la petite servante, *est la grâce et le charme de la soirée* [3]. Quant à Jean Tissier, dans le rôle de l'instituteur Bellemasse, Pierre Scize voit en lui *un nouveau venu* qui est déjà *un comédien de grand avenir* [4].

Selon Émile Mas, *Palau réussit à galvaniser le personnage du Bourgmestre.* Il loue la vigueur de Marcelle Hainia en Ida et la discrétion de Christiane Jean en Félie [5].

La première de *Chaud et froid* est caractéristique de son époque. Renée Chevallier assure que la grande invitée de ce jour, c'est l'élégance. Sur scène, grâce aux parures de Léona :

> Un déshabillé de crêpe de Chine blanc aux manches immenses et effilées de style moyennâgeux...

puis un autre en

> crêpe satin, brillant, saumon...

Dans la salle aussi, c'est une débauche de toilettes, la fête « rétro », dans toute sa splendeur aujourd'hui regrettée :

> ... dès les capes et manteaux ôtés, ce fut un ruissellement de paillettes, carrées, rondes, noires, argentées, dorées... Le lamé figurait en bonne place [6]...

Dans l'ensemble, la pièce a peu de détracteurs. Encore qu'il s'en soit trouvé d'assez sévères.

*Jamais je ne me ferai à ce théâtre-là,* écrit Émile Mas qui pourtant loue l'interprétation ; il ne comprend pas le refus de Crommelynck de se plier aux *lois de la scène* qui se ramènent, pour

1. *L'Ordre,* 20 nov. 1934.
2. *L'Écho de Paris,* 22 nov. 1934.
3. *Le Jour,* 22 nov. 1934.
4. *Comœdia,* 22 nov. 1934.
5. *Le Petit bleu,* 22 nov. 1934.
6. *Comœdia,* 24 nov. 1934.

lui, à *un développement logique soit d'une intrigue, soit de l'évolution des sentiments* [1].

*Chaud et froid* n'a toutefois pas déçu. Lucien Descaves, jusqu'ici peu épris de l'œuvre du dramaturge, reconnaît cette fois qu'il a *gagné une partie difficile* [2]. Paul Achard croit qu'il s'agit de sa pièce *la plus forte*:

> Jamais l'immense talent de l'auteur ne nous a paru plus divers, plus complexe, mêlant la farce au rêve et la poésie à l'ironie truculente; jamais sa verve ne nous a semblé plus âpre, plus amère. Quelle patte! Et quelle langue [3]!

En 1940, reprise aux Galeries.

Interviewé par Louis Carette (Félicien Marceau), Crommelynck dit, à cette occasion, sa joie et sa surprise d'avoir découvert sur le sol bruxellois tant d'excellents acteurs: Berthe Angely qui est Léona (*une très grande artiste*), Frida Houbert qui interprète Alix (*une actrice de grand avenir*), Georges Jamin (*un incomparable instituteur de village*).

La crise que l'Europe vient de subir offre, selon lui, un moyen de *considérer à nouveau le problème du théâtre*; celui-ci devrait enfin cesser d'être *petit bourgeois* et devenir *populaire*, ainsi qu'il l'a toujours souhaité [4].

Du 23 novembre au 26 décembre, l'enthousiasme monte. Paul Werrie exulte sur un mode superlatif:

> Voilà une pièce hors-nature, hors-cadre, hors-série, qui ne doit rien au théâtre commercial, de boulevard et parisien. Une œuvre qui défie la classification habituelle des genres. Une œuvre qui s'ouvre un domaine réservé dans l'immense champ qu'arrosent et qu'irriguent, que fécondent, les grands courants de Shakespeare et de Molière [5].

Le même théâtre la met à nouveau au programme du 25 juin au 17 juillet 1942.

1. *Le Petit bleu*, 22 nov. 1934.
2. *L'Intransigeant*, 24 nov. 1934.
3. *L'Ami du peuple*, 22 nov. 1934.
4. R.N.B. *Interview de Fernand Crommelynck par Louis Carette* (Félicien Marceau), 27 nov. 1940.
5. *Le Nouveau journal*, 26 nov. 1940.

Troisième de ces reprises éclatantes et confirmatrices de renommée, celle qui eut lieu aux Ambassadeurs, du 3 février au 23 juillet 1944 (81 représentations), sous le titre de *Léona ou le matin du troisième jour* [1].

À première vue, elle bénéficiait d'un double atout : Alice Cocéa qui tenait le rôle principal avait du talent. Elle était la directrice d'une salle au profit de laquelle la comédienne ne ménageait ni ses peines ni ses dépenses.

En fait, la comédienne se trompa à maints égards.

D'une façon générale, des critiques, tels que Georges Pelorson et Roland Purnal, eurent l'impression qu'elle n'était pas le personnage de l'intrigue [2].

Je le crois volontiers, me souvenant du jeu de cette actrice qui convenait surtout au théâtre de mœurs d'un Salacrou ou d'un Passeur. Les autres interprètes — Nicole Bessy (en Alix) mise à part — étaient insignifiants.

Alice Cocéa eut le tort de fixer l'action dans une Flandre du XVII<sup>e</sup> siècle au décor aussi fastueux qu'inutile : meubles cossus, atmosphère de bien-être douillet, costumes dans le style Rembrandt dessinés par Maggy Rouff. Les toilettes de Léona firent d'ailleurs sensation :

> Une princière robe de velours orange et une autre de plusieurs tons de gris, de silex et de taupe, aux luisances mouvantes, aux gonflements imprévus, aux plis à la fois souples et durs... [3]

Aux yeux des fervents de Crommelynck, pareille mascarade, si raffinée fût-elle, n'était pas souhaitable. L'audition de cette œuvre à double thème nécessite une attention soutenue que le luxe des vêtements et des accessoires risque de distraire.

Sans compter que cette couleur locale flamande ne s'impose pas toujours ; car les noms de bourgades forgés par l'écrivain (Blique-sur-l'Aste, Pranet ou Lourmières) ne sont certes pas de consonance néerlandaise.

---

1. App. p. 399.
2. *Révolution nationale* et *Comœdia*, 5 févr. 1944.
3. *Les Nouveaux temps*, 11 févr. 1944.

La critique s'en empara cependant pour souligner les ascendances bruegeliennes du dramaturge dont on sait qu'il les refusa souvent.

Dans *Notes d'après-première,* il s'insurge contre certaines caractéristiques qu'on lui impose malgré lui. Il ne se veut ni truculent ni *issu des brumes du Nord,* avec ce que cela comporte à la fois de pittoresque et de mineur pour un esprit français. L'expression lui paraît d'ailleurs impropre :

> Il suffit de citer les noms de Van Eyck, de Roger Vanderweyden, de Memling, pour évoquer des décors d'azur, d'émail et d'or. Où les brumes de Breughel, de Rubens, de Jordaens, de Van Dyck [1] ?

Quant à la truculence, l'écrivain ne voit pas la raison d'en réserver le monopole à Bruegel et à ses descendants spirituels. Rabelais, Villon, Montaigne ou Molière en seraient-ils dépourvus ?

C'est sur ce ton d'agacement qu'il réagit encore deux ans plus tard lors de son interview avec Guillot de Saix : *Flamand, moi ?* rétorque-t-il au journaliste [2]. Et d'évoquer à nouveau comme il l'avait déjà fait devant la presse belge, en 1930, ses origines savoyardes et bourguignonnes, son village montmartrois avec la rue Eugène Sue où il est né, la rue Ferdinand Flocon où il a été à l'école.

Ghelderode à qui Marie de Vivier a envoyé l'article s'étonne de cette attitude :

> Je l'aime et je l'admire, ce grand aîné — mais, diable, pourquoi veut-il absolument qu'on le prenne pour un Français ? Ce n'est pas un Baillon qui aurait eu cette prétention puérile. Ne suffit-il pas à Crommelynck — comme il suffirait à Baillon — d'appartenir aux lettres françaises [3] ?

On ne peut lui donner tort. Au même titre que celle de Maeterlinck et de Marie Gevers, de Ghelderode et de Suzanne Lilar, la langue de Crommelynck s'enrichit singulièrement de ce qu'il y a en lui de spécifiquement flamand. Mais cet aspect fut souvent

1. *Comœdia,* 19 févr. 1944, p. 3, app. p. 354.
2. *Les Nouvelles littéraires,* 2 mai 1946.
3. Lettre inédite du 8 mai 1946 qui appartient au Musée de la Littérature.

reproché au dramaturge par une critique réfractaire à la nourrissante violence de son style.

Malgré l'accueil favorable réservé à *Léona*, en 1944, on se méfie encore d'une écriture à laquelle Alain Laubreaux reproche de mêler :

> le meileur et le pire, la trouvaille d'expression et le gongorisme banal, l'originalité et le mauvais goût, la poésie du langage et la lourdeur de la plaisanterie [1].

L'œuvre est cependant portée aux nues par Roland Purnal qui apprécie *Son plantureux réalisme, ses abstractions, ses raccourcis et cet acquiescement au symbole qu'on voit percer sous chaque réplique* [2]. Elle le sera de plus en plus. Et le ton de Crommelynck touchant ses origines évolue en raison même d'une croissante compréhension qui lui fait perdre de son acrimonie. Tant et si bien que, dix ans plus tard, lors d'une émission radiophonique où il parle des dramaturges belges, il se demande si leurs...

> ouvrages, hors de l'influence française bien qu'écrits dans cette langue, sont de caractère autochtone, c'est-à-dire d'inspiration nordique, disons flamande ? Sans aucun doute. Et leur originalité, pensons-nous, tient moins aux tempéraments de leurs auteurs qu'à une obéissance volontaire à la tradition de la grande école picturale des Flandres [3].

Du 16 août au 21 octobre 1951, le Rideau de Bruxelles donne *Chaud et froid* dans la mise en scène d'André Berger. Simone Barry paraît avoir été une Alix sournoise et délurée à souhait. Denise Berger a *de bons moments* dans le rôle de Léona qui n'est toutefois pas de son style.

Curieusement, des objections s'élèvent à propos du côté scabreux de la pièce. Mais au point de vue littéraire, Mosca lui trouve une *perfection shakespearienne* ; il recommande de *voir et revoir cette œuvre admirable* [4].

1. *Le Petit parisien*, 5 févr. 1944.
2. *Comœdia*, 5 févr. 1944.
3. R.T.F. *Théâtre français et théâtre flamand de nationalité belge*, 25 juin 1955, app. p. 389.
4. *Pourquoi pas ?*, n° 1717, 26 oct. 1951, p. 3238.

Avril 1960, au Théâtre des Galeries: une mise en scène de Marcelle Dambremont (qui est, d'autre part, Alix). Au dire de Rob Fringilla, elle souligne *tous les aspects* de l'intrigue, *sans jamais la moindre insistance, sans jamais ralentir le mouvement vif qu'elle lui a conféré* [1].

De toutes les reprises parisiennes, la plus fracassante est celle de 1956, à l'Œuvre. La salle de la première est celle d'un auteur à succès: Ali Khan, détendu, Félicien Marceau, loquace. D'inlassables applaudissements qui durèrent, pratiquement, du 2 novembre au 31 décembre [2].

Certes, les acteurs y sont pour quelque chose.

Claude Gensac et Annie Fargue (Léona et Alix) renouvellent avec brio les exploits des premières interprètes. Selon G. Joly, Jean-Marie Serreau s'est surpassé en un Bellemasse *énamouré et pontifiant* [3].

Quant au texte, il a, bien sûr, ses détracteurs en la personne de Robert Kemp et de Bourget-Pailleron [4]. Mais la plupart des chroniqueurs exultent. Jean-Jacques Gautier parle de *théâtralité savoureuse* [5]. Max Favalelli s'écrie avec reconnaissance:

> Je sors de « Chaud et froid », tout à fait ragaillardi. La pièce n'a pas bougé d'un pouce [6].

Pourquoi cette audience de plus en plus large qui se manifeste en faveur de Crommelynck au cours des reprises de 1956 (celle de sa dernière farce et celle des *Amants puérils*) ?

Jacques Lemarchand nous répond:

> Tout ce qui s'est produit, en ces dix années, dans le domaine de la poésie au théâtre, fait que le spectateur de 1956 est mieux préparé que celui de 1945 à accepter l'auteur de « Carine » et à ressentir les envoûtements de son œuvre [7].

1. *L'Éventail*, 8 avr. 1960.
2. *Le Figaro*, 20 nov. 1956.
3. *L'Aurore*, 21 nov. 1956.
4. *Le Monde*, 21 nov. 1956 et *La Revue des deux mondes*, 1er déc. 1956, pp. 497-499.
5. *Le Figaro*, 21 nov. 1956.
6. *Paris-Presse*, 23 nov. 1956.
7. *Le Figaro littéraire*, 24 nov. 1956.

Onze ans plus tard, lorsque *Chaud et froid* s'inscrit à nouveau au programme de l'Œuvre, du 17 février au 3 avril 1967 (73 représentations), le même critique est tout aussi convaincu que *la fraîcheur des pièces de Crommelynck demeure intacte* [1].

L'enthousiasme qu'a mis Danièle Delorme à entrer dans la peau de Léona a bien entendu amplifié le retentissement de ses répliques. On lira à ce sujet les confidences heureuses de l'actrice à Claude Cézan [2].

Mais l'accès croissant du public à l'art du dramaturge s'éclaire à la lumière de causes plus profondes : l'afflux de courants littéraires et artistiques subversifs, nés en France ou venus de l'étranger, ne cesse d'élargir la conception du spectacle et de lui donner plus de mobilité. Dans l'intervalle de quelque vingt années (de 1945 à 1965), les salles parisiennes ont accueilli quantité de jeunes novateurs dont le merveilleux fascine ou dont l'insolite déconcerte : Ionesco et Audiberti, Ugo Betti et Roger Vitrac, auteur de *Victor ou les enfants au pouvoir* (édité en 1946, chez Gallimard) dont est issu le théâtre surréaliste français. Comme le dit Jacques Lemarchand, le spectateur est, en effet, *mieux préparé* à comprendre ce qui, jadis, lui paraissait inassimilable.

Les œuvres de Crommelynck auraient-elles vu le jour un quart de siècle trop tôt ?

Compte tenu de l'écho qu'elles reçurent en France, en Italie et en Pologne [3], on est bien forcé de se le demander.

La dernière reprise de *Chaud et froid* eut lieu à Bruxelles, au Parc, en 1971, dans une mise en scène de Jean Nergal, avec Françoise Giret, peut-être la meilleure interprète de Léona après Berthe Angely.

D'après Marcel Vermeulen, cela reste...

> une pièce étourdissante, construite avec un art consommé, un kaléidoscope de la vie avec ses drames terribles et ses bonheurs fragiles, avec ses rêves, sa poésie, ses rivalités sans merci, et tout cela

1. *Le Figaro littéraire* 2 mars 1967.
2. *Les Nouvelles littéraires,* 9 févr. 1967.
3. App. p. 400.

exprimé dans une langue riche, aux sonorités tendres ou rudes selon les humeurs des personnages [1]...

En fait, elle demeure l'œuvre la plus puissante et la plus originale de Crommelynck (celle d'ailleurs qu'il préférait). Ses deux thèmes s'enchevêtrent, se séparent et s'épousent de nouveau avec aisance, selon un dessin réfléchi qui procède par ondes de plus en plus amples.

Il s'en dégage un tragi-comique particulier mêlé de « non-sens » et d'humour noir qui administre coup sur coup des vérités d'une sarcastique férocité. C'est la veine poético-cruelle de *Tripes d'or* alliée au déchaînement d'hilarité d'*Une Femme qu'a le cœur trop petit* et au désenchantement pathétique qu'a apporté à l'auteur le mûrissement de l'expérience lucide.

La façon de modeler les héros semble s'être encore affermie. La plupart d'entre eux sont dotés d'une dimension supplémentaire qui agrandit leur signification. La présence invisible de Dom suscite a elle seule d'inépuisables possibilités scéniques. Ce qui, jusqu'ici, faisait des protagonistes de Crommelynck de lyriques tourmentés frisant la démence, est en partie rejeté. Les répliques de ceux-ci sont comme passées au tamis d'une forme que l'intelligence veut de plus en plus serrée. Elles n'en deviennent que plus lapidaires, partant plus percutantes. Les accès de colère de Léona sont plus terrifiants que ceux d'un Bruno, par exemple. L'auteur de *Chaud et froid* est arrivé au sommet de son art paroxystique. Je ne crois pas que d'autres pièces postérieures à celle-ci l'eussent montré plus accompli.

## 2. Récompenses et solitude

En 1938, Fernand et Aenne passent leurs vacances à Ascona, lieu de leur première rencontre. Au début de 1939, ils se fixent à La Maison grise, aux environs de Paris, près de Limours [2].

---

1. *Le Soir*, 16 janv. 1971.
2. L'année précédente, ils avaient habité Les Échelettes, un moulin que possédait Paulette Pax à Rochefort en Yvelines.

La guerre éclate. Inquiet au sujet de sa compagne qui est Allemande, l'écrivain décide de partir pour la Belgique où l'on vit encore sur « pied de paix renforcée ».

À Bruxelles, les Crommelynck font, en camion, le tour des amis généreux qui veulent bien leur prêter les meubles indispensables à une installation sommaire. Ils emménagent tant bien que mal rue Haute.

Dès leur arrivée, Aldo, leur fils aîné, âgé de huit ans, dessine l'église de la Chapelle qu'il aperçoit de la fenêtre du logis. Son père, enchanté du croquis, y distingue pourtant une faute de perspective. Le garçonnet nie énergiquement qu'il y en ait une. Or, le gardien de l'église donne des précisions à cet égard : il y eut, autrefois, un éboulement dont la trace est encore visible de près. Ce qui a pu passer pour une erreur n'en est pas une. L'enfant a le coup d'œil autant que le coup de crayon. Ses dons d'artiste ne feront que s'affirmer.

Mai 1940. Les soldats d'Hitler envahissent la Belgique. Cette même année, le dramaturge prendra aux côtés de Lucien Fonson la direction du Théâtre des Galeries.

Cette salle fut un refuge pour les citoyens déprimés. Les directeurs montaient des pièces revigorantes : *Le Mariage de Mademoiselle Beulemans*, trois actes à la fin desquels on exécute un hymne patriotique qui bouleversa les spectateurs.

Pareille émotion se manifesta également quand on donna *Les quatre fils Aymon* d'Herman Closson et plus particulièrement durant l'épisode où l'on catapulte des jambons ardennais au haut de la tour où les héros sont assiégés. Une réplique — *Toute la terre d'Ardenne qui sauve ses enfants* — parut d'une brûlante actualité au public à la fois affamé et opprimé par l'occupant. Chaque soir, on applaudissait frénétiquement le passage en pleurant et en criant.

Dans l'un et l'autre cas, la censure, alertée par quelque dénonciateur, suspendit certaines des représentations.

À son poste de commande, Fernand Crommelynck retrouvait donc, en 1940, les possibiltés qu'il avait eues au moment où il s'était trouvé à la tête du Théâtre Volant. À la guerre comme à la guerre, se disait-il vraisemblablement, l'essentiel est d'offrir aux citoyens quelques heures d'évasion qui leur permettent d'oublier les affres de la famine et la répression. L'occasion lui était donnée de faire connaître ses pièces. Elles obtinrent un succès tel qu'elles n'en avaient jamais connu en Belgique.

On vivait dans une atmosphère de suspicion.

Être joué pouvait faire croire qu'on n'avait rien dit qui pût déplaire à l'ennemi.

Le cas des journaux était différent. La plupart des rédacteurs avaient offert des garanties d'obédience aux principes de « l'ordre nouveau ».

Leurs critiques littéraires ne faisaient sans doute pas nécessairement de politique. Ils furent néanmoins tenus pour « traîtres ».

L'un d'eux, Paul Werrie, loua Crommelynck dans des feuilletons dont on aura admiré l'alacrité de style et de pensée au cours de cette étude. Mais ces éloges, publiés par « la presse volée », devaient un jour attirer des réflexions malveillantes au dramaturge. Comme si celui-ci pouvait interdire à un « collaborateur » de l'admirer et de le dire ! L'essentiel n'était-il pas que l'auteur ne changea jamais une virgule aux textes joués pendant la guerre ?

Ses amis intimes durant ces années, Denyse et Juan Ortega (un érudit espagnol, premier secrétaire d'ambassade de l'Espagne républicaine) et un ménage de professeurs, Paulette et Léon Gillo, sont formels sur ce point : Fernand n'eut jamais de relations avec l'occupant.

Mais le sort des personnalités était de faire jaser à tout propos et souvent hors de propos.

À y bien réfléchir, il est normal que l'expérience bruxelloise de 1940 ait donné du retentissement à des œuvres telles que *Le Cocu magnifique, Une Femme qu'a le cœur trop petit* et *Chaud et froid*. Crommelynck disposait d'un instrument de travail perfectionné : un théâtre subventionné doté des meilleurs acteurs que la capitale ait comptés depuis longtemps. En ces temps troublés, les plus talentueux d'entre eux ne pouvaient plus monter à Paris. Notre scène s'enrichit de leurs dons.

Seul maître à bord, l'écrivain décidait du jeu des artistes, des décors et des costumes qui convenaient le mieux à ses pièces. Et il ne se trouvait sur son chemin aucun Lugné-Poe, aucun Gaston Baty pour le contredire.

Bien qu'il vive à Bruxelles, rue Kindermans, le dramaturge continue à avoir un pied-à-terre à Paris : en 1940, 101, boulevard Malesherbes, plus tard, 10, rue Benouville, dans le XVIe.

En 1945, il s'installe à Plaisir-Grignon, dans une villa au nom de Gâtines, ensuite à Herblay, au bord de la Seine.

Entretemps, il a fondé, avec Maurice Kaplan, une revue : *Les Belles lectures*. Elle offre des choix de textes d'auteurs classiques, préfacés par les meilleurs écrivains. Lui-même y commente avec ferveur le *Pierre Schlemilh* d'Adalbert de Chamisso [1].

De fréquentes navettes entre les capitales belge et française lui permettent d'assister aux diverses reprises parisiennes de ses œuvres dont on a déjà évoqué les succès, tout en surveillant les activités des Galeries.

Sa renommée s'impose. Les premières études d'ensemble se dessinent : une thèse universitaire de René Hainaux [2].

Charles Plisnier souhaiterait le voir élire au sein des « immortels ». En atteste cette lettre adressée dès 1943 à Marie de Vivier :

> Où avez-vous pris que j'aie pour Crommelynck, des sentiments autres qu'une parfaite admiration ? Votre imagination vous rend dangereuse. Vous ignorez, — comme Crommelynck ignore sans doute, — la campagne que j'ai faite auprès de mes confrères de l'Académie, quand il avait exprimé à certains de ses amis, le désir d'entrer dans cette compagnie. Je disais à ces messieurs : « Ce n'est pas l'Académie qui l'honorera ; c'est lui qui honorera l'Académie » [3].

Il n'en fut pas, mais recevra toutefois d'elle le prix Auguste Beernaert qui lui est attribué en 1957, pour le premier volume de son théâtre publié aux éditions du Seuil (1956). Par contre, il a fait partie de l'Académie Septentrionale qui a réuni des personnalités du nord de la France et de la Belgique. Il y parraina le célèbre Alexandre Fleming.

Sa place est en tout cas réservée dans l'*Anthologie du Théâtre français contemporain* de Georges Pillement [4] qui, quatre ans plus tard, dans une préface au *Cocu magnifique*, situera le dramaturge à

1. *Les Belles lectures*, n° 26, 24-30 juil. 1946.
2. Liège, Université de l'État, 1940, 159 p.
3. Lettre inédite du 4 nov. 1943 qui appartient au Musée de la Littérature.
4. Paris, Éd. du Bélier, 1945, pp. 183-185.

mi-chemin entre *l'élan éthéré de Maeterlinck et la truculence démoniaque de Ghelderode.* Trois auteurs qui, à ses yeux, représentent le *théâtre flamand contemporain* [1].

Un livre bref, mais nettement tracé, lui est consacré par André Berger : *À la rencontre de Fernand Crommelynck.* L'auteur voit en lui un *admirable technicien de la psychologie* qui cependant *n'écrit pas du théâtre psychologique,* parce qu'il se place toujours *sur le plan affectif* et qu'il s'écarte de toute *cérébralité* [2].

1948 marque une rupture dans son existence.

Aenne l'a quitté. Vingt ans de bonheur sont anéantis. Nous n'avons pas à analyser les causes de la séparation. Des témoins de ce drame vivent encore ; ils ont droit à notre discrétion.

D'Herblay, Fernand écrit à Albert pour lui confier ses vers :

> Je t'envoie aussi le « R.I.P. » — sa première partie au point, simplement pour ne pas être tenté de le détruire, — à présent. Mais, si c'est ton avis, nous en remettrons la publication à plus tard... [3]

Il s'agit d'un poème inédit. On en possède une autre version avec des variantes intitulée *Épitaphe.* L'un et l'autre de ces textes dévoilent l'étendue du vide qui ravage l'écrivain :

> J'enserre étroitement ce cadavre lauré
> Et son indifférence et son exactitude
> Et son silence inexploré.
> L'eau morte de la solitude
> M'investit d'un froid sans degré.

Celle qui régna sur sa vie s'en est allée, le laissant à une *interminable veillée* dont il semble ne s'être jamais remis.

Il n'est pas à l'abandon pour autant. Ses fils ont toujours été proches de lui. En 1950, Jean, l'aîné, est rentré de Tunisie avec sa famille et se fixe à Herblay où son père leur donne l'hospitalité pour quelque temps.

1. Paris, Le Club français du livre, 1949, s.p.
2. Bruxelles, La Sixaine, 1946, p. 44.
3. Lettre inédite du 31 janvier 1948, app. p. 346.

Par la suite, Crommelynck ira habiter au 76, boulevard Flandrin, dans un appartement qui est la propriété de Shepperd et que sa fille avait conservé. C'est elle qui, à partir de ce moment, prendra soin de lui et s'instituera sa gouvernante-ménagère.

En 1955, les fils d'Aenne l'invitent pour de longs séjours à Paris et à Meudon. N'a-t-il pas été à l'origine de leur prodigieuse réussite dont il savoure à présent les très nombreuses manifestations ?

Albert Crommelynck, ami de l'éminent graveur Roger Lacourière, avait obtenu de celui-ci qu'il prenne Milan et Aldo comme apprentis. Fernand avait alors envoyé au maître les trois frères. Ceux-ci ne voulaient pas se séparer. Ils apprirent ainsi dans l'atelier de la rue Foyatier à Montmartre le métier qui devait assurer leur renommée.

Vint le moment où leur père déclara au graveur que les garçons étaient en âge de gagner leur vie. Que comptait-il faire pour eux ? Celui-ci refusa de les payer régulièrement et le dramaturge installa Aldo, Milan et Piero à ses frais. Plus tard, ils emménageront rue de Gergovie.

Ils ont été, de longues années durant, les graveurs de Picasso. Ce dernier les avait choisis en raison de leur talent, de leur discrétion et de leur honnêteté. Lorsqu'il les appelait à Mougins, les Crommelynck quittaient sur-le-champ Paris pour se rendre dans une vieille boulangerie du village méditerranéen qu'ils avaient transformée en atelier.

Il arrivait au peintre de réveiller les jeunes gens la nuit afin de leur demander d'apporter des cuivres préparés pour la gravure. Picasso rapportait immédiatement son œuvre à ses collaborateurs qui en tiraient une première épreuve, puis une seconde et ainsi de suite jusqu'à ce que la planche fût terminée. Si, après tant de labeur, l'artiste estimait que l'œuvre n'était pas bonne, il savait qu'Aldo et Piero la détruiraient fidèlement.

En 1968, l'Andalou composera une cinquantaine d'aquarelles et d'eaux-fortes sur le thème du *Cocu magnifique*. Douze d'entre elles figurent dans une édition de l'œuvre tirée à deux cents exemplaires [1].

---

1. *Le Cocu magnifique*. Pièce en trois actes. Gravures originales de Pablo Picasso. Paris, Ed. de l'Atelier Crommelynck, 1968, 173 p.

Quand Picasso illustrait un ouvrage, quelques-uns de ses dessins demeuraient proches du sujet et les autres s'en évadaient totalement. En ce qui concerne *Le Cocu magnifique*, tous ceux qu'il a composés sont étroitement liés au thème de la pièce [1], sauf certains d'entre eux qui sont inspirés par *Tripes d'or*.

La réussite de ses enfants ne combla toutefois pas la solitude de l'écrivain quand sa compagne ne fut plus à ses côtés. À qui confier, désormais, les nouvelles réconfortantes qui ne cessent de lui parvenir ?

En 1955, *Une Femme qu'a le cœur trop petit* bouleverse les Milanais. Le 30 avril de cette année, on s'en souvient, Crommelynck va assister à la première de *Tripes d'or* que monte Johan De Meester à Amsterdam. 1956 marque, on le sait, le triomphe des *Amants puérils* réalisés par Tania Balachova.

Loin de jubiler, Fernand semble perdu dans un monde sans espoir, errant d'un logis à l'autre, à la poursuite d'un équilibre problématique : en 1956, à la villa Mériadec, une pension de famille de Meudon, puis à Montmartre, 25, rue du Mont-Cenis, qui sera son avant-dernière adresse. C'est là qu'il écrit son étude sur Utrillo. S'il y est relativement heureux, c'est parce qu'il a rejoint son port d'attache. Là où la boucle de l'existence va se refermer.

Soixante-dix années déjà pèsent sur ses épaules !

En France comme à l'étranger, d'importants essais commentent son théâtre, ceux de David Grossvogel, entre autres. Dans *The Selfconscious stage in modern french drama* [2], il figure auprès des célébrités internationales : Adamov, Anouilh et Apollinaire, Beckett et Claudel, Cocteau et Ghelderode, Giraudoux et Ionesco, Jarry et Sartre.

On l'a dit plus haut [3], le caractère du héros du *Cocu magnifique* a inspiré à Heinrich Racker de savantes considérations d'ordre médico-psychologique [4].

Le dramaturge figure dans tous les manuels de littérature des années cinquante, que ce soit *Le théâtre en France depuis 1900* de

1. Iconogr. Entre les pp. 112 et 113.
2. New York, Columbia University Press, 1958, pp. 220-253.
3. P. 76.
4. *Revue française de psychanalyse*, t. XXI, nº 6, nov.-déc. 1957, pp. 839-855.

René Lalou [1] ou *Soixante ans de théâtre belge* de Suzanne Lilar [2]. Paul Remy le commente avec subtilité dans l'ouvrage que Gustave Charlier et Joseph Hanse ont consacré aux lettres de Belgique [3].

Après s'être émerveillé en présence de *phrases qui ont la robuste souplesse du métal brûlant*, Georges Sion déclare :

> Nous commençons à prendre du recul : le théâtre de Fernand Crommelynck garde une fermeté aussi sûre, une exubérance aussi solide qu'au temps où il allumait, sur les scènes de France et du monde, ses révolutionnaires incendies [4].

Conclusion lourde de sens, qui conserve aujourd'hui toute sa justification et que nous faisons nôtre.

1. Paris, Presses Universitaires de France, 1950, pp. 69-70.
2. Bruxelles, La Renaissance du Livre, 1952, pp. 55-60.
3. *Histoire illustrée des lettres françaises de Belgique*. Bruxelles, La Renaissance du Livre, 1958, p. 602.
4. *Bulletin de l'Académie Royale de Langue et de Littérature Françaises*, nº 34, 1956, p. 67.

# XI. « LE CHEVALIER DE LA LUNE OU SIR JOHN FALSTAFF »

## 1. L'adaptateur

*Le Chevalier de la lune ou sir John Falstaff comédie en cinq actes restituée en sa forme originale et précédée d'un argument* est l'adaptation d'une partie de *Henri IV* de Shakespeare. Crommelynck la fait précéder d'une introduction qui donne une idée de l'essayiste qu'il aurait pu devenir.

Voici l'hypothèse qu'il avance. Georges Sion la qualifie d'*amusante, sinon convaincante* [1]. Disons qu'elle est ingénieuse :

Shakespeare n'a pas écrit *Henri IV* tel qu'il se présente dans les éditions de ses œuvres. La comédie, *Le Chevalier de la lune,* que Crommelynck en extrait (sous un titre à lui) et qu'il isole de l'ensemble, a été insérée après coup. Si on la laisse à l'intérieur du drame historique, elle en détruit la conception originale. Cette découverte met en échec une théorie que les critiques appuient principalement sur l'œuvre en question : l'alliance du tragique et du comique dans le drame historique de Shakespeare.

L'auteur du *Cocu magnifique* veut prouver que l'insertion des mésaventures du joyeux Falstaff dans la tragédie de *Henri IV* est purement accidentelle, qu'elle se soit faite au su ou à l'insu du dramaturge (point sur lequel il ne semble pas avoir d'avis).

Il remarque que les scènes dramatiques sont en vers, comme elles le sont dans les pièces historiques de Shakespeare et que, pareilles à toutes les évocations plaisantes du « grand Will », les péripéties du grotesque Falstaff sont en prose.

Les événements du drame et ceux de la comédie n'interfèrent pas. La rupture entre les deux parties est purement gratuite

---

1. *La Nation belge,* 6 sept. 1956.

puisque chacune d'elles, prise isolément, s'enchaîne parfaitement sans qu'il n'y ait aucun décalage dans la durée. Car si l'une se déroule en plusieurs mois, l'autre, elle, se passe en quarante-huit heures. Ces diverses mesures de temps n'ont nulle raison d'être entremêlées.

D'autre arguments de Crommelynck viennent encore à l'appui de cette opinion. Leur ensemble donne lieu à une analyse minutieuse qui aboutit à la conclusion suivante :

> Les plans primitifs de l'architecte retrouvés, nous admirerons deux bâtiments bien conçus, ici un vaste château aux lignes sobres, donjon miré aux eaux des fossés : « Henri IV » — drame historique en une seule partie —, là une auberge plaisante dans un paysage de prairies et de hauts arbres : « Le Chevalier de la lune — comédie en une seule partie — dignes, raison suprême, de l'homme de Stratford et de son immense génie [1].

Thèse dont je ne sais si le bien-fondé a été reconnu ou repoussé par les shakespeariens. Selon Albert Crommelynck, Orson Welles, grand admirateur de l'auteur de *Chaud et froid,* s'y est en tous cas intéressé ; son film, tiré de *Henri IV,* s'intitule *Falstaff* [2]. Et peut-être est-ce sous l'influence de Crommelynck qu'il accorde à ce personnage une si large place dans sa réalisation. Une lettre à son frère, datée du 2 septembre 1953, montre le mal que s'est donné le dramaturge pour composer son étude et la rendre accessible :

> Il s'agissait d'être clair et sans réplique. Clair même pour ceux qui n'auraient pas la pièce sous les yeux et péremptoire pour d'éventuels contradicteurs.
>
> Il paraît que les cercles shakespeariens en Angleterre se tiennent au courant jalousement de tout ce qui se dit ou s'écrit à propos de ce qu'ils considèrent comme leur monopole. Je crois avoir réussi [3].

Je me garderai bien de fournir une opinion sur la question que des compétences en la matière sont seules à pouvoir discuter.

---

1. *Le Chevalier de la lune ou sir John Falstaff,* Théâtre, t. III. Paris, Gallimard, 1968, p. 41.
2. Titre français de *Chimes at midnight.*
3. Lettre inédite.

Mais vraie ou fausse, sa théorie est née en grande partie, je crois, d'un irrésistible attrait pour le personnage de Falstaff.

Ce bouffon, frère aîné de Muscar et de Xantus, est le contestataire type selon le cœur du dramaturge : ennemi des préjugés, allergique aux hiérarchies, militaires et autres, voleur jovial, paillard illuminé, buveur attendri, mais pur chevalier, entre boue et lune, dénué d'hypocrisie et de méchanceté, rachetant ses méfaits par une fondamentale innocence, fidèle (au plus haut comme au plus bas de lui-même) à son éclatant amour de la vie.

Quant à la valeur de la traduction et de l'adaptation, je n'ai pas qualité pour en parler non plus. Il reste cependant que les images du *Chevalier de la lune* éclaboussent la page de tons violents et de vibrations lumineusement lyriques. Prenons, pour exemple, ce passage du premier tableau où le roi Henry dit à Falstaff :

> Que t'importent l'heure et le jour ? Si les heures ne sont pas des verres de vin sucré, les minutes des chapons, les horloges de bavardes maquerelles, les cadrans des enseignes de bordel et le soleil lui-même une chaude garce en taffetas couleur de flammes... [1]

Comparons-le à ce qu'en fait un excellent traducteur de l'œuvre, Félix Sauvage [2].

Peut-on nier que *verres de vin sucré* soit poétiquement parlant plus proche de *cups of sack*, *bavardes maquerelles* de *tongues of bawds* et *chaude garce en taffetas couleur de flamme* de *fair hot wench in flame-coloured taffeta* que leur équivalent dans une interprétation peut-être plus exacte à certains égards, mais pas plus fidèle à l'esprit de Shakespeare ?

*Le Chevalier de la lune* permettait au dramaturge de s'acquitter d'une vieille dette envers celui dont l'image le poursuivait. Celle-ci n'a jamais cessé de briller dans l'ombre où Crommelynck

---

1. *Le Chevalier de la lune*, p. 45.
2. Que diantre t'importe l'heure de jour ? À moins que les heures ne soient pots de vin et chapons les minutes, qu'horloges ne soient langues de maquerelles, cadrans enseignes de bourdeaux et le soleil de Dieu lui-même une chaude garce en taffetas rouge feu...

Le Roi Henry IV. Traduction de Félix Sauvage. Paris, Société Les Belles-Lettres, 1961, 1re partie, p. 13.

aimait dialoguer avec des personnages qui parfois scintillent de quelques paillettes empruntées au génie du « grand Will ».

Une lettre écrite à Albert, le 30 juin 1953, nous apprend que Fernand a proposé son adaptation à Jean-Louis Barrault pour sa saison du Théâtre Marigny. Une autre missive adressée à son cadet trois mois plus tard, le 20 septembre, rapporte la réponse du comédien :

> Il ne montera pas « Falstaff », faute d'acteur pour le rôle [1].

La pièce fut publiée en 1953. Elle ne fut jamais jouée.

Trois ans plus tard, Crommelynck voit encore sortir de presse *Un Matin au Vésinet. Maurice Utrillo.* Ses dernières pages publiées dans un volume.

## 2. Trente ans de silence ?

Après 1956, Crommelynck ne fera plus jouer ni éditer de pièces nouvelles.

Si poétique que soit son adaptation de *Falstaff*, ce n'est pas une œuvre dramatique personnelle : la dernière, *Chaud et froid,* date de 1934.

Faut-il en conclure que son silence a duré plus de trente ans ? En vérité sa production s'est développée au ralenti.

Pour gagner sa vie, il dut accorder beaucoup de temps au cinéma. Ce fut au détriment de son théâtre.

Le départ d'Aenne, en 1948, le priva de son principal stimulant. Quand l'amour n'a plus été, Crommelynck s'est moins passionné pour son métier. Est-ce à dire qu'il ait entièrement cessé de s'y consacrer comme on l'a cru ? A-t-il au total moins écrit que la plupart de ses confrères ?

La réalité est plus complexe qu'on ne l'imagine.

Généralement, on ne connaît de lui que les huit pièces de l'édition Gallimard et les trois premières en un acte [2].

---

1. Lettre inédite.
2. *Nous n'irons plus au bois, Le Sculpteur de masques* (en vers) et *Le Marchand de regrets.*

À quoi s'ajoutent celles que j'ai retrouvées : *Chacun pour soi* et *Le Chemin des conquêtes*. Cela en fait treize. Sans compter les ébauches de la jeunesse dont les titres seuls ont subsisté : *Monsieur de Vireblunéau* qu'Armand Bour refusa pour son Théâtre des Poètes, *Nadia Dorska*, un drame d'amour dont Fernand parla à son ami Varlez et *Arlequin* auquel, on s'en souvient, Catulle Mendès daigna trouver quelques qualités.

Bien des auteurs ont détruit leurs premiers-nés. Mais Crommelynck, lui, ne s'est pas arrêté là.

L'édition du *Cocu magnifique* de 1921 annonce la prochaine parution de *Maison fondée en 1550* [1]. La demeure en question a existé. Elle était située à Bruxelles, 48-50, rue des Pierres, appartenait à Georges Houyoux et à la famille ; sa boutique était surmontée d'une enseigne, À la bêche d'or. On y vendait (récemment encore) de l'outillage spécialisé.

L'écrivain la choisit pour lieu d'une intrigue : il imagina qu'un même drame s'y était déroulé à plusieurs générations d'intervalle. Après en avoir lu maintes scènes à son frère, Fernand en déchira le manuscrit sans que l'on sache pourquoi.

La reprise du *Marchand de regrets* par les Pitoëff, en 1927, l'encouragea à mettre au point une pièce sur le thème de don Juan : *Le Cœur volant* dont le titre fut changé en *Va-nu-cœur*.

Selon Albert qui en entendit des fragments, elle était déjà en gestation depuis *Le Cocu magnifique*.

Une note dans la presse, datée d'octobre 1941, affirme qu'elle sera représentée en avril [2]. Mais rien ne se fit.

En 1941, Gaston Gallimard adresse à Crommelynck une lettre [3] pour lui rappeler qu'il veut publier son théâtre. (L'esprit critique de ce dernier à l'égard de ses œuvres fait qu'il traînera les choses en longueur jusqu'en 1967 !). L'éditeur lui demande en outre des précisions à propos de *Va-nu-cœur* et des *Diableries*, un autre manuscrit qui a également disparu sans laisser de traces [4].

---

1. Paris, La Sirène, 1921, 155 p.
2. *Paris-Midi*, 19 oct. 1941.
3. Lettre inédite du 16 juil. 1941.
4. En 1940, au Cercle bruxellois « Joie de vivre » (229, avenue Louise), un cycle Crommelynck est organisé. Il s'agit de lectures que le dramaturge fera de ses pièces en février, mars, avril et mai. Une affiche (iconogr. pp. 112-113) indique

La deuxième édition du *Cocu magnifique* fait mention de *L'Ange qui pleure* [1]. Guillot de Saix en reparlera dans une chronique [2].

Faut-il l'apparenter à une autre dont il est déjà question en 1944, au moment de la reprise de *Chaud et froid* ?

> Nous apprenons que Fernand Crommelynck écrit pour Madame Alice Cocéa une pièce nouvelle : « Au Rendez-vous des anges », qui fera l'ouverture de la saison prochaine au Théâtre des Ambassadeurs [3].

Ce n'est pas tout.

En 1940, Fernand Crommelynck confie à Félicien Marceau :

> Je suis en train de terminer une pièce que j'ai annoncée, il y a quelques années, et qui s'appelle « Argot », et où précisément je montrerai un homme du peuple accablé par tous les malheurs qui peuvent accabler un individu dans ses tendresse, dans son amour familial et sentimental et qui est sauvé par son dévouement à la communauté [4]...

Qu'est-il advenu d'*Argot* ?

Que signifie aussi l'article qu'écrivit René Delange, l'ami intime de l'auteur, sous le titre : *Crommelynck travaille à une pièce sur Hitler* ? L'interprète semblait avoir été choisi :

> Ce ne sera pas une pièce historique en images d'Épinal, avec effets de carton pâte, mais une œuvre sans turgescence comme sans turlupinade, bien « crommelynckienne » de facture, et de haute signification... Verrons-nous, la saison prochaine, Jean-Louis Barrault, botté, casquetté, avec deux petites brosses noires sous le nez en doucine [5] ?

La vérité est d'autant moins aisée à découvrir que l'écrivain parlait aussi à ses proches de pièces qu'il ne devait jamais composer. Mais l'une de celles-ci le fut en tout cas : *La Gourgandine*.

---

au programme de ces deux derniers mois (en plus de *Tripes d'or*, *Carine* et *Une Femme qu'a le cœur trop petit*), *Maison fondée en 1550*, *Le Cœur volant* et *Les Diableries* dont nous venons de parler. Si ces titres ont été annoncés, c'est que les œuvres existaient.

1. Paris, Émile-Paul, 1931, 251 p.
2. *Les Nouvelles littéraires*, 2 mai 1946.
3. *Comœdia*, 19 févr. 1944.
4. R.N.B. *Interview de Fernand Crommelynck par Louis Carette* (Félicien Marceau), 27 nov. 1940.
5. *Journal de Genève*, 22 juil. 1949.

Une lettre envoyée d'Herblay à Albert, le 14 janvier 1949, permet de dater le moment où Fernand se met au travail :

> J'ai commencé ma pièce qui sera vite terminée, j'espère... le dénouement : la Juliette de Roméo finissant sa vie comme clown et recevant des gifles et des coups de pied au derrière ! Oui, tragi-comique.

Et le 2 mai :

> Enfin mon travail personnel commence à prendre forme, bien que mon état moral soit encore médiocre.
> J'écris décidément « La Gourgandine ». Il faut aller vite.

Mais ce n'est que le 18 septembre 1953 que le manuscrit fut terminé.

> Enfin, j'ai trouvé — ce que j'attendais depuis longtemps dans le mécontentement — le dénouement de ma pièce. Je vais l'achever en hâte et dans le silence de la maison [1].

Fernand lut des scènes de *La Gourgandine* à son entourage. L'œuvre ne fut pas jouée et ses deux derniers actes ont vraisemblablement été détruits par l'auteur peu de temps avant sa mort. Mais le premier était placé dans une vitrine, lors d'une exposition de la littérature belge de 1958, au Palais du Heysel, à Bruxelles.

C'est Albert Crommelynck qui l'avait prêté, à la demande d'un haut fonctionnaire du ministère de l'Instruction publique. Il fit ensuite l'impossible pour le récupérer mais il n'y parvint jamais.

Lors d'un passage à Bruxelles, son aîné l'entretient encore de deux autres pièces : *Le Cavalier des nuées* et *Le Cimetière des belles amours*. De cette dernière, il est encore question dans l'article de Guillot de Saix déjà cité ; Crommelynck dit à son sujet qu'il est en train d'écrire *une comédie gaie pour le Théâtre Hébertot* [2].

Aux treize pièces dont nous parlions plus haut, il faut donc en ajouter au moins dix dont on n'a pas conservé trace. Quatre d'entre elles (*Maison fondée en 1550, Va-nu-cœur, Le Cimetière*

---

1. Lettres inédites.
2. *Les Nouvelles littéraires*, 2 mai 1946.

*des belles amours* et *La Gourgandine*) ont été lues en entier ou en partie au frère de l'écrivain.

Il est donc abusif d'affirmer que le dramaturge s'est tu pendant plus de trente ans.

D'autant plus qu'au cours de cette même interview, l'auteur du *Cocu magnifique* s'est vanté d'avoir brûlé d'autres écrits encore : cinquante mille vers ! Parmi ceux-ci se trouvaient une tirade inspirée par *une toile étrange,* « Napoléon aux enfers », un traité intitulé *Trente ans de philosophie* et *Dona Padilla, roman de mœurs espagnoles sous l'Inquisition.*

*Cela fit un feu magnifique!* jubila-t-il devant son interlocuteur [1].

Une scène de ce genre s'est passée à Bruxelles, en 1943, rue Kindermans, en présence de Paulette Gillo qui me l'a décrite (mais peut-être est-ce précisément celle dont il se remémore devant Guillot de Saix ?).

Crommelynck apparaît dans l'encadrement d'une porte, vêtu de la robe de chambre rouge qu'il affectionne. Un sourire doucement féroce souligne l'air satanique que lui donnent déjà sa maigreur et son vêtement.

« Vous, déclare Paulette en le menaçant amicalement du doigt, vous êtes en train de faire quelque chose de mal ! »

En effet, il la conduit près d'une chaudière de chauffage central.

Du coffre de marin où il enfermait ses manuscrits, il sort des liasses entières de papier qu'il livre aux flammes avec une expression de joie mauvaise.

« J'ai brûlé vingt ans de travail », affirmera-t-il plus tard à propos de cet autodafé.

Certes, il y avait là beaucoup de manuscrits des pièces connues dont fort heureusement il existe d'autres versions dans les bibliothèques. Mais s'y trouvaient aussi, semble-t-il, quantités d'inédits qui sont perdus.

Restent les consolations qu'on peut recueillir de ces faits.

Si même nous n'avons retrouvé que deux pièces inconnues du public, l'auteur du *Cocu magnifique* n'a pas passé autant d'années

1. *Les Nouvelles littéraires,* 2 mai 1946.

qu'on ne le croit sans écrire ; c'est une impitoyable exigence vis-à-vis de son art qui motiva vraisemblablement tant de regrettables suppressions.

### 3. Dernières années

En 1960, Fernand Crommelynck achète à Saint-Germain-en-Laye un appartement situé en face de celui qu'occupe son fils Jean. S'y sentant au large, il accepte d'y loger deux de ses petits-enfants. En fait, il n'est qu'à demi satisfait de cette situation et préférerait être plus loin des siens, quelle que soit son affection pour eux.

Évidemment, il y a des compensations. Des visages proches qui furent mêlés aux espoirs de la jeunesse : celui de sa première compagne dont la largeur d'esprit et de cœur peut réchauffer la glaciale tristesse de vieillir. Celui de Jean dont il fut toujours le meilleur ami et qui ne faisait rien sans lui demander conseil. Non loin de Paris, il peut compter sur l'accueil bruxellois d'Albert et de sa femme. L'une de ses nièces, Élizabeth-Ann Crommelynck, lui a consacré son mémoire de fin d'études à l'Université Libre de Bruxelles [1]. Des neveux l'entourent, aussi différents l'un de l'autre que possible : Patrick, le musicien et Florent, le peintre, qui, physiquement, lui ressemble davantage que ses fils.

En 1966, Gallimard commence à éditer les trois volumes de son *Théâtre* dont la parution s'échelonnera de 1967 à 1968.

La même année, l'auteur du *Cocu magnifique* fête ses quatre-vingt ans chez Albert. Ce dernier fait son portrait vêtu d'une veste chinoise [2]. Le visage n'est ni celui d'un homme jeune ni celui d'un vieillard. C'est un Crommelynck d'autrefois et de toujours, tel que son cadet l'a vu à travers ses écrits, ses amours et leur fraternelle amitié. Le plus authentique qui soit.

---

1. *Synthèse du tragique et du comique dans le théâtre de Fernand Crommelynck.* Mémoire de licence. Bruxelles, Université Libre de Bruxelles, 1962, 185 p.
2. Iconogr. Entre les pp. 8 et 9.

*Paris-Match* est venu photographier l'effigie et son modèle. L'hebdomadaire offre un commentaire du *Cocu magnifique* et déclare qu'il a été joué plus de cinquante mille fois dans le monde [1].

Le reporter prend des instantanés : le jubilaire se promenant dans le jardin de son frère, jouant au scrable avec ses petits-neveux et enfin plongeant sa plume dans l'encrier qu'il a reçu de Verhaeren. Sur sa table, un de ses poèmes, *Matin,* dont les vers se trouvent déjà dans un inédit de 1929 :

> Mille reflets de nacre à l'entour propagés
> rendaient sa Forme insaisissable
> et moi, pour la rejoindre, à son ombre attaché,
> je chaussais pas à pas ses sandales de sable.

Présence des flots, de la plage et de l'amour que traduisent musicalement des voix intérieures. Images des vacances d'autrefois et du séjour ostendais de 1908. Présence aussi de la digue mouillée, des dunes. Décor où évolua la princesse de Groulingen domptant les vagues tachetées, pareilles à des panthères.

La mer, toujours liée à son rythme de vie, habite la mémoire de celui que hante, par ailleurs, l'image des tours et des beffrois d'où il peut contempler un double ruban d'eau et de sable.

Près de quatre ans plus tard, la mort vient à sa rencontre à Saint-Germain-en-Laye par un matin de printemps.

Jean est parti à son travail. En principe, il ne doit plus passer chez lui de la journée.

Le hasard veut que le cinéaste retourne chez lui, peu après avoir quitté la maison. Ainsi qu'il en a l'habitude, il entre un moment chez son père qui est subitement pris d'un malaise.

Fernand Crommelynck meurt dans les bras de son fils, le 17 mars 1970, à l'âge de quatre-vingt-trois ans.

La nouvelle se répand en Belgique et dans le monde :

*Un des plus grands dramaturges du XX^e siècle — Fernand Crommelynck est mort à Saint-Germain-en-Laye,* titre André Paris qui déclare :

---

1. *Paris-Match,* 17 déc. 1966, s.p.

> Avec l'auteur du « Cocu magnifique » disparaît un des plus grands noms de la période extrêmement vivace du théâtre européen, qui couvrit la première moitié de ce siècle [1].

Mise en sommeil pendant quelques années au cours desquelles ses pièces ont été données de façon continue, mais moins fréquente que jadis, l'œuvre se réveille, prête à voir s'accroître sa renommée, à témoigner de son imbrisable vitalité, car elle est, au dire de Charles Bertin :

> ... une sorte de danse ardente autour de quelques obsessions majeures. Et cette danse révèle aux spectateurs une sensualité passionnément enivrée d'elle-même et une langue d'une invention et d'une prodigalité somptueuses [2].

Langue que la fidélité de chaque verbe à son propos essentiel rend persuasivement authentique.

---

1. *Le Soir,* 19 mars 1970.
2. R.T.B. *Interview de Charles Bertin par Henri Roanne,* le 14 janv. 1971, app. p. 395.

# XII. L'INTELLIGENCE DANS L'ŒUVRE DE FERNAND CROMMELYNCK

## 1. Des essais

Comprendre Crommelynck, c'est déceler le rôle que joue dans son œuvre l'intelligence.

Elle se manifeste notamment dans ses essais, ses interviews et ses articles.

Se penchant, par exemple, sur *Le Burlador,* il dit de son auteur, Suzanne Lilar, qu'elle seule a découvert *la nature androgyne de Don Juan.* Qu'elle a créé, face à lui, *une nouvelle héroïne de théâtre:* Isabelle, mélange de féminine affectivité et de virile lucidité en qui Juan *se reconnaît* et *trouve enfin son unité* [1].

Point de vue fort proche d'ailleurs de celui de Bernanos [2].

Autre preuve de perspicacité critique: son choix de dramaturges belges. Aux côtés de Suzanne Lilar, il citait, il y a plus de vingt ans: Ghelderode et Closson, Hugo Claus et Jean Mogin; tous ont franchi à juste titre le mur de la renommée [3].

Par ailleurs, maintes réflexions attestent son intelligence technique du théâtre.

Enfant et neveu de comédiens, au courant, depuis l'adolescence, des ressources qu'offrent les planches, à certains moments de sa vie acteur et directeur de troupe, Fernand Crommelynck a conçu son œuvre en homme de métier.

Comme Meyerhold, Copeau ou Hébertot, il tient compte des entrées et des sorties des artistes. Il connaît avec exactitude le

1. *Spectateur,* 10 déc. 1946, p. 2, app. p. 366.
2. *Une Semaine dans le monde,* 21 déc. 1946.
3. R.T.F. *Théâtre français et théâtre flamand de nationalité belge,* 25 juin 1955, app. p. 390.

rôle que peut jouer l'emplacement d'une porte, d'un accessoire ou d'un projecteur.

Il sait que Shakespeare donnait habituellement ses représentations *dans une cour d'auberge, c'est-à-dire une cour qui possédait une galerie et des étages* [1] sur lesquels se déroulaient les divers épisodes. Cette subdivision, dont il s'est en partie inspiré, lui permet d'agrandir l'espace où se situe l'action.

Sans se priver du décor peint qui n'existait pas au temps du « grand Will », il veut en réduire l'importance et le simplifier. Le théâtre actuel a tort, a-t-il souvent affirmé, de recourir systématiquement aux subterfuges et à la surabondance des objets. Cela fascine peut-être le spectateur, mais détourne son attention de l'essentiel.

C'est ainsi qu'on l'a vu s'insurger contre les procédés du cadavre qui grandit sur le plateau dans *Amédée ou comment s'en débarrasser* d'Ionesco et contre le tas de sable où s'enfonce peu à peu l'héroïne d'*Oh! les beaux jours!* de Beckett [2].

Pour lui, il n'existe pas de bons metteurs en scène. Quelques exceptions justifient cette règle : Stanislavsky qui se tenait très près des textes, Lugné-Poe qui se contentait de *faire, avec les acteurs, une lecture publique* et Pitoëff qui réalisa, pour *Hamlet,* un *éclairage* du dialogue *dans son intelligence profonde* [3].

Crommelynck a raconté de façon aussi spirituelle que cinglante ses démêlés avec Gaston Baty. Celui-ci surchargeait les tréteaux de quantité d'objets superflus. Au point de dénaturer la signification de l'œuvre ; si bien que Fernand l'avait surnommé le « cache-texte ».

À l'issue d'une discussion au sujet de la première des *Amants puérils,* ce dernier se fâcha :

> « Mais, Monsieur, alors que fais-je ici, étant donné que mon nom sera sur l'affiche ? »

---

1. I.N.R. *Entretien n° 3 de Fernand Crommelynck avec Jacques Philippet,* 1953, app. p. 381.
2. *La Table Ronde,* n° 220, mai 1966, pp. 28-30, app. p. 367.
3. R.T.F. *La crise actuelle du théâtre ne provient-elle pas des excès mêmes de la mise en scène ?* Débat entre Fernand Crommelynck, Jean Vilar, Béatrice Dussane, Gustave Cohen, Robert Kemp et Jean-Jacques Gautier, 19 mai 1947, app. p. 372.

À quoi le dramaturge imperturbable lui rétorqua :

« Monsieur, enlevez-le. » [1]

De son point de vue, *un auteur doit être à la fois son propre metteur en scène et ses acteurs* [2]. Au moment où il écrit, il doit s'introduire dans la peau des artistes pour mesurer leurs gestes et leurs pas d'après la longueur des répliques.

Lui-même n'était satisfait des représentations de ses pièces que lorsqu'il était seul responsable de l'équipe qui les interprétait : en 1916, au Théâtre Volant et en 1940, aux Galeries.

Quant aux thèmes et aux personnages, l'auteur du *Cocu magnifique* se montre à la fois respectueux du patrimoine acquis et contestataire des idées reçues.

Dans son *Introduction à une étude des véritables valeurs françaises* [3], il dénonce notre époque individualiste qui recherche uniquement l'originalité à tout prix. Cette réaction finit par créer un nouveau conformisme. Autrefois, l'artiste imitait son père spirituel. Aujourd'hui, il s'efforce de ressembler au voisin, affichant, comme celui-ci, une prédilection pour le fortuit et pour l'irrationnel. Il en résulte des conventions tout aussi encombrantes que les autres.

C'est parce qu'il accepte l'apport du passé que Crommelynck a repris à son propre compte, en les modifiant entièrement, des types humains qu'avaient illustrés Shakespeare et Molière : le jaloux, l'avare ou les amoureux incompris. Sans oublier la série des valets et des confidents. Plutôt que de peindre des portraits, les dramaturges actuels préfèrent présenter des cas. Ce procédé, frappant dans l'immédiat, lui paraît sommaire et lui fait déclarer : *Les accidents ne m'intéressent pas, non plus que les caractères exceptionnels.*

---

1. I.N.R. *Entretien n° 2 de Fernand Crommelynck avec Jacques Philippet*, 1953, app. p. 379.
2. R.T.F. *La crise actuelle du théâtre ne provient-elle pas des excès mêmes de la mise en scène?* Débat entre Fernand Crommelynck, Jean Vilar, Béatrice Dussane, Gustave Cohen, Robert Kemp et Jean-Jacques Gautier, 19 mai 1947, app. p. 370.
3. *Comœdia*, 12 juil. 1941, pp. 1-2.

Ceux-ci offrent souvent prétexte à des développements scéniques destinés à surprendre plus qu'à élucider.

> Faudra-t-il toujours répéter que l'art est dans le style et non dans la stylisation [1] ?

Son respect de l'ordre et des justes proportions dans la façon de bâtir, je l'ai souligné au sujet de la plupart de ses œuvres. Un texte inédit, dédié à Gustave Téry [2], *Du dénouement,* définit sa position à cet égard. Il y reproche à cet écrivain de ne pas se soucier de l'issue d'une pièce.

Certains passages de cette réflexion, dont un fragment figure dans sa *Lettre-Préface* au catalogue de l'exposition du peintre Leyden [3] auraient dû être remaniés. Tel autre, par contre, synthétise avec concision la manière dont Crommelynck a toujours conçu son travail :

> Voici comme nous construisons nos drames : toutes nos scènes, de celle que nous nommons provisoirement la première jusqu'à celle que, provisoirement, nous nommons la dernière, une à une les disposerons comme les côtes d'une orange, jusqu'à recomposer le fruit parfait, pépins pressés vers le centre. Une fois toutes les fines cloisons convergentes l'une contre l'autre serrées, je vous défie de distinguer la première de la dernière. Ainsi vraiment compose en tournant la vie sans commencement ni fin, mais économe et soucieuse d'unité [4].

C'est donc un calculateur qui répartit judicieusement les faits dans l'espace et dans le temps en vue d'un équilibre qui conditionne la crédibilité de l'action. Sa conception s'accompagne d'un *rythme qui entraîne le public* [5].

Aussi violente que son amour de la tradition, sa haine du convenu et de la routine lui fait détester un certain art dramatique passéiste.

Sans pour autant faire l'apologie des auteurs étrangers qui, après la dernière guerre, ont semé l'inattendu et l'insolite sur les scènes parisiennes [6].

1. *Les Nouvelles littéraires,* 2 mai 1946.
2. Auteur d'un livre connu sur Jaurès, paru en 1917.
3. Paris, Galerie Bernheim Jeune, 1929, s.p.
4. *Du dénouement.* Inédit, s.d. (vers 1927), app., p. 353.
5. *La Table ronde,* nº 220, mai 1966, p. 30, app. p. 368.
6. *La Porte ouverte,* avr. 1946, p. 62, app. p. 362.

Le théâtre ne doit être ni celui du boulevard, ni un miroir du « monde où l'on s'ennuie » voué à la disparition, ni le reflet exclusif de la singularité. Il s'adressera à chaque spectateur en fonction de ses besoins et de ses capacités que Crommelynck est loin de sous-estimer.

Dans *Éloge au public,* il accorde en effet la priorité au jugement de celui-ci [1]. Si le génie seul était capable de percevoir le génie, il y aurait belle lurette que les chefs-d'œuvre auraient sombré dans l'oubli. C'est donc bien ce public qui soutient ou rejette la comédie. C'est pour lui que l'écrivain doit se faire *médium,* apte à supputer toutes ses réactions possibles.

En vérité, ses pièces sont conçues à divers niveaux. Elles sont faites pour des gens intelligents et cultivés. Mais pas uniquement pour eux. Dans chacune d'elles, il y a ce que j'appellerai un théâtre des apparences et un autre, sous-jacent, qui réclame un certain degré de perspicacité et de connaissances.

Point n'est besoin d'être de haute culture pour participer aux péripéties de Bruno, s'apitoyer sur le cauchemar qu'il vit, se réjouir de ce qu'il soit moqué, puis délaissé. L'intellectuel, lui, percevra au-delà de ces éléments la nouveauté du personnage par comparaison à tous les types d'Othello. Il méditera sur les limites de ce cas qui se situe entre vice et démence et se promettra de relire un texte dont la richesse verbale peut suggérer quantité de réflexions d'ordre psychologique ou linguistique. Aidons-le à classer celles-ci et à en élucider la signification.

## 2. Une thématique du bien et du mal

Un nombre somme toute restreint de pièces de théâtre fait apparaître l'imposante variété de types humains qu'a mis en valeur cette étude. Réunissons-les en une galerie de portraits où éclate l'aptitude du peintre à scruter les consciences.

Des croquis au crayon tendre traduisent l'inconsistance et le romanesque des jeunes : Marie-Henriette et Walter (*Les Amants puérils*), réfugiés dans l'imaginaire et le songe, Gabriel et Patricia

1. *Paris-Soir,* 11 mai 1925, p. 1, app. p. 348.

(*Une Femme qu'a le cœur trop petit*) ou l'aveuglement du jeune amour qui se trouve sans se chercher et dont on se soucie peu de savoir à quoi il aboutit. Visages démunis face à l'incertitude et à l'incompréhension dont ils se sentent entourés.

C'est à la pointe sèche que le dramaturge dessine les semi-gredins : paillards, joueurs ou bons vivants (Muscar ou Falstaff, Xantus et Minna) ainsi que les filles fortes en gueule, mais pas toujours riches en vertu (Ida ou La Faille). Il leur est indulgent et ne croit pas que menus péchés et furtifs larcins soient aussi condamnables qu'on le dit. Il peut même en sortir un bien. Comment le docteur Constant parviendrait-il à amener son frère à résipiscence, s'il n'avait pour lui l'expérience de nombreuses aventures plus ou moins sentimentales ?

Les paysans de Crommelynck (Ludovicus ou Odilon) sont nantis d'une solide jugeotte du type « je te donne — je prends ». Leurs réactions sommaires, mais nettes de tout formalisme, les écartent rarement du plausible et du souhaitable.

Pour l'auteur de *Chaud et froid,* les dégâts proviennent surtout des intellectuellement faibles : filles stupides (Zulma ou Nency) ou imbéciles prétentieux, qu'ils soient instituteurs, bourrés de sciences mal digérées (Bellemasse) ou édiles falots, avides de distinctions honorifiques. Essentiellement épris d'intelligence, Crommelynck pense que la bêtise, mère des préjugés, est l'ennemie numéro un. D'elle naissent la tatillonne mesquinerie et la négation des droits de l'individu qui est à l'origine des dictatures. Ce n'est pas un hasard si ce sont trois cerveaux plus que moyens (poujadistes avant la lettre) qui, dans *Chaud et froid,* créent un régime totalitaire avec rassemblement autour d'une idée sans fondement.

La foule peut être le reflet agrandi de ces mentalités frustes. À d'autres moments, elle apparaît toutefois comme un flux vital débordant de joie festive ou explosive. Force d'auto-affirmation et de continuité dont les élans et les reculs demeurent imprévisibles, elle est souvent dessinée d'une encre impitoyablement noire, avec de-ci de-là des éclaboussures de couleurs bruyantes.

L'auteur de *Léona* est un maître portraitiste de la femme dont il saisit toutes les attitudes possibles à tous les niveaux sociaux.

La lignée des servantes joue dans ce théâtre un rôle d'une étonnante complexité. Quasiment, de triste augure, est une de ces intransigeantes formées à dure école, telles qu'il en existait encore au début du siècle. Fidéline nourrit sa méchanceté au plus hérissé des dictons et à la cruauté imagée des croyances campagnardes. Elle est la sœur jumelle de la voisine du *Marchand de regrets* et de l'indiscrète gouvernante du manoir de *Carine.* Ce sont des vierges folles de fureur, de rancœur ou de raillerie que le dramaturge fixe au fusain ultra-sombre ! À quoi s'opposent les sages et les réconfortantes : la nourrice de Stella veillant sur sa mignonne ou Froumence au clair regard, emblèmes de compréhension et de compassion. Entre l'exécrable et la débonnaire, se situe l'ambiguë en la personne d'une lesbienne (Alix, proche parente de Christine).

L'écrivain peint ces amazones en domestiques ou en confidentes pour marquer leur assujettissement à un penchant qui le déconcerte, mais qu'il est le premier dramaturge de langue française à avoir évoqué avec pareille puissance.

Mauvais génies, dieux lares du foyer ou personnages équivoques, les bonnes de Crommelynck mettent en relief les vertus et les vices des protagonistes. Bienfaisantes ou non, elles sont environnées du mystère que leur confère l'indéterminé de leur condition. Sans liens réels avec la famille, mais en faisant partie, marginales, mais intégrées, intéressées à l'action de façon indirecte, mais en orientant le cours dans la mesure même où être hors du jeu leur donne du prestige, elles sont spectatrices d'une aventure qui n'est pas la leur et qu'elles dirigent parfois malgré elles. Ce sont des forces maléfiques ou bénéfiques davantage que des personnes. Dotées le plus souvent d'un pouvoir étrange : c'est à Alix et non à sa patronne que l'on s'adresse au sujet d'un Dom que sa mort inattendue magnifie aux yeux de tous.

Les gouaches de cette galerie : les amoureuses (de l'hésitante Madeleine du *Sculpteur* à la Félie de *Chaud et froid,* en passant par l'Anne-Marie du *Marchand de regrets* et la princesse de Groulingen). Leur attrait naît de leur faiblesse face aux coups du sort dont elles sont victimes. Il s'agit de femmes-objets subjuguées par la force virile et protectrice de l'amant et non d'êtres à part entière ; leur beauté floue les apparente aux dames de Bonnard et de Van Dongen. La grâce et la jeunesse sont leurs principaux atouts. À cet égard, elles se situent davantage dans les années vingt qu'à notre époque.

Stella affirme plus de caractère qu'elles. Son sens du sacrifice et du rachat des fautes en fait une créature hors format, voisine des saintes et des héroïnes. Jusqu'au moment où elle cède au robuste gaillard qui l'emporte dans une cahute et dont elle demeurera vraisemblablement la belle captive.

Carine domine ces êtres par son indestructible attachement à l'équité. Elle repousse les compromis et meurt la première fois qu'elle en accepte un, quand elle tente de sauvegarder malgré tout un amour qu'elle sait à jamais souillé. L'aveu déjà cité du dramaturge — *Carina c'est moi* — montre toutefois que c'est de la volonté du couple que procède essentiellement l'attitude de *la jeune fille folle de son âme.* Sa limpidité et sa détermination la distinguent des autres amoureuses. Elle n'a pas leur délicatesse. Ce ne sont pas des tons pastel qui rendent ses traits, mais ceux des peintures à l'huile, à la fois lisses et contrastés. Même fermeté chez Balbine et Léona. Elles ne s'en servent toutefois que pour persister dans l'erreur. Autres portraits à l'huile : l'antiquaire, Bruno et Hormidas.

Ces cinq derniers héros incarnent, on l'a vu, l'orgueil, la colère, la luxure, l'envie jalouse et l'avarice. Cinq des sept péchés capitaux ! Crommelynck les distingue des passions qu'il estime salutaires. Par exemple, l'amour qui, fût-il violent, *fait partie de la chair et du sang de tout homme.* Ou encore : le goût du jeu dans la mesure où il stimule les activités mentales et constitue *la nourriture de l'intelligence* [1].

C'est quand il y a séquestration des êtres ou appropriation de ce qui est à eux que l'acte de possession devient faute Il ne répond plus à une nécessité vitale, mais à un excès de besoins dont l'assouvissement conduit inéluctablement à l'aliénation des libertés d'autrui. Bruno isole Stella, Pierre-Auguste enferme Azelle dans la solitude, Léona réduit Félie à son pouvoir. Leurs vices anéantissent toute vie humaine qui les détourne de leur abusive

1. *Le Carillon,* 1908, dans *Textes inconnus et peu connus de Fernand Crommelynck.* Bruxelles, Académie Royale de Langue et de Littérature Françaises, 1974, pp. 172 et 173.

démarche. Mais, en même temps, ils font du destructeur un solitaire douloureusement muré en sa nuit de déraison dont la mort seule peut le délivrer. Le pécheur se situe à l'opposé de Carine et de Frédéric que leur passion contente sans qu'elle nuise aux autres.

Entre cet enfer et ce paradis: le purgatoire des indécis; le sculpteur Pascal ou l'apôtre Thalassin débattant sans cesse de leur idéal et de leurs tentations.

Tout agnostique que soit Crommelynck, son théâtre développe une éthique du bien et du mal à consonance chrétienne. N'ayant pu la rattacher à l'idée de Dieu, il l'a greffée sur un mythe de la pureté qui s'exprime tantôt à travers le souvenir de la petite Dagmar du cimetière de Laeken, tantôt à travers l'image de Carine, la jeune épouse blessée par la laideur des consciences.

Avoir fait de cette morale la base de son théâtre sans paraître moraliser et avoir découvert les procédés techniques que nous allons analyser pour en fixer les divers aspects, indiquent à suffisance les dimensions d'une intelligence qu'il est impossible de prendre en défaut.

### 3. Le tragi-comique dénonciateur

Au début de ce siècle, quand Crommelynck décide de se consacrer au théâtre, tous les genres le tentent. Il n'arrive pas à choisir.

Son sens de la drôlerie et de l'humour l'attire vers la comédie qui, en France, se meurt de sa belle mort. Ultimes soubresauts de la farce courtelinesque, cocasseries à répétition d'un Tristan Bernard qui galvaude son talent en composant sur commande, rien n'encourage à suivre une voie qui ne paraît pas pouvoir se renouveler.

Alfred Jarry a donné, en 1896, le coup de gong d'une satire énorme. Mais la bourgeoisie qui y est visée n'a point réagi. Personne d'ailleurs n'en redemande.

Quoi qu'il en soit, le jeune Fernand commence par céder au seul plaisir d'écrire: *Nous n'irons plus au bois* et *Chacun pour soi* tiennent à la fois du proverbe gai et des imbroglios à l'italienne.

La verve purement comique y apparaît sous sa première forme. Elle n'a pas dit son dernier mot et se fera entendre en 1934 dans *Une Femme qu'a le cœur trop petit.*

Du côté du drame réaliste, aucun modèle non plus dont l'écrivain puisse se prévaloir et encore moins s'exalter. Traversé de velléités didactiques, ce genre prolonge une vie factice qui ne peut faire illusion.

Porto-Riche n'aura pas, comme il l'avait espéré, *un nom dans l'histoire du cœur.* Pas plus que Maurice Donnay d'ailleurs. Et comment se passionner pour les faux problèmes de François de Curel dont *La Nouvelle idole* donna l'impression de penser aux cerveaux engourdis d'une société oisive ?

Grâce à l'élasticité et au dépouillement de son style, Henry Becque sera l'un des rares à survivre. Mais les autres !

Bataille et Bernstein, Lavedan et Hermant, autant de célébrités de ce temps qui reposent aujourd'hui à l'ombre d'un oubli dont on ne peut dire qu'il soit entièrement injuste.

Un seul nom s'élève au-dessus du commun des dramaturges : celui de Claudel qui scintille de toute l'opulence de son génie sur la voie d'une poésie du théâtre où s'engageront un jour un Giraudoux et un Cocteau.

En Belgique, le ton est donné par Maeterlinck, par l'atmosphère de mystère et de silence dont s'entourent ses dialogues. Comme l'observe Marcel Doisy, l'auteur de *« La Princesse Maleine » devait donner beaucoup plus d'importance dans ses drames à ce que l'on ne dit pas qu'à ce que l'on dit* [1]. Or, Crommelynck, veut, tout au contraire, extérioriser les conflits.

Ne le séduisent pas davantage les idées-force et les protagonistes hors mesure de Verhaeren. C'est la forme versifiée de l'auteur du *Cloître* qui l'attire et qu'il adopte dans ses premières œuvres. Le jeune écrivain commence par se chercher en vers. Il se trouvera en prose.

Dans *Le Sculpteur de masques,* l'éloquence de la poésie se substitue aux répliques éclairantes auxquelles le public est accoutumé. C'est pour cette raison que les physionomies paraissent

1. *Le Théâtre français contemporain.* Bruxelles, Les Lettres latines, 1947, p. 242.

encore floues. Par contre, l'apôtre Talassin du *Chemin des conquêtes* vit davantage que Pascal, en dépit de la prosodie plus stricte que dans l'acte de 1906. À cet égard, la pièce inédite de 1908 représente une performance. Mais elle n'en marque pas moins un adieu aux armes poétiques.

La prose permettra à Crommelynck de progresser d'un crayon bien affûté dans la charge des personnages dont les visages se corseront de plus en plus de traits drôles, piquants ou acerbes.

On s'achemine ainsi insensiblement vers des effets grossissants susceptibles de fustiger les tares : la caricature.

Celle-ci prend toute son ampleur à partir des *Amants puérils.*

C'est à la manière de Goya que se rattache la cruelle figuration du ridicule, de la méchanceté ou de la décrépitude que l'écrivain fait ressortir. Il émince les lèvres hargneuses de Fidéline, montre avec férocité la marche tremblotante du minable Cazou et désigne avec brutalité l'aspect linéaire des traits d'Élisabeth qui, jadis, s'arrondissaient en une chair colorée et pulpeuse.

L'évocation des faces déformées dont on ne saurait dire si elles se situent aux frontières du dénuement intérieur ou de la déraison, s'accompagne de plus en plus de la présence de masques dont on trouvera deux sortes dans ce théâtre : les visibles et les imaginaires. Les premiers d'entre eux apparaissent dans les deux *Sculpteur.*

Ils sont encore grossièrement taillés par un Pascal qui s'y débarrasse simplement des expressions tourmentées et tourmentantes de sa femme.

Viennent ensuite celui de Stella que le soupçon de Bruno rend affreux, celui que met le cocu imaginaire pour s'introduire dans le lit de son épouse, ou encore les dominos qui, dans *Carine,* dissimulent la lubricité des amours de hasard.

Tous témoignent d'une connaissance intime des dépravations et en accusent la hideur.

Mais le travesti de carton-pâte ou d'étoffe ne constitue qu'un des moyens dont se sert Crommelynck. Il existe des masques symboliques dont certains protagonistes portent la trace indélébile, même si le regard ne peut les percevoir.

Cette opinion corrobore le point de vue d'Yves Demont : le caractère *moral* que l'écrivain imprime au masque [1].

Or, ce dernier m'appararaît avant tout comme un procédé complexe et mobile dont on peut suivre la progressive apparition sur une physionomie.

Un menu fait (Bruno dévoilant le sein de Stella ou Léona rencontrant la maîtresse de Dom) suffit à révéler au héros le vice dont il est accablé et à le mettre en état de crise. Celle-ci s'installe et s'étend dans la conscience, puis monte à son plus haut degré de paroxysme. Là où le cocu apparaît à la fois hilare et désespéré, l'avare crispé de convoitise et mourant de rire sur son trône improvisé, l'orgueilleuse souriant à ses soupirants et pleurant furieusement le mari que, vivant, elle a sous-estimé.

À ce moment exact, c'est l'empreinte du tragi-comique qui marque le pécheur et le dénonce aux yeux de tous. Elle n'est pas un objet perceptible, mais une sorte de masque métaphysique que la distorsion des traits burlesquement douloureux signale à l'attention. Ainsi se justifie pleinement l'épithète que Paul Werrie applique à l'œuvre entier : *un théâtre de l'invisible.*

Les purs (Gabriel et Patricia, Ludovicus et Froumence, Carine et Frédéric) n'ont rien à cacher. Ils ne portent donc pas ce masque dont Yves Demont dit que, dans l'esprit du dramaturge, il constitue *un écran qui intercepte la vérité et qui empêche la pensée réelle de l'un de parvenir jusqu'à l'autre* [2].

Plus embarassant, le cas de Dom et de son double déguisement : celui du mari marqué d'indifférente froideur auquel succède celui de l'amant tout illuminé de tendre sollicitude et de rieuse fantaisie.

À la limite, le fait que l'époux de Léona ait été brusquement frappé de mort s'explique dans l'optique d'un moraliste. Seuls, les dieux peuvent changer de personnalité sans encombre.

Réel ou imaginaire, le masque hante l'esprit de l'auteur du *Cocu magnifique.* Comme l'observe Marcel Lobet, il l'aide à *tra-*

---

1. *Le Thème du masque dans l'œuvre théâtrale de Fernand Crommelynck.* Brussel, Vrije Universiteit Brussel. Romaanse Filologie, 1974-1975, 114 p.
2. *Op. cit.* p. 2.

*duire l'idée de dissimulation qui est un des principaux ressorts d'une dramaturgie axée sur le mensonge* [1].

C'est par cette obsession que Crommelynck s'apparente le plus aux artistes flamands, à Ghelderode, à l'Ensor des « Masques singuliers » ou au Fritz Vanden Berghe grimaçant de « L'Arbre en fleur ». Tous participent du même climat paroxystique. Celui-ci se manifeste aussi chez André Baillon et chez Henri Michaux, à travers le mélange de pathétique et de rire grinçant qui les rapproche.

Leur recherche de l'authenticité les entraîne à secouer les consciences ankylosées de manière à la fois douloureuse et cinglante. Pleurer comme un enfant (*Emmenez-moi dans une caravelle...*) tout en se montrant sarcastique, sonder *L'Infini turbulent* pour en exalter la beauté tout en raillant l'ingénuité de l'amour qu'ils barbouillent de noir, ces attitudes-choc sont caractéristiques d'une partie de la littérature belge d'expression française (jusque et y compris le surréalisme à la façon de Chavée ou de Marien).

La différence entre l'auteur de *Chaud et froid* et ceux de *En sabots,* de *Sire Halewyn* ou de *Je suis né troué* n'en frappe pas moins. Ces derniers vécurent sauvagement fermés au monde, alors que lui est un extraverti, passionné de réactions humaines et avide de contacts. Sa révolte est moins anarchique que la leur, son goût du persiflage, moins dévastateur. Quoi qu'écrive Crommelynck, ils sont l'une et l'autre teintés d'un compréhensif acquiescement devant l'inévitable.

Un autre point commun que celui du comique et de la cruauté mêlés l'unit encore aux écrivains que nous citions : l'intelligence dont on a relevé l'acuité tout au long de ce chapitre. Elle ne se développe pas, on s'en est rendu compte, au détriment du sens pictural que fait voir son œuvre, dessiné ou écrit. Pas plus qu'aux dépens de son sens poétique.

1. *Littérature de notre temps.* Bulletin Castermann, 1970, p. 59.

# XIII. LA POÉSIE DANS LA SENSIBILITÉ ET LE THÉÂTRE DE FERNAND CROMMELYNCK

L'infini est l'horizon de la pensée. Il se déplace avec elle.
(Fernand Crommelynck : réflexion inédite)

## 1. Poésie hors du théâtre

Toute sa vie, Crommelynck s'est senti poète autant que dramaturge. L'a-t-il vraiment été en dehors de son théâtre ? Et si oui, à quel degré ?

En 1946, il parle d'un recueil de ses vers réunis sous le titre *Alternances* [1]. Le volume ne parut jamais. On ignore pour quelle raison [2].

Avant 1920, l'écrivain avait adopté un ton lyrique non dépourvu d'une certaine musicalité, mais sans autre résultat que de rappeler un Van Lerberghe ou un Régnier ; surtout dans le poème déjà cité : *Le dernier souvenir brûle encor sous la cendre* [3].

À vrai dire, il n'y a aucune commune mesure entre les alexandrins publiés en 1921 [4] et *De l'amour* (inédit) écrit en 1929.

Quand Aenne est entrée dans la vie du poète, elle a transformé son inspiration. Ces strophes relatent une promenade de Fernand en sa compagnie, celle de son frère et de sa femme, au long de la plage de Wissant, dans le Pas-de-Calais. Tous quatre se sentent transportés par ce matin volé aux dieux marins auquel s'assortit l'immatérielle silhouette de l'aimée. La vision de la jeune femme

1. *Les Nouvelles littéraires*, 2 mai 1946.
2. Un choix de poèmes de Fernand Crommelynck sera publié ultérieurement par mes soins.
3. P. 66.
4. *La Nervie*, sept.-oct. 1921, p. 419.

au bord des vagues se confond avec le souvenir d'Isadora Duncan enveloppée de ses voiles :

> Les flots étalaient leurs tapis,
> Son léger vêtement, jaloux comme une étreinte,
> semblait en frissonnant l'emporter dans ses plis
> hors d'une impatiente atteinte.

Évocation d'une grâce sans défaut qu'allègent encore les mobiles clartés de l'eau.

Pareille envolée verbale face à la mer se retrouvera six ans plus tard dans *Ferrane* composé pour les amis Megglé dont il a été question plus haut [1]. S'y affirme pour la première fois l'ineffaçable ascendant de Paul Valéry.

À ce nom, se joindra, à partir de 1943, celui de Shakespeare dont l'auteur du *Cocu magnifique* a adapté maints sonnets.

En 1944, trois d'entre eux sont publiés dans *Comœdia,* les LV, XLIX et XCVIII. Une note, vraisemblablement de la main de l'adaptateur, annonce la traduction de trente-six sonnets qui doit paraître à Bruxelles, aux Éditions des Artistes, illustrée par sept dessins de Ruud Verspyck. Toujours selon cette même note, l'auteur

> ... s'est attaché surtout à développer le climat poétique si particulier du grand Will, à en transmettre la musicalité en des alexandrins d'une rigueur presque classique [2].

Le recueil, qui devait être dédié à Jean Crommelynck, n'a jamais vu le jour. Dans les papiers que ce dernier m'a communiqués, j'ai retrouvé deux des poèmes reproduits dans *Comœdia* : le LV (*Les marbres, les monuments princiers d'or couverts...*) repris tel quel dans le journal et le XLIX (*Contre ce temps, s'il ne doit pas m'être épargné...*) qui compte trois variantes par rapport au texte imprimé. On y découvre en outre le XXX (*Qu'au tribunal silencieux de la pensée...*) qui n'a jamais été publié.

1. P. 174.
2. *Comœdia,* 22 janv. 1944.

Une comparaison avec les originaux de Shakespeare témoigne du scrupule du traducteur et de sa faculté de reconstituer le féerique mystère dont s'entourent ces strophes d'une miraculeuse perfection.

La fraternité spirituelle de Crommelynck avec le dramaturge anglais s'affirme d'autre part dans des fragments de poèmes inédits, datés de 1943, qui devaient encore être travaillés, mais dont certaines métaphores scintillent d'une pénétrante luminosité. *Éblouis notre cœur d'un soleil d'épée,* écrit-il à propos de l'amour; sans oublier cette effigie de l'amant, *un fondeur qui coule un brûlant métal dont il épouse la forme.*

Shakespeare a déterminé le relief et la cambrure de ces vers tendus à l'extrême, pareils à des arcs qui décochent de percutantes images. Sans éliminer pour autant l'auteur du *Cimetière marin* [1]. En atteste une réflexion de Crommelynck qui date de cette époque: *Les Démarches de l'esprit créateur.* Il y étudie le phénomène de l'inspiration à la lumière de ce qu'en dit Valéry au sujet des *vers donnés.* Parlant surtout de ceux qui ne le sont pas, il souligne la confusion des pensées et des sentiments, aussi longtemps qu'ils n'ont pas atteint l'état de conscience réfléchie qui les rend communicables. En dehors de la *fulgurance prodigieuse* de ce qui s'inscrit d'emblée, il reste à attendre dans *le calme ardent* qui s'opère *une équivalence,* sorte de *concordance* parfaite entre la chose ressentie et l'expression qui lui est adéquate. Alors, intervient le *choix* qui détermine la forme définitive du poème. Les dieux proposent, *le poète dispose,* ainsi que l'indique le sous-titre de l'article [2].

À partir de 1944, la stricte obédience à une forme traditionnelle est définitivement adoptée.

Faut-il attribuer à ce critère trop étroitement respecté l'inégalité d'une œuvre lyrique dont les réussites se situent essentiellement entre 1946 et 1949? Tout ce que l'on peut dire, c'est que le langage du poète offre peu de traits communs avec celui

1. Inédit.
2. *Comœdia,* 10 juin 1944, pp. 1 et 3, app. pp. 359-362.

du dramaturge. Il s'amplifie dès *Épitaphe,* version plus élaborée, selon moi, de *R.I.P.* dont on a déjà cité une strophe [1].

La prosodie est capricieuse : mélange désordonné d'alexandrins, de dizains et d'octosyllabes. Il est possible que pareil enchevêtrement obéisse à la volonté d'éviter des répétitions de cadences qui lasseraient.

La lamentation du poète sur la solitude se double d'une dimension temporelle qui établit une cassure entre passé et avenir :

> Cri, plainte ou pleur, aucun humain secours
> n'apaisera ma douleur ineffable
> lors que par échange équitable
> Jamais abolit toujours
> et l'absence une, hélas, la présence innombrable.

Le dernier vers a la rude brièveté de son d'un tour de clef dans une porte qu'on n'ouvrira plus.

Les deux pièces intitulées *Poèmes* [2] ont pour sujet le cosmos. Curieusement, cet analyste des caractères semble en être obsédé. La première qui débute par :

> Azur rien qu'à l'azur offert,
> Miroir insensible au mirage
> Qui résorbe un miroir désert :
> Néant jeune de tout son âge !

témoigne de l'ignorance où sont l'une de l'autre la voûte planétaire et l'écorce terrestre.

Oubli, naissance et mort n'ont aucune signification dans ce lointain sidéral. Pas plus que les scintillements, reflets et mouvements qui en constituent les hasards. Tout se ramène à la persistance de quelques échos dont vibre un *monde abstrait.* Aux yeux du poète, celui-ci semble pourtant régi par un *infaillible archer* qui poursuit un *but* et le *vise.* En vain, hélas ! car *la cible triche.* Le vide est la seule certitude.

---

1. P. 247.
2. *Hommes et mondes,* nº 1, juil. 1946, pp. 177-178.

L'incapacité de croire en Dieu se trouve ici affirmée avec force. Pourtant, le deuxième poème part d'un émerveillement presque religieux devant les univers inhabités.

L'écrivain est à l'écoute d'un certain silence, celui des *astres, foyers d'intelligence* qui *sans paroles pensent entre eux.* La supériorité de l'homme, *cosmos inversé,* s'y dessine. Lui seul peut interpréter le langage de ces lumières et de ces formes féeriques, semblables à *mille miroirs volants.*

Le dépouillement des phrases aux sonorités captivantes trace ici des surfaces linéaires animées de multiples éclats, enrobées d'espace sans fin.

Dans la mesure où cette poésie s'enrichit de réflexion philosophique, sa forme gagne en rigueur, mais perd en audace inventive. Elle s'épanouit dans le moule d'une rythmique et de vocables qui, sans imiter ceux des poètes consacrés, en rappellent néanmoins certaines intonations.

La pièce inédite intitulée *Du langage,* composée vers 1947, gravite autour du problème des origines. L'idée de l'atome et du fabuleux regroupement de ses *micelles: grains impatients,* s'y développe avec ingéniosité.

L'allusion à un mystérieux *assembleur des messages* qui lie la pensée et l'expression de celle-ci en un *miel concret* ne s'accompagne d'aucune précision et nous laisse quelque peu perplexes.

Deux inédits de cette période atteignent à un sommet de rigueur intellectuelle et formelle qu'il me sera possible de mettre en valeur lorsque je les publierai en entier avec d'autres poèmes. Leur sujet: la mémoire. Celle-ci est conditionnée par les *Sens* (c'est le titre du premier poème) dont la diversité s'inscrit ici avec une préciosité un rien désuète:

> Goût qui de la pulpe du fruit
> délivre le floral fantôme.

En leur *concert parfait,* les sens sont à la mémoire ce que les étoiles sont à une constellation qui, en fait, n'existe que par leur groupe apparent:

Astres du souvenir, ô Constellation,
il suffit qu'un parfum, un chant, qu'une fumée
avive le regret des heures consumées
et, fidèle témoin de nos émotions,
tu brilles dans la nuit des paupières fermées.

Le dernier mot du premier vers fait penser à la journée de bonheur dont le jeune Gabriel parle à Patricia, celle dont le souvenir, *dans l'immensité de* sa *mémoire,... inscrit déjà sa brillante constellation* [1], preuve que ce thème hante l'écrivain en prose comme en poésie.

*Du souvenir* s'accompagne d'un leitmotiv, *jamais plus,* qui en aggrave douloureusement la démarche. S'y inscrit un paysage de silence et de flamme, de lumière détendue et d'eaux sans limites.

La durée s'y fait l'intermédiaire entre ciel et mer pour l'autre : dégager l'indéniable interdépendance qui les lie l'un à

... Cette averse d'astres sur les flots,
ces rouets d'or filant le temps avec l'espace...

Grâce à ses métaphores inoubliables — le *haut front d'or vert* du *Dieu du soir couronné d'hirondelles* — ce poème est peut-être le plus beau que Crommelynck ait écrit.

À une pensée resserrée, correspond une rigoureuse économie de mots qui se paie parfois de quelques vers rugueux. Nulle considération en ces pages qui ne soit fondamentalement rattachée au sujet dont l'énoncé est souvent succinct.

D'où l'hermétisme de certaines strophes dont Albert Crommelynck m'a aidée à comprendre la genèse.

Le dramaturge a laissé des réflexions en prose, malheureusement inachevées, sur le songe. En voici l'idée dominante.

L'homme rêve sans cesse, durant le sommeil aussi bien qu'à l'état de veille où ses activités *détournent son attention* de *l'involontaire création d'images.* Dans la mémoire de l'être, éveillé ou

1. *Une Femme qu'a le cœur trop petit,* Théâtre, t. III. Paris, Gallimard, 1968, p. 324.

non, se produit alors une sorte de tri des visions et un besoin de les retransmettre qui peut favoriser *la création artistique.*

Si peu élaborées que soient ces observations, elles éclairent un poème intitulé précisément *Le Rêve* [1]. Affranchi de sa pesanteur, le dormeur surprend ses propres secrets et ceux d'un monde qu'il y associe par des fils ténus. Il se trouve au centre des éléments et des saisons, abandonné, sans volonté, véritable gisant qui échappe aux transitions du devenir :

> Les matins, les soirs, les saisons,
> Toutes les heures mesurées
> De l'illusoire durée
> Qui semblaient en cortège entrer dans l'horizon
> Soudain il les voit de front.

La marche des aiguilles s'efface au profit d'un instant presque insaisissable qui, sans offrir le *relief* du temps, en présente la *largeur,* c'est-à-dire une dimension synthétique plus exacte que celle perçue à l'état conscient.

Cette poésie un peu statique sonde néanmoins les apparences du cosmos et la réceptivité de l'esprit humain. D'aucuns ont abordé pareils sujets sur un mode plus pénétrant et peut-être d'une voix plus étendue. L'auteur du *Cocu magnifique* s'attache toutefois avec beaucoup de lucidité à une recherche métaphysique sur des phénomènes auxquels notre époque lui paraît devoir s'initier. Sans atteindre pour autant à la maîtrise continue, il s'y révèle un poète de qualité, susceptible d'envols fulgurants.

Au total, il me paraît que si Crommelynck n'avait pas écrit ces poèmes, s'il ne s'était astreint aux exigences de la prosodie et à l'art de sertir l'éclat de l'image qui en est prisonnière, il n'aurait sans doute pas accédé au degré de perfection lyrique qui en fait un des premiers poètes dramatiques de notre temps.

## 2. Poésie dans le théâtre

Poésie du théâtre de Crommelynck...

Elle circule dans la chair même des pièces, comme le sang dans les artères, baignant la substance même du langage : l'incroyable

1. *Psyché,* n° 29, mars 1949, pp. 275-276.

des fictions nourries de fantasmagorie (celle des filles qui accouchent de *trois diables l'un derrière l'autre*) [1] ou la saveur des dictons que le jeu de mots propulse au loin et dont l'image ricoche à l'infini (*Le menteur vomit son sang noir*) ; quand Crommelynck en prend à l'aise avec la légende et le mythe, les truffant de vocables au goût fruité ou à la pimpante cocasserie, assaisonnés au poivre de l'esprit satirique ou au picrate de la cruauté, il accommode ses farces de succulence et de truculence qui, chez ce magicien du verbe drôle ou triste, et parfois triste-drôle, deviennent poésie. Poésie du rire clairement franc ou douloureusement noir, la voilà qui s'égare dans des chemins où elle ne se rencontre guère chez les autres. Sur les lèvres solennelles des médecins (outre le jargon que nous les avons vu utiliser et qui les rend proches de ceux de Molière), où se forment soudain des paroles de rêveur :

> La vie des cristaux est bien étrange. Comme les hommes ils ont des blessures, et ces blessures se cicatrisent, oui... [2]

Retrouvons-la aussi dans la faconde du Barbulesque de *Tripes d'or* dont s'exhalent des senteurs de plantes médicinales. Ainsi se travestit-elle d'une savante alchimie de termes rares ou vieillis qui suggèrent le mystère des maléfices ou des panacées.

Qui penserait qu'elle puisse se découvrir aussi en des thèmes jamais exploités, se prêtant au verbe le plus ensorceleur ? Qui croirait que l'argent puisse avoir une odeur poétique ? Surtout quand ce sont des ladres ou des notaires qui le manient : *L'argent souffert* (ainsi que le nomme Hormidas pour le distinguer de l'autre, reçu ou gardé avec indifférence), prend ici allure d'idéal ou de foi, du moins dans la façon dont on l'exprime.

Nous sommes transportés dans un univers où la couleur de l'or transfigure les protagonistes qui en deviennent les statues d'une lumineuse dureté. Où les yeux ont la rondeur, la froideur et l'éclat des pièces de monnaie. Dans un monde fantasmagorique où les moments passés à accumuler les deniers n'excluent nullement l'entier accomplissement du jeune amour : *Nous nous*

1. *Le Marchand de regrets. La Vie intellectuelle,* t. XI, avr. 1913, p. 226.
2. *Le Sculpteur de masques,* Théâtre, t. I. Paris, Gallimard, 1967, p. 274.

*aimerons si fort et si vite,* pense Pierre-Auguste à propos de ses retrouvailles avec Azelle, *que le temps ne pourra nous suivre* [1].

D'être poétiquement rendue, l'avarice prend sa plus frappante évidence.

D'autres vices encore se parent d'un même lyrisme.

L'imagination des servantes perverses ou celle de l'orgueilleuse épouse de Dom débordent, on l'a vu, de métaphores inattendues. La colère ou la haine font entrer ces mégères en transe, de telle sorte que le réalisme verbal pur et simple ne peut plus traduire leur appétit de nuisance ou de médisance. Alors, l'injure se fait tempête, le sel des larmes d'autrui dessine des fleurs qu'on piétine avec délice.

Léona est l'une de ces abeilles aux paroles dévastatrices. Porteuse de miel ou de fiel suivant qu'il s'agit de ses amants ou de son mari :

*Dom était tapi dans le silence comme le crabe dormeur sous une roche! Son sommeil ronfleur,* ajoute-t-elle pour parachever ce portrait, *battait, comme un hanneton, tous les coins de la maison!* [2] Persiflage exalté qui apaise quelque peu sa langue vipérine.

Pareilles fureurs sont plus vraies encore d'être belles, plus intenses d'être portées au plus haut degré d'incandescence où elles dévastent tout autour d'elles.

L'originalité de Crommelynck, c'est de s'être fait sourcier de poésie dans des domaines qui en sont dépourvus. Est-ce à dire qu'il l'est moins en des lieux où elle réside habituellement ? Certes non.

Dans chaque pièce, les amants redécouvrent l'amour avec la même surprise extasiée. Au début, ils cheminent dans l'apesanteur. Leur corps se fait complice de leur joie, leur âme devient miroir pour mieux s'accueillir. Sur leur route, la sensualité et la spiritualité (la faim de l'une aiguisant la soif de l'autre) ne se contrarient jamais. La randonnée s'opère dans un incroyable équilibre, au sein d'une éternité plus éternelle d'être menacée par l'obstacle qui, on le pressent, ne manquera pas de surgir.

1. *Tripes d'or,* Théâtre, t. II. Paris, Gallimard, 1968, p. 77.

2. *Chaud et Froid,* Théâtre, t. II. Paris, Gallimard, 1968, pp. 284 et 295.

Cette progression, qui échappe aux limites du temps et aux contingences de la vie, ne peut s'imaginer qu'en paysages sans frontières que le dramaturge fait vibrer sous son pinceau enchanté.

Une plongée dans l'air marin nous entraîne d'emblée à la poursuite d'une jeteuse de charmes. L'aimé suit la belle dompteuse de flots tachetés d'écume — Sophie ou Élisabeth — non sans scruter l'horizon au-delà duquel un inconnu libérateur et paradisiaque attend le couple qu'ils formeront bientôt :

> ... Élisabeth ! C'était toi, je le jure, qui dansais sur la plage, dans la robe transparente des sables soulevés ! Je t'ai vue mille fois, couchée, tiède et tout à fait nue dans les dunes sans ombre ! [1]

On côtoie tantôt la mer où le désir toujours recréé s'accorde au tempo des marées renaissantes, tantôt le ciel qui définit la plénitude du ravissement amoureux : *J'étais, comme une planète, suspendue entre deux vertiges* [2].

Le paradis que s'inventent les amants puérils permet de fuir le monde des adultes où règne le péché de complication. On part du sol, on court. Et hop ! dans l'azur où l'on se maintient sur les ailes du songe dans un paysage dont la féerie tient de l'inouï :

> « La petite princesse traversait des ciels, aussi verts que les champs du mois de mai. Elle retroussait sa robe pour ne pas la déchirer aux clôtures d'étoiles... et la nuit elle traversait pieds nus, de lune en lune, la Voie lactée... » [3]

Ce texte, le précédent et tant d'autres qu'on a rappelés au cours du présent ouvrage, quel choix de proses poétiques conduisant d'émerveillement en émerveillement, de l'incantation du souvenir à la fascination du devenir, dans une aura protectrice ou un état second qui invitent en même temps au dépassement de soi et au dépaysement total le long des brumes de l'irréel !

L'univers sorcier de Crommelynck a des talismans pour toutes les sensibilités et pour toutes les imaginations.

1. *Les Amants puérils*, Théâtre, t. I. Paris, Gallimard, 1967, p. 182.
2. *Carine*, Théâtre, t. II. Paris, Gallimard, 1968, p. 149.
3. *Les Amants puérils*, p. 201.

Les mirages que forment les nuées et la fougue océane ne sont pas seuls à traduire l'amour à son sommet. Au même titre que le désordre des sables et des pâtures stellaires, le végétal devient aussi motif de poétique analogie, confondant bras et branches incurvés par la tendresse.

Dès le moment où il a commencé à écrire, Crommelynck a toujours associé l'arbre à l'idée d'une félicité qui se propageait dans l'être comme les poussées de la sève. Une chronique, datée de 1908, en utilise déjà toute la symbolique [1]. Celle de son théâtre crée une sensation d'enracinement et d'ivresse d'exister.

Et où peut-on exister davantage, si ce n'est dans l'exaltation du jeune amour heureux ?... *tu serais, à chaque seconde, plus couvert de baisers que les arbres de feuilles* [2], dit Carine à son ami, quand elle prend conscience de la force irrépressible qui les entraîne constamment l'un vers l'autre.

Le pouvoir d'aimer de Pascal (*Le Sculpteur de masques*) opère en lui une transfiguration qui semble le subjuguer :

> Cette nuit, j'ai rêvé que j'étais un arbre... mes veines étaient des racines, mes bras étaient des branches, mes mains étaient des feuilles... [3]

Pressions printanières liées à l'enivrement de donner et de recevoir dont le désir se revigore et s'allège tout ensemble.

Poésie des éléments salubres, celle dont s'entourent les amants de Crommelynck traduit avec la même force la pureté qui unit ou la souillure qui mènera progressivement leur joie à son déclin.

> Aujourd'hui, il faut oublier le bonheur qu'à deux on peut faire d'une belle journée. J'espère qu'un peu de notre âme est dans le paysage, pour le printemps et l'été des autres... [4]

C'est, ici comme dans *Les Amants puérils*, le chant désabusé d'une passion irrémédiablement condamnée.

1. *Le Carillon*, 1908, dans *Textes inconnus et peu connus de Fernand Crommelynck*. Bruxelles, Académie Royale de Langue et de Littérature Françaises, 1974, p. 127.
2. *Carine*, p. 141.
3. *Le Sculpteur de masques*, p. 299.
4. *Carine*, p. 206.

Suzanne Lilar l'observe avec raison: *Dans chaque pièce de Crommelynck, il y a un amour assassiné* [1].

La certitude qu'ont Carine et Frédéric de ce que leur condition a d'éphémère, fait jaillir des laisses poétiques toutes pénétrées de tragiques pressentiments:

> Adieu! Ne t'attarde pas. Et si tu t'attardes, que ce soit pour me désirer davantage! Et si c'est pour me désirer, alors! éloigne-toi lentement et très loin, comme la corde de l'arc: ton retour à mon cœur en sera plus rapide! Adieu [2].

Fondé, ici, sur l'angoisse, ailleurs, sur le halètement de la tendresse ou du vice, le rythme de Crommelynck prend toujours un élan reconnaissable entre tous. Il se scande, bondit, accède à des hauteurs insoupçonnées sur un tempo croissant qui tient pourtant compte de la respiration et des gestes du comédien (même quand le lyrisme l'emporte et que la ferveur s'excite de parole en parole).

C'est lui qui entraîne avec allégresse des phrases surchargées de comparaisons insolites ou baroques. Il est l'infatigable moteur de cette langue qui brûle les vitesses, les signaux et les distances pour épouser le délire des personnages arrivés au faîte de la plénitude ou de la colère. De cette langue du paroxysme, s'il en fut, étroitement liée aussi aux luisances des visions et à l'étrangeté de l'ambiance.

Car cette poésie dramatique procède en outre d'une atmosphère qui décuple le pouvoir d'envoûtement des éléments qu'on vient d'y déceler.

Digue mouillée où zigzaguent des reflets d'irréelles demeures ou flambants glaïeuls des couchants, voile de lumière solaire parsemé de taches de géraniums qui enveloppe le jeune amour de Stella ou encore ce parc pourri par l'automne autour d'un balcon qui rappelle celui des amants de Vérone. Villes flamandes enfin: leurs tours pointées comme des doigts vers de troubles nuages, leurs boutiques d'artisans ou d'antiquaires, leur grouillement de foires à parasols, pleines d'oiseleurs et de raconteurs d'histoires

---

1. *Soixante ans de théâtre belge*. Bruxelles, La Renaissance du Livre, 1952, p. 59.
2. *Carine*, p. 150.

qui ressucitent des personnages mythiques (l'homme au sable ou Broque le pirate). Tandis que passent, en leurs funambulesques accoutrements, sous les ponts des premiers rires et des derniers soupirs, les mascarades aux cris jaunes et verts lancés par leurs lanternes folles et leurs rauques fanfares.

L'étrange et le baroque forment l'ambiance de ce théâtre que traversent par ailleurs les tons de la rêverie et de la cruauté, de la limpidité et de la démence. S'y rencontrent la férocité du trait de Goya et la prolifération des monstres de Bosch. Quand, par exemple, les dominos pervertisseurs envahissent le domaine de Carine et que, au dire de la gouvernante, ils se répandent en tous lieux : *c'est comme une conspiration. Il y en a peut-être sur les arbres* !... [1].

Sans compter l'ébouriffante dislocation des images à la façon d'Apollinaire : ces *assassins* pareils aux *saints,* portant leur tête *entre leurs mains* [2]. À quoi s'oppose la ferveur d'un Fra Angelico, la transparence de l'amour mi-rêvé mi-vécu où n'entre que de la candeur.

Dans un tel théâtre, l'enfer et l'éden voisinent avec leurs cercles d'ensorcellement, d'égarement ou d'illumination dans lesquels il est possible de s'enfermer avec délice.

Monde de Crommelynck aux éclats insolites, aux teintes de gadoue et d'absolu, révélatrices de tortures sans démon et d'extases sans Dieu !

## 3. Conclusion

Au commencement du théâtre de Crommelynck est la poésie. Une tonalité musicale et rythmée que l'exercice de la prosodie n'a cessé d'amplifier. Un sens pictural aussi dont témoignent les portraits des personnages.

Rodé, dès sa jeunesse, aux classiques français et anglais, aux romanciers russes et aux poètes de tous les pays, l'auteur d'*Une femme qu'a le cœur trop petit* sait avec exactitude ce qu'il peut en prendre ou en rejeter. Ces écrivains lui sont nourriture sans

1. *Carine,* p. 194.
2. *Le Sculpteur de masques,* p. 318.

qu'aucun d'entre eux devienne objet d'imitation. L'analyse des caractères et la construction de l'intrigue où il les inscrit procèdent de cette connaissance du patrimoine littéraire ; c'est par là qu'il n'a cessé d'appartenir à la lignée des dramaturges qui sont capables de cerner un sujet, d'en exprimer tout le suc et de le faire aboutir où il doit inéluctablement aller. Ce côté de son tempérament, qui lui a parfois inspiré des réflexions trop sectaires, ne l'empêche pas de résoudre *la querelle de l'ordre et de l'aventure* avec une intelligence aussi acérée que celle d'un Apollinaire. C'est en effet aux *frontières de l'illimité et de l'avenir* qu'il se dresse lorsque sa plume sème tant de germes perturbateurs. Ceux-ci ont été à l'origine, il y a plus de cinquante ans déjà, du théâtre de la psychanalyse et de l'absurde tel que le développent aujourd'hui ses tenants les plus justement célèbres. Conception audacieuse pour l'époque, Crommelynck l'utilise avec autant d'ingéniosité que de vigueur. Il analyse les individus drogués par leur vice, surpris au paroxysme de la déraison et du désarroi. Il les montre revêtus de masques tragi-comiques qui accréditent les plus insoutenables visions du démantèlement intérieur. Monstruosité visible, déterminée par l'envie, l'avarice ou l'orgueil que fait percevoir la violence des images grossissantes, pathétiquement burlesques, poétiquement déchaînées, en un mot, le baroquisme du style qui se greffe curieusement sur une construction classique de l'ouvrage. À ces êtres de démesure, qui appartiennent au domaine du fantastique, s'opposent ceux qui vont à visage découvert, le plus souvent à l'air libre d'un décor campagnard, riches de leur bon sens et de leur tendre ou joviale spontanéité. Vivante réprobation à l'égard de créatures que noircissent les péchés capitaux.

Cette morale d'inspiration chrétienne n'est ni celle d'un croyant ni celle d'un professeur voué au progrès des mœurs. Elle procède d'une foi revigorante dans le respect d'autrui et dans la recherche d'un indispensable équilibre.

Mais la sagesse et le discernement de l'artiste ne laissèrent toutefois pas de se retourner contre lui et de lui jouer des tours.

Peut-être conçut-il trop tôt des situations auxquelles le public n'était pas encore accessible. On a vu que ses pièces eurent toujours moins de succès à leur départ que dix ou vingt ans plus tard.

Ce n'est pas cependant la seule mésaventure que lui valut son excès de clairvoyance.

Lors de la publication de ses trois volumes chez Gallimard, il n'estima pas utile d'y joindre *Le Sculpteur de masques* en vers, *Le Marchand de regrets* ou les actes inédits dont on a parlé dans cet ouvrage. Le travail de sape qu'accomplissent habituellement les essayistes après la mort des hommes de lettres, il l'a pratiqué pour son propre compte. Au risque de provoquer la question perfide qu'on pose inévitablement à son sujet : pourquoi Fernand Crommelynck ne nous a-t-il légué qu'un nombre d'œuvres finalement restreint, du moins du point de vue de notre faim ? À cette question, je crois avoir en partie répondu. Et quand bien même je ne l'aurais pas fait, cela ne changerait rien à l'essentiel : la première du *Cocu magnifique,* à la date du 18 décembre 1920.

Avec cette soirée, l'art dramatique français a basculé sur ses fondements et, projeté hors de son espace coutumier fait de rationalisme appauvrissant et de grisaille « sentimenteuse », il n'y est plus jamais retourné.

Loin de nous l'idée de tomber dans un excès de louange. Tous les chemins du théâtre ne mènent pas à Crommelynck et ne partent pas nécessairement tous de lui. Il reste que l'auteur du coup de force de 1920 et des « farces » qui allaient en prolonger les effets, représente le cas unique d'un maître de l'art scénique qui est, en même temps, un poète, un peintre, un intellectuel cultivé, en qui tradition et invention voisinent allégrement et, enfin, un homme de pleine santé morale. En bref, un humaniste dans le sens le plus sensible et le plus lucide du terme.

Peut-être est-ce par cet insolite alliage qu'il est appelé à durer et à vivifier encore et toujours les sources et les ressources de la dramaturgie.

# Appendices

# TEXTES

## *Théâtre*

### LE CHEMIN DES CONQUÊTES [1]

Tragédie en un acte, en vers

PERSONNAGES :

TALASSIN, apôtre
ARCAGÈLE, sa sœur
SYMADORE
LE BOSSU
LA FOULE

### Le Chemin des conquêtes

Une chambre modeste. Pas de meuble. Seulement une haute chaise entre les deux fenêtres du fond. Il y a aussi, à gauche, une porte grillée.

Par les deux fenêtres, on aperçoit la campagne jusqu'à l'horizon. C'est le crépuscule du soir.

Talassin, l'apôtre, est assis dans la haute chaise.

Arcagèle, sa sœur, est à ses pieds.

Une rumeur de foule, au dehors.

---

1. Pièce inédite (1908). Manuscrit appartenant à J.-P. Houyoux.

*LE PEUPLE (très loin)*

Talassin!... Talassin!..

*ARCAGÈLE (émue)*

Talassin!..

*TALASSIN (très doux)*

Arcagèle!
Mon cœur s'emplit d'existence surnaturelle!
Je suis heureux à toutes larmes!

*ARCAGÈLE (baisant sa main)*

Talassin,
Mon frère aimé, vous êtes bon comme un matin
Qui fait mûrir les blés pour des repas d'esclaves.

*TALASSIN (s'exaltant)*

Ô guérir la douleur des tendresses épaves!
Ne plus renaître, et vivre et mourir jour à jour!
Être divin par la force du seul amour!

*(tendre soudain:)*

Dis, comprends-tu, ma sœur?

*(Elle baise sa main)*

C'est la liberté neuve!
Mon âme a traversé leurs âmes comme un fleuve
Et notre espoir sera fertile à l'infini!

*ARCAGÈLE (tristement)*

Le monde est grand...

*TALASSIN*
*(dans un grand élan de bonté)*

Pas lorsqu'on aime sans déni!

*Il parle lentement, sa voix devient grave et chaude, et il met de l'amour dans chaque mot.*

L'exemplaire baiser du ciel va se répandre!
Et partout, l'aube, où s'ouvre une clarté plus tendre,
Élève au vent meilleur la flamme des moissons!

*Doucement, à Arcagèle:*

Je te promets les pays d'or de tes chansons.

*LA FOULE (au-dehors)*

Talassin!

*(Talassin frémit, s'enthousiasme:)*

*TALASSIN*

La ferveur des voluptés loyales
Fera battre du sang plus chaste au cœur des mâles!
Tous les désirs seront un mutuel accueil:
Nous aimerons sans modestie et sans orgueil!

*(Longue clameur, au-dehors)*

La Gloire attend derrière une porte prochaine!
Il faut aller vers le soleil à toute haleine,
Et fou de respirer sa lumière en bouquets,
Suivre l'astre, gravir en soi d'autres sommets;
Porter toujours plus haut son âme inassouvie,
Et d'un élan, venu du fond de l'énergie,
Gagner la cime où le seul jour est éternel!

*LA FOULE (acclamant)*

Gloire!.. Gloire!..

*TALASSIN (extasié)*

Plus beau toujours, et plus réel,
En des climats où flotte un rêve d'Hespérie,
C'est le jardin qui tremble au fond de chaque vie:
Mon cœur embaume tout mon sang!

*ARCAGÈLE (éperdue)*

Ô Talassin,
Des pardons éperdus palpitent sous mon sein!
Tes mots sont des fenêtres larges!.. Parle encore;
Je respire des étoiles par chaque pore!

*On entend, au-dehors, s'approchant*
*peu à peu, le bruit d'une foule*
*qui chante, tandis que des lyres,*
*des harpes, des luths, des flûtes,*
*des fifres, des trompettes et des*
*cymbales, propagent dans toute*
*la campagne, l'allégresse d'un*
*peuple en marche.*

*UN CHANT*

Il était une fois, il est,
Au fond des campagnes natales,
Il est encore une forêt
Pareille à mille cathédrales.

*TALASSIN*

Sache le vouloir-vivre ardent!.. Crois au bonheur:
Le fruit de mes vergers garde un regret de fleur,
Et dans le goût des chairs qu'un sang suave arrose
Règne le souvenir d'une métamorphose!
Si tu doutes, au jour moins bon, prends le chemin
De nos ruches, où vient mourir chaque jardin;
Marche vers leur bonté d'un pas qui se surveille,
Et surprends mieux alors, abeille par abeille,
Le secret des miels roux et la splendeur d'aimer.

*LA FOULE*

Hosanna!.. Talassin!.. Vivat!.. Gloire au berger!

*TALASSIN (ardent)*

S'épanouisse un monde au tumulte des sèves,
Je chanterai le bon rythme de vivre clair!
Mon âme est une forêt folle qui s'élève,
Et les nids d'aujourd'hui touchent aux ciels d'hier!

Il faut aimer!.. Mon âme est une cathédrale
Où des peuples se sont rués vers des Pardons;
Et je la baise en pleine bouche virginale,
La foi suprême, avec toutes ses guérisons!

La cloche appelle en moi pour des fêtes humaines!
Je veux aller de ville en ville!.. Et je dirai
Des mots qui font frémir la vie au fond des veines,
Des mots où l'on respire un grand printemps sacré!

Il faut aimer: être semblable à la lumière,
À la chaleur; aimer chacun sans tour-à-tour;
Enfin, comme le ciel, unanime à la terre,
Pénétrer feuille à feuille une forêt d'amour!

Il va naître un midi de glorieuse vendange!
Il faut aimer: les fruits sont lourds de ciel enclos,
Et les peuples sauront, aux vignes des coteaux,
L'universel baiser d'un bonheur sans mélange!

*LA FOULE*

Talassin!.. Talassin!.. Gloire!.. Gloire!.. Hosanna!..

*UN CHANT*

Je sifflerai dans mes roseaux
Pour faire chanter les oiseaux.

*Arcagèle court à la fenêtre, et regarde au dehors, émerveillée.*

*ARCAGÈLE (à Talassin)*

Ô viens voir! Jusqu'au fond du grand soir incarnat,
C'est la foule ivre qui descend dans la vallée!

*(dans un cri:)*

Toutes mes sœurs!

*(et, prise soudain d'un étrange vertige:)*

J'en suis de splendeur inondée!

*LA FOULE*

Gloire!..

*ARCAGÈLE*

Je sens mon cœur descendre dans leurs voix!
Ma chair s'épanouit vers un geste de croix
Et mes consentements deviennent des prières!

*LA FOULE*

Vivat !..

*ARCAGÈLE*

Les fleurs ont des réveils crépusculaires,
Et la brise propage un retour de jardins !

*LA FOULE*

Gloire !..

*ARCAGÈLE*

L'air est vivant de baisers presque humains !
Les feuilles ont des gestes d'aile, au bout des branches :
Tous les arbres vont s'envoler des routes blanches
D'où le soir, libéré, monte comme un encens !
Il neige des pétales de ciel sur les champs ! !...

*LA FOULE*

Vivat !.. Gloire !.. Hosanna !..

*ARCAGÈLE (dans un enthousiasme clair)*

C'est l'heure des lumières !
L'horizon coule en cascades sur les bruyères,
Et les bois floconneux brûlent au bord du soir.
Tout est flamme, fumée, onde et parfum !.. Viens voir ;
Par des chemins où vibre un appel de conquête
Des cortèges de peuple heureux, d'arbres en fête,
Chantent la volupté des réveils !.. Tu verras
Le doux balancement des branches et des bras,
Et la clarté du ciel, des chairs et des pétales !

*Et toutes les portes*
*s'ouvrent à la fois.*
*La foule se précipite*
*dans la chambre.*

*TOUTE LA FOULE*

Vivat !.. Vivat !..

*ARCAGÈLE (défaillante)*

Marée étrange des soirs pâles !

*Arcagèle est maintenant*
*près de Talassin. Des fleurs*
*tombent à leurs pieds. Les*
*harpes, les luths, les flûtes*
*tintent. On chante au rythme*
*de la danse.*

*DES VOIX DOUCES*

Filles et garçons
Dansons,
Au son des flûtes pastorales.
Nous portons des fruits
Mûris
Dans des corbeilles de pétales.
Filles et garçons
Dansons !

*TOUTE LA FOULE (confusément)*

Voici du blé !.. — du lait !.. — des parfums !.. — de l'eau vive.

*DES VOIX GRAVES*

Filles et garçons
Dansons !
Cloches sonnez pour les agapes
Aux quatre chemins.
Un désir clair gonfle les seins,
Un sang vermeil emplit les grappes.
Filles et garçons,
Dansons !

*TOUTE LA FOULE (confusément)*

Ô notre amant !.. — Roi des Pâtres !.. — Meilleur convive !..

*DES VOIX SEREINES*

Filles et garçons
Dansons !
Nous ferons le vin dans les jarres,
Et le même jour,
L'amour,
À l'ombre des forêts barbares !
Filles et garçons
Dansons !

*Les femmes cessent leurs danses. Et c'est le silence soudain, comme si quelque chose se brisait dans l'air. Le peuple, rangé en demi-cercle, attend. Une femme sort, d'entre toutes les autres, et s'avance vers Talassin, les deux bras levés.*

*LA FEMME*

Approchons-nous : ses yeux sont faits d'une eau plaintive,
Et comme aux sources, nous allons
Emplir d'extase enclose et de gloire captive,
Nos souvenirs pareils à des vases profonds !

Ô nuit harmonieuse en étoiles sonores,
Son âme est vaste comme toi,
Et quand nous partirons vers ceux qui n'ont pas foi,
Notre ombre aura la grâce altière des amphores !

*TALASSIN (en pleine extase)*

La joie, ainsi qu'une marée, aspire au ciel !

*Puis, au peuple, généreux et grand.*

Ô mes frères, sachez l'indéfectible appel
Des astres, vers les astres d'or, parmi l'espace !
Halo de pur espoir où leur clarté s'enchâsse ;
Comme il leur faut s'entre-chercher avec ferveur,
Pour connaître à jamais l'universel bonheur !
Songez à cet amour vivant comme une étreinte
Où vient s'épanouir la Concorde ; à la crainte
D'un oubli de bonté, soudain, d'un abandon !
Songez à la terreur des chutes sans pardon ;
Au châtiment des étoiles aventurières,
Épaves dans le vide où s'usent leurs lumières,
Pour n'avoir pas aimé leurs sœurs également !

*LA FOULE (au-dedans)*

Gloire !.. Gloire !..

*TALASSIN*

Aimez-vous selon le firmament ;
Les âmes sans ardeur sont des étoiles folles !

*LA FOULE (au-dehors)*

Gloire !.. Vivat !..

*TALASSIN*

Les mains, les yeux et les paroles
Ont des fluides voluptueux au fond de l'air ;
Et les pasteurs qui comprenaient le geste clair,
Les regards et les mots empreints d'extase immense,
Laissaient dans leurs séjours des climats d'espérance !

*LA FOULE (au-dedans)*

Gloire !.. Gloire !..

*TALASSIN (ivre de joie)*

Harmonie humaine !.. Paradis !..
Jardins de Babylone aux splendeurs des midis,
Qui grandiront comme une flamme se propage,
De ciel en ciel, de peuple en peuple et d'âge en âge,
Quand s'ouvrira la fleur que chacun porte en soi !

*LA FOULE (partout)*

Talassin !

*TALASSIN*

Maintenant, avec le seul émoi
De servir un Destin plus haut que votre vie,
Allez dès aujourd'hui vers la souffrance amie !
De l'espoir doit fleurir un courage inhumain,
Ne pleurez pas : il faut saigner jusqu'à demain !
Allez toujours, sans craindre une route étrangère,
Tous les chemins sont amoureux d'une clairière !
Marchez tout nus dans le soleil, triomphateurs,
Pères des peuples-rois qui sauront vos grandeurs !

*TOUTE LA FOULE*

Filles et garçons
Dansons,
Au son des flûtes pastorales,
Nous portons des fruits
Mûris
Dans des corbeilles de pétales !

*Et le peuple, en sarabande qui enveloppe et entraîne Arcagèle, sort par toutes les portes.*

Filles et garçons
Dansons !

*Seule, Symadore demeure. Talassin la regarde longuement; puis, va à elle, lui prend la main, la conduit au grand fauteuil. Il s'agenouille.*

*SYMADORE*
*(solennelle, parle sans regarder Talassin)*

J'arrive des cités de silence et d'exil
Et de vents froids !.. Je sais l'impossible victoire
Des clémences du ciel sur la mer sans mémoire !

*TALASSIN*
*(extasié, la regarde et ne l'entend pas)*

Tes cheveux sont mouillés des lumières d'avril !

*SYMADORE (frissonnant)*

Aveugle majesté des flots !.. Peuple infidèle !..
Si tu savais quelle incessante trahison
Monte avec la marée ou s'enfle une querelle !

*TALASSIN (sans l'entendre)*

Ta bouche garde la couleur d'une chanson.

*SYMADORE (tragique)*

Ô Talassin, j'ai vu passer le grand navire
Qui transportait des champs de haine en épis mûrs
Pour des repas épouvantables et futurs !

*TALASSIN (sans l'entendre)*

Ô tes yeux, claire nuit fervente où je respire.

*Symadore se lève. Sa*
*voix devient âpre et tragique.*

*SYMADORE*

Parfois, lorsque le ciel rêve entre deux clartés,
La mer appelle avec une voix plus profonde !
Et des jardins de feu s'allument sur l'eau blonde !
Les flots chantent... Et des vaisseaux inhabités
Avec leur voile au vent comme une harpe blanche,
Montent des horizons où le soleil s'épanche !
Et les amants hallucinés vont vers là-bas
Respirer dans l'air chaud le vin des crépuscules !

Alors, la mer s'emplit d'hypocrites combats,
Et dans le sable fin glissant ses tentacules,
Dévore les amants serrés dans leur terreur !
Le peuple des vaisseaux aveugles fuit sans voiles !
Les jardins sont fermés !.. Le flot tait sa rumeur !
Et la nuit meurt de froid sous le gel des étoiles !

*TALASSIN (extasié)*

Ô double solitude heureuse de tes yeux !
Dans quels brouillards quelles forêts évanouies ?
Quelle vallée où sont des routes infinies ?
Et quels lacs sous la lune en miroir merveilleux ?
Il neige du silence au fond de l'eau sereine !

*LA FOULE (très éloignée)*

Talassin !.. Gloire !..

*SYMADORE (écoutant la clameur)*

Écoute: aujourd'hui, c'est la paix!
Tu descendras tout seul vers la bonté lointaine,
Et demain, ce sera les ouragans mauvais
Et les instincts pareils à des vaisseaux épaves!

*TALASSIN (en joie grandie)*

Ta voix: sang de ton âme en paroles suaves!

*SYMADORE (avec toute sa passion)*

Non!.. Ne regarde pas du côté du soleil!
La chair du ciel grandit tes désirs sans remède;
Moi, je t'apporte le salut de mon corps tiède!

*Talassin, tout à coup,*
*s'éveille de son extase,*
*Il entend, et la voix*
*de Symadore l'envelop-*
*pe comme une étreinte.*
*Il se lève, frémissant.*
*Elle continue:*

Je sais les villes de ton rêve, au soir vermeil,
Et le mirage usant ta force inassouvie!
Toutes les gloires sont en moi: je suis la vie!

*Talassin veut parler.*
*Elle l'entoure de ses*
*bras.*

Je suis la vie au bord des campagnes de mai.
Mes prudences feront des sentiers de lumière,
Loin des hommes, vers le repos d'une chaumière!
Mes craintes dormiront devant le seuil fermé
Et mon amour te conduira jusqu'à toi-même,
Avec ses mille mains d'espoir et de candeur!

*TALASSIN (éperdu)*

Symadore!

*(Et Symadore se donne*
*toute, dans un grand*
*élan de triomphe.)*

*SYMADORE*

Je t'aime !.. Et je t'aime !.. Et je t'aime !
Et le cœur de la foule entière est dans mon cœur !

*On entend, au-dehors,*
*une nouvelle approche*
*de musiques joyeuses.*

*TALASSIN (éperdu)*

Symadore !

*SYMADORE*

Son hymne en désordre m'inonde !
Je sens des cris dans tous les chemins de ma chair !

*LA FOULE (en tonnerre, au-dehors)*

Hosanna !

*SYMADORE (folle)*

C'est le sang de mes veines dans l'air !!

*LA FOULE*

Vivat !.. Gloire !..

*SYMADORE (défaillante)*

Et j'arrive du bout du monde !

*Symadore, ivre, folle,*
*presque évanouie, tombe*
*dans les bras de Talassin.*
*Lui, des larmes plein les*
*yeux, s'exalte aussi.*

*TALASSIN*

C'était dans la forêt sauvage, un carrefour
Crucifié par quatre routes inclémentes.
Les feuillages éparpillaient tes mots d'amour,
Et j'entendis mourir le cri de mille amantes !

Ô les quatre chemins de mes doutes mortels,
Et la clairière de ma joie écartelée,
Où pleurait, par-delà les tragiques appels,
Ta tendresse lointaine et plus inconsolée !

Puis, ce fut le matin limpide!.. Et j'ai bondi
Comme un fauve éperdu dans les halliers hostiles,
Vers la clameur mouvante où ta voix se perdit!
Et j'ai su le tourment des sentiers inutiles!

Et des larmes coulaient dans mes yeux sans secours!
Et mes pieds nus saignaient aux ronces meurtrières,
Et ce fut, jusqu'au soir, la croix des carrefours,
Et toujours, le supplice atroce des clairières!

Ô Symadore, et te voici!..

*LA FOULE*

Gloire au berger!

*SYMADORE*

Oui, mon amant, je suis ton peuple sans danger!
Suis-moi!.. Renonce au rêve infécond qui t'arrête!
Songe à ta vie, et songe à ta propre conquête!
Garde le seul orgueil de te combattre encor,
Et de te vaincre, et d'être droit devant la mort!
Sois le pasteur de tes volontés indociles;
Et tu te connaîtras grand selon le devoir,
Si tu peux ramener vers le bercail du soir
Tes sagesses, ainsi que des troupeaux tranquilles.

*TALASSIN (conquis)*

Prime-aurore!.. Printemps!.. Source!.. Nuit de Noël!
Ô multiple naissance en gerbes de promesses!
Éveil surnaturel!
Symadore est à moi, j'ai toutes les jeunesses.

*Ils s'étreignent devant*
*la fenêtre ouverte. Et*
*Arcagèle entre en*
*chancelant. Elle est*
*couverte de fleurs,*
*des pieds à la tête, et*
*balbutie en pleurant:*

*ARCAGÈLE*

Talassin!.. La campagne est ivre au vent du soir!

*(et dans un paroxysme de joie:)*

Je ne veux plus mourir!

*LA FOULE (au-dehors)*

Hosanna!

*ARCAGÈLE*

Je veux voir:
L'horizon saigne du soleil par tous ses pores;
C'est l'instant des sommets!..
Et dans les bois sonores,
Ouvrant des ailes de sommeil sur les hameaux,
Les arbres crêtés d'or comme de grands oiseaux
Font frémir jusqu'au ciel l'orgueil de leurs feuillages!
Il fera clair à tout jamais sur les visages!

*LA FOULE*

Gloire au Maître!..

*ARCAGÈLE*

D'autres cortèges doux et fiers,
Avec de grands manteaux d'amour au long des chairs,
Sont venus, par tous les chemins, vers tes fontaines!
Il faut aller, il faut aller finir leurs peines,
Et le mal d'un désir plus ardent que la mort!
D'autres cortèges sont venus, d'autres encor!
Le sang jaillit des cœurs comme un vin de victoire,
Et chaque vie est ivre et folle!..

*LA FOULE*

Vivat!.. Gloire!..

*Soudain, Talassin, muet*
*jusqu'ici, se réveille.*
*Il frémit et crie, plus*
*haut que la foule:*

*TALASSIN (les bras levés)*

Hosanna!!.. Symadore est à moi!

*(Puis, il prend les mains*
*de Symadore et l'entraîne.)*

Viens vers eux!

La seule vérité profonde est dans tes yeux!
Viens vers eux. Ils sauront ta pensée en corolles,
Et les pétales merveilleux de tes paroles!

*Ils sortent tous deux.*
*Arcagèle court à la*
*fenêtre.*

*ARCAGÈLE (haletante)*

Ils attendent, là-bas, sous les arbres en fleurs;
Ils attendent!..

*et l'étrange vertige*
*la prend encore:*

Tous mes frères, toutes mes sœurs!..

*Toutes les musiques*
*sonnent à la fois*
*dans la campagne,*
*saluant Talassin*
*qui paraît.*

*UNE CLAMEUR (au-dehors)*

Talassin!.. Talassin!.. Hosanna!.. Gloire!!..

*ARCAGÈLE (plus haut que la foule)*

Gloire!!..

*Un bossu se précipite*
*dans la chambre. Lui*
*aussi, est ivre de*
*bonheur.*

*LE BOSSU*

Ô tout s'ouvre et s'émeut à son ardeur de croire!
Son amour est vivant dans le soir ébloui;
Et sa voix, comme un souffle tiède, épanouit

Dans nos cœurs faits de révoltes et d'esclavages,
— Églantine en pardon sur des rosiers sauvages: —
Une double bonté qui gouverne et consent!

*Arcagèle est demeurée*
*à la fenêtre. Elle*
*s'angoisse, soudain.*

ARCAGÈLE *(au bossu)*

Taisez-vous!

LE BOSSU *(sans l'entendre)*

Je suis beau par son amour vivant
Qui passe à travers moi comme un fleuve de sève!

ARCAGÈLE *(plus angoissée encore:)*

Taisez-vous!..

LE BOSSU

Je suis beau si la haine s'achève!

*On entend une rumeur*
*au-dehors. Sourde tout*
*d'abord, elle s'ouvre peu*
*à peu, enfle et s'affirme.*
*Arcagèle est presque entière-*
*ment penchée pour voir et*
*entendre. Et, tout à coup,*
*elle se rejette en arrière et pousse*
*un cri terrible, déchirant,*
*mortel!*

ARCAGÈLE

Ah!!!..

*Elle se retourne, et les*
*poings à la bouche, les*
*yeux pleins d'une horreur*
*suprême, elle demeure*
*immobile un instant.*
*Puis, elle court vers une*
*porte, revient à la fenêtre,*
*retourne à la porte, affolée,*
*hnrlant:*

Trahison ! !

*Et la rumeur de foule*
*se déchire sous les fenêtres :*

*LA FOULE*

À mort ! . .

*ARCAGÈLE (lamentable)*

Trahison ! . .

*Le bossu n'a rien vu,*
*rien entendu de tout*
*cela.*

*LE BOSSU*

Je suis beau !

*DES FOULES (lointaines)*

Gloire ! . .

*D'AUTRES FOULES (proches)*

A mort !

*Arcagèle fuit par*
*toute la chambre*
*comme une bête*
*poursuivie.*

*ARCAGÈLE*

Trahison ! . . Trahison ! ! . .

*DES FOULES (lointaines)*

Gloire ! . .

*D'AUTRES FOULES (sous les fenêtres, en cri brutal)*

À l'eau ! ! . .

*Et Arcagèle revient à*
*la fenêtre. Elle tord*
*ses bras et sa voix se*
*fait toute menue. Elle*
*pleure comme une en-*
*fant :*

*ARCAGÈLE*

Ô mes sœurs!.. Elles sont dans l'herbe mille et mille,
Toutes blanches déjà d'une mort puérile!
Elles sont comme des brebis dans le vallon,
Et leur sang coule sur le muguet!..

*LA FOULE*

À mort!

*ARCAGÈLE (frissonnant)*

Non!..

*UN CHANT (très loin)*

Filles et garçons
Dansons,
Au son des flûtes pastorales!

*Et Talassin entre, blême,*
*son manteau déchiré.*
*Le bossu court à lui.*

*ARCAGÈLE (dans les bras de Talassin)*

Mon frère!..

*LE BOSSU (à Talassin)*

Arbre sacré de nos forêts humaines!
Ô tous les bras, pareils à des branches soudaines;
Et les corps soulevés d'un orgueil plus puissant;
Le fruit vivant des chairs et la sève du sang;
Toutes les mains frémissantes comme un feuillage:
Enfin, tout notre espoir éternel et sauvage,
Monte vers toi du fond des limons d'autrefois!
Je viens vers ta splendeur avec mes bras en croix,
Et mon cœur débordant de tendresse en offrande!
Nous touchons à la mort tant notre vie est grande!

*TALASSIN (farouche)*

Va-t-en!

*LE BOSSU*

Je viens par des chemins où ta clarté
S'est épandue ainsi que des frissons d'été !
Je viens à toi, plus consolé de ma souffrance,
Et beau soudain dans l'universelle clémence !

*TALASSIN (douloureux)*

Je ne crois plus !.. Il faut exister pour soi seul !
Chacun à son devoir égoïste en lui-même,
Et nul ne doit porter sa chair comme un linceul !
Je suis avare de mon sang depuis que j'aime !
Symadore est mon cœur qui bat ! Je ne crois plus
Au bonheur amoureux des étoiles entre elles !

*LE BOSSU (exalté)*

Je suis beau !

*TALASSIN*

Nous irons vers des ardeurs nouvelles,
Dépouillés du regret des Paradis perdus !

*ARCAGÈLE (blessée)*

Talassin !

*TALASSIN*

Nous vivrons sans crainte et sans mémoire,
Libres de vain espoir et de stérile effroi !

*LA FOULE (au-dehors)*

À mort !!..

*TALASSIN*

Chacun sera sa plus belle victoire,
Et je suis contre vous, puisque je suis pour moi !

*LA FOULE (lointaine)*

Gloire !..

*LE BOSSU (malgré tout)*

Je veux baiser le bord de ton manteau.

*TALASSIN (reculant)*

Va-t-en!.. Je ne crois plus!

*ARCAGÈLE (suppliant)*

Talassin?

*LE BOSSU*

Je suis beau!

*Il veut prendre la main de Talassin qui le repousse avec horreur.*

*TALASSIN (âprement)*

Tu portes la douleur sans fin de chaque ancêtre:
Crime et remords en chair difforme, où s'enchevêtre
La racine du mal vivace des aïeux!

*LE BOSSU (impétueux)*

Je suis beau!

*TALASSIN (cruel)*

Souvenir obsesseur de tous ceux
Qui descendaient le soir, soûls d'ombre et de misère,
Tuer les cœurs au coin des amours sans lumière!

*ARCAGÈLE (implorant)*

Talassin!

*Le bossu sort, s'enfuit presque, vaincu, épouvanté, déchiré; criant sans y croire maintenant:*

*LE BOSSU*

Je suis beau!

*DES FOULES (lointaines)*

Gloire!

*DES FOULES (proches)*

À mort !

*ARCAGÈLE (suppliant)*

Talassin ?

*TALASSIN (poursuivant le bossu)*

Tout le ressentiment du monde est dans ton sein !
Tu est le pénitent monstrueux de la foule,
Et tu gémis, — avec ta laideur en cagoule !

*ARCAGÈLE (pleurant)*

Talassin, elles sont mortes, mortes, mes sœurs,
Mes pauvres sœurs avec tant d'amour dans leurs cœurs.

*TALASSIN (douloureux)*

Ils n'ont pas vu que Symadore était la vie !
Et tous les yeux, pareils aux guêpes de l'envie,
Tournaient vers moi des dards imbibés de venin !
Ils n'ont pas vu qu'elle venait vers Talassin
Dans la beauté des immortelles aventures !..
Et j'ai lancé des mots qui faisaient des blessures ;
Et les peuples s'entrechoquaient de tous côtés,
Ainsi que des troupeaux de cerfs épouvantés !
Je ne crois plus !..

*ARCAGÈLE (immensément triste)*

Elle est rouge, l'eau des fontaines !..

*TALASSIN (terrifié)*

Tais-toi !

*ARCAGÈLE*

Mes sœurs venaient pour y noyer leurs peines !

*TALASSIN (plaintif)*

Ô Symadore, je ne sais que vous aimer !

*LES FOULES (lointaines)*

Vivat !.. Gloire !..

*TALASSIN (s'exaltant)*

Sa voix chantait comme la mer,
Et ses yeux sont pareils à des forêts mouillées !

*UN CHANT (au-dehors)*

Cloches, sonnez pour les agapes,
Aux quatre chemins,
Un désir clair gonfle les seins,
Un sang vermeil emplit les grappes.

*TALASSIN (misérable)*

Symadore a surpris ma vie agenouillée !

*Arcagèle regarde au-dehors, et revient vers son frère, plus forte et plus courageuse.*

*ARCAGÈLE*

Il faut atteindre les sommets de ton devoir,
Et propager ta foi jusqu'au ciel !

*TALASSIN (farouche)*

Non !..

*ARCAGÈLE*

Viens voir :
Les deux peuples se sont combattus pour ta faute !
La haine obscure est dans le val et sur la côte,
Mais l'amour est encore en feu sur l'horizon !

*Elle devient très douce, très bonne et très passionnée à la fois.*

Le soir frémit d'une approche de guérison !
Toi seul, avec ton âme où le rythme du monde
Mêle sa force calme à ta candeur profonde ;
Avec ton cœur épanoui comme un jardin
Et ta chair vierge ainsi que le premier matin,

Toi seul peux, méritant les clémences futures,
Saigner jusqu'au pardon par toutes nos blessures !
Vigne sacrifiée à nos désirs ingrats :
Mes frères partiront vers de lointains climats
Avec tes grappes de bonté dans leurs corbeilles !
Ô Talassin, ta vie a des moissons d'abeilles,
Et la ruche de notre cœur n'a pas de miel !

*Et, dans un cri de souffrance*
*et de désespoir profonds:*

Meurs enfin !..

*TALASSIN (frissonnant)*

Non !..

*ARCAGÈLE*

Meurs à ta chair !

*Et, douce et consolante*
*pour se faire pardonner*
*le mal qu'elle lui impose.*

Et, sous le ciel
Pur à jamais, pour prix de ta douleur féconde,
Ils boiront ton amour aux quatre bouts du monde.

*TALASSIN (plaintif)*

Ô Symadore !.. Symadore !..

*ARCAGÈLE (farouche)*

Elle est le soir
Sans clarté, la nuit froide et la mort sans espoir !

*TALASSIN (désespéré)*

Elle est la vie !

*ARCAGÈLE (impétueuse)*

Elle est l'étoile aventurière !

*TALASSIN (terrifié)*

Tais-toi !

*ARCAGÈLE (désolée)*

Te souvient-il de nous, dans la lumière ?
Un peuple d'astres bleus t'enseignait le Destin,
Et tu vivais selon le ciel !

*TALASSIN (farouche)*

Non !

*LA FOULE (très éloignée)*

Talassin !

*Et Talassin se révolte*
*tout à coup.*

*TALASSIN*

Symadore me cède, une force plus ample !
Elle est l'ardeur !.. Elle est le baiser sans exemple :
Et mes instincts sont affamés comme des loups !

*LA FOULE (tout près)*

A mort !..

*TALASSIN*

Je ne crois plus au dieu qui pleure en nous !
Ma chair s'ouvre, pareille à des lèvres tendues !

*LA FOULE*

Nous ferons le vin dans les jarres,
Et le même jour,
L'amour
À l'ombre des forêts barbares !

*ARCAGÈLE (sanglotant)*

Les clefs, toutes les clefs des portes sont perdues !

*TALASSIN (ardent)*

Fais bondir ta jeunesse entière comme un cri !
Ta seule gloire est d'exister !
Je suis guéri
Des fièvres sans étreinte et des étés sans pluie !
Il faut plonger toutes ses veines dans la vie
Comme un bouquet de racines dans un limon,
Et descendre absorber l'eau rare jusqu'au fond !
Je suis avare de mon sang, depuis que j'aime !

*ARCAGÈLE (impétueusement)*

Tu ne peux pas aimer et fleurir pour toi-même!
Sois un buisson meilleur où chacun vient cueillir
Une branche!

*TALASSIN (fou)*

Je veux vivre!

*ARCAGÈLE (implacable)*

Tu dois mourir!

*Et tout l'enthousiasme*
*de Talassin, s'écroule*
*à ces mots.*

*TALASSIN (misérable)*

C'est vrai!..

*Puis, avec toute la puissance*
*tranquille de la souffrance*
*qui l'envahit.*

Je veux en vain être seul dans ma peine,
Et dans ma joie, ainsi qu'un arbre dans la plaine!
« Mais j'ai mal au-delà de moi-même! »

*LA FOULE*

Vivat!

*TALASSIN (douloureux)*

J'agonise dans la lumière qui s'en va.
Je saigne au creux des fleurs et des herbes foulées,
Je tremble avec le soir dans toutes les allées:
J'ai mal! « J'ai mal jusqu'aux confins de l'avenir! »

*LA FOULE*

Gloire au Maître!

*TALASSIN*

J'espère en vain m'appartenir!
Je m'offre, et je me tends, et je me donne encore:
« Et j'ai mal jusqu'au cœur du monde! »

*Arcagèle, de la fenêtre,*
*voit Symadore approcher.*

*ARCAGÈLE (dans un cri)*

Symadore !

*Puis, à Talassin, tremblante,*

Elle approche !

*TALASSIN (désolé)*

Je suis aveugle immensément !

*ARCAGÈLE (rassemblant toutes ses énergies)*

Sache vaincre !.. Tu es mon frère et notre amant !
N'arrête plus l'espoir qui vibre et l'eau qui coule !

*TALASSIN (haletant)*

Non !.. Non !..

*ARCAGÈLE*

Il faut aimer l'Univers dans la foule !

*TALASSIN (éperdu)*

Arcagèle !

*ARCAGÈLE (victorieuse)*

Sa chair est ciel, son âme est feu !
Et les hommes, au jour de l'amour, seront Dieu !

*TALASSIN (conquis)*

Je suis libre, (?), sauvé, vrai !

*ARCAGÈLE (brutale)*

Symadore est morte !

*TALASSIN (épouvanté)*

Non !.. Non !..

*ARCAGÈLE (tout près de lui)*

Le peuple attend !

*TOUT LE PEUPLE (sous les fenêtres)*

Vivat !..

*TALASSIN (vaincu)*

Ferme la porte!

*Arcagèle court à la porte grillée. Elle ferme, retire la clef, puis, de la fenêtre la jette au peuple.*

*ARCAGÈLE (délirante)*

La clef!.. La clef!..

*LA FOULE (en tonnerre)*

Vivat!.. Gloire au berger!!

*Arcagèle tombe à genoux devant Talassin. Le grand effort qu'elle vient de faire l'a brisée, ruinée. Elle souffre de toute la peine de son frère et elle lui baise les mains.*

*ARCAGÈLE (sanglotant)*

Non!.. Non!..

*Symadore paraît alors derrière la porte à grille. On n'aperçoit que son visage triste et ses deux mains blanches. Elle appelle.*

*SYMADORE (désolée)*

Talassin!..

*UN CHANT (au-dehors)*

Je sifflerai dans mes roseaux
Pour faire pleurer les oiseaux...

*SYMADORE*

Talassin...

*LA FOULE*

Gloire!..

*SYMADORE (sanglotant)*

Mes mains sont lasses
D'avoir tendu mon désespoir vers ton pardon.
J'ai blessé mes deux pauvres seins aux branches basses.

*LA FOULE*

Talassin!..

*SYMADORE*

Je suis nue et la nuit va venir
Et l'herbe des vallons tremble sous la rosée.

*LA FOULE*

Gloire!

*SYMADORE*

Je suis si blême, et si triste et glacée,
Et j'appelle comme à travers un souvenir.

*Talassin demeure immobile,*
*rigide et froid comme un roc.*
*Il semble ne pas entendre.*

*TALASSIN (grave)*

Les racines seront fortes et volontaires,
Nul ne verra leurs poings crispés dans le sol noir:
Mais les feuilles frissonneront sous les lumières!

*LA FOULE*

Gloire au maître!

*ARCAGÈLE (très bas)*

Pardon...

*SYMADORE (défaillante)*

Je suis seule, et le soir
Est immense et profond comme un temple sans hôte.
Nul ne connaît jamais sa vertu ni sa faute
Et la vie est avant la mort, ô Talassin!

*TALASSIN (impassible)*

Les sources resteront candides et fidèles,
Malgré la route obscure et le mal souterrain,
Et le sable qui retenait leurs eaux nouvelles:
Mais les flots de la mer vivront dans le soleil!

*LA FOULE*

Gloire au berger!

*ARCAGÈLE (très bas)*

Pardon!

*LA FOULE*

Hosanna! Gloire au maître!

*SYMADORE (sanglotant)*

L'instant de vivre n'est jamais deux fois pareil
Et le bonheur qui t'attendait va disparaître.

*On ne voit plus Symadore.*
*Maintenant elle parle en*
*s'éloignant et sa voix est*
*puérile et douce comme*
*une voix de petite enfant.*

*LA VOIX DE SYMADORE*

Il était une fois, il était une fois
Deux grands oiseaux venus des bois
À travers les mille légendes.
Deux grands oiseaux
Dans une cage de roseaux.

*LA FOULE*

Talassin!..

*LA VOIX DE SYMADORE*

Et leurs amours et leurs tendresses étaient grandes,
Et ils s'aimaient mieux que les gens,
Mieux que les hommes de tous les pays du monde.
Mais ils ne chantaient pas leur tendresse profonde
Et les peuples venaient pour écouter leur chant.

*LA FOULE*

Talassin!..

*La voix de Symadore n'arrive plus que comme un murmure très doux et très triste. Elle trouble à peine le lourd silence.*

*LA VOIX DE SYMADORE*

Alors les gens, les gens méchants
Ont séparé les deux oiseaux dans du silence
Les deux oiseaux
Dans une cage de roseaux
Où ils devaient pleurer de mutuelle absence.

*LA FOULE*

Talassin!..

*LA VOIX DE SYMADORE*

Et maintenant,
Au bout des longs corridors blancs,
L'un vers l'autre ils chantaient leur détresse profonde,
Mieux que les gens
Mieux que les hommes de tous les pays du monde.
Ils ont chanté pendant trois soirs
Et trois matins inoubliables
Leurs désespoirs
Et leurs peines inconsolables.

*LA FOULE (sous les fenêtres)*

Talassin!

*LA VOIX DE SYMADORE (lointaine)*

Ils ont chanté pendant trois nuits,
Et les gens écoutaient encore.
Et puis, et puis,
Ils se sont tus avec l'aurore

Les deux oiseaux
Dans une cage de roseaux.

*La voix de Symadore s'est éteinte doucement. Talassin demeure impassible. Il semble ne pas être présent.*

*LA FOULE (au-dehors)*

Gloire!.. Gloire!..

*Arcagèle sanglote désespérément.*

*ARCAGÈLE*

Pardon!..

*LA FOULE*

Hosanna!

*Et, peu à peu, Talassin se réveille. Il relève lentement Arcagèle. Une douleur incroyable descend en lui. Puis, soudain, il comprend. Alors il se précipite à la fenêtre devant laquelle il s'écroule, tordu, épouvantable.*

*TALASSIN (hurlant)*

Symadore!
Symadore!

*ARCAGÈLE (affolée)*

Tais-toi!

*LA FOULE (en tonnerre)*

À mort!

*TALASSIN (hurlant)*

Je ne suis rien
Qu'une feuille de l'arbre immense!

*ARCAGÈLE*

Je t'implore !
Tu fais mourir au fond de toi toutes mes sœurs !

*TALASSIN*

Je ne suis rien qu'un flot de la mer !

*LES FOULES (proches)*

À mort !

*LES FOULES (lointaines)*

Gloire !

*ARCAGÈLE*

Notre chemin sera perdu dans la nuit noire
Et la terre boira tout le sang de nos cœurs !

*TALASSIN (hurlant)*

Symadore !..

*Et maintenant, on entend*
*alternativement la clameur*
*des foules lointaines qui acclament*
*et des foules proches qui huent*
*et menacent.*

*ARCAGÈLE (haletante)*

Tais-toi !

*Elle regarde au-dehors.*
*La nuit est venue tout à*
*fait. On aperçoit des*
*lueurs dans la campagne.*

Les foules sont parties
Vers les ruisseaux séchés où règnent les orties,
Et les houx sombres et les ronces et le chardon,
Et les plantes de haine aiguë et d'abandon !

*TALASSIN*

Symadore !

*Les lueurs vont et viennent*
*dans la campagne obscure,*
*déplaçant de grandes ombres.*

*ARCAGÈLE*

Leurs mains tiennent des herbes folles
Et des flambeaux qui se tendent vers un bûcher!
La bise effeuille au loin les flammes en corolles!
Et les chênes pareils à des pans de rocher
S'enroulent dans les champs où la lueur est ivre!

*TALASSIN*

Symadore!..

*La clarté s'ouvre peu à peu.*
*On distingue maintenant*
*les prés fleuris où sont les*
*peuples et les forêts hautes.*

*ARCAGÈLE (épouvantée)*

Le feu va sonner comme un cuivre,
Et fondre en lave d'or tout le métal du ciel!

*L'incendie s'aggrave*
*au-dehors. De longues*
*flammes montent vers*
*les fenêtres. La chambre*
*en est violemment éclairée.*

Nos murs seront couverts des cent flammes grandies
Comme du lierre envahisseur des incendies!

*Des volutes de fumée*
*âcre roulent parmi des*
*bouquets d'étincelles —*
*Arcagèle supplie Talassin.*

Tu peux aller encor vers le jour éternel!

*Mais lui n'écoute rien.*
*Il se tord les bras et*
*appelle toujours, lamentablement.*

*TALASSIN*

Symadore !

*ARCAGÈLE*

Tout brûle, et le vent nu se lève.
Ainsi qu'un peuple de sauvages sans pardon !

*Le vent envoie la fumée*
*en rafales dans la chambre.*
*Arcagèle, défaillante, recule,*
*vers une porte.*

Tu n'as pas su choisir de la vie ou du rêve
Et ton doute mauvais fut le premier brandon !

*Elle recule encore,*
*suffoquée. Talassin*
*ne sait rien, ne voit*
*rien, n'entend rien.*

Adieu !.. Je conduirai nos espoirs vers l'aurore !

*Elle s'enfuit. Tout*
*brûle. On ne voit*
*plus Talassin, mais*
*sa voix monte, atroce,*
*lancinante.*

*TALASSIN*

Ô Symadore !.. Symadore !.. Symadore !..

FIN

# *Quelques lettres*[1]

## À ÉMILE VERHAEREN

Bruxelles le 8 Mai 06

A Monsieur E. Verhaeren

5 rue de Montretout

St Cloud.

Monsieur,

J'ai bien reçu votre lettre et je vous remercie bien vivement pour votre empressement à me répondre.

L'honneur que vous me faites de m'accorder une entrevue me fait regretter fort de ne pouvoir attendre jusqu'au mois de juillet, et je me vois dans l'obligation de vous exposer par écrit, mon projet.

(Voilà un bien gros mot.)

Je voudrais publier au plus tôt, Le « sculpteur de masques » que j'ai fait paraître par extraits dans la Revue « en Art » en même temps que vos « Grands mangeurs de Flandre ».

Mais, inconnu comme je le suis, la tentative me servirait peu si je ne parvenais pas à me procurer un patronnage (*sic*) influent.

Ne pourriez-vous pas me servir de parrain par une préface de quelques lignes ?

Je joins à cette lettre deux n^os^ de la Revue avec le commencement de mon poème — vous pourrez juger s'il en vaut la peine.

Sinon, n'accusez que mes vingt ans d'une témérité peut-être présomptueuse et

Croyez-moi, je vous prie votre admiratif et dévoué serviteur.

F. Crommelynck
102 R. de la Senne

---

1. Inédites.

Le Chemin des Conquêtes —
tragédie en un acte, en vers.

F. Crommelynck

Sept. 08.

Personnages.

Talassin, apôtre.
Arcagèle, sa sœur.
Symadore.
Le bossu
La foule.

Le manuscrit inédit
du *Chemin des conquêtes*
(que nous publions en appendice) :
la première page et la fin.

35

Talassin
Ô Symadore !.. Symadore !.. Symadore !...

Fin

F. Crommelynck

Le Chemin des Conquêtes

1

Une chambre modeste. Pas de meuble. Seulement une haute chaise entre les deux fenêtres du fond. Il y a aussi, à gauche, une porte grillée.

Par les deux fenêtres, on aperçoit la campagne jusqu'à l'horizon. C'est le crépuscule du soir.

Talassin, l'apôtre, est assis dans la haute chaise.

Arcangèle, sa soeur, est à ses pieds.

Une rumeur de foule, au dehors.

Le peuple (très loin)

Talassin!... Talassin!..

Arcangèle (émue)

Talassin!..

Talassin (très doux)

Arcangèle!

Mon coeur s'emplit d'existence surnaturelle!

Je suis heureuse à toutes larmes!

Arcangèle (baisant sa main)

Talassin,

Mon frère aimé, vous êtes bon comme un matin

Qui fait mûrir les blés pour des repas d'esclaves.

Talassin (s'exaltant)

Ô guérir la douleur des tendresses éparses!

Ne plus ~~naître~~ renaître, et vivre et mourir jour à jour!

Être divin par la force du seul amour!

(tendre soudain:)

Dis, comprends-tu, ma soeur?

(Elle baise sa main.)

*Le Chemin des conquêtes.*

8

Stella (rit)

Dimanche, ce n'est pas vieux !

Le Bourrier

Je vis tout seul, avec mes bêtes, — et je pense. Ça mûrit vite.

Stella

Vous m'aimez et moi j'aime Bruno. On n'y peut rien ; ce n'est la faute de personne.

Le Bourrier

Je suis plus jeune, et plus fort

Stella (révoltée)

Oh ! Bruno ! et à notre âge !

Le Bourrier

L'âge... l'âge... oui. Il connaît trop de choses, il est instruit. Comment savoir tant sans vieillir ? Moi je ne sais pas même écrire. [C'est pourquoi je suis venu. Il me tournera la lettre que je veux te donner.

Stella (joyeuse, comme une petite fille)

Ah ! ah ! la lettre est pour moi !... [Mais Bruno ne l'écrira pas.

Le Bourrier (confiant)

Si.

Stella

Non, non, je l'avertirai !

Le Bourrier

Tu peux. Je lui offrirai un cochon de lait.

Stella

À quoi bon ? Je le sais, que tu m'aimes.

Le Bourrier

Il faut le prouver.

Stella (rit)

Avec des mots, avec les mots de Bruno !

Une page du *Cocu magnifique*.

Frédéric (comme ébloui)

Carine!

Carine (toute droite, les mains jointes vers lui,)

Mon malheureux ami..

Frédéric

Carine! tu es là!.. Mon beau visage attentif!.

Carine

Je te demande d'avoir patience, un seul jour...

Frédéric (emporté par la fureur)

Cent jours!

Carine.

une seule nuit [illegible]..

Frédéric

Cent nuits!

Carine

Laisse moi ce soir...

Frédéric

Des mois et des années – et ma mort avec son éternité!

Mais déjà il se maîtrise. Il parle vite.

Je t'en conjure, ne referme pas la fenêtre. J'ai à te dire des choses qui ne peuvent attendre, – ne la referme pas.

Et si tu défends que je m'adresse à toi, imagines que tu m'écoutes discourir à voix haute ainsi que je le fis tant de fois dans la solitude. [illegible] Je ne te regarde pas, je baisse la tête – mais laisse ouverte la fenêtre.

Il fallait que je te dise un jour: Je ne t'ai jamais rien dit, jamais [illegible] dans mes lettres [illegible] toujours en retard sur mon coeur. [illegible]

[illegible] Près de toi [illegible], j'étais sous le charme du profond et mystérieux accord de tes regards, de ta voix, de tes gestes, de ta démarche, de toute ta personne visible et invisible. [illegible]

Une page de *Carine*.

Bruxelles le 25 Mai 06

A Monsieur E. Verhaeren

Paris.

Monsieur,

J'ai bien reçu votre carte du 21 dernier et je vous témoigne ici de ma reconnaissance émue. Je ne sais comment vous remercier de votre grande bonté pour moi.

Je pense pouvoir venir à Paris par le train de plaisir du 2 Juin. En quel cas, je solliciterai de vous l'entrevue que je vous demandais dernièrement et j'espère aussi vous dire, si vous m'en donnez l'occasion, toute mon admirative et sympathique gratitude.

En attendant j'ai recopié le mauvais brouillon du « Sculpteur de masques » et j'ai donné le seul manuscrit donc, à la reliure. Je me permettrai de vous l'offrir si vous me le permettez. Vous pourrez ainsi lire entièrement mon œuvrette.

Veuillez croire, je vous prie, Monsieur, que je serre bien sincèrement les mains que vous me tendez et que j'exprime pâlement encore ma dette de reconnaissance.

F. Crommelynck
102 R. de la Senne

Bruxelles le 2 Juin 06

A Monsieur Émile Verhaeren

Paris.

Cher Maître,

J'ai le profond regret de ne pouvoir pas venir à Paris en ce moment et je recule donc mon espoir de nous voir au mois de Juillet prochain.

Monsieur Maurice des Ombiaux m'avait chargé de vous transmettre ses plus sincères amitiés. Veuillez, je vous prie, les recevoir ici, puisque le possible n'est pas le mieux.

Je vous enverrai dans deux ou trois jours le manuscrit du « Sculpteur de masques » dans l'espérance que vous voudrez bien me reparler, alors, de ma sollicitation.

Permettez-moi de vous dire aussi que j'ai lu avec une grande satisfaction votre article sur Corneille dans le « Matin de Bruxelles » et,

Veuillez croire, cher Maître, que je suis votre très sincèrement dévoué serviteur.

F. Crommelynck
102, R. de la Senne

Bruxelles le 11 Juin 06

Monsieur E. Verhaeren

Paris,

Cher Maître,

J'ai mille excuses à vous faire pour ne vous avoir pas encore envoyé « Le Sculpteur de masques ». Il n'en est pas entièrement de ma faute. Je ne pourrai pas avoir le manuscrit avant Vendredi prochain, malgré toutes mes réclamations à mon relieur. Vous le recevrez aussitôt.

Je serai à Paris avant le 25 courant et j'espère avoir la bonne fortune de vous y rencontrer encore.

Veuillez agréer, cher Maître, avec les amitiés de M. Maurice des Ombiaux, toute l'assurance de ma profonde sympathie.

F. Crommelynck

Bruxelles le 17 Juillet 1906.

A Monsieur E. Verhaeren

à Paris,

Cher Maître,

Je viens d'essuyer une grave maladie qui m'a tenu au lit pendant plus d'un mois, me privant de toutes mes facultés. Très affaibli, je ne puis prévoir le moment de partir pour Paris, tout déplacement m'étant défendu [1].

1. Voir p. 13 de cette étude.

J'ai donc été obligé de remettre à aujourd'hui l'envoi du manuscrit du « Sculpteur de masques » que vous vouliez bien attendre depuis un mois, et j'ose espérer que vous ne m'en voudrez pas pour le retard que j'ai dû apporter en cela.

J'espère aussi que le résultat de mes efforts vous plaira et que mon œuvre plaidera pour moi auprès de vous.

Si vous êtes à Bruxelles à la fin de ce mois, je solliciterai de vous une entrevue qui me permettrait de vous dire combien je suis désespéré des contre temps (*sic*) qui me furent imposés et qui vous auront peut-être indisposé envers moi ?...

Puis-je malgré tout cela, attendre encore de votre bienveillance, Maître ?

Veuillez agréer, je vous prie, l'assurance de ma reconnaissance et de mon dévouement.

F. Crommelynck
102 R. de la Senne.

Bruxelles le 21 Juillet 06

A Monsieur E. Verhaeren

Paris.

Maître,

Je reçois votre seconde carte à l'instant et je veux vous remercier encore pour tout l'intérêt que vous me portez. J'avais cru, en recevant la première carte, que vous étiez en possession du manuscrit, expédié par le courrier qui portait la lettre.

Je connais peu monsieur de Bouhelier (*sic*), ne l'ayant vu qu'une fois. Il ne me connaît pas du tout. Je ne puis donc pas le remercier de m'avoir servi auprès de vous en vous faisant parvenir le manuscrit et la lettre, envoyés chez lui.

Ne pourrais-je vous demander aussi de le remercier pour moi, si vous le rencontrez avant votre départ ?...

J'attendrai encore un mot de vous, n'est-ce pas, avant de me présenter A$^{e}$ de la Renaissance.

Je suis bien impatient de connaître votre opinion de la fin du Sculpteur, et de l'ensemble.

Veuillez agréer, Maître, l'assurance de ma reconnaissance et de mon sympathique dévouement.

F. Crommelynck

Bruxelles le 5 Nov. 07

Mon cher Maître,

Je ne sais si vous êtes au courant de l'accident survenu à Johan pendant la dernière représentation du « Cloître ».

Il avait eu au cours de cette représentation des élans particulièrement lyriques et le public lui avait fait un véritable triomphe, quand, dans la tirade du dernier acte, où il maudit Don Balthazar il s'est évanoui en scène.

Le public s'est mépris et a cru à un effet dramatique malgré les murmures de ceux qui avaient lu votre œuvre.

Le rideau s'est baissé aussitôt et après un court entracte l'acteur qui exprimait dom Militien a lu le rôle de Johan. On a fait une annonce à la fin.

Johan se serait, dit-on, fatigué outre mesure au cours des autres actes. Toutefois il est absolument remis de cet accident et jouera jeudi prochain, en soirée, le Cloître.

J'ai pensé devoir vous mettre au courant de cela.

Je vous prie, mon cher Maître, de présenter à Mme Verhaeren l'expression de ma profonde et respectueuse amitié et d'agréer, pour vous, l'assurance de ma fervente admiration.

F. Crommelynck
13 rue Collégiale

Bruxelles le 12 déc. 07

Mon cher Maître,

J'ai appris bien avec joie que Reding ne jouait pas le « Sculpteur de masques ». J'en aurais peut-être été chagriné, mais Madame Montald [1] m'a fait lire votre lettre. Les mots que vous dites pour la prier de m'apprendre cette nouvelle me font un plaisir si grand que je renoncerais à toutes les représentations à ce prix.

Laissez-moi vous dire toute ma reconnaissance pour l'intérêt que vous me portez et qui me fortifie davantage. J'en aurai plus de

1. Femme du peintre Constant Montald.

courage pour supporter la discipline que je m'impose en ce moment. Quand j'aurai terminé le chemin des Conquêtes j'espère être maître de la forme que je veux. Alors je ferai des œuvres de plus d'importance et je vous les devrai toutes, à cause de l'encouragement que vous avez voulu me donner.

Je comptais être à Paris aujourd'hui. J'ai été obligé de retarder mon départ. Monsieur et Madame Montald m'avaient prié de vous transmettre pour vous et Madame Verhaeren l'expression de leur affection. Je m'en acquitte ici, mon cher Maître, et je me permets de me joindre à eux de toutes mes forces.

F. Crommelynck
13 rue de la Collégiale

P.S. Madame Montald me charge aussi de dire à Madame Verhaeren qu'elle s'est acquittée de la démarche.
Je viendrai certainement à Paris la semaine prochaine.

Bruxelles le 3 Mars 09

Mon cher Maître,

J'apprends que Madame Montald vous a demandé dernièrement d'intervenir pour moi auprès de Monsieur Waroqué [1]. Je lui en suis reconnaissant, certes, mais je ne puis vous dire combien je le regrette. Je lui avais tant demandé de ne pas le faire. Depuis trois ans que je vous aime je n'ai pu encore que vous remercier. Si vous pouviez savoir combien j'en suis malheureux. Non que la reconnaissance me soit lourde, surtout je vous prie de ne pas croire cela ! Mais quand je suis allé à vous, c'était surtout dans l'espérance de conquérir votre affection.

Vous me comprenez, n'est-ce pas ? Depuis trois ans vous m'avez aidé avec une bonté qui m'émeut et me gêne à la fois. C'est ainsi que je n'ai pas pu vous dire jusqu'ici combien je vous aimais par crainte de vous paraître vraiment trop intéressé à le dire ! À cause de cela je n'ai pas su vous répondre quand vous m'avez annoncé que le prix du Brabant [2] m'était destiné. Je savais trop combien je le devais

1. Mécène, ami des Verhaeren et des Montald.
2. Obtenu en 1908.

à vous seul et j'étais tenu encore une fois à de froids remerciements. Ce fut toujours ainsi. Je ne puis mieux vous exprimer cela, mais vous devinerez mes pudeurs.

Il y a longtemps que je voulais vous écrire cela et chaque fois votre bonté m'en empêchait. Si je le fais aujourd'hui c'est que je suis plus malheureux que jamais et qu'ayant senti davantage l'hostilité de ceux qui m'entourent j'ai mieux et plus vivement encore compris votre sollicitude. Mais je vous le dis une fois de plus, ce n'est pas surtout votre bienveillance à mon égard qui me touche le plus, c'est votre bonté pour tous.

J'avais besoin enfin de vous dire cela.

Pardonnez-moi si cette lettre vous paraît puérile. Je suis très, très triste en ce moment. J'ai perdu toute illusion sur l'amitié de ceux que je respectais autour de moi et je vous le dis parceque (*sic*) vous restez le seul, mon Maître, dont je puisse admirer la bonté : très grande. Dites-le à Madame Verhaeren, je vous prie, dites-lui combien ma femme et moi nous serions heureux de vous voir à Bruxelles avec elle.

Mes parents, les parents de ma femme, se sont montrés envers nous d'une cruauté incroyable. J'ai été humilié comme je pensais qu'il n'était pas possible de l'être. Enfin ceux, parmi les autres, dont j'espérais l'aide dans la peine où nous étions, ont été pour nous d'une indifférence à peine retenue. Pourtant je demandais moins du secours que de l'affection.

Bref, je vous demande d'accueillir cette lettre, simplement, comme je vous l'écris. Elle est pour moi une grande consolation et je me sens plus tranquille déjà pour l'avoir écrite. J'étais si accablé depuis quelques jours.

À travers tout cela je garde cependant le courage qu'il me faut. Je ne veux pas m'aigrir à tous ces écœurements ni y perdre de mon enthousiasme ou de mon espérance. Je travaille âprement et j'espère que vous serez un jour satisfait de moi. Parmi tout le reste je vous dois une force confiante et c'est là surtout ma fierté.

Je ne relirai pas cette lettre car, peut-être, je n'oserais plus l'envoyer. J'espère qu'elle vous trouvera en bonne santé, en bon travail, et aussi que vous me permettrez pour nous deux de vous embrasser tous les deux.

F. Crommelynck
15 rue Lebeau

## À HENRI VANDEPUTTE

*En hâte* — pour que vous sachiez que vous pouvez compter sur moi et que je répondrai à *vos* lettres.

St Cloud 9 Décembre 1921.

Cher Henry (*sic*) Vandeputte,

Nous sommes très heureux d'avoir des nouvelles de vous. Enfin, vous voici dans votre St Jacques. Et dans l'attente d'un petit Vandeputte qui sera peut-être, au reste, *une* Vandeputte. Je ne sais pourquoi mais je pense que ce sera une fille. Vous avez trop joué cet été avec Bibi pour ne pas le désirer un peu. Une chose m'inquiète : votre saisie contre Bette. Alors quoi ? S'il a Ostende l'été prochain n'y reviendrez-vous pas ? Zut alors !

Mais procédons par ordre.

Je reprendrai la lettre de votre ami Lhona. Jusqu'ici je n'ai pas eu une minute. Je suis resté à St Cloud, enfermé, un pied attaché à ma table ! J'espère pouvoir respirer dans une quinzaine de jours.

Kaplan demeure maintenant 42 Rue de Trévise (Maurice Kaplan) [1].

Je fais mon affaire de Comœdia et des autres. Je vous enverrai les journaux dès que les notes auront paru, soit Lundi ou Mardi prochain.

Oui, certes, il me faut des bulletins de souscription. Nous ferons au mieux.

Donc, nous sommes très heureux pour Madame Vandeputte et vous. Tout ira bien, certainement, et, je vous le répète notre seule crainte est que vous ne reveniez pas à Ostende où nous aurions vu grandir l'enfant. Racontez-moi vos intentions, car, décidément, si vous n'êtes pas là je ne passerai pas l'été sur les côtes belges.

J'avais eu vent de vos démarches entre Paris et Ostende par Grosfils que j'ai rencontré chez Lugné-Poe. Il venait de vous voir.

Jean va fort bien. Il travaille tous les matins avec un professeur. Je les entend bâiller *ensemble* sur la grammaire ! Anna me joue du Mozart et du Schubert. Elle est heureuse et bien portante.

---

1. Homme d'affaires, ami de Crommelynck, appartenant au parti communiste. Il a aidé le dramaturge à créer la revue *Les Belles lectures*, en 1946.

Quant à la « Femme au cœur trop petit » elle repose pour quelques mois. Nous passerons vers le 15 Janvier avec l'Avare, qui a titre : « Grifaut, Tripes d'or ».

En attendant « Le Cocu » fait vingt représentations au grand Théâtre des Champs-Elysées (du 22 Déc. au 8 Janv.). Publicité importante, fêtes de Noël, réveillons = grosses recettes en perspective. Souhaitons-le.

Et nous vous embrassons tous deux bien affectueusement.

F. Crommelynck

St Cloud 2 Avril 1922.

Mon cher ami,

Vraiment, vous avez une grande patience de me rester fidèle, à moi si négligent. Mais ne croyez pas que je vous oublie le moins du monde. Voilà : ma santé est très mauvaise, je travaille mal entre trop de projets qui me tirent à hue et à dia, enfin les soucis familiers. Qu'importe. J'espère vous revenir de là souriant.

Donnez-moi des ordres nouveaux pour votre livre, j'y obéirai sans faute aucune, avec l'espoir que vous ne m'en voudrez pas d'avoir tant différé.

Madame Vandeputte se rétablit-elle ? Est-elle heureuse ? Vous, vous avez trouvé le moyen, le seul, de vous rajeunir toujours — sans ironie. J'aurais bien aimé avoir un égal bonheur. Il faudra bien y songer pourtant : Jean grandit en force et en beauté (!) il va avoir douze ans et si nous voulons, l'an prochain, voir jouer nos enfants sur la plage, encore faudrait-il les faire. Jean, lui, sera probablement alors entre Dunkerque et Heyst à bicyclette. Alors ?... Et puis ce sera une grande personne — et on vit surtout très heureux auprès de très petites personnes.

Entre autres événements j'ai supprimé Van Offel de ma vie. Je ne vous écrirai rien des misérables circonstances qui lui ont valu de ma part une très nette exécution [1].

---

1. Exécution qui s'accomplit en outre à travers un portrait aussi peu flatteur que possible de son ex-ami :

*Horace Van Offel*
*S'il fut mal prénommé, car il ne fut Horace*
*par le glaive, par la lyre, ni par la race*
*Son nom dit bien ce qu'il était de son vivant*
*Cinq lettres que précède un grand Van.*

Je ne sais rien de plus bas, de plus fourbe que lui. Croyez que je ne lui ai pas caché, cette fois, mon opinion — tellement que maintenant j'ai pitié de lui !

Et tandis que, là-bas, vous vivez au milieu des anémones, mimosas et autres magies, nous pataugeons. Je ne me plains pas pourtant. La pluie m'empêche de sortir, m'oblige au travail. J'ai peur qu'un coup de soleil pompe mes énergies et que je n'aille me perdre au Parc de St Cloud, enveloppé de vapeurs !

Je vous aime beaucoup, cher Henri Vandeputte et je comprends en vous femme et enfants. À bientôt, n'est-ce pas ?

F. Crommelynck

St Cloud 14 Avril 1922.

Très cher Henry (*sic*) Vandeputte,

Nous sommes très heureux de savoir votre femme remise de ses épreuves. J'écris aujourd'hui à Ostende pour y retenir notre appartement. Ainsi aurons-nous la joie de tenir compagnie à la maman sur la plage où s'éveillera la neuve petite Maria. Mais comment me ferez-vous croire que cet enfant est vraiment à Madame Vandeputte ? J'étais fort loin de me douter de son état au moment de notre départ. Vous êtes cachottier, certes, mais votre femme cache encore mieux son jeu ! Hourra !

Jean est très gentil. J'ai voulu dire seulement combien j'ai envie, moi aussi, de rajeunir.

Pouvez-vous regretter que votre livre ait tant tardé à paraître. Je ne le pense pas. La librairie et l'édition sont actuellement dans les choux — les choux maigres. Peut-être après Gênes... mais ce retard ne vous sera pas préjudiciable.

Ici premier jour de printemps sur la Seine qui monte. Les lilas montrent seulement leurs feuilles et les marronniers n'ont que des bourgeons. Nous sommes loin de votre Paradou.

Mais l'hiver prochain nous sera peut-être plus clément. Avec vos conseils pourrons-nous hiverner aux environs de Grasse, pas trop loin de St. Jacques.

Merci pour l'article dans la « Bataille ». Pauvre, triste Gaston Heux [1] ! J'avais entendu son aboîment de chien-chien à sa mé-mé le mois précédent. Qu'il rentre la queue, s'il en a...

Mais non, Lugné ne s'est pas mal conduit, mais seulement, je pense, un peu naïvement. Il croit que le succès vint à ma pièce par la vertu du cocuage et du Sein de Régina Camier sur le public. Des seins, il en mit deux dans la Danse de Mort [2]. Comme le public boudait malgré cela ce fut une cuisse qu'il découvrit dans Madonna Fiamma [3]. En vain. Il essaya la puissance du mot « farce » en l'appliquant au Baladin du monde occidental [4]. Fiasco. Vint Ubu...

Enfin le cocuage lui réussit une seconde fois avec Dardamelle [5]. Tant mieux.

Aucun rapport entre ce cocu-là et l'autre, encore qu'on tâche à en créer un. Voilà toute la naïveté.

Mais Lugné est fort aimable avec moi et jamais Dardamelle n'aurait vu le jour à l'Œuvre, si, malgré cent lettres pressantes, je n'avais gardé mes manuscrits. J'ai chamboulé toute la saison de Lugné. Mais quoi ? Je ne suis pas content de moi. Je ne me trouve pas autant de génie que vous le dites. Attendons, travaillons.

Savez-vous que j'ai été bien malade tout l'hiver. À la radioscopie, on vient de me découvrir de l'ulcération du pylore. Tout va bien. Le Dr. Capmas [6] me traite avec énergie et me promet une guérison rapide. Je le souhaite.

Phynances ? Opposition pas encore levée ! Ect. (*sic*)

Mon cher ami, embrassez votre femme pour nous trois.

Tout affectueusement.

F. Crommelynck

Collet voudrait chanter à Ostende cet été, soit Kursaal, soit Théâtre Royal. Possible ?

---

1. Poète belge (1879-1951), auteur de *Les Ailes de gaze* (1898), *L'Initiation douloureuse* (1924) et *Symphonies et sérénades* (1928).
2. De Strindberg.
3. De Nicolas Ségur.
4. De John Millington Synge, joué pour la première fois à l'Œuvre le 20 déc. 1921.
5. *Dardamelle ou le cocu glorieux* d'Emile Mazaud donné à l'Œuvre, à partir du 1er avr. 1922.
6. Médecin qui, à l'époque, traitait les maux que Crommelynck ressentait à la colonne vertébrale.

St Cloud 19 Avril 1922.

Mon bien cher ami,

C'est deux fois au lieu d'une que vous me lirez avant le 25. Que grand doit être votre étonnement à constater ma persévérance. Hélas, cette fois, ma démarche est moins désintéressée:

Le bruit court dans le Paris des théâtres que le grand maître de la prochaine saison d'Ostende est Monsieur Henri Vandeputte. J'en accepte l'augure.

Je vous ai dit que mes phynances étaient basses et ma santé mauvaise. J'ai besoin d'un long séjour à la mer. S'il est vrai que votre influence soit grande, ne voyez-vous pas le moyen de me faire auprès de vous, au Kursaal, un coin quelconque?

Si cela était possible je ne donnerais aucune pièce cette saison, ce qui serait ma joie. Sinon, tant pis...

Et c'est pourquoi vous seriez bien gentil de me répondre au plus vite. Je n'ai plus beaucoup le temps d'hésiter; Lugné s'impatiente et la saison passe.

Le printemps nous a quittés. Il fait froid, les bourgeons rentrent.

Et, par là-dessus, mon traitement m'a valu, voici deux jours, une fièvre terrible dont je reste assommé, stupide. À peine si je puis achever cette pauvre, maigre et balbutiante lettre. Tout le blanc que j'y laisse, c'est la place qu'il m'eut (*sic*) fallu remplir pour bien vous dire l'affection qu'on vous porte ici à tous trois.

F. Crommelynck

Ne dites pas de ce dernier trait: trop poli pour être honnête. Mais vraiment je suis très mal à l'aise et m'excuse d'être aussi bref.

St Cloud, 26 Avril 1922.

Très cher Vandeputte,

Du tac au tac. Sept heures du matin. Votre lettre me trouve à ma table où je turbine. Voilà ce que c'est que d'être mieux portant. Il fait froid, il pleut sur mes jardins, mais tant pis: j'ai de la bonne humeur.

Ma dignité, cher ami, vous en jugerez vous-même, mais croyez moi, n'y attachez pas trop de prix — ma dignitié d'écrivain connu, s'entend. Ne pas signer ce que je n'aime pas, être probe, n'est-ce pas là la vraie, la seule dignité d'auteur dramatique dont il faille tenir compte ? Le reste est bien plutôt vanité. Je regretterais d'en avoir. Amour-propre, oui, peut-être, mais quoi ? Enfin voyez.

Si quelque chose est possible, faites à votre gré. Dites seulement à vos gens qu'on peut compter sur moi rigoureusement. Très sérieux en affaires — ce qui est vrai, et actif. A votre disposition.

Et justement, mes affaires se relèvent, dirait-on. J'ai de belles perspectives. Peut-être serai-je pourvu d'argent assez avant un mois. Mais cela n'empêche pas d'en gagner encore et j'y tiens, non pour moi mais pour les miens. Donc riche ou pauvre, s'il se peut, j'aimerais que vous obteniez la « bedide blace en guesdion ».

Ce que j'aurais, que j'aurais de joie si je pouvais à votre passage à Paris vous parler, moi, d'une petite histoire où vous pourriez trouver, à votre tour, une mine d'or. Mais attendons. Il serait peut-être trop beau que nous puissions réciproquement nous être « agréables » dans la mesure où nous nous aimons. Hein ?

Embrassez les vôtres pour nous. Qu'ils vous le rendent.

F. Crommelynck

St Cloud, 18 Juin 1922.

Mon cher Henry (*sic*) Vandeputte,

Je ne vous écrivais pas, comptant vous surprendre à Ostende de ces jours. Hélas ! le médecin ne veut pas me lâcher avant la fin du mois. Chaque jour piqure (*sic*), intra-veineuse, courant à haute fréquence, ect. (*sic*)... Ce traitement m'évitera la table d'opération où j'ai bien failli être couché de force voici trois semaines. Plusieurs chirurgiens de Paris se disputaient l'honneur de m'enlever de la tripe ! Et vous savez, ou doucereux ou comminatoires, ils ont des façons de s'imposer à vous, brr ! brr ! Je les crois fâchés tout rouge de ce que je me sois dérobé à leurs soins. Pensez donc ! pouvoir, gratis, se faire extraire le duodénum, et des adhérences, et Dieu sait ?... quelle chance ! Mais voilà : pas à charge de revanche...

Mon médecin (Capmas) [1] prétend me guérir sans intervention, ni régime, ce qui mieux est. Au début de Juillet, je vous arriverai raccommodé, tout au moins provisoirement.

1. Cf. p. 338, note 6.

J'ai été bien souvent avec vous ces temps-ci. Relu les lettres de Ch. Louis Philippe (*sic*). Quelle tendresse et que de grâce! J'ai honte, après cela, de vous dire si mal mon affection. Ne puis, ne puis... Nous avons été trop battus des vents, sans doute; nous avons dansé dans trop de tempêtes. Toujours entre deux naufrages!

J'ai fait la grimace en lisant le programme du Kursaal, cette saison. Pourquoi m'a-t-il semblé sage? L'impression que ça ne roule pas tout seul, tirage, peu d'argent? Êtes-vous personnellement satisfait?

Cette affaire dont je vous parlais est en bonne voie. Il s'agit d'une grosse entreprise cinématographique où nous pourrons, pourrons, pourrons... Je vous en parlerai. Il y a du Pathé et de la Sirène, là-dedans.

À propos, pourquoi pas à la Sirène, votre livre? Nous sommes en faveur dans la maison, plus que jamais peut-être? À ceci, vous devez me répondre immédiatement.

Nous nous réjouissons tous à la pensée que nous allons retrouver tous nos Vandeputte. Et la petite sur le sable!

Bien des choses à Ensor et Spilliaert.

Et je vous embrasse.

F. Crommelynck

Si vous pouviez m'envoyer *télégraphiquement* deux ou trois cents francs, je vous les renverrais bientôt ou rembourserais à mon arrivée. Et ce serait *providentiel*, vous saurez comme et pourquoi.

## À PAUL ZIFFERER

St Cloud 6 Avril 22

Cher Monsieur Zifferer,

Ma santé semblant vouloir se rétablir j'espère pouvoir dans deux ou trois jours vous demander une nouvelle date de lecture.

J'ai reçu des « Trois Masques » [1] voici huit jours un télégramme m'annonçant : « Lettre suit », mais de lettre point. Si je n'ai pas leur lettre à la fin de la semaine, je ferai constater leur défaillance et reprendrai toute liberté. N'est-ce pas la meilleure ligne de conduite ?

Alors je pense que nous pourrons entreprendre une campagne fructueuse. (!)

Je vous prie de présenter à Madame Zifferer, mes respectueux hommages et de me croire, cher Monsieur, très vivement à vous.

F. Crommelynck

St Cloud 14 Avril 1922

Cher Monsieur Zifferer,

Ci-joint la lettre que je viens de recevoir des Trois Masques. Le ton prouve assez qu'ils n'ont aucun droit. Quant à se retrancher derrière Madame Bachrach c'est s'y prendre un peu tard puisque je possède une lettre d'eux dans laquelle ils demandent au contraire à être directement en rapport avec moi !

J'aimerais avoir votre avis là-dessus. Pour moi je désire rompre et il me suffira de refuser d'attendre l'an prochain. D'autre part la saison prochaine ils pourraient encore me remettre à plus tard, car vous remarquerez qu'ils n'offrent aucun versement de garantie.

Nous pourrons donc, je crois, traiter vous et moi, si vous êtes dans les mêmes dispositions que jadis. Nous en parlerons, s'il nous plaît et pourrons voir Lugné-Poe à ce sujet.

Je me soigne vigoureusement, ma santé étant bien compromise. La radiographie nous a révélé des atteintes au pylore, on ne sait pas au juste quoi. Dans quelques jours nous serons fixés.

Vous me garderez la lettre des Trois Masques, n'est-ce pas ?

Cher Monsieur Zifferer, transmettez je vous prie à Madame mes hommages respectueux et croyez-moi très vôtre.

F. Crommelynck

---

1. Drei Masken Verlag, nom exact de la maison d'édition qui publia, en 1922, la traduction allemande du *Cocu magnifique* d'Elvire Bachrach. Mécontent de cette traduction, le dramaturge a vraisemblablement demandé à son ami Paul Zifferer d'en revoir le texte. Le ton de la lettre suivante confirme cette hypothèse.

## À SUZANNE LILAR

Herblay (S et O)
205 avenue Foch

19 septembre 1947

Très chère Suzanne Lilar,

Pardonnez-moi de vous répondre aussi tardivement : ma santé a été très ébranlée depuis deux mois et maints soucis m'ont accablé. Le courage d'être heureux m'a manqué, même celui-ci.

Êtes-vous mieux portante à présent ? Reposez-vous bien, afin d'être vaillante devant le metteur en scène d'Hébertot [1]. Comme je n'ai vu personne ces derniers temps, j'ignore à quel moment vous commencerez à répéter. Je sais seulement que le chef-machiniste du théâtre, lequel habite Herblay, attend mon frère [2] vers la fin du mois, au retour d'Hébertot. Je ne tarderai donc plus à vous voir.

Dites-moi que vous êtes tout à fait remise, que tous les vôtres sont heureux. J'embrasse bien tendrement ma Françoise, qu'elle vous le rende.

F. Crommelynck

Bruxelles 18 octobre 1954

Bien chère Suzanne Lilar,

J'ai été fort ému de vous revoir et, auprès de vous, l'harmonieuse Marie, — et, aussi, intimidé en présence de l'auteur du « Journal de l'analogiste ». À mon admiration se mêle un peu de jalousie confraternelle — je l'avoue. J'aurais aimé avoir écrit un tel livre.

---

1. Crommelynck fait allusion à la création de la pièce de Suzanne Lilar, *Tous les chemins mènent au ciel*. Elle eut lieu au Théâtre Hébertot, le 5 novembre 1947.
2. Les maquettes, décors et costumes de la pièce étaient d'Albert Crommelynck.

Les nouvelles que je reçois de Paris, me permettent de m'attarder un peu à Bruxelles, quelques jours.

Dans la tendresse respectueuse que je vous porte le cœur ne m'a point trompé.

F. Crommelynck

St. Germain-en-Laye (S et O)

73 Rue Péreire

7 août 1963

Très chère

Suzanne Lilar,

Retour d'un long séjour à Genève je trouve « Le Couple » que vous m'avez fait la grâce de m'adresser, avec des éloges dont je reste confus, mais que je veux traduire comme l'expression de votre amitié.

J'ai bien regretté que votre livre ne m'ait pas été transmis en Suisse. Mais enfin je l'ai lu et suis émerveillé devant une telle Somme. J'avais appris que vous aviez été laurée [1]. Nul honneur ne fut plus mérité; je n'en doutais pas.

Oui, le destin du couple devrait être celui que vous lui souhaitez. Mais... oserais-je vous citer la dernière réplique d'une pièce inédite: « Hélas, la vie est trop longue pour une seule foi, un seul amour, un seul désespoir » [2].

N'empêche que votre cœur a raison.

Le mien aussi, de vous garder une fidèle et profonde affection.

F. Crommelynck

1. *Le Couple* obtint cette année-là, à Paris, le prix Eve de Lacroix.

2. Réplique tirée d'une des nombreuses pièces de Crommelynck qui ne furent ni jouées ni éditées.

## À ALBERT CROMMELYNCK

Herblay 31 Janvier 48

Mon très cher Albert,

Je ne t'ai pas téléphoné plus tôt pour raisons, ni écrit pour les mêmes. J'ai eu des nouvelles par Hector [1]. J'ai donc su que Bobinette [2] va mieux. Elle est sans doute presque rétablie à présent ?

Ma santé a été très compromise depuis mon retour de Bruxelles, avec un peu de mieux aujourd'hui seulement. Mais je crois que j'ai fait une réaction violente après une trop longue tension, — détente heureusement justifiée. Je recommence à retrouver le calme, mes esprits et intérêt au travail.

Mais comme il faut croire qu'en ce moment rien ne puisse se développer normalement je reçois sur le crâne le grand coup du plan Mayer [3] qui me touche et me laisse à sec ! Je soupirais déjà d'avoir pu prendre des arrangements raisonnables pour l'affaire qui m'avait amené à Bruxelles et les avoir liquidés !

Me voici sur le flanc.

D'après mes estimations — je me trompe peut-être — il me paraît que je puis encore avoir recours à toi. Il le faudrait bien et de toute urgence. Sinon vois et réclame à propos des intérêts. Berthe attendrait de tes nouvelles.

*Écris-moi,* par retour à ce sujet. Je ne crois pas que les choses soient favorables ni faciles en ce moment. Mais quoi !...

Je t'envoie ta copie du poème « Sens ». S'il est possible de le faire passer dans la Revue, veux-tu t'en charger et te faire payer en livrant la copie. (Cela se fait ainsi ici) et te faire payer cher car je n'ai guère publié de poèmes [4]. « Ce qui est rare est cher »

---

1. Hector Letellier, beau-frère de Crommelynck.
2. Surnom d'Élizabeth, fille du peintre, auteur du mémoire : *Synthèse du tragique et du comique dans le théâtre de Fernand Crommelynck.*
3. Mayer dut vraisemblablement renoncer à reprendre des pièces de Crommelynck au Théâtre du Parc dont il était directeur.
4. Le poème ne parut pas.

George devait revenir à Paris et ne vient pas. Vois un peu avec lui s'il peut faire quelque chose *d'immédiat* au sujet de la publication de mes poèmes et des traductions de Shakespeare [1]. Il faut que je fasse flèches de tout bois en attendant une éventuelle conclusion de mon affaire avec *Minerva* (affaire reprise). Mais pas trop d'illusions, la perturbation financière pouvant encore retarder la réalisation !

Basta là-dessus ! fais au mieux, car je ne vois pas comment je m'en tirerai.

Je t'envoie aussi le « R.I.P. » — sa première partie au point, simplement pour ne pas être tenté de le détruire, — à présent. Mais, si c'est ton avis, nous en remettrons la publication à plus tard. Souhaitons qu'il reste en cet état, — inachevé.

Mon très cher Albert, il m'est extrèmement (*sic*) désagréable de t'accabler de tous mes soucis quand tu as tous les tiens. J'espère pouvoir, pour peu que les circonstances de ma vie intime continuent à s'améliorer, pouvoir bientôt m'acquitter de tes soins. Je te remercie.

Après le travail de cinéma que j'ai à fournir pour lundi, je pourrai, dès mardi, écrire à Simone, à P. H. [2] longuement, — j'en aurai enfin la force.

Au revoir, Albert, à bientôt. Embrasse tendrement tous les tiens pour moi. Qu'ils te le rendent.

F. Crommelynck

Hector te dira tout le reste !

---

1. La parution des deux volumes fut annoncée mais ceux-ci ne furent jamais édités.

2. Paul-Henri Spaak.

# *Au sujet du théâtre et de la littérature*

## LES CONCEPTIONS DRAMATIQUES DE M. CROMMELYNCK [1]

*Nous avons demandé à M. Fernand Crommelynck, dont la Maison de l'« Œuvre » vient de représenter avec un succès considérable* Le Cocu magnifique, *farce en trois actes, d'une originalité incontestable et d'un art toujours sûr et rare et qui « porte », de nous faire connaître ses conceptions théâtrales et de nous dire quels moyens lui ont permis de donner une vie si intense aux personnages qu'il a créés.*

*Voici la réponse de M. Fernand Crommelynck:*

Je saisis avec empressement l'occasion que vous m'offrez de m'expliquer sur mes conceptions dramatiques. Avec empressement, mais non point sans quelque embarras. Un labeur de plusieurs années m'apprit à être prudent quant au jugement qu'un écrivain peut porter sur soi-même. Travaille-t-on vraiment d'après certains principes ou établit-on des principes, l'œuvre une fois exécutée ?

Je crois simplement que l'artiste, au moment de créer, pose une question à la vie. Il est doué plus ou moins pour en comprendre et en interpréter la réponse.

Je vous parlerai d'un phénomène qui m'a frappé. Lorsque je veux porter une idée à la scène, je choisis évidemment des types aptes à extérioriser, à attaquer ou à défendre cette idée, à en coordonner les éléments, de manière qu'ils l'éclairent et l'épanouissent tout entière.

Mais voilà le miracle.

Dès les premières répliques, les premiers traits, le personnage prend vie, se révolte parfois contre mon parti pris de le conduire, et même se refuse à accomplir les gestes que je veux lui imposer. Je suis bien obligé, pour ne point ramener arbitrairement mes personnages dans la voie que je leur proposais, de me contenter de ce qu'ils m'apportent. Ensuite, j'use auprès d'eux de beaucoup de douceur...

---

1. *Excelsior*, 25 déc. 1920, p. 2.

On pourra dire que j'esquive la difficulté, que je rate la « scène-à-faire » ou qu'il y avait au préalable dans mon drame une faute de construction.

Qui sait ?

Pour moi, la vie est cette liberté que je laisse à mes héros. C'est ce souci que Flaubert nommait l'impersonnalité.

J'irai jusqu'à dire que, souvent même, les protagonistes du drame m'imposent leur langage particulier. Avant d'en être arrivé à cette étrange passivité, j'avoue avoir été longtemps préoccupé par le problème du dialogue théâtral.

Chaque homme a son vocabulaire, construit ses phrases selon son caractère, sa culture, l'influence du milieu. Fallait-il transporter tout vif à la scène le langage propre à l'individu ? Comment obtenir ainsi l'unité qui fait l'œuvre d'art ?

Fallait-il au contraire adopter une phrase conventionnelle comme le firent les classiques ? Pas davantage...

Pour trancher la difficulté, je crois qu'il n'était que d'écouter et d'observer, avec une attention passionnée, les êtres qui s'étaient délivrés de moi-même.

Si je puis avoir quelque action sur le public, c'est qu'en réalité j'ai vu comme lui la comédie se jouer devant moi. N'étant pas plus averti que le plus naïf des spectateurs, j'ai voulu le transporter avec moi au milieu de l'action. Et c'est là la vraie part de collaboration que je demande au public qui se trouve en quelque sorte substitué à l'auteur.

Ainsi aura-t-il la joie précieuse de la découverte. Vous constaterez par là même que je pense avoir peu de responsabilité dans l'éclosion de mes œuvres.

## ÉLOGE AU PUBLIC [1]

Le public a toujours raison.

Les directeurs de théâtre, les critiques dramatiques — j'en excepte lâchement tous mes amis — professent que le public est une assemblée de sots. Ils disent : « *Mon* » public, « *votre* » public. « *Mon public aime ou n'aime pas ceci* ». Leur grande préoccupation n'est pas d'aimer le

1. *Paris-Soir*, 11 mai 1925, p. 1.

public mais de deviner ce qu'il aime. Leur mépris les aveugle au point de leur faire méconnaître cette petite vérité, à savoir qu'il y a le public tout court, le public, ni bon ni mauvais, ni votre, ni leur, ni mien, mais juge suprême — qu'il ne faut duper ni corrompre, mais gagner et convaincre.

Les spectateurs, au théâtre, n'apportent pas leur goût, tout fait, mais l'extraordinaire sensibilité collective.

J'entends souvent me répondre des confrères : « Ainsi tous ces gens ont raison, qui applaudissent aux flons-flons et aux lieux communs ? »

Eh ! oui, certes ! C'est qu'il y a là, que vous le vouliez ou non, une certaine vertu d'émotion déjà fort appréciable. Émotion facile ? Mais, alors, c'est l'auteur qui a tort et non le public.

Dans une salle de spectacle toutes les classes sont mêlées. Il s'y compose d'une somme d'instincts dénommés hauts et bas. L'artiste est seul comptable de son choix, le public a toujours raison.

Et puis, il faut *réussir*. Aussi bien le public s'est rarement trompé. Peu nombreux les génies méconnus, surtout à notre époque de recherche et de surenchère. Lorsqu'un artiste touche au succès, il est maladroit de faire le bilan de ses défauts pour en accabler ses admirateurs. Demandez-vous plutôt quelle vertu, parfois lointaine — vertu quand même — a touché l'âme du public.

Génies méconnus ? Lieu commun de rappeler que les plus grands ont, de leur vivant, connu la gloire. Ils ne furent âprement discutés que par leurs pairs. C'est toujours par les docteurs que Jésus est vendu. Il faut tromper le public pour faire libérer Barabbas. La négation demeure l'arme des médiocres. Tout succès leur paraît injustifié. L'obscurité, enfin, leur devient un refuge.

Succès facile, diront-ils encore ? Heureusement, rien n'est facile.

Et quand même. Le triomphe des médiocres a bien son utilité.

En art, il n'est pas, non plus, de génération spontanée. Où les créateurs se sont-ils nourris ? Dans quel limon enfonçaient-ils leurs racines ?

Cette production moyenne, hâtive, incessante, n'est-elle pas justement l'engrais des floraisons les plus rares et les plus robustes ?

Mieux. Que surgisse un créateur ; qu'il ait tellement transformé ses éléments nourriciers que nous ne puissions plus les analyser ; qu'il soit, enfin et comme nous disons, profondément original : — l'étonnement obnubilera nos facultés critiques. Pour nous, sa voix demeurera en quelque sorte dans le domaine des ultra-sons ; elle ne touchera pas notre oreille. Alors interviendra la foule des médiocres, — suiveurs, imitateurs, commentateurs, parodistes, — laquelle se jetant sur l'œuvre insolite, affaiblissant ses défauts et ses qualités, nous habituera peu à peu à l'étrange sonorité.

Le public a toujours raison.

S'il en était autrement, les chefs-d'œuvre éclateraient de loin en loin dans un terrible silence ; l'art serait une suite d'explosions, seul le génie serait accessible au génie.

L'art dramatique se distingue des autres arts par cette raison que le public y est toujours présent, le public un et indivisible. Dans toutes les autres expressions de l'art, le créateur peut prétendre choisir ses juges, s'adresser à telle élite, œuvrer même pour un seul... au théâtre, non ! — ou que le théâtre ferme ses portes.

Peintres, musiciens, sculpteurs, romanciers, peuvent même, au risque de s'écarter de la vie, se tromper de moyens — écrire des paysages (!) peindre des allégories (!) Au théâtre, — non !

L'art dramatique a des lois qui lui sont imposées par le seul public, toujours présent et qui mesure le temps. C'est le spectateur qui conduit la comédie et juge sans appel. De sorte que pour être dramaturge il faut être doué d'une passivité presque médiumnique, savoir, en somme, se dégager de son œuvre, être son propre spectateur.

Le public nous donne de dures mais bonnes leçons de simplicité, de clarté, d'ordre et de mesure ; il n'admet pas que nous rompions brutalement avec la tradition, nous impose sa collaboration — et nous sauve de l'hermétisme.

## DU DÉNOUEMENT [1]

À Gustave Téry.

Si j'ai bien compris votre article « à propos d'un dénouement », vous avez voulu rire, n'est-ce pas, mon cher confrère ? Mais ne craignez-vous pas que votre voix de grand journaliste et par l'amplificateur de « l'œuvre » n'abuse un public peut-être inhabile à faire le point de votre humour. À quel moment riez-vous dans votre barbe ? Non lorsque vous défendez votre dénouement et l'avenir d'une France dépeuplée, — l'un portant l'autre. Bien sûr quand vous confessez votre indifférence pour le dénouement d'une œuvre théâtrale, qu'il soit

1. Inédit (vers 1927).

ingénieux ou ingénu, lâche ou serré et, pour tout dire posé de guingois sur le troisième acte comme le melon sur le crâne à Charlot.

Pourvu que nos futurs auteurs dramatiques ne se laissent pas piper. J'ai peur que si. Ils deviendront vite auteurs dramatiques « à ce point-là », de croire qu'on s'égale aux maîtres en partageant leurs défauts.

Le dénouement ? Pff... ! Molière s'en souciait moins que de l'heure du dernier métro. Molière savait son métier... ect. ect (*sic*).

Vous aussi, cher confrère, mais vous aimez à rire. J'en suis assuré, puisque après telle indifférence vous protestez que le dénouement de votre pièce n'est pas un bonnet pointu juché sur les trois cheveux en quatre de Footit. En effet, il conclut bien « que l'honneur d'une femme ne dépend pas de sa conduite personnelle ». Soyez remercié pour nous l'avoir offert par-dessus le marché.

Peut-être vous pourrait-on reprocher, à vous, auteur, d'avoir berné le public, de lui avoir laissé croire, avec les personnages du drame, que l'amant-fiancé était mort — ce-qui-s'appelle-mort. Son retour, prévu par vous, est bien pour nous une résurrection. Pouviez-vous, sans nuire à l'intérêt ?...

Vous n'avez pas voulu. C'est affaire de « tissage » et nous touchons au problème de l'omniprésence du créateur dans la création. À l'occasion.

— Pff ! le dénouement ! Et puis la vie a des aventures qui, que... Ah ! la vie, la vie ! la Vie ! !..

C'est ici que vous riez ; rions ensemble, cher compère.

Le dénouement imposé à l'auteur par des considérations étrangères à l'ouvrage, ah ! ah !... Toute fin est arbitraire et tout commencement, la vie ne supposant pas d'arrêt, ah ! ah !... Factices la première et la dernière coupure. En fin de compte il faut seulement que le rideau s'ouvre une fois et se ferme ; ah ! ah !... La tranche de vie des naturalistes ! ah ! ah ! ah !

Voici posée la question de la construction dramatique.

Au vrai, vous n'aimez pas la doctrine naturaliste. Nous non plus. Tranche de vie ? Trois livres de chair enlevée au vif par quelque Shylock plus rapace, saignante, tiède, oh ! tiède jusqu'à la nausée. Ce sont les naturalistes imitateurs de l'inimitable vie sans commencement ni fin qui imposèrent, précisément, les coupures nettes de leur couteau d'égorgeur. La vie toute entière périt après que furent excisées au bon endroit ces trois livres de viande crue qu'on nous servit en tranches, partie pour le tout, portions pourrissantes, morceaux non choisis, bas morceaux !

Adieu, Imagination qui compose, associe, coordonne; adieu, belle tête nourrie qui enfante les chefs-d'œuvre.

Avec le dégout (*sic*) du corps sans tête, nous eûmes à satiété de la tête sans corps. Les derniers symbolistes, n'imitaient pas la vie, ah! non! Mais eux voulaient un dénouement et rien qu'un dénouement, avec un grand D. Leurs personnages, nés sans cordon ombilical, princes dans la lune, portant des noms qui ne sont ni au calendrier ni au bottin —, même mondain, — leurs personnages, étrangement prédestinés, marchaient vers le Dénouement dans une lumière d'Elseneur, « devant que les chandelles fussent allumées »!!!

L'Aâarrt!... quand les artistes s'en mêlent tout est fichu! Auronsnous bientôt de bons ouvriers? Nous sommes d'accord, cher compère — assez de cadavres découpés sur lesquels les poètes comme les médecins ont la vanité de vouloir surprendre la vie; assez de tranches et de morceaux, que ce soit sur la table de marbre ou sur le plateau des danseuses.

Ah! ah! oui, les peintres aussi nous firent des morceaux, de beaux morceaux de peinture. Ils en font encore. Pourquoi choisir tel site plutôt que tel autre; pourquoi plutôt ce format? L'alpha et l'oméga c'est qu'il faut bien loger la toile dans un cadre. Aussi bien c'est le cadre qui enlève le morceau, au petit bonheur, à l'emporte-pièce! Y entrera ce qui pourra.

Advient que la signature de l'auteur est le seul dénouement possible, et tellement insolite, « postiche » appliquée, qu'on s'étonne de l'y trouver.

Inévitable au contraire sur un *tableau* de maître, la signature qui semble parachever l'ouvrage, lui conférer une distinction toute particulière, qui est comme le sceau de son originalité, la marque de son unité, le cachet de sa perfection. C'est que le maître a voulu partir et arriver; il s'est imposé des limites, des contours, un dénouement. Il fit œuvre conçue, préméditée, composée, où les lignes et les tons s'appellent, se cherchent, se retrouvent enfin, faisant circuler la vie du centre à la périphérie, de l'écorce au noyau. De sorte que si vous cherchiez de l'esprit les points de lancement ou de chute, le jalon initial ou final, l'ouvrage tout entier se mettrait à tourner sur lui-même, obéissant à certaine loi de gravitation qui régit dans le temps la course des œuvres de première grandeur.

Lieux communs? Assurément, mais il faut s'y résigner.

Dire à un auteur que sa pièce est fort bonne, avec cette menue restriction que le dénouement laisse un peu à désirer, c'est proprement mettre en cause toute sa dramaturgie. Je doute qu'un débutant s'en montre fâché, irrité. Mais un expert ouvrier, fichtre!..

Un dénouement surajouté, même par Molière, fait perdre dix minutes aux spectateurs qui prennent le métro. Vaut mieux trancher sec avec le rideau de fer. Lieux communs.

Voici comme nous construisons nos drames : toutes nos scènes, de celle que nous nommons provisoirement la première jusqu'à celle que, provisoirement, nous nommons la dernière, une à une les disposerons comme les côtes d'une orange, jusqu'à recomposer le fruit parfait, pépins pressés vers le centre. Une fois toutes les fines cloisons convergentes l'une contre l'autre serrée, je vous défie de distinguer la première de la dernière. Ainsi vraiment compose en tournant la vie sans commencement ni fin, mais économe et soucieuse d'unité.

Hélas ! l'orange est la pomme d'or du Jardin que les filles d'Hesper firent garder par un dragon...

Encore : comme le serpent qui se mord la queue, mais non comme le scorpion qui de la queue se perce la tête et meurt.

Mieux, mon cher confrère : comme les maris qui, dès lors, rentreront chez eux assez tôt pour causer — dénouement inclus — un petit français (*sic*) à leur femme.

Lieux communs ? Ainsi font, font, font..., que les traditionnalistes (*sic*) demeurent les révolutionnaires, tout au moins dans l'art de composer des drames et des enfants.

## À PROPOS DE LÉONA

### Notes d'après-première [1]

Depuis mes débuts, déjà lointains, d'auteur dramatique (*Le Sculpteur de masques* au Théâtre du Gymnase, en 1911), j'ai observé la discipline du silence, refusant de jamais mêler ma voix aux débats de la critique, qu'elle me fit (*sic*) éloge ou blâme. Me suis-je privé d'un plaisir ? Mais, certes, j'ai prolongé souvent entre le public et moi le malentendu créé par ceux-là qui se prêtaient la compétence de juger mes ouvrages.

C'est que j'étais un jeune homme sérieux : j'espérais retenir une leçon des verges ou de l'encensoir. Hélas ! mes juges, pour la plupart, ne savaient que ce qui s'apprend lorsqu'ils savaient quelque chose.

1. *Comœdia*, 19 févr. 1944, pp. 1 et 3.

Si je fais exception à la règle que je me suis imposée, que ce soit légèrement.

Mais où sont les critiques d'antan, auxquels, tout de même, on accordait quelque crédit ?

Comme l'inconnu que j'étais portait un nom flamand, il leur semblait tout indiqué de le faire apparaître au public issu des « brumes du Nord ». (Depuis Ibsen, c'est l'expression consacrée.) Si l'on est convaincu que le spectateur parisien n'aime rien tant que la logique et la clarté classiques on devine la malice de qui désire vous perdre à ses yeux.

Les jeunes gens qui tiennent la plume aujourd'hui avec la prétention de former le goût du public, m'ignorent autant que leurs aînés. Qui s'étonnera qu'ils reprennent cette expression à leur compte ?

Ces « brumes du Nord » ne sont-elles pas un brouillard artificiel derrière lequel l'adversaire se dérobe ?

Car, enfin, où et comment se développent-elles ? Le ciel flamand est tissu d'une lumière si riche qu'elle *porte* des ombres fleuries. Il n'est que de parcourir un musée de peinture flamande pour se croire dans un jardin. Il suffit de citer les noms de Van Eyck, de Roger Vanderweyden, de Memling, pour évoquer des décors d'azur, d'émail et d'or. Où les brumes de Breughel, de Rubens, de Jordaens, de Van Dyck ?

Le pays des ducs de Bourgogne est incendié d'oriflammes et d'écus, de moissons et de vergers. Les maisons de ville ou de village ont des façades enluminées comme un livre d'heures.

Où ces brumes ? Dans l'œuvre littéraire des Flamands ? Que non pas ! Celle-ci est presque toujours — et c'est un reproche que je fais à nos écrivains — une transposition du style pictural.

Oui, je sais, il y a Rodenbach et Maeterlinck. Mais ils sont tous deux des symbolistes d'école, d'influence — sinon d'inspiration — françaises.

La forme de Decoster, pour l'*Ulenspiegel,* est une médiocre imitation de celle de Rabelais.

Ici, fini des *brumes,* nous touchons à la truculence.

Qu'il y ait de la truculence dans l'œuvre de Rubens, de Jordaens, sans doute. Mais sachons qu'elle nous vient d'Italie avec la tardive Renaissance flamande.

Breughel n'est pas truculent, il est robuste, mesuré. Il enferme le volume dans la ligne avec une sûreté magistrale. Sa couleur, malgré l'éclat, demeure d'une sobriété exemplaire. Son art est classique dans l'acception absolue du terme.

Lorsque l'on me fait l'honneur de comparer mon art au sien, on me range, sans le vouloir, sans le savoir, parmi les auteurs classiques. Et si je m'insurge contre une fausse interprétation du style de Breughel, j'encours le reproche de *mépriser mes atavismes* ! (*sic*)

Mépriser ses atavismes. La tournure est plaisante et m'en rappelle une autre qui me fit beaucoup rire naguère. Comme je discutais avec l'un de mes amis de la racine d'un mot, il s'exclama : « Tu y *crois*, toi, à l'étymologie ? »

Et encore, la truculence serait-elle spécifiquement flamande ?

N'en est-il pas chez Rabelais, chez Villon, chez Montaigne, chez Agrippa d'Aubigné, chez Saint-Simon ?

Et dans *Le Bourgeois gentilhomme* et dans *Le Malade imaginaire* ?

Et plus près de nous, chez Marcel Proust ?

Nous avons des ancêtres, mais nous avons aussi des maîtres.

Que je sois un écrivain de formation française et classique, il n'en saurait être question, puisqu'au dire de certains critiques, je suis hors d'état de choisir et donne tout *en vrac*.

Je ne veux pas douter de la sincérité de mes juges. Mais, alors, ont-ils la naïveté de croire que le hasard seul préside à l'heureuse et durable destinée d'un ouvrage ? Pensent-ils que l'auteur entraîne le public de scène en scène jusqu'au dénouement du drame, dirais-je par inadvertance ?

L'expérience personnelle de certains d'entre eux aurait dû les convaincre que la méconnaissance du métier mène fatalement à l'échec.

L'art, messieurs, est précisément d'obéir au métier sans qu'il y paraisse. Les parties les plus nécessaires à l'équilibre de la construction y font figure d'ornements. Faut-il encore énoncer tels lieux communs ?

Soit. Dans la suite de cette causerie, et pour votre édification, je démonterai pièce à pièce ma « mécanique ». Vous apprendrez qu'elle est composée d'engrenages aussi étroitement dépendants que ceux d'une horloge.

## À PROPOS DE LÉONA [1]

### Mes secrets...

Dans ce temps de médiocrité, que la critique fait prendre au public d'énormes taches d'encre pour l'ombre des prophètes, il me plaît d'être assez mal reçu d'elle. Somme toute, c'est au public que ces notes s'adressent. Quelle excuse aurais-je à parler de moi sinon de lui livrer un code qui lui permette à son tour de juger les juges.

Certains d'entre eux écrivent que *Léona* est une pièce *mal construite, de composition désordonnée.*

Voyons ensemble.

L'idée de l'ouvrage d'abord, venue d'une question que l'esprit se pose : « Qu'est donc, valablement, ce que nous nommons une nécessité historique ? » Autres formes de la question : « De quoi et comment créons-nous nos idoles ? Autour de quel noyau circule une dite vérité ? »

Réponse : « Puissance créatrice de l'imagination ».

Nous tenons le véritable sujet de cette pièce de théâtre que nous allons bâtir ensemble, cher public qui me fut toujours fidèle en dépit de mes détracteurs. Et rassure-toi, je ne te proposerai pas, aux feux de la rampe, une froide et ennuyeuse démonstration ; je tiens à tes suffrages. Écrivain de théâtre, je n'ai dessein que de t'émouvoir de joie ou de douleur.

*Comme il se doit,* le sujet impose la construction de l'ouvrage. Tu vas assister à la naissance d'une légende : l'ouvrage naîtra, se composera comme elle, avec elle, en même temps. En art dramatique, il est des lois que je ne veux pas transgresser : tout y doit être action, action jamais commencée avant le lever du rideau, action qui ne se transforme ou n'avance durant les entractes. Ainsi éviterons-nous le récit.

Un bon ouvrage de théâtre, quel que soit le nombre des repos ou des changements de décor, peut se dire une pièce en un acte.

Tu connais à présent le véritable sujet de *Léona : la naissance d'une légende.* Comment le mettre en action.

1. *Comœdia,* 4 mars 1944, p. 1.

J'aurais pu, pour ma facilité et la tienne, emprunter aux œuvres de la Grèce antique, requinquer les mythes anciens : non. Inventons, nous sommes là pour ça.

Prenons pour cœur d'une vérité tellement relative le noyau le plus petit possible : l'idée d'une Idée, l'*Idée de Monsieur Dom.*

Et voici le premier titre de la pièce. Il colle au sujet (on me le pardonnera, du flamand Dom se traduit Bête).

Qui est M. Dom ? Nous ne le saurons jamais que par l'idée que les hommes se feront de lui et de son idée, car *in extremis* au début de l'action, il a dit qu'il en avait une.

L'a-t-il dit ? Même pas. La servante a menti, qui prétendait rapporter ses dernières paroles.

M. Dom est donc mort, muet, secret, inconnu. Il est froid. Mais les témoins de son trépas vont, au nom de l'Idée supposée, lui rendre mouvement et chaleur.

Et voici que nous sont suggérés deux autres titres : *Chaud et Froid, Le Matin du troisième jour.*

Le miracle va s'accomplir *devant nous,* au matin du troisième jour. Fatalement la pièce sera découpée en trois actes, un par jour. Au dernier, l'insignifiant M. Dom se drapera, présent, en sa gloire de grand homme.

On voit assez le processus de la composition, pour savoir qu'elle ne pourrait être désordonnée, l'ordre étant imposé à l'auteur par le sujet même.

M. Dom, noyau du phénomène de cristallisation, est-il aussi insignifiant que je le souhaiterais pour la clarté de ma démonstration ? Du moins, il l'est aux yeux de sa femme, Léona. Elle vit auprès de lui, croit le bien connaître : il n'est *rien* pour elle.

Nous entrons dans l'action.

Léona a des amants... nombreux. Elle cherche partout ce qu'elle ne peut trouver chez son mari, *l'amour sans visage et sans prénom,* l'amour tout bref ou infini, — l'Amour. M. Dom n'aime pas. Il n'existe pas. Il est un prénom et un visage, moins que cela, un masque : *le masque du vrai mari* (*sic*).

Pardon ! M. Dom avait des amours secrètes, une maîtresse à la ville. Nous l'apprenons soudainement. M. Dom commence à vivre. Il avait une Idée, dit-on. Il vit.

Nous voici en présence, non pas de deux actions, ainsi qu'on se plaît à le dire, mais d'une action à double face. Le véritable héros de notre drame a un cœur et un cerveau auxquels nous prêterons des émois et des pensées.

Nous serrons le sujet de près.

Parenthèse — qui n'en est pas une — M. Alain Laubreaux, critique lucide, se trompe toutefois lorsqu'il dit : « *M. Dom, théoricien de l'idée, est une légende gratuite. Bon. Nous acceptons. Mais M. Dom amoureux ? Comment M. Dom, s'il était ce qu'on nous a dit, a-t-il pu inspirer un pareil amour ?*

« *Quoi d'étonnant, dès ce moment, au combat posthume qu'il livre dans le cœur de Léona et quoi d'étonnant à ce que cette fois il s'en empare ? Cette victoire-là n'est pas celle d'un mythe. La légende de M. Dom n'est qu'une moitié de légende.* »

Eh bien, non !... M. Alain Laubreaux, sans doute, n'a pas entendu Léona dire à Félie, après avoir connu les lettres et les mots d'amour de son mari : « *Dans un livre, — il aura lu ça dans un livre* ». Elle le répète plusieurs fois. Ne pouvons-nous pas la croire.

Quant à l'amour que Félie nourrissait pour son amant il n'est ni plus ni moins valable en ses interprétations que l'admiration des partisans pour la prétendue idée de M. Dom.

Parenthèse — qui en est une. N'y a-t-il pas de quoi rire de bon cœur, lorsqu'un critique dit son mécompte de ne pas connaître enfin cette idée-là !

Où M. Alain Laubreaux a raison, c'est lorsqu'il découvre une imperfection *fatale* dans l'ouvrage, en cette partie. J'eusse aimé, en effet, faire écrire et soupirer par M. Dom à Félie des paroles de la pire banalité que celle-ci aurait rapportées avec émerveillement à Léona, *mais le public n'eût compris* — bien que l'exemple en soit courant — ni la tendresse de la maîtresse ni la rage de l'épouse.

Mais M. Alain Laubreaux fait erreur lorsqu'il voit dans le combat que livre Léona à Félie et au mort autre chose que de la haine.

Dans sa volonté de détruire l'image idéalisée que Félie garde de Dom, il n'entre qu'un désir de vengeance. Elle hait avec rage, jusqu'au délire. Enragée d'avoir été sa dupe, elle ne songe qu'à tuer le mort. Elle le clame, tout ainsi que son jeune amant Odilon : « *Si je l'avais tué de mes mains, il serait bien mort aujourd'hui* ».

Que si la fidélité de Félie et l'admiration des foules, au contraire, prêtent vie au disparu. Léona n'en dispute la possession à Félie que pour trahir sa mémoire : « *Et puis, le tromper avec toi que j'aime — le tromper, le tromper !* ».

Qu'elle n'y réussisse point, c'est un autre angle de la farce. (Oui, farce, au sens de la tragi-comédie. Le public rit au moment où je le désire.)

« *On ne trompe pas M. Dom.* »

Léona est prise au filet de l'admiration universelle après qu'elle a sacrifié Odilon à ce triomphe dérisoire : « *Il est à moi tout entier* ». À quoi la petite servante réplique : « *Tu es à lui tout entière* ».

J'imagine que le lecteur constate peu à peu que dans une œuvre dramatique, digne de cette qualification, tout est combiné. Nous n'avons pas fini.

Mais déjà je me déclare satisfait de ce que le souci de composition apparaisse si peu, l'ouvrage terminé, que le critique puisse lui reprocher le désordre de la composition.

La vie aussi laisse l'illusion de s'improviser : c'est encore ce que ma pièce veut démontrer.

## LES DÉMARCHES DE L'ESPRIT CRÉATEUR

### Le poète dispose... [1]

Edgar Poe, Baudelaire, Marcel Proust, Paul Valéry, ont écrit d'admirables choses sur les démarches de l'esprit créateur. Leur confession nous rendrait à la modestie si l'épreuve personnelle n'y suffisait. Prétendre que l'on construit sciemment une œuvre d'art, est-ce pas d'une folle prétention ? Voire.

Une brave paysanne de mes amis disait avec mépris, après avoir assisté à la représentation d'une pièce médiocre : « On voit bien qu'ils ont fait ça eux-mêmes ».

Eux-mêmes, c'étaient, en son jugement, l'auteur, les acteurs — des hommes. Pour elle, un ouvrage bien fait, c'est-à-dire qui lui donnât satisfaction, se présentait à son intelligence, à sa sensibilité, avec l'autorité que les créations de la nature tiennent de la nécessité.

L'œuvre d'art se construisait-elle pas d'elle-même ?

Marcel Proust ne pense pas autrement lorsqu'il parle de la sonate de Vinteuil comme d'une découverte où la part humaine n'apporterait qu'imperfection.

1. *Comœdia*, 10 juin 1944, pp. 1 et 3.

Quel serait donc l'apport de l'artiste à l'œuvre d'art ?

Paul Valéry dit avec une justesse exquise :

« Les dieux, gracieusement, nous donnent pour rien tel premier vers, mais c'est à nous de façonner le second, qui doit coopérer avec l'autre et ne pas être indigne de son aîné surnaturel. Ce n'est pas trop de toutes les ressources de l'expérience et de l'esprit pour le rendre comparable au vers qui fut un don. »

Le poète écrit *surnaturel ;* je lui préférerais *naturel* au sens où Paul Fort l'entend lorsqu'il appelle le poète un « poémier ».

Encore le don du premier vers n'est-il pas indispensable.

On trouve, dans les manuscrits de Baudelaire, des strophes de premier jet, plus tard sacrifiées, qui n'ont aucun rapport de sens avec les vers acceptés ou choisis comme définitifs, aucun rapport même avec l'idée maîtresse du poème. (Il peut s'y retrouver un rapport plus subtil, sur lequel je reviendrai bientôt.)

Oserait-on en conclure que le poète veut rimer à tout prix ; qu'il cherche, provoque, force l'inspiration ? Pensera-t-on qu'il est pareil à l'enfant ignorant de la musique qui, dans son besoin de chanter, improvise la mélodie et les paroles ?

Sans doute. Mais il y a autre chose.

Lorsque l'esprit créateur n'est pas éveillé à une pensée précise formulée en mots, mais qu'il est abîmé dans la pensée à l'état pur — comparable à une contemplation plus profonde — la qualité de son émoi est d'abord incommunicable. Il en va de même quand son cœur — disons ainsi — s'emplit soudain d'un sentiment dont les causes ne sont pas tout de suite reconnues.

Hors ses facultés singulières d'association, sa science infuse des rapports les plus secrets, ce qui distingue peut-être le créateur des autres hommes, c'est un désir puissant de partager le fruit de ses expériences intérieures. Il veut traduire, il doit transmettre. Mais quels moyens s'offrent à lui, lorsque pensée ou sentiment, n'est que vibration et non forme ?

L'équivalence.

Parfois les mots du langage clair, leur ordonnance, le rythme ne suffisent pas à la transmission qualitative de l'émotion, de la pensée. Il semble que celles-ci déborde (*sic*) toute forme verbale et que la musique seule conviendrait à leur expression. Mais l'écrivain n'a pas le choix ; la parole est son moyen. Alors il donne une équivalence valable seulement pour lui-même et ses pairs, incontrôlable aux autres.

C'est à cet instant que Shakespeare s'écrie par la bouche d'Hamlet : « J'irai la voir, j'irai, fût-elle cent fois ma mère ! » ou, par la voix de lady Macbeth : « Tous les parfums de l'Arabie ne laveront plus cette petite main. » Ces phrases qui, à la lettre, manquent de clarté et peut-être de vers commun, sont pourtant d'une fulgurance prodigieuse. Éclair entre deux pôles, elles illuminent soudainement le paysage intérieur des personnages rendu aussitôt aux ténèbres. Elles sont la pensée pure, le sentiment pur, la poésie pure.

Lorsque Baudelaire écrit des strophes qu'il répudiera ensuite, il se délivre de son émoi en des équivalences hasardeuses. Il lui propose des formes où se mouler étroitement. Il lui tend des pièges.

Pour nous faire mieux comprendre, usons ici d'une comparaison. En place d'équivalence, un musicien dirait facilement synchronisation, concordance, unisson.

On connaît l'exemple : si, dans un instrument, vous pincez la corde qui donne le *la,* toute corde d'instruments voisins qui donne le *la* vibrera à l'unisson. Voici pour la concordance qui est tout uniment sympathie, affinité dans un autre ordre. Un peintre vous apprendra qu'un bleu sur une toile appelle tous les bleus.

Poussant plus loin vers le complexe nous touchons à l'accord, à l'harmonie, plus loin encore au rythme, qu'il ne faut point confondre avec la mesure. Le rythme est peut-être le complexe « Temps espace », il est certainement l'âme du mouvement.

Beaucoup de bruit pour rien, dira-t-on ? Un instant. Celui qui ignore ces lois profondes n'écrira jamais :

> « Mais le vert paradis des amours enfantines »,
> « Mais les bijoux perdus de l'antique Palmyre ».

Vers aussi simples que les plus mauvais vers, et qui doivent leur immortelle beauté à cette science naturelle au génie, et qui ne s'apprend pas.

Voici donc le poète *attentif* à recevoir des sons, des couleurs, des formes, des images, des nombres propres à nous restituer la qualité de son émotion. *Il espère* lui trouver un contenant fidèle dans un langage connu des hommes. Quel sismographe inscrira pour nous son tremblement d'âme ?

Pour reprendre notre exemple précédent, disons qu'il *attend* la concordance parfaite entre notre univers et le sien. J'ai dit : *attentif.* Il attend, il ne cherche pas. Selon l'expression que j'inventai naguère, il n'est pas « un chercheur de trouvailles » comme tant d'autres rimeurs.

A-t-il trouvé son ouvrage à l'accent d'une sincérité si absolue qu'il nous semble le produit d'un acte nécessaire, fatal, *naturel*. Il peut détruire les strophes composées par « lui-même » qui manquaient d'authenticité.

Je répète la question : quel est donc l'apport de l'artiste à l'œuvre d'art, si je tiens celui-ci pour miraculé ? L'état de grâce ? Certes. Il n'est pas simple de s'y maintenir.

Il y a la patience. J'y insiste encore, le créateur attend, mais dans un calme ardent. Il est toute attention, toute présence. Lorsque l'on dit que le génie est une longue patience, on ne l'entend pas autrement. Il est nécessaire de demeurer longuement attentif, l'âme aux écoutes, le cœur humble et brûlant, pour entendre la voix des dieux.

Après : « Ce n'est pas trop de toutes les ressources de l'expérience et de l'esprit... » *car ici les dieux proposent et l'artiste dispose.*

Voici sa part. Dans l'ordre des équivalences, mille possibles se présentent, dont un seul est imprévu et fatal.

C'est faire ce choix qui s'appelle construire. Le génie est équilibre, l'art est science.

J'ai promis de revenir sur certains rapports subtils entre les vers supprimés et les strophes définitives, si différentes de sens, de couleurs et d'atmosphère de certain poème de Baudelaire, de son titre primitif : « La Gabare », si j'ai bonne mémoire.

Il est en art un phénomène très important : *rien ne s'efface*. Rien ne s'efface, ni un coup de pinceau, ni une phrase écrite. Toujours la suite d'un ouvrage reste fonction du premier jet, quand on pousserait la perfection de l'effacement jusqu'à recommencer le « chef-d'œuvre inconnu ».

Donc, patience.

Le dramaturge qui, pour conquérir *d'emblée* le public, doit parler toujours un langage clair, a-t-il agi autrement que le poète ou le musicien ?

## ENTRETIENS SUR LE THÉATRE

### Le sens dramatique chez les auteurs français [1]

Il y a quelque cinquante ans la France ignorait presque tout de l'art dramatique étranger ; elle pouvait croire posséder, naturellement, le

1. *La Porte Ouverte*, avr. 1946, p. 62.

privilège de l'activité théâtrale. Le rayonnement de Paris sur le monde, la résonance de ses manifestations artistiques, l'accueil réservé à ses ouvrages par les scènes étrangères, le succès permanent de son répertoire l'inclinaient à se suffire. Avait-elle tort ? Je n'en suis pas certain. Tout d'abord — et je me répète sans craindre de trop me tromper — l'art dramatique, qui ressortit pour une bonne part (*sic*) l'improvisation, (*sic*) l'éloquence, au raccourci, me semble être l'expression « naturelle » de l'esprit de notre nation, héritière « naturelle » des traditions latines. On sait l'engouement des peuples italien et espagnol pour le théâtre, la richesse, la diversité, la prodigalité de leurs auteurs anciens dont nos dramaturges firent leur butin avant d'en faire leur profit. Mais enfin, ayant adopté les lois de cet art si particulier, celles-ci devinrent leurs, surtout par amélioration. Le repliement sur soi-même fit le reste : le théâtre était spécifiquement français.

Précisons. Tout ainsi que le poète pense en vers, c'est-à-dire en nombre, en images et en rimes, le dramaturge de chez nous pense en actes et en scènes dans le cadre et sous l'optique du théâtre. Je ne vois ailleurs aucune aptitude comparable à la sienne. Peut-on ne pas prétendre que la Belgique, la Hollande, l'Italie et l'Espagne sont, avant tout, plasticiennes. L'Allemagne musicienne. L'Angleterre « poétique » et la Russie « mystique » ? C'est sur ce critère que je juge la France maîtresse en art dramatique. Les œuvres étrangères demeurent, malgré le dialogue, une expression avant tout littéraire. C'est par exception que les plus grands écrivains étrangers réussissent une pièce de *théâtre* où soient fondues en une, spontanément, les trois natures complémentaires de l'auteur, du metteur en scène, de l'acteur. Chez eux, presque toujours le littérateur domine, comme un commentateur. Il est rare enfin qu'il soit tenu compte du temps *local* si ramassé entre les quatre murs du « plateau » et les heures de l'horloge.

Cette primauté de l'art dramatique français, qui a duré deux siècles, est-elle en danger, depuis l'invasion de Paris par les auteurs d'outre-frontière ? C'est l'opinion de beaucoup de nos jeunes écrivains un peu prompts au dénigrement de leurs maîtres sous l'influence du nouvel apport. On répudie les conventions, disons classiques, d'un art qui ne vit que de conventions, et on renie presque en bloc, comme trop peu intellectuelles, les œuvres de nos prédécesseurs les plus proches. On traite d'anodins amuseurs ceux-ci que l'on appelait naguère les « boulevardiers » tandis que l'on trouve ennuyeux ceux-là qui nous imposèrent les lois premières de la dramaturgie.

La plupart des ouvrages portés à la scène au cours de ces cinquante dernières années nous semblent aujourd'hui démodés. Nous savons d'expérience que le passé récent subit de rapides atteintes, mais ne prenons-nous pas pour un vieillissement le changement fatal des goûts et des coutumes ? Ce que nous pensons être les traits ridicules de la mode peuvent encore devenir les éléments d'un style. Au contraire, le peintre portraitiste, éliminant les parasites de « l'actuel » accomplit aussitôt la mission sélective du temps. Il faut attendre que la postérité, dont l'intelligence ne dépassera pas la nôtre, mais qui rassemblera toutes les données du problème, opère un choix plus durable. Si notre théâtre court vraiment un danger, il l'évitera en retrouvant l'expression de son génie. Lorsque les jeunes écrivains tournent délibérément le dos à notre tradition ils font le sacrifice de nos inclinations en même temps que de notre science, pour ce que l'art est science.

## DONA JUANA [1]

Au jeu des conjonctures, le hasard perd plus souvent qu'il ne gagne, mais comme il marque les coups réussis sans laisser trace des coups manqués, nous ne saurons jamais combien de ceux-ci sont à inscrire au compte de la providence. Faute de mieux, disons donc que ma rencontre avec Suzanne Lilar fut l'effet d'un hasard heureux.

Prié à dîner avec elle par des amis, je fis la connaissance d'une jeune femme très blonde, mais non trop, aux yeux bleus, non trop peu. Je livre ces détails aux amateurs de portraits d'auteurs. Anversoise, Suzanne Lilar, pour la précision des traits et leur finesse, semble dessinée par Clouet plutôt que peinte par Rubens, tous deux ses compatriotes. Menue, d'une réserve gracieuse qui ne nuit point à l'abandon, elle est toute enveloppée d'un nuage de douceur.

Ceci est un croquis.

À la fin de la soirée, notre hôtesse me remit subrepticement un manuscrit, me demandant de le lire au plus tôt et de donner mon opinion à l'auteur sur son œuvre. J'avoue que je retins un sursaut en apprenant qu'il s'agissait d'une pièce de théâtre « qui évoque le mythe de Don Juan et se réclame de Tirso de Molina pour le titre : « Le Burlador » comme pour la donnée ».

Ainsi que nombre de mes confrères et suivant l'exemple d'illustres aînés, j'accepte de lire tous les manuscrits qui me sont confiés. Sou-

1. *Spectateur*, 10 déc. 1946, p. 2.

vent nos amis nous reprochent de ne point produire assez, dans l'ignorance où ils sont du temps que nous consacrons à ces devoirs confraternels.

Qu'ils se rassurent pourtant, ce temps-là n'est point tout entier perdu, ni pour le public qui nous encourage personnellement, ni pour nous qui, souvent, recueillons ses hommages indirects et, parfois, remportons de secrètes revanches.

Mais cette fois je craignais de gaspiller mes heures.

D'abord, je ne crois pas que les femmes soient bien douées pour l'art dramatique. Elles sont poètes naturellement, peintres avec quelque bonheur, musiciennes délicates, aisément romancières. Elles excellent en tout art où la sensibilité peut s'exprimer sur le mode de la confession. Elles sont rarement architecte, statuaire ou dramaturge, c'est-à-dire expertes dans les arts qui tendent à l'impersonnalité.

Ensuite, il me paraissait pour le moins imprudent de vouloir retoucher la figure de Don Juan, si souvent reprise par les plus grands écrivains qu'elle semble avoir atteint son état de type et être définitivement entrée dans la légende.

Je me mis à cette lecture, sans préalable consentement. « Mea culpa ! » Deux heures plus tard, je réveillais par téléphone Suzanne Lilar pour lui manifester ma joie d'une découverte qu'elle m'avait permise.

Que j'aie pu faire partager mon admiration pour l'œuvre d'un auteur encore inconnu, ma confiance en son succès est tout de même une égoïste satisfaction qui paie les soins, au-delà.

Je ne parlerai point en détail du « Burlador » de Suzanne Lilar, qui relève désormais du jugement de la critique. Me le pardonnent mes confrères, je n'entre point dans leurs vues quant au rôle de la critique, laquelle peut seule, dans un temps où l'honneur est à l'argent, rendre l'argent à l'honneur ! Qu'elle parle haut et même avec insolence, je me refuse à croire qu'elle ne soit point impartiale. Incompétence parfois ? soit. Mais ici nous ne pouvons incriminer que la direction du journal qui l'accrédite auprès du public — quitte d'ailleurs, à la désavouer dans les placards de publicité du théâtre ! Enfin, si le critique juge l'œuvre, au cours du temps l'œuvre jugera le critique.

Pourtant, à la lumière de l'ouvrage, je puis pousser le croquis de l'auteur. Suzanne Lilar se destinait au barreau, elle a plaidé. La douce inflexion de la voix, la retenue du geste que l'on attribuerait volontiers à une certaine timidité, en réalité, tissent autour d'elle un cocon où s'enclôt une rare violence. Il aurait fallu s'en douter à la tension du regard, à l'étirement félin des paroles, à leur arrangement. Violence bien menée derrière un réseau de précautions oratoires, patiente violence.

Il n'en fallait pas moins pour choisir, aborder, pénétrer un tel sujet, et qu'elle fût virile. C'est la part de masculinité de cette créature d'apparence si féminine qui lui permit de découvrir la nature androgyne de Don Juan, et sans doute pour la première fois.

Idée de femme, évidemment, ambition de femme auteur, que de vouloir s'attacher enfin l'infidèle, le vaincre par l'amour. De nombreuses romancières l'ont tenté sous différents déguisements. Leur défaite était inévitable, car elles ne combattaient le messager qu'avec des armes féminines: la faiblesse, la tendresse, les larmes, la constance, pouvoirs de séduction de toujours consentis à la femme; ou bien par la ruse, l'artifice, la fuite, le défi, le refus réputés efficaces.

La grande originalité de Suzanne Lilar est d'avoir renoncé à ce duel masqué au manteau et à la lanterne et d'avoir opposé à Don Juan, en la personne d'Isabelle, sa propre nature double, son hermaphrodisme profond. Trait de génie, en ce sens que le choix des moyens tient à l'être même.

Face à Don Juan, elle dresse Isabelle qu'il faudrait nommer Dona Juana, en laquelle il se reconnaît, s'abîme, s'accomplit, trouve enfin son unité. Dona Juana est une nouvelle héroïne de théâtre, créée par Suzanne Lilar.

Dirais-je à sa ressemblance, pour terminer le portrait?

## LA CRISE?... TOUT LE MAL EST VENU DU METTEUR EN SCÈNE [1]

Propos recueillis par Paul Werrie

*Claudel est mort, Giraudoux est mort, Cocteau, et avec eux les Copeau, Jouvet, Dullin, Pitoëff ont disparu, qui n'étaient point auteurs, mais qui les illustrèrent. De cette glorieuse lignée du théâtre d'avant guerre — il n'est pas sûr qu'elle soit remplacée — il reste un survivant: Crommelynck, le plus foncièrement, le plus naturellement « théâtre » d'entre tous. Et peut-être l'ultime détenteur du grand secret: celui du langage théâtral authentique.*

*Né dans le théâtre même, d'une famille d'acteurs, Crommelynck en possède le métier d'instinct. Il n'a jamais rien fait d'autre ni pratiqué de*

1. *La Table ronde*, nº 220, mai 1966, pp. 28-30.

*genre qui ne fût le théâtre. Or, au-delà de ce métier, à travers ce métier même, Crommelynck restituait au « drame » sa noblesse littéraire. Comme Giraudoux, mais plus théâtralement que l'auteur de* La Folle de Chaillot, *plus nordiquement aussi, s'il est permis de dire: Crommelynck est toujours de nationalité belge, mais on ne sait peut-être pas qu'il est né à Paris (en 1886, 8 (*sic*), rue Eugène-Sue), d'une mère savoyarde et que c'est à Paris qu'il a vécu et vit toujours.*

*Au surplus, l'auteur du* Cocu magnifique, *de* Carine, *de* Tripes d'Or, *de* Chaud et Froid, *des* Amants puérils, *continue à servir le prestige du théâtre français sur les scènes étrangères: on vient de le jouer en Allemagne, au « Schiller Theater » de Berlin. On ne cesse de le jouer en Belgique, en U.R.S.S., en Pologne, en Suède, en Italie, en Amérique du Sud. Il n'y a qu'à Paris, où l'on manque de pièces... Nous sommes allé (*sic*) l'interroger. Cet homme qui fut l'inspirateur de Ghelderode (par* le Sculpteur de masques, *notamment) a tout fait dans le théâtre: auteur, il a dirigé, mis en scène, joué. Son avis ne saurait, croyons-nous, laisser personne indifférent.*

— *La crise du théâtre?...*

— Je ne crois guère à ce genre de choses... Donnez de bonnes pièces, il n'y aura pas de crise, et voilà tout. Mais il est vrai qu'on ne fait plus ce qui s'appelle du théâtre. La France a fait du théâtre... Au XVII^e^ siècle, au XVIII^e^, au XIX^e^ encore. Et même avec Sacha Guitry. Les Anglais ont fait du théâtre. Les Espagnols... Aujourd'hui, les Beckett, les Ionesco, c'est du théâtre pour école du soir. Un homme qui grandit à vue d'œil sur la scène, dont les pieds atteignent un mètre cinquante... Une femme à demi ensevelie, qui s'enterre peu à peu pour symboliser la brièveté de la vie... C'est de l'allégorie assez primaire!

— *C'est de la « figuration »... Excusez-moi, mais vous-même, avec la Stella masquée du* Cocu magnifique...

— Ah mais, pardon, le masque, le travesti de Stella se justifient sur tous les plans. Un jaloux qui séquestre sa femme, qui lui défend toute coquetterie, la dérobe aux regards, comme fait Bruno, c'est monnaie courante. La « figuration », il faut qu'elle se justifie dans le texte... par le texte, et qu'elle soit banale, invisible en quelque sorte. Sinon, c'est du théâtre pour enfants.

— *Il y a tout de même, chez Ionesco par exemple, un sens de la visualité qui relève de la mise en scène...*

— La mise en scène, nous y voilà. C'est quand le metteur en scène est apparu, quand son nom est monté sur les affiches, que tout s'est gâché. Jusqu'alors, le « metteur en scène » était le premier acteur de la troupe, le meilleur. Il réglait le ton, les voix, leur harmonie, l'interprétation correcte du texte. Personne ne le nommait. Puis sont venus des hommes qui ont voulu tout régenter, qui ont imposé leurs idées aux auteurs eux-mêmes, qui ont fait du spectacle... Tout part de là.

— *L'auteur a été relégué au second plan?*

— Exactement. Le metteur en scène est une superfétation. Mais il s'arroge jusqu'au droit de modifier l'auteur. Il se substitue à lui.

— *À Cervantès, par exemple...*

— À n'importe qui. L'auteur n'a plus rien à dire. Il fournit un prétexte. Je n'ai jamais admis qu'on coupe une ligne dans mon texte. Il y a la mesure des scènes, que diable. Leur équilibre... La mise en scène!... est-ce qu'on refait Racine? Est-ce qu'on met Racine en scène — dans le sens où l'on opère aujourd'hui? Essayez... Bref, on ne construit plus de nos jours. Sous l'influence du metteur en scène, le théâtre n'est plus, à proprement parler, un art.

— *Soit, mais l'art peut-il satisfaire le public d'aujourd'hui?*

— Je le prétends. Le public veut y voir clair. Le public est soumis. Le public est entraîné par l'art.

— *Je suppose que par l'art, vous entendez les ressorts de toujours, qui ont fait leurs preuves?*

— Oui, et la construction, l'équilibre, l'harmonie, et plus que tout, le rythme. Il faut que la pièce ait un rythme. C'est le rythme qui entraîne le public.

— *Mais, de ce côté, ne croyez-vous pas qu'il y ait quelque chose de changé? Dans un certain public, tout au moins? On assiste, aujourd'hui, à des spectacles où le public accepte de s'ennuyer.*

— C'est extraordinaire. Il tolère de s'ennuyer. Il paie pour s'ennuyer. Un certain public du moins, comme vous dites, mais c'est peut-être celui qui donne le ton. Il a peur de paraître ne pas comprendre. Il a peur de ne point paraître assez intelligent.

*Je songeais en m'en allant, au propos de Bernard Privat, directeur de la maison Grasset et lui-même écrivain:*

« *Je connais une femme, professeur de philosophie, qui dit:* « *Quand un livre ne m'ennuie pas, je ne continue pas* » *et* « *l'autre jour, en sortant du théâtre, j'ai entendu ce dialogue:* « *L'homme: Oh! c'était très ennuyeux! La femme: Mais non, pas du tout, c'était beaucoup moins ennuyeux que la dernière fois! L'homme: Oui, tu as raison, nous avons passé une bonne soirée!* » *Vous ne trouvez pas ce dialogue inouï?* »

## *Choix de messages et d'interviews radiophoniques de et sur Crommelynck* [1]

### LA CRISE ACTUELLE DU THÉÂTRE NE PROVIENT-ELLE PAS DES EXCÈS MÊMES DE LA MISE EN SCÈNE? [2]

**Ce soir, en accusation, le metteur en scène, avec: Fernand Crommelynck** (réquisitoire) — **Jean Vilar** (plaidoirie) — **Béatrice Dussane** (à la barre) — **Gustave Cohen** (professeur à la Sorbonne) — **Robert Kemp** (critique dramatique du *Monde*) — **Jean-Jacques Gautier** (critique dramatique du *Figaro*) — **Débat mené par Paul Guimard.**

J.-J. G. – Un point sur lequel nous serons tous d'accord: je suis pour une bonne mise en scène, et contre la mauvaise. Celle qui est valable est invisible.

F. C. – Je voudrais demander à monsieur Gautier s'il connaît beaucoup de mises en scène invisibles dans le théâtre actuel?

J.-J. G. – La carence de bonnes pièces donne peut-être trop d'importance au metteur en scène.

F. C. – Cependant, je me souviens d'une mise en scène de Gaston Baty pour *Crime et châtiment*... Et, avez-vous trouvé, par exemple, invisible ce mur de pierre qui tout à coup s'enroulait comme un store et dégageait, délivrait, découvrait au public un escalier? Vous savez, du reste, comment j'appelle Gaston Baty: le cache-texte.

J. V. – Je suis d'accord avec le principe d'une mise en scène invisible.

B. D. – Le bon metteur en scène est celui qui permet au comédien de se dépasser. Il y a abus incontestablement, lorsqu'il se substitue

1. Non publiés jusqu'à ce jour.

2. R.T.F., 19 mai 1947. Seul le texte dit par Fernand Crommelynck est intégral, les autres interventions sont résumées.

au comédien. Le danger actuel, pour le jeune comédien, est de devenir la super-marionnette de Gordon Craig.

Tous les artistes collaborant à un spectacle doivent être les serviteurs modestes du texte.

F. C. – Vous avez fait, Madame, le portrait du bon metteur en scène, mais en le faisant vous avez fait, en réalité, le portrait du bon auteur ; car un auteur doit être à la fois son propre metteur en scène et ses acteurs. Quand il conçoit, quand il écrit sa pièce, quand il la développe, il doit savoir exactement la dose de texte qu'il faut pour un passage de droite à gauche ou de gauche à droite de la scène. Il doit savoir exactement où s'assoira l'acteur, où il le fera, il doit en subir les réactions. Et si nous avons tant de metteurs en scène (bons ou mauvais), c'est que nous avons très peu de bons auteurs dramatiques.

B. D. – Les déplacements en scène sont accessoires. Vous êtes vous-même victime de l'envahissement de la plastique.

F. C. – Je ne défends pas la plastique, je l'accuse au contraire. Mais je prétends que l'auteur d'abord doit sentir avant que l'acteur sente. Et en réalité, le véritable metteur en scène est un chef d'orchestre. Vous ne nierez pas la nécessité absolue, en musique, d'un chef d'orchestre ; vous ne pouvez pas la nier au théâtre non plus ; il faut un chef d'orchestre qu'on appelle le metteur en scène, mais il doit, au préalable, être l'auteur. L'auteur doit être un admirable acteur. Je vous prie de croire que Shakespeare, que nous n'avons pas vu jouer, était un très grand acteur.

J. V. – Le bon comédien, selon Béatrice Dussane, devrait être son propre metteur en scène ; mais pour organiser l'ensemble, il en faut un. Ce personnage existait déjà chez les Grecs.

**Discussion avec Dussane qui reconnaît que le bon metteur en scène l'aide ; par conséquent il est nécessaire.**

F. C. – C'est-à-dire, Madame, que le bon metteur en scène ne rompra pas votre tempérament. Il en usera avec intelligence, il fera sortir vos qualités et n'y substituera pas les siennes.

J. V. (s'adresse à Crommelynck) – Il faut unir les idées de l'auteur et le tempérament du comédien. Qui le fera ? Il s'agit de faire une œuvre théâtrale. Il y a l'auteur et il y a le comédien ; qui va les mettre d'accord ?

F. C. – Êtes-vous bien certain que vous ne pourrez pas demander cela d'abord à l'auteur ?

J. V. – Le metteur en scène se réfère d'abord à l'auteur.

F. C. – Je n'en suis pas aussi certain que vous. J'ai vu souvent les auteurs relégués au fond de la salle et n'avoir pas grand-chose à dire devant lui.

**G. C. cite des exemples de mauvaises mises en scène et, par contre, celle qu'il trouve être bonne: la sienne pour** *Le Jeu d'Adam et Ève,* **présenté devant la cathédrale de Chartres. Il fait le récit détaillé de cette représentation.**

F. C. – Je crois que nous serons tous d'accord pour considérer avec vous que la messe, comme on la dit dans les grandes cathédrales, est une excellente mise en scène et qui a fait ses preuves. Mais, quand vous parliez tout à l'heure du monstre de *Siegfried,* on en peut accuser surtout Wagner qui l'a employé. C'est un moyen de vous attacher qui est simplement mécanique. Mais trouvez-vous meilleure la mécanique de la mise en scène de *Rosalinde* de Copeau quand il faisait tout d'un coup un bruit de billes d'engrenage, tournait un buisson pour découvrir deux jeunes amoureux ? De sorte qu'au bruit, le public était brutalement rejeté comme spectateur dans son fauteuil, il n'était plus acteur participant au drame. Trouvez-vous meilleur le mur de Jouvet dans *L'École des femmes* qui s'ouvre brusquement avec un bruit de mécanique ?

G. C. – J'accepte au théâtre tous les symbolismes.

F. C. – Vous l'acceptez aujourd'hui, mais vous ne l'acceptez pas quand il s'agit du monstre.

G. C. – Le symbolisme du théâtre médiéval.

F. C. – Je suis convaincu qu'un jour nous trouverons que le mur de *L'École des femmes,* le buisson de *Rosalinde,* sont les deux dragons de Siegfried.

B. D. – Comment peut-on faire quand on ne dispose pas de la cathédrale de Chartres ?

**R. K. rapporte divers souvenirs du temps où il n'y avait pas ou peu de metteurs en scène. Il cite quelques mises en scène qu'il trouve assez scandaleuses: celle de** *Britannicus* **monté par Raymond Rouleau, puis celle de** *Phèdre* **dans les décors de Jean Hugo, au Théâtre-Français. Il en cite deux très bonnes:** *Les Caprices de Marianne* **chez Gaston Baty, et** *L'École des femmes* **chez Jouvet, quoi qu'en dise Crommelynck.**

F. C. – Je n'ai pas attaqué la mise en scène de *L'École des femmes* que je trouve admirable aussi et le spectacle qui est fort beau; je n'attaque que le mur. Pour le reste, je voudrais abonder dans votre sens, rappeler la manière dont Lugné-Poe abordait le problème, c'est-à-dire qu'il disait : « Je n'ai pas les moyens de faire de la mise en scène, je vais donc me contenter de faire, avec les acteurs, une lecture publique. » Or, on sait l'immense action qu'il a eue sur le théâtre contemporain.

Je voudrais aussi rappeler l'admirable mise en scène de Jean Cocteau pour *Roméo et Juliette.* En fait, dans *Roméo et Juliette,* l'action est tellement précipitée, les retournements psychologiques tellement hâtifs, qu'il serait absolument invraisemblable de les accepter aujourd'hui ; et il avait inventé une sorte de mouvement ralenti dans l'action qui permettait précisément au public de subir la transformation psychologique.

Et la merveilleuse mise en scène d'*Hamlet* de Pitoëff ! Rien qu'avec des panneaux ; et simplement la mise en valeur, l'éclairage du texte dans son intelligence profonde.

J. V. – Je demande à monsieur Gautier et à monsieur Kemp si la mise en scène des *Caprices de Marianne,* qu'ils approuvent tous les deux, est invisible ? Une mise en scène est peut-être une chose aussi qui s'aperçoit avec l'œuvre.

F. C. – Mesdames, Messieurs, pour nous résumer, je crois que nous pouvons nous mettre d'accord sur ce principe : que primauté doit être laissée à l'œuvre écrite, pour autant qu'elle ait des vertus spécifiquement théâtrales, c est-à-dire que ses mouvements et son texte soient jouables. (J'entends qu'ils donnent à l'acteur l'occasion de manifester le drame intérieur du personnage, et lui-même d'en ressentir l'émotion.) Or, c'est ceci qui est proprement du théâtre. Le reste est littérature qui a besoin évidemment, pour être représentée, du concours du metteur en scène, nul ne le niera ; celui-ci a sa propre esthétique : il est décorateur, il est acteur, il est orchestrateur. Il est certain qu'il imprimera à l'œuvre sa marque personnelle, qu'elle soit bonne ou mauvaise. Et cela aussi est inévitable.

J. V. – Le travail de cet homme de métier facilite la tâche du comédien ; c'est l'interprète numéro un du texte, (artiste-créateur mais sans liberté, étant au service du texte). L'auteur aussi a besoin d'assistance pour faire jouer sa pièce. Il faut donc que le metteur en scène prenne en charge le texte et fasse une création selon sa propre imagination.

## HOMMAGE À LUGNÉ-POE [1]

Je crois que le meilleur hommage à rendre à la mémoire de Lugné-Poe est d'exprimer la gratitude qui ne saurait jamais s'effacer (puisque c'est à son intervention dans ma vie que je dois la réputation d'auteur dramatique que j'ai aujourd'hui) et de raconter la manière dont je lui ai présenté ma pièce. Et aussi la manière dont il l'a acceptée et jouée. J'étais allé voir Lugné-Poe, que je ne connaissais pas du tout, à son laboratoire de la rue Turgot [2]. C'est là qu'il lisait les pièces, qu'il les faisait répéter avant de les monter à l'Œuvre (qui était alors un théâtre fermé).

Je suis arrivé chez lui à deux heures de l'après-midi (il répétait déjà) et je lui ai apporté un manuscrit. Je lui dis : « Voilà, je suis Crommelynck ». Il me connaissait déjà de réputation parce que j'avais fait représenter en 1911 au théâtre du Gymnase une pièce qui s'appelait alors *Le Sculpteur de masques* (c'était une expression nouvelle de l'art dramatique qui a donné naissance à l'art intimiste après et qu'on a appelé alors le théâtre du silence).

J'ai donc été reçu tout de suite par Lugné-Poe et lui ai dit : « Je vous apporte un manuscrit. Je voudrais que vous jouiez cette pièce [3] », et il m'a répondu : « Eh bien, voilà, venez me voir dans deux jours ».

J'étais fort étonné parce que généralement les directeurs de théâtre vous répondaient au bout de six mois, un an, ou deux ans, et parfois jamais.

Je suis revenu voir Lugné deux jours après. Il m'a vu de loin entrer.

Arrêtant à l'instant sa répétition et, sans me regarder, il s'est adressé à ses acteurs : « Regardez donc cet individu qui rentre là, il m'a apporté un manuscrit avant-hier. Eh bien, je l'ai lu ; cet homme a du génie ».

Je regrette de répéter ces paroles, mais enfin ce sont les paroles de Lugné ; il les a d'ailleurs prononcées à maintes reprise. Je pense, puisque je lui rends hommage, qu'il devait avoir raison...

---

1. R.T.F., 1950 (sans précision de jour ni de mois).
2. Rappelons que cette première rencontre est évoquée tout autrement par Lugné dans sa *Dernière pirouette*.
3. *Les Amants puérils.*

Quoi qu'il en soit, il me dit : « Je monte la pièce immédiatement ». Il fait déjà la distribution, me convoque dans huit jours. Je le retrouve et j'arrive avec un autre manuscrit en lui disant : « Écoutez Lugné, non, nous n'allons pas monter *Les Amants puérils*. Je viens de terminer l'autre pièce qui s'appelle *Le Cocu magnifique*. Et je crois que c'est celle-là qu'on va donner ».

Il proteste d'abord énergiquement et puis, en fin de compte, m'accorde un rendez-vous pour la lui lire. Je la lui lis, il s'enthousiasme et la joue.

Il était extrêmement difficile de trouver un acteur capable de jouer un rôle aussi écrasant que celui-là. Ce rôle n'était ni dans le physique de Lugné, ni dans son âge ; cependant, il a voulu s'en charger. C'était une chose extraordinaire parce que, n'étant pas l'homme du rôle, il l'a interprété avec un éclat, une violence, une puissance extraordinaires. Il dépassait la rampe.

Vous connaissez l'histoire du *Cocu magnifique*. La presse a été unanime et la voie m'était ouverte.

Il serait bon, à ce propos-là, de rappeler quelle était l'intention de Lugné-Poe quand il présentait des pièces nouvelles.

Il avait l'impression qu'il n'était pas nécessaire d'accorder aux décors, aux lumières et aux costumes, une trop grosse importance, et qu'il valait mieux faire entendre le texte, c'est-à-dire présenter au public une sorte de lecture.

Je crois que son exemple serait à suivre par les jeunes metteurs en scène, aujourd'hui, qui accordent beaucoup trop d'importance et à la lumière et aux décors, et qui s'y ruinent.

Lugné-Poe, qui n'avait pas les moyens de faire de gros frais, se contentait de montrer la pièce et, je le dis encore, d'en faire une sorte de lecture à plusieurs voix. C'est un exemple, je le répète, qu'il faudrait suivre aujourd'hui encore, aujourd'hui où l'on encourage énormément les jeunes auteurs, car dans ce temps-là, ne l'oublions pas, pour être joué, il fallait d'abord avoir été joué pour la première fois à Paris.

Je ne saurais trop rendre hommage à Lugné-Poe. Nous sommes nombreux d'ailleurs qui lui devons tout. Et je pense que j'ai à peu près dit toute mon admiration pour lui, en tant que j'accorde au mot une valeur absolument stricte et exacte.

## SIX ENTRETIENS DE FERNAND CROMMELYNCK AVEC JACQUES PHILIPPET [1]

### Entretien n° 1

Ici Bruxelles, Jacques Philippet au micro.

C'est une chose assez difficile, il faut bien le dire, que d'amener Fernand Crommelynck à un microphone.

Il est plutôt de l'espèce insaisissable. Le célèbre auteur du *Cocu magnifique*, de *Chaud et Froid*, de *Carine*, de *Tripes d'or*, et des *Amants puérils* n'aime pas beaucoup les entretiens. Et c'est pour cela que sa présence aujourd'hui en face de moi est à la fois un grand plaisir, un honneur et surtout (et ce qui m'est le plus cher) un témoignage d'amitié. Amitié dont je vais abuser tout de suite par une question insidieuse.

— Que pensez-vous, cher Fernand Crommelynck, des entretiens à la Radio ?

F. C. – Je n'ai jamais entendu, en tout et pour tout, qu'une partie de celui avec Léautaud à Radio-Paris. Il a fait grande sensation dans les milieux littéraires et même chez les auditeurs qui ignoraient jusqu'au nom du vieil écrivain. Les éclats de rire grinçants, les jugements à l'emporte-pièce et dépourvus de toute déférence de l'auteur du *Petit ami* devaient, à coup sûr, satisfaire un public peu cultivé qui décrète qu'il en faut à chacun selon son goût, fût-il le pire. Et que vive le mélodrame où Margot a pleuré !

Quant à l'opinion des lettrés, elle doit se résumer à ceci : que la prise directe avec le grand public ne sert pas le prestige de l'écrivain.

Jusqu'ici, le lecteur, le spectateur ne connaissaient l'auteur qu'à travers les ouvrages et se faisaient de lui une représentation idéale. Qu'il écoute aujourd'hui bredouiller un grand poète (on sait que Corneille était bègue) ou, qu'à la télévision, il examine son visage parfois banal, (gauchissant probablement la tendance que l'on a à prêter une beauté certaine, une naturelle noblesse au grand créateur), il est à craindre, qu'après avoir imaginé l'auteur à travers son œuvre, on aille à présent estimer l'œuvre aux imperfections de l'individu. Or, je vous fais confidence que la plupart de mes confrères ne resplendissent pas de la beauté d'Adonis. Quant à moi-même... (rires).

1. I.N.R., 26 févr. 1953.

J. Ph. – Mais, cependant, autrefois, avant la radio, la photo et la télévision, nous avions des portraits peints des auteurs célèbres, des grands hommes. Et souvent nous avions aussi leurs mémoires.

F. C. – Mais très précisément, voilà où est la différence. Vous ne doutez pas que le peintre, qui « pourtrait », comme on disait anciennement, un grand homme, veut laisser de lui une effigie flatteuse. Il n'est ressemblant que par la meilleure part de lui-même et aussi il est embelli par toutes les ressources de l'art.

Quant aux mémoires, c'est le mémorialiste lui-même qui se charge de se faire connaître de nous, sans doute pas sous son aspect le moins sympathique.

Mais même, comme il est arrivé, s'il se charge des pires crimes, je songe pour l'exemple à Lautréamont, parfois à Jean-Jacques Rousseau, il met encore, sur le plan des confidences, une recherche de singularité, c'est-à-dire l'éloignement avec le commun des mortels.

J. Ph. – ... Mais alors, vous ne croyez donc pas à la sincérité de ces confessions publiques ?

F. C. – Je n'irais pas jusqu'à dire qu'elles ne sont que d'habiles maquillages, mais elles sont tout de même un maquillage, un travestissement de la vérité stricte. Car enfin, il ne s'agit pas ici d'une véritable confession (le secret n'en est pas gardé), ni d'un véritable entretien (le vaste public étant aux écoutes).

J. Ph. – C'est donc une sorte de comparution, si vous voulez, devant un certain tribunal.

F. C. – Tribunal de la pensée, comme disait Shakespeare, à tout autre propos. Soit, disons un tribunal, mais où l'écrivain est à la fois l'inculpé et l'avocat, appelés tous deux à convaincre un jury caché dans les coulisses. Croire qu'un poète a une médiocre idée de son œuvre ou de lui-même est une naïveté, je pense.

J. Ph. – Oui.

F. C. – On peut donc s'attendre de sa part à des réponses qui mettront les admirateurs de son côté, à moins...

J. Ph. – À moins, comme cela s'est déjà vu, que l'interrogateur soit plus malicieux que l'interrogé et le prenne dans un lacis de contradictions où il perdra assez pied pour nous apparaître au naturel.

F. C. – C'est justement à ce naturel que je ne puis croire. Car à ce tribunal, il faut que tout soit concerté entre le demandeur et le répondeur. Ou que ce dernier soit, en effet, déconcerté. Mais dans l'un ou l'autre cas, il ne sera pas davantage naturel. Un homme pris au dépourvu ne manquera pas de sincérité parce qu'il hésitera, parce qu'il est pris de court. Ce serait là accorder trop de valeur à un test.

La seule conclusion que nous en pourrions tirer c'est que certains hommes ont besoin de méditation pour livrer honnêtement leur pensée. D'autres, non.

Les plus doués de présence d'esprit, disons les plus malins, ne sont pas les plus loyaux. Après un tel interrogatoire, l'idée que chacun se fera d'eux ne sera qu'approximative.

J. Ph. – Ainsi selon vous, pour être valables, demandes et réponses devraient être échangées par écrit avant d'être soumises aux auditeurs ?

F. C. – Pas davantage.

J. Ph. – Ah ?

F. C. – Celui qui interroge et celui qui répond auraient simplement plus de loisir pour se tendre des pièges. De plus, cet échange de vues perdrait toute sa spontanéité et sous une forme écrite, c'est-à-dire trop châtiée pour la libre discussion, on n'étalerait plus devant l'auditeur qu'une sorte de momie dans ses bandelettes et sous son masque d'or.

J. Ph. – Oui, il faudrait donc renoncer à ces controverses ?

F. C. – Non, n'exagérons rien, non sans doute.

Le souci de l'information immédiate sous cette forme nouvelle peut aussi bien, si elle est bien menée, servir à l'histoire de l'art ou de la science contemporaine. Si je dis bien menée, j'entends tenue en dehors de l'indiscrétion, limitée à la découverte des intentions d'un écrivain, du processus de sa pensée, de la discipline de son travail. Ce dialogue, pourvu qu'il ne soit pas trop défavorable à l'inculpé (comme je vous le disais tout à l'heure), peut aussi encourager le public à prendre connaissance d'ouvrages qu'il ignore, après avoir fait enfin la connaissance de l'auteur.

J. Ph. – Eh bien, puisque vous avez accepté de vous soumettre à ces interrogatoires, nous allons essayer ensemble d'obtenir ce résultat, comme vous dites, dans les conditions les plus proches de celles que vous souhaitez, c'est-à-dire au plus près du naturel.

Voilà définie, il me semble, avec la causticité et la précision qui caractérisent Fernand Crommelynck, l'essence même de ce qu'on appelle les entretiens radiophoniques.

La prochaine fois, nous parlerons, cher Fernand Crommelynck, si vous le voulez bien, de théâtre bien sûr. Nous ne parlerons même que de théâtre et nous commencerons le deuxième entretien par vos débuts.

### Entretien n° 2

J. Ph. – ... Le premier de ces entretiens a développé l'opinion de l'auteur du *Cocu magnifique* à l'égard des entretiens à la radio et également à l'égard du naturel au micro. Et nous voici, Fernand Crommelynck et moi, de nouveau réunis.

Nous allons, par cette suite de conversations à bâtons rompus, essayer d'arriver à ce naturel au micro dont vous avez si bien défini le sens au cours de notre entrevue de l'autre jour. Que pensez-vous, par exemple, de l'état du théâtre contemporain et de ses rapports avec les metteurs en scène ?

F. C. – Mais je pense que nous sommes obligés de joindre les deux questions et si on parle actuellement d'une maladie du théâtre contemporain, elle est due en grande partie à l'intervention du metteur en scène.

Jean Cocteau me disait un jour une phrase dont je partageais complètement la signification : c'est qu'une pièce de théâtre est toujours une mise en scène.

On n'imagine pas, par exemple, Racine qui, lui, avait accepté les lois du théâtre classique, qui divisait ses scènes, et qui donnait à chacune d'elle, le même nombre de vers, et qui donnait à chacun de ses protagonistes la même importance dans son œuvre, on n'imagine pas qu'il ait pu ignorer le « va-et-vient », c'est-à-dire, l'ordre de marche même (et je parle d'une marche avec les pieds) de son texte par ses acteurs.

Il sait toujours où sont ses acteurs. Il sait par quelle porte l'acteur entre, par laquelle il sort. Il sait quand il s'arrête, il sait quand il s'assied, ce qui est fort rare (parce que dans une tragédie comme celles de Racine, on n'a pas le temps de s'asseoir, l'action marche trop vite).

Donc, une pièce de théâtre est une mise en scène. Le rêve serait que l'auteur mît toujours lui-même sa pièce à la scène, c'est-à-dire commandât aux acteurs, leur donnât l'intonation.

Malheureusement, tous les auteurs ne sont pas capables de faire ce travail. À ce moment, commence l'intervention d'un étranger, c'est-à-dire qui introduit un corps véritablement étranger dans l'œuvre d'un... [1].

De la meilleure foi du monde, ce dernier a une autre vision que l'auteur d'un ouvrage, quel qu'il soit. Mais il risque, en voulant impo-

1. Mot inaudible.

ser sa manière de voir, de faire un art superfétatoire, c'est-à-dire d'ajouter par superposition un art à un autre art. C'est ce qui est arrivé malheureusement actuellement au théâtre où l'on a fini par faire plus que du spectacle, c'est-à-dire en dehors de l'ouvrage même, une mise en scène. Nous en sommes là pour l'instant.

J. Ph. – Ainsi, pour illustrer ce propos, vous m'avez raconté récemment, au cours d'une conversation amicale, les débats que vous avez eus avec Gaston Baty, à la création des *Amants puérils* chez Gémier.

F. C. – Oui, oui, ceci est une histoire et une démonstration, un peu par l'absurde, parce que malheureusement Gaston Baty avait osé émettre cette prétention que le metteur en scène était en réalité le seul réalisateur d'un ouvrage et qu'une pièce commençait avec la collaboration de ce dernier et du public. Il avait été jusqu'à dire que le texte était un prétexte, ce qui m'avait fait appeler Gaston Baty le « cache texte » un peu insolemment.

Mais l'histoire dont vous vous souvenez (et qui illustre assez bien l'intervention intempestive d'un metteur en scène dans une œuvre dramatique), c'était au cours de la création chez Firmin Gémier des *Amants puérils*.

On répétait depuis une huitaine de jours sans moi. J'apprends par un acteur l'état des répétitions. J'accours. Je demande à Gaston Baty, qui était à un premier rang des fauteuils : « Mais pourquoi, Monsieur, répète-t-on sans moi ? »

« Oh ! votre pièce est déjà très compliquée, si vous intervenez maintenant, vous allez compliquer bien davantage. »

Je dis : « Je ne crois pas, je pense que c'est exactement le contraire. »

Enfin, il dit : « Vous permettez que je vous montre ce que j'ai fait. »

Discussion avec lui. Au bout de cinq minutes, il s'avère que je ne veux pas du tout ce qu'il a fait, qui va à contresens de mes intentions.

Il s'en va donc assez fâché en me disant : « Mais, Monsieur, alors que fais-je ici, étant donné que mon nom sera sur l'affiche ? »

À quoi je lui réponds : « Monsieur, enlevez-le. »

Bref, je ne vois plus Gaston Baty, sinon vers la fin des répétitions, où il surgit un jour et me dit : « Écoutez, Monsieur, est-ce que ça vous ennuierait que pendant le troisième acte je fasse mettre au fond de votre décor une horloge ? Je voudrais que le bruit de l'horloge augmente et intensifie les silences dont cet acte est parsemé. »

Je dis : « Oh ! Monsieur, ça m'est égal, si ça vous fait plaisir. »

À l'instant même, pris d'une sorte d'exubérance, il appelle : « Julien, Lucien, Marcel (les accessoiristes), apportez-moi l'horloge. »

Et on descend sur le plateau une horloge faite d'un bâti de bois et de toile peinte, avec un cadran peint et un œil de bœuf à travers lequel on voyait un battant de papier doré.

Je lui dis : « Mais, et votre bruit ? »

Il appelle : « Apportez-moi le métronome. »

On enferme un métronome dans l'horloge et je lui demande : « Mais, Monsieur, croyez-vous que ce métronome pourra durer jusqu'à la fin de l'acte ? »

Il me dit : « Oui, oui, c'est entendu, j'ai vérifié. »

Je dis : « Parfait. Ça ne vous ennuie pas que le battant de l'horloge ne se balance pas ? »

Il me dit : « Ah ! Comment pourrait-on faire ? Voyons, Lucien, Marcel, Julien, apportez-moi donc le ventilateur. »

On fait un trou dans le décor, on attache une ficelle au ventilateur et il trouve le moyen (je ne sais par quel procédé) de faire marcher le battant.

En fin de compte, je lui demande si ça ne le gêne pas beaucoup que les aiguilles de l'horloge peinte soient complètement arrêtées.

« – Comment pourrait-on faire, Julien, Marcel ? »

Je dis : « Mais, Monsieur, mettez-moi une véritable horloge. »

Ceci résume à peu près tous mes rapports avec les metteurs en scène au cours de mes créations de pièces.

J. Ph. – Non, vraiment, Fernand Crommelynck, votre histoire est trop drôle. Mais puis-je tout de même vous demander que notre troisième entretien porte sur un aspect plus général de la mise en scène ? Merci d'avance.

## Entretien n° 3

J. Ph. – ... Au cours de notre entretien précédent, Fernand Crommelynck, qui a toujours mis lui-même ses pièces en scène, nous a décrit ses rapports avec Gaston Baty, qui avait tenté d'apporter, lors de la création des *Amants puérils* chez Gémier, des éléments assez saugrenus, devant, selon sa conception, souligner et parfaire certaines des intentions de l'auteur.

F. C. – Puisque nous parlons de Gémier, je voudrais insister sur un côté plus général de la question, c'est-à-dire que mes démêlés personnels sont des expériences sur lesquelles je ne désire pas m'attarder énormément. Mais je voudrais insister sur le phénomène direct, sur la déformation que peut apporter au théâtre lui-même en tant qu'art, l'intervention d'un être complètement étranger à l'ouvrage, c'est-à-dire le metteur en scène.

Par exemple, quand Gémier montait *Le Marchand de Venise,* il avait supprimé la rampe, les portants lumineux, les herses lumineuses; il avait fait fabriquer un escalier qui descendait dans la salle et par lequel les acteurs entraient du fond du théâtre sur le plateau. Même, certains de ses acteurs étaient assis dans les fauteuils et mêlés au public. Il pensait ainsi créer une intimité de l'œuvre avec le spectateur, croyant qu'il obtenait une communion plus intime. C'était absolument faux.

Le théâtre est un lieu, je dirais, magique. La rampe, les portants et les herses lumineux isolaient complètement le drame du spectateur. Celui-ci n'y rentrait que par le sortilège de l'auteur qui, avec une puissance d'éloquence et de persuasion, l'amenait à prendre parti dans le drame, à devenir lui-même un des protagonistes ou chaque protagoniste à tour de rôle. Là était l'intimité.

Cette sorte de mise en scène nous était venue d'Allemagne. De Piscator d'abord, qui avait trouvé bon de mêler deux styles différents: le style cinématographique et le style théâtral. Ensuite de Reinhardt, et après, des metteurs en scènes russes, sauf Stanislavsky qui était resté toujours très près des ouvrages. Stanislavsky n'avait jamais oublié qu'un metteur en scène était jadis un homme, justement, dont le nom ne figurait pas sur une affiche. Il était un conducteur inconnu du public et qui donnait aux acteurs le sens, le rythme, le mouvement de l'ouvrage, et qui disparaissait, sa besogne faite, devant l'œuvre parfaite de l'auteur.

Voilà pourquoi je ne veux pas m'attarder sur des détails qui me sont personnels; ce sont des démêlés qui se renouvellent tous les jours actuellement dans les théâtres de Paris et qui font les discussions dont tous les journaux sont pleins.

J. Ph. – Oui, mais, pour prendre un exemple classique en ce sens, croyez-vous que c'est pour toutes ces raisons que Shakespeare faisait jouer (à une époque où le décor extérieur était flamboyant, si l'on peut dire), est-ce pour cela que Shakespeare faisait jouer ses œuvres sans décor?

F. C. – Shakespeare? On ne peut pas dire tout à fait qu'il faisait jouer sans décor; parce qu'il jouait dans une cour d'auberge, c'est-à-dire une cour qui possédait une galerie et des étages: trois étages. Les scènes de théâtre de Shakespeare découpées en scènes rapides se passaient une fois à un étage, une fois à un autre, une fois dans la loge de droite, une fois dans celle de gauche. Et le public était, lui, au fond de la salle, et autour dans les galeries, ou debout au parquet, en plein air.

Shakespeare n'avait pas de décor parce qu'il était impossible de faire des décors peints. Une fois, le décor n'aurait pas été suffisamment réaliste pour la familiarité du dialogue et des scènes, une autre fois il n'aurait pas été suffisamment idéalisé pour l'envolée lyrique de l'auteur.

Ce sont toutes ces raisons profondes qui font, comme je vous l'ai dit, qu'une œuvre théâtrale doit être en même temps sa propre mise en scène et une architecture auxquelles il ne faut rien ajouter.

J. Ph. – Eh bien, je crois qu'il ne faut rien ajouter non plus à ce troisième entretien, cher Fernand Crommelynck. Il est d'une telle concision et précise, par une expression que vous avez su rendre nouvelle, la véritable place de la mise en scène dans le théâtre d'aujourd'hui.

## Entretien n° 4

J. Ph. – Je vous prie d'écouter le quatrième entretien que j'ai le plaisir d'avoir avec Fernand Crommelynck.

Nous vous avons dit l'autre jour que ces entretiens ne devaient évidemment pas tomber dans l'indiscrétion. Cependant, mon cher Fernand Crommelynck, au sujet de votre carrière, n'est-ce pas à Bruxelles que vous avez débuté ? Et cela extrêmement tôt, je crois, très jeune ?

F. C. – Oui, enfin, j'avais dix-sept ans et demi.

J. Ph. – Dix-sept ans et demi !

F. C. – Ce n'est peut-être pas tellement jeune, parce que j'avais déjà devant moi une immense expérience.

J'étais né au théâtre par mon père et par mon oncle qui étaient acteurs et je connaissais tous les détours du labyrinthe.

J. Ph. – Est-ce que vous n'avez pas participé à un concours dans certaines conditions ?

F. C. – Mais je revenais de Paris assez mal en point, après beaucoup de travail et une vie difficile, quand mon père, qui n'avait pas malgré tout (comme presque tous les pères) grande foi en mon avenir comme poète, m'obligea à prendre part au concours du *Thyrse*. Il s'agissait d'écrire une pièce en un acte qui serait jouée au Théâtre du Parc.

Je répondis d'abord à mon père que je ne me sentais pas du tout à être une bête de concours. J'avais écrit d'autres choses enfin que j'estimais meilleures, plus profondes, plus « dans mes cordes », disons le mot. Mais bref, comme il avait insisté, je fus obligé de m'y résigner et le 27 décembre — le concours devant être clôs le 31 — je me mis à ma table sans savoir ce que j'allais écrire (ce qui est le cas de beaucoup de mes confrères) et j'écrivis *Nous n'irons plus au bois.*

J'avais porté mon manuscrit à minuit moins cinq, et le lendemain, j'étais primé et joué. Voilà l'histoire de ma première pièce.

Elle eut un fort grand succès ; je ne dirai pas à ma honte, il ne faut jamais rien renier. Et je voudrais surtout ne pas déconsidérer ce jury qui était composé de gens extrêmement sympathiques et de grands poètes qui ont peut-être, eux aussi, compris que j'avais fait certaines concessions nécessaires à une récompense pareille.

J. Ph. – Mais avant cette pièce, avant *Nous n'irons plus au bois,* n'aviez-vous pas déjà écrit *Le Sculpteur de masques* ?

F. C. – Si, j'avais écrit *Le Sculpteur de masques,* en un acte et en vers, que j'avais envoyé à Émile Verhaeren en lui demandant son opinion. Il m'avait répondu en m'accordant une préface et en me faisant publier chez le fameux éditeur Deman.

Cette pièce a été jouée en 1906 à Moscou, donc avant que *Nous n'irons plus au bois* ne fût joué au Théâtre du Parc.

C'est pourquoi, je vous disais que j'avais certaines préférences et que j'avais fait certaines concessions.

J. Ph. – Naturellement, mais est-ce que *Le Sculpteur de masques* n'a pas donné naissance au théâtre, à ce qu'on a appelé le théâtre du silence, citons par exemple Jean-Jacques Bernard et Pellerin [1] ?

F. C. – Ah, ceci est une autre histoire.

J'étais à Paris en 1911 et mon ami, Armand Bour, qui était alors directeur du Théâtre des Poètes et qui devait devenir directeur du Théâtre du Gymnase, en tant que directeur de scène, m'avait demandé de tirer trois actes du *Sculpteur de masques.*

J'ai donc fait cette pièce. Et c'était l'époque où Bernstein, Bataille triomphaient. J'étais un peu agacé: parce que quand on est très jeune on est vite agacé ; on a des théories sur l'éloquence un peu... abondante de Bataille et de Bernstein ; et j'avais voulu faire un théâtre plus austère, plus sobre dans son dialogue où les choses étaient plus impliquées qu'expliquées.

1. Jean-Victor Pellerin, auteur de *Intimité* (1922), de *Têtes de rechange* (1926) et de *Le Cri du cœur* (1928).

J'ai donc écrit *Le Sculpteur de masques*.

Armand Bour a trouvé que pour réussir (et surtout comme j'étais fort jeune), il valait mieux brandir un drapeau comme on l'a brandi après l'impressionnisme, le futurisme, le surréalisme, le lettrisme. Lui, avait trouvé l'impressivisme. De sorte que j'étais devenu du jour au lendemain le chef d'une école qui s'appelait « le théâtre impressif ».

Je ne savais même pas ce que ça voulait dire ; mais enfin, nous avons trouvé au dictionnaire Larousse, au petit dictionnaire même, que c'était le contraire d'expressif. Cela a suffi à déchaîner un assez grand bruit dans Paris et, par voie de conséquence (à cause d'un certain succès qui était un succès de contraste avec le théâtre de cette époque-là), a donné naissance à ce qu'on a appelé depuis le théâtre du silence, où ont brillé Jean-Jacques Bernard et Pellerin.

J. Ph. – Cher Fernand Crommelynck, je voudrais que la prochaine fois, au cours de notre prochain entretien, vous exprimiez les problèmes qui se posent à tout auteur dramatique lorsqu'il a imaginé d'écrire une œuvre. Voulez-vous ?

**Entretien nº 5**

J. Ph. – ... Aujourd'hui, notre avant-dernier, notre cinquième entretien avec Fernand Crommelynck.

Une des particularités de la tournure d'esprit de Fernand Crommelynck, et cela je crois que vous avez pu vous en apercevoir au cours de nos précédents entretiens (puisqu'il a été quand même convenu d'appeler ceci des entretiens), c'est de ne jamais (tout du moins de ne jamais avoir l'air de) se prendre au sérieux.

F. C. – Je n'ai aucun air, mon cher ami, c'est à vous de me prendre au sérieux, si vous le pouvez, mais non pas à moi.

J. Ph. – Ceci est parfaitement répondu. Mais j'ajouterai que cette tournure d'esprit est une chose extrêmement rare de la part d'un aussi grand écrivain.

... Fernand Crommelynck, nous avons parlé, l'autre jour, de vos premières œuvres et de votre première création, ici, au Théâtre du Parc, à Buxelles.

Quittons l'ordre de ce que vous-même avez appelé les accidents et les hasards heureux d'une carrière.

Abordons les problèmes que tout créateur se pose au moment d'écrire.

Commençons par *Les Amants puérils*. Cette pièce, je crois, date de 1913 ?

F. C. – Elle a été écrite en 1913 et devait être créée par Marthe Brandès, à la Porte Saint-Martin à Paris.

La guerre de 14 a empêché cette création et a probablement assez bien changé la démarche de ma vie et l'ordre de mes recherches.

Si vous me demandez à quoi je pense et comment j'élabore un ouvrage, je vous raconterai d'abord, pour vous donner un exemple, la manière dont un de mes confrères, très célèbre à Paris — et je fais ici un petit acte de trahison, mais comme je ne citerai pas son nom ça n'a pas beaucoup d'importance — compose ses ouvrages.

Ne sachant jamais d'avance (comme je l'ai fait quand j'écrivis *Nous n'irons plus au bois*), ne sachant d'avance ce qu'il va écrire, il se met à sa table devant du papier blanc, enfermé pour quinze jours à l'Hôtel des Réservoirs, à Versailles.

J. Ph. – À Versailles ? Mais on ne pouvait être mieux dans la solitude.

F. C. – Le voici donc, comme vous le dites, dans la solitude, le roseau vert entre les dents.

Il demande un bottin, cherche des noms, les aligne et commence un dialogue entre des personnages imaginaires qui disent des choses éventuelles.

Quand il a aligné une trentaine de répliques, il met au milieu de sa page scène deux et essaie de justifier ses répliques par d'autres répliques jusqu'à la fin de la scène deux. Suit la scène trois qui justifie les deux précédentes, la scène quatre, les précédentes, la cinquième les quatre scènes qu'il vient de terminer. Et ainsi il va jusqu'au bout et crée une construction à l'envers.

Or, cette construction existe et devient absolument rigoureuse ; ce qui le fait passer pour un homme de génie et pour le plus grand espoir de la littérature française dramatique. Ces temps sont passés.

J'avoue être absolument incapable de commencer à écrire une pièce quand je n'en connais pas le sujet et quand je ne connais pas la dernière phrase de la dernière scène.

C'est peut-être de peu d'importance car tout n'est pas dans le sujet. Le sujet est souvent un prétexte à faire rentrer la somme d'une expérience, de l'expérience de la vie. De sorte qu'un auteur peut aborder de nombreux sujets et, comme les poètes, donner une équivalence de leur vie, de leur expérience.

Quand j'écrivis *Les Amants puérils,* outre le sujet, je cherchais autre chose.

J'avais abandonné donc la recherche pour *Le Sculpteur de masques* d'un style plus sobre, d'une action qui ne s'expliquait pas, mais qui se sentait davantage. J'étais revenu en me disant que l'éloquence était peut-être également utile, ou du moins ce qu'on appelle au théâtre la nécessité d'éclairer sa lanterne. Mais je voulais créer un langage qui fût à la fois écrit et parlé, c'est-à-dire que les acteurs soient capables de dire et de jouer et qui fût pourtant un apport pour un lecteur qui ne verrait pas la pièce, qui la jugerait au point de vue purement littéraire.

Cela a été une expérience et un travail long (parce que ce n'est pas très facile), mais qui m'a servi dans la suite de mes autres ouvrages.

J. Ph. – Oui. D'ailleurs, tous les autres ouvrages que vous avez écrits sont empreints précisément de cette expérience, de cette règle que vous vous êtes donnée au départ. Ainsi *Le Cocu magnifique.*

F. C. – *Le Cocu magnifique,* c'était encore autre chose.

J. Ph. – Oui ?

F. C. – Là, j'ai voulu extérioriser un sentiment profond et je vais faire une confidence qui aurait pu d'ailleurs n'en être pas une (parce que les critiques auraient dû s'aviser de ce que j'ai voulu faire) : j'ai voulu refaire *Othello* de Shakespeare.

Il me semblait qu'Othello était trop naïf, qu'il avait besoin d'être excité par Iago, qu'il avait besoin du vol d'un mouchoir remis dans les mains de Cassio par une personne intermédiaire pour redevenir un homme jaloux et jaloux jusqu'au meurtre. Je prétendais que la jalousie était une sorte de maladie qui n'avait besoin d'aucune espèce de ferment extérieur, qu'elle se nourrissait de soi-même et sans engrais.

J'ai donc écrit *Le Cocu magnifique* qui est en réalité un immense monologue. Car les personnages ne sont que des échos de son tourment intérieur, lequel je voulais montrer au public explicitement et non plus impressivement.

J. Ph. – Vous avez, Fernand Crommelynck, parlé des *Amants puérils,* du *Cocu magnifique,* mais ce ne sont pas là toutes les pièces que vous avez écrites, toutes les œuvres. Vous les dites ouvrages, mais ce sont de grandes œuvres. Au cours de notre prochain, sixième et dernier entretien, je voudrais beaucoup que vous abordiez ces sujets différents...

## Entretien nº 6

J. Ph. – ... Nous voici arrivés, hélas ! au dernier entretien avec notre ami Fernand Crommelynck.

Au cours de notre cinquième entretien, il nous a parlé du *Cocu magnifique.*

Cependant, il y a d'autres œuvres extrêmement importantes que nous voudrions citer. Mais non, je vais plutôt demander à Fernand Crommelynck de les citer lui-même. Quelles sont-elles dans un certain ordre ?

F. C. – Mais autant que je me souvienne de l'ordre, ça doit être à peu près : *Tripes d'or, Carine, Une femme qu'a le cœur trop petit, Chaud et Froid* et mes œuvres posthumes. Celles-là, vous ne les connaissez point encore.

J. Ph. – Mais vu la somme de ces productions dramatiques extrêmement importantes, je crois que c'est trop tôt. Je voulais vous interroger sur celles-ci seulement. J'aimerais tout d'abord vous demander de nous en parler un peu.

F. C. – Vous savez ce qu'est *Tripes d'or,* n'est-ce pas, c'est la possession par l'argent, par la richesse. Tandis que *L'Avare* est un avare. Le Hormidas (le personnage de ma pièce) serait plutôt un être généreux. *L'Avare* de Molière donne des bijoux, veut se marier en constituant de grosses dots, en réalité il n'est pas possédé par la fortune ou par l'argent, il la possède encore. Je voulais montrer jusqu'à quel point on peut en être possédé et ne plus se posséder. C'est toute la pièce. C'est peut-être aussi l'étude d'une certaine société. Mais là, cette étude, vous la retrouvez déjà dans *Les Amants puérils,* qui est le procès d'une époque sans foi. Vous trouverez cela dans *Une Femme qu'a le cœur trop petit,* qui est la bourgeoisie médiocre qui a toutes les vertus mineures et aucune des vertus majeures, qui demande donc à être battue non pas par un étranger, mais par son propre mari, par celui qu'elle aime. Vous trouverez le même procès dans *Chaud et Froid* qui est le procès d'une société qui se crée des mythes. Nous avons connu de ces mythes politiques auxquels, dans *Chaud et Froid,* j'ai fait allusion.

Là encore, la critique n'a pas été très vigilante, a cru que je faisais le drame d'une jalousie rétrospective. Alors que j'étais en train de créer seulement un personnage du jour de sa mort (lorsque l'on ignorait tout de son existence) et d'en faire comme l'urne dans laquelle on pouvait, tous les partis, tous les désirs (*sic*), verser leur puissance bénéfique ou maléfique.

C'est une interprétation qui ne nous appartient pas encore, mais enfin j'avais voulu de zéro créer un personnage avec son être spirituel, son être sentimental, son être physique, sur les trois plans.

Voilà à peu près les recherches que je faisais dans cet ordre-là.

J. Ph. – Nous avons vu, par ce que Fernand Crommelynck vient de nous donner comme brève analyse de ses principales œuvres, nous avons pu constater l'importance de cette vie d'écrivain, son importance quant à l'avenir de la littérature. Car ses pièces resteront toujours.

Cependant, il faut ajouter que cette production dramatique, établie sur bien des années, nous semble (et je crains là d'être un peu péjoratif, mais Fernand Crommelynck va me répondre immédiatement), nous semble peu nombreuse.

F. C. – Il est vrai. Mais on s'apercevra peut-être un jour que je n'ai pas passé ma vie à ne faire que des pièces de théâtre, mais d'autres ouvrages (entre autres ce qu'on appelle un peu prétentieusement des ouvrages philosophiques) que j'espère faire sortir bientôt en librairie.

Je ne sais pas l'importance qu'ils auront, ce n'est pas à moi non plus, encore une fois, d'en juger. Mais, d'autre part, je trouve qu'il n'est pas utile de faire de l'art dramatique un métier. Et, pour faire ce métier, il s'agit de sortir une pièce par an (comme il s'agit, pour les conditions économiques d'un éditeur, de faire sortir un roman par an par le romancier).

Je crois que ce n'est pas inutile parce que si l'on supprimait, disons avec générosité, deux tiers de l'œuvre de certains très grands écrivains, on s'apercevrait qu'elle ne manque pas au monde. Qu'on aurait pu parfaitement s'en passer et qu'en réalité on n'a pas énormément de choses dans une courte vie, pas énormément de choses à dire.

Quand bien même on aurait eu une vie très tourmentée, ce qu'on en peut tirer, c'est ce que presque chacun de nous en peut tirer. Pour en faire une œuvre originale et dire vraiment quelque chose de nouveau, sentir quelque chose de véritablement inédit, inouï, inentendu, jamais vu, il faut convenir que par nos sens, nous sommes peu armés et que, en réalité, en nous condensant en quelques ouvrages, nous pouvons nous exprimer presque entièrement.

Évidemment, il faut accepter pour cela une vie de sacrifice, c'est-à-dire ne pas avoir non plus le bénéfice des nombreux ouvrages. Mais ça, c'est un choix.

J. Ph. – Fernand Crommelynck, vous avez prononcé au cours de notre premier entretien, en évoquant Paul Léautaud, le mot « emporte-pièce » : les répliques à l'emporte-pièce du vieil écrivain (vous voyez, je retrouve votre phrase).

Eh bien, c'est à l'emporte-pièce que vous venez de terminer ces entretiens.

Je pense que c'est là toute la tournure d'esprit que vous possédez, vous, qui vous êtes livré à nous, comme plus jamais peut-être vous ne le ferez.

... Fernand Crommelynck, grand ami, merci.

## THÉÂTRE FRANÇAIS ET THÉÂTRE FLAMAND DE NATIONALITÉ BELGE [1]

L'honneur qui m'est fait de parler ici du théâtre belge (c'est-à-dire du théâtre dont les auteurs sont de nationalité belge) m'incline à mettre aussitôt les choses au point. S'il s'agit de littérature, il faut bien reconnaître qu'il n'y a pas de langue belge, mais simplement deux langues : la flamande et la française. Il existe donc un théâtre flamand et un théâtre français. Les nommerait-on tous deux du théâtre belge ? Une pièce comme *Le Mariage de Mademoiselle Beulemans* de Fonson et Wicheler (où les parlers du petit peuple et flamand et wallon se mêlent en un patois singulier), à la suite de son immense succès populaire, a donné à croire au public français que les personnages de la comédie s'exprimaient dans la langue belge. Et de là à la réalité d'un théâtre typiquement belge, il n'y avait qu'un pas.

Il n'est venu à l'idée de personne d'appeler Jean-Jacques Rousseau un écrivain suisse. Le théâtre en Belgique est uniquement ou français ou flamand. Et encore faut-il constater que de nombreux écrivains natifs des Flandres se sont exprimés en français ; n'oublions pas en passant que le mouvement symboliste est venu presque entièrement des Flandres belges avec Georges Rodenbach, Maurice Maeterlinck, Van Lerberghe (dont *Le Paon* fut créé par Lugné-Poe, et le rôle de Paniska joué par Colette), Émile Verhaeren et son *Cloître*, monté au Français.

Ces citations nous amènent à nous demander si ces ouvrages, hors de l'influence française, bien qu'écrits dans cette langue, sont de caractère autochtone, c'est-à-dire d'inspiration nordique, disons flamande ? Sans aucun doute. Et leur originalité, pensons-nous, tient moins aux tempéraments de leurs auteurs qu'à une obéissance volontaire à la tradition de la grande école picturale des Flandres.

1. O.R.T.F., 25 juin 1955.

Seul un rapide coup d'œil, au hasard, sur la production du théâtre dit belge contemporain peut donner une idée de sa richesse et de sa diversité. Résignons-nous.

Suzanne Lilar, auteur du chef-d'œuvre qu'est *Le Journal de l'analogiste,* a vu triompher au théâtre *Le Burlador* et, chez Hébertot, *Tous les chemins mènent au ciel.*

De Jean Mogin, qui ne se souvient du succès éclatant au Vieux Colombier: *À chacun selon sa faim.*

Michel de Ghelderode avait attendu près de quarante ans pour se faire connaître avec *Mademoiselle Jaïre* et *Fastes d'enfer* qui ont triomphé tous deux.

Une pièce de Gaston Martens [1], une des rares traduites du flamand, tient l'affiche depuis quelques années après avoir attendu plus de cinquante ans sa présentation.

De Hugo Claus, auteur de *La Mariée au matin* (*sic*), à Marcel Coole [2]; de Jos Janssen [3], le plus fécond et le plus populaire des écrivains anversois, traduit dans toutes les langues (même en japonais et en chinois), à Herman Closson, d'expression française, de qui *Les quatre fils Aymon* sont universellement connus, il y aurait cinquante noms à citer.

## FERNAND CROMMELYNCK [4]

par Michel de Ghelderode

Le prix triennal de littérature dramatique a été attribué à notre compatriote Fernand Crommelynck, pour sa pièce intitulée « Carine » ou « La Jeune Fille folle de son Âme ». Cette reconnaissance officielle d'un écrivain, que les grands publics et la critique de l'étranger consacrèrent, voici dix années, aura réjoui les amis des lettres belges, tout en leur paraissant bien tardive. Toutefois, on ne peut que louer le

1. Auteur de: *De Clowns triomferen* (1952) et de *Het Dorp der mirakelen* (s.d.).
2. Auteur de: *Dichterschap* (1945) et de *Eurudike* (1945).
3. Auteur de: *De Koning drinkt* (1931) et de *Jacoba van Beieren* (1947).
4. D'après les Agendas de Ghelderode que Roland Beyen a consultés, il apparaît que le dramaturge a dit ce texte à l'I.N.R. le 23 févr. 1931 et l'a ensuite fait imprimer dans *La Flandre Maritime* du 18 avr. 1931. Pour plus de facilité, c'est l'article du journal que nous reproduisons.

jury chargé de décerner le prix triennal d'avoir désigné Fernand Crommelynck, et de l'avoir fait à l'unanimité. Mais il lui eût été difficile d'agir autrement, après la triomphale représentation de « Carine » au Palais des Beaux-Arts, incontestablement l'œuvre la plus forte qu'on ait vue depuis longtemps, et une des rares pièces belges qui puissent prétendre à rayonner au-delà de nos frontières. Sans doute cet événement littéraire passa-t-il inaperçu. Qui se préoccupe, chez nous, de la consécration d'un dramaturge, célèbre par ailleurs, dont la seule faiblesse est de manquer d'opportunisme.

Mais puisque, de toutes parts, un effort est tenté pour que soit mieux connue notre littérature nationale, il importe que le public réponde à cet effort ; le minimum demandé, c'est qu'il apprenne et retienne au moins les noms de ceux qui firent resplendir le génie patrial, ceux d'hier, en des temps de morne indifférence, ceux d'aujourd'hui en des temps de bluff et de bas mercantilisme...

Retraçons la carrière de Fernand Crommelynck : Il appartient à cette génération inquiète qui succède à la Jeune Belgique, avec de grandes ambitions, de lourds devoirs aussi, et se groupait autour du gigantesque Verhaeren. Poète était-il dès l'origine, et poète s'avère-t-il magnifiquement lorsqu'il écrit cet étonnant « Sculpteur de Masques » que Verhaeren admirait, et qui révélait un tempérament lyrique et dramatique bien exceptionnel. Poète est-il resté, au point qu'on a déclaré fort légèrement que son théâtre tout entier était un théâtre de poète, alors qu'il s'agit de théâtre sans plus, du grand théâtre, celui qui traverse les temps, en raison des valeurs qui le composent.

Sans doute, à son début, Crommelynck n'avait-il pas le souci d'être un dramaturge. Mais toutes les qualités du dramaturge étaient en lui, comme elles sont latentes dans cette race flamande dont il vient, et dont il a les qualités éminentes : vision plastique, extrémisme des passions, sens constructiviste, et on ne sait quel timbre nordique et quelle hantise du monde invisible... Certes, le « Sculpteur de Masques » s'apparente à l'atmosphère d'œuvres comme « Les Flaireurs », « L'Intruse », « Les Aveugles ». Mais ce n'est là qu'un lien racique. Ce premier théâtre de Crommelynck pourrait s'appeler théâtre d'épouvante. La tragique aventure du sculpteur de masques Pascal, et de sa femme agonisante, au cours d'une nuit de carnaval et de mauvaise fièvre, peuplée d'une foule insolite qu'on croirait sortie d'une toile de James Ensor, cette aventure qu'éclairent les projecteurs du cauchemar, dénotait chez celui qui l'écrivit un talent étrange, nerveux, supra-sensible. La sensation que produisit cette pièce fut grande, au point que l'écrivain français Saint-Georges de Bouhélier s'en trouva influencé lorsqu'il composa son fameux « Carnaval des Enfants ». Ce fut l'origine d'une polémique qui tourna à l'avantage de Crommelynck. De cette même période datent d'autres œuvres : « Le Chemin des Conquêtes », qui n'a pas été jouée à ce que nous sachions, et « Le Marchand de Regrets », qui fut souvent mise à la scène. Cette dernière pièce, très caractéristique encore de la manière de Crommelynck, animait un drame intense de jalousie et de folie dans des lieux qui évoquent le pinceau d'un de Braekeleer. Déjà s'annonçait un auteur capable d'amplifier ses thèmes et des les orchestrer avec des résonances nouvelles. On appelait cela du théâtre impressif. Bien que riches d'effets, traversées de chansons, de cris, de rumeurs, ces œuvres avaient une température anormale.

Mais souvent, ces personnages qu'on eût pu croire imaginaires énonçaient des paroles qui dépassaient la littérature, venues de la chair et de l'âme, et avec simplicité atteignaient au grand art.

Crommelynck s'était trouvé. Il allait désormais suivre sa courbe, courbe lente et difficile, qui devait le mener à une altitude inaccoutumée. Désormais, il créera des types qui appartiennent à l'histoire du théâtre. Vous connaissez leurs noms :

Bruno, le Cocu Magnifique ; Hormidas, l'avare, personnage central de Tripes d'Or ; Carine, la jeune fille folle de son âme ; et d'autres, car de tous les personnages créés par Crommelynck, fussent-ils les derniers des comparses, aucun n'est commun ou sans invention...

Tous viennent de lui, et on ne leur pourrait trouver de sosies dans la littérature théâtrale. C'est au long des années de guerre qu'opiniâtrement notre écrivain élabora son œuvre durable. Ce labeur fut mystérieux, dont il ne disait rien, sinon qu'il en attendait la preuve de sa valeur propre. C'est que Crommelynck était conscient de sa force. Rien ne fut plus mystérieux non plus que son départ à Paris, au lendemain de l'armistice. Il n'y avait d'ailleurs chez nous aucun théâtre capable de monter ses œuvres, ou de les imposer. En existe-t-il aujourd'hui ? Lugné-Poe créa le « Cocu Magnifique ». Ce fut le triomphe. Crommelynck passait d'emblée au premier rang des dramaturges nouveaux. On cria au génie. Puis on parla d'un coup de génie... La réaction suivit ; aucune œuvre, aucun talent ne furent plus âprement discutés. C'est que les proportions, la truculence, la verve impitoyable de cette farce énorme et si universellement humaine, éclatant comme une fanfare, dérangeaient les conceptions admises, troublaient l'optique quotidienne... Traduite dans toutes les langues, jouée par Meyerhold à Moscou, à Rome par Bragaglia, cette pièce fit le tour du monde, se défendant elle-même, imposant son hallucination et son dynamisme irrésistibles aux foules les plus diverses. Les années ont passé sur cette œuvre unique; rien ne l'a diminuée. Adopté par Paris, Crommelynck ne fit aucune concession au succès, pas plus qu'il ne renia son pays d'origine. Il fit preuve de constance et de sévérité. Rien ne sortit de sa plume qui ne fût d'une langue fouillée, d'une inspiration puissante, d'une architecture heureuse. Il tenait à garder le rang d'artiste, dédaigneux des facilités qui lui étaient offertes. Cette attitude parut intolérable, lui créa des ennemis, dans cette élite même qui l'avait exalté, et qu'une pareille conscience professionnelle interloquait. La création des « Amants puérils » fut l'occasion de lui faire payer sa réussite. Ne lui reprochait-on pas de viser trop haut, de vouloir recommencer des œuvres classiques, d'écrire en une forme inaccessible. Certes, il fallait une incommensurable audace pour remettre à la scène, après Molière et Shakespeare, les caractères de l'avare et du jaloux. Il y avait de l'impudence à y réussir, surtout dans une époque de piétinement et de confusion intellectuelle. Crommelynck ne se découragea pas, accepta le combat, et donna l'œuvre qui devait provoquer la bagarre. La création de « Tripes d'Or » déchaîna le scandale. La pièce parut offensante; le personnage d'Hormidas dépassait toutes les mesures. Jamais Crommelynck ne s'était si formellement exprimé. Un rire brutal et barbare déferlait au long de ses trois actes véhéments. Jamais le comique et le tragique ne s'étaient aussi violemment compénétrés. C'était une ardente matière dramatique, pétrie d'une poigne maîtresse, et jetée à la face d'un public effaré. Les cabales passèrent. L'œuvre reste. Crommelynck sortait grandi de l'aventure. Les coups de sifflet dont il avait été honoré, ne se prodiguent généralement pas aux artistes d'un talent relatif.

Poursuivant son cycle, il donnait enfin « Carine ». Cette fois, on dut bien convenir qu'on se trouvait devant un maître. Force nous sera de parler sommairement de ce chef-d'œuvre, une des rares pièces viables dont notre littérature s'honore. Au lendemain de la représentation de « Carine », l'éminent critique Camille Poupeye, après avoir constaté que le lyrisme de Crommelynck est un lyrisme épique, s'exprime dans ces termes:

« Seul le dialogue de Claudel a des rythmes pareils. Mais l'esprit d'un Jérôme Bosch et d'un Breughel l'ancien hante l'imagination de ce poète du plateau, et c'est en phrases torrentielles mais musicales et somptueuses qu'il vous berce jusqu'au plus délicieux des vertiges. »

D'autre part, le journal de théâtre « Comœdia » écrivait laconiquement: « Carine reste une des plus émouvantes héroïnes qu'un poète ait imaginées. Elle a évoqué plus d'une fois à nos yeux certaines des créatures si pures de Shakespeare. »

Cette opinion dispense de tout autre éloge.

## INTERVIEW DE CHARLES BERTIN PAR HENRI ROANNE AU SUJET DE FERNAND CROMMELYNCK [1]

H. R. – Une autre pièce, ce soir, à Bruxelles, au Théâtre du Parc, *Chaud et froid* du dramaturge belge Fernand Crommelynck.

La mise en scène est de Jean Nergal et les rôles principaux sont interprétés par Françoise Giret et Jean-Claude Vernon.

À l'occasion de cette première et quelques mois après la mort de Fernand Crommelynck, Charles Bertin nous situe le phénomène Crommelynck en 1971.

Ch. B. – Je crois que c'est en effet le moment d'en parler car Crommelynck est mort voici quelques mois et il est mort très injustement oublié. Il suffit de lire les commentaires de la presse au lendemain de sa disparition pour se rendre compte à quel point cet oubli était profond. Ce purgatoire est d'autant plus incompréhensible qu'il a été un des grands auteurs dramatiques de la première moitié du siècle et que le renouveau qu'il a suscité dans le théâtre français des années vingt est d'un accent et d'une vigueur qui valent bien ceux que l'on trouve aujourd'hui dans les tendances les plus modernes de l'art dramatique.

Il faut se souvenir de ce qu'a été en 1920, il y a à peu près cinquante ans, au Théâtre de l'Œuvre à Paris, la première du *Cocu magnifique*; ce fut une véritable révolution dans l'histoire du théâtre.

Et pendant quinze ans, pendant les quinze ans qui ont suivi, Crommelynck a jeté sur la scène française six pièces qui sont autant de chefs-d'œuvre, comme on jette du grain aux oiseaux.

Et puis, tout à coup, en 1934, avec *Chaud et froid,* qui est sa dernière pièce, il s'est tu. Il s'est tu pendant trente-cinq ans jusqu'à sa mort l'année dernière.

Et il y a quelque chose d'extraordinaire dans le silence de cet homme qui s'est arrêté d'écrire cinq ans avant Pirandello, dix ans avant Giraudoux, vingt ans avant Claudel, et qui leur a survécu à tous.

1. R.T.B., 14 janv. 1971.

Il y a quelque chose de mystérieux et de tragique dans le silence de cet homme qui entre dans l'ombre en plein triomphe et qui a le temps de voir lentement autour de lui changer le monde, changer le théâtre et, peu à peu, se démoder son œuvre personnelle.

Mais je crois que cette œuvre est assez vigoureuse pour renaître maintenant à une vie nouvelle.

H. R. – Qu'est-ce que c'est, le théâtre de Crommelynck ?

Ch. B. – Mauriac, qui savait décrire un talent, a un jour appelé Crommelynck *un Molière ivre.*

J'aimerais définir son œuvre comme une sorte de danse, une sorte de danse ardente autour de quelques obsessions majeures. Et cette danse révèle aux spectateurs une sensualité passionnément enivrée d'elle-même et une langue d'une invention et d'une prodigalité somptueuses.

Je crois que Crommelynck demeure notre plus grand auteur dramatique.

Je sais bien qu'on joue beaucoup Ghelderode aujourd'hui, que Ghelderode est aussi un dramaturge de haute volée. Mais, il y a chez lui une sorte de fabrication de la grimace qui me gêne de temps en temps.

J'accorde enfin à Crommelynck une autre supériorité : celle de la langue. Cette langue qui, comme je viens de le souligner, me paraît d'une force, d'une nouveauté et d'une saveur sans équivalence dans le théâtre français contemporain.

H. R. – On a dit de Crommelynck qu'il avait renouvelé le dialogue théâtral par un langage très imagé teinté de lyrisme. Qu'en reste-t-il aujourd'hui ?

Ch. B. – Eh bien, je crois que l'expérience tentée par le Théâtre du Parc nous aidera à nous en rendre compte. Il faut voir, il faut entendre ce que donnera à l'écoute de la scène *Chaud et froid* en 1971. J'ai confiance.

Bien entendu, Crommelynck est un baroque. Et, comme tous les grands baroques, son œuvre est soumise aux multiples variations barométriques du goût.

Peut-être avons-nous connu pendant quelques années une certaine désaffection à son égard. Mais les modes passent : celles qui condamnent autant que celles qui prônent.

Jeudi soir, Crommelynck sera peut-être plus vivant que jamais !...

# *Notes à propos des représentations théâtrales*

## LE SCULPTEUR DE MASQUES (1 acte)

P. 18 — note 3

Constantin Balmont, qui publia de la pièce une traduction en russe dans *Viesi*, la fit précéder d'une préface. Inna Dimitrievna Chkounaeva en a donné l'extrait que voici dans son *Théâtre belge de Maeterlinck à nos jours* [1] :

*La pièce dramatique du jeune poète belge Crommelynck, « Le Sculpteur de masques », est une trouvaille surprenante. D'autant plus réjouissante que peu encore ont jeté un regard sur l'éclat de ces pierres précieuses... (Crommelynck est un rythmiste équilibré). Ce rythme de Crommelynck est plein d'équilibre. Son œuvre est une musique de symboles et les personnages créés par lui, capricieusement et en même temps d'une façon mathématique sont inévitablement emportés par la lugubre danse de l'amour et de la mort. Mais, comme en musique, dans la trame des sons de base, sans cesse, avec des répétitions suggestives, s'introduisent subrepticement, pénètrent, effleurent, chuchotent, s'insinuent... de cruels et tendres chants d'accompagnement.*

*En prenant des états d'âme définis et en menant jusqu'aux cimes les récitations poétiques des souffrances intérieures, Crommelynck atteint un effet dramatique étonnant.*

(Traduction de Patrick Crommelynck)

---

1. Moskva, Iskousstvo, 1973, p. 228.

## LE MARCHAND DE REGRETS

P. 55 — note 3

De 1927 à 1969, la pièce fut donnée au moins une douzaine de fois dans la capitale belge. À quoi s'ajoutent de nombreuses représentations en province: Wavre (1936), Namur (1947), Anvers (1948, 53, 56 et 58) et Liège (1953), pour ne citer que quelques villes.

## LE COCU MAGNIFIQUE

P. 88 — note 2

De décembre 1920 à décembre 1921, *Le Cocu magnifique* fut donné à Paris 105 fois.

Tenons compte du fait que les générales et les premières de chaque reprise ne sont pas mentionnées dans les registres de la Société des auteurs et compositeurs dramatiques [1], et supprimons des 365 jours de l'année, les relâches obligatoires et les soirs où la troupe a joué la pièce hors de Paris. La conclusion sera celle-ci: durant la première année de son existence, *Le Cocu magnifique* a été interprété en France au moins tous les 2 jours.

En 50 ans de vie parisienne (de décembre 1920 à février 1969), la pièce connut 3 reprises à l'Œuvre (1927, 30 et 31), 2 reprises au Théâtre Michel (1921 et 29), 1 au Théâtre des Champs-Élysées (1921), 2 aux Mathurins (1925 et 35), 3 au Théâtre Hébertot (1941, 45 et 69). Sans compter les représentations isolées ou fragmentaires au Théâtre de la Cité (1953), au Studio des Agriculteurs (1955) et au Théâtre de Paris (1958).

De septembre 1921 à février 1969, *Le Cocu magnifique* fut donné dans plus de 75 villes de la province française dont les premières citées sont Rennes, Roanne, Tours, Le Mans et Paramé, ainsi que dans des

1. Parce que les droits d'auteur ne sont guère perçus pour ces soirées.

villes de l'Afrique maghrabine : Oran, Casablanca et Rabat, pour ne citer que quelques noms.

Une même audience lui est réservée dans des pays de langue française, tels que la Belgique. D'avril 1929 à juin 1968, on signale son passage dans plus de 8 villes parmi lesquelles Bruxelles (1929, 37, 38, 41, 50, 57 et 66), Anvers (1932 et 50), Namur (1949), Mons (1950), Verviers (1958 et 67), Liège (1950 et 67), Knokke (1968) et Mont-sur-Marchienne (1968).

En dehors de Genève où la pièce fut connue dès 1923, sa renommée ne s'établit définitivement en Suisse qu'à partir de 1946 (à Lausanne, Vevey et Montreux).

Le curieux est l'accueil enthousiaste que réservèrent au *Cocu magnifique,* dès 1953, des villes congolaises de l'ancienne colonie belge, telles que Stanleyville, Léopoldville, Goma ou Bakwanga.

## CARINE

P. 172 — note 1

Depuis décembre 1929 jusqu'à mai 1931, *Carine* fut donnée 87 fois à l'Œuvre et 34 fois en 1949, dans ce même théâtre ; en tout, 121 représentations. Ces chiffres, signalés par la Société des auteurs et compositeurs dramatiques, me paraissent cependant bien inférieurs à la réalité ; car au dire de la presse de mars 1930, il y aurait déjà eu à ce moment 100 représentations de la pièce.

Témoin un entrefilet intitulé *La Centième de Carine.* Ce nombre 100 qui, de nos jours, n'impressionne plus, était très important pour l'époque. Jugez-en par ce que dit un échotier de *Chantecler,* en mars 1930 :

*La tradition de la centième n'est plus l'apanage exclusif des scènes du Boulevard. Symptômes réconfortants et qui démentent de façon éclatante une certaine théorie selon laquelle le théâtre « littéraire » ne peut que servir de repoussoir au public* [1].

1. *Chantecler,* 1er mars 1930.

P. 172 — note 5

La pièce a été publiée pour la première fois en 1930 (en même temps que *Tripes d'or*) [1].

Date qu'il importe de retenir en raison de nombreux rapprochements qui ont été formulés entre *la jeune fille folle de son âme* et *La Sauvage* d'Anouilh dont la création eut lieu au Théâtre des Mathurins en 1938.

Même transparence des intentions chez les deux héroïnes, même absence de compromis dans l'accomplissement de soi-même. L'influence de Crommelynck sur Anouilh est visible et apparaît à travers d'autres œuvres encore : dans *Ardèle ou la marguerite*, aussi. Sans compter le décor de *L'Invitation au château* qui crée un climat d'insolite raffinement et d'élégante perversité assez proche de celui de *Carine*.

## UNE FEMME QU'A LE CŒUR TROP PETIT

P. 204 — note 4

De 1951 à 1957, la province française a donné cette pièce 96 fois alors que, pour la même période et dans les mêmes régions à peu près, *Le Cocu magnifique* ne fit que 48 représentations.

Entre 1950 et 1970, l'œuvre compta en Belgique et dans les colonies belges 119 représentations, alors que *Le Cocu magnifique* en eut 86 durant le même laps de temps.

## CHAUD ET FROID

P. 238 — note 1

D'après les registres de la Société des auteurs et compositeurs dramatiques, la pièce ne semble pas avoir eu, entre 1949 et 1964, plus d'une quinzaine de représentations dans des villes de la province française, telles que Poitiers, La Rochelle, Châtellerault, Rennes, etc.

1. Paris, Emile-Paul, 1930.

Du 28 mars au 17 avril 1960, elle se trouve aux Galeries de Bruxelles pour une vingtaine de représentations sur lesquelles on possède peu de commentaires.

D'autre part, 10 représentations ont eu lieu à Genève, du 25 novembre au 12 décembre 1954, et 7, dans la même ville, du 7 au 13 novembre 1962.

Notons, une fois de plus, à propos de cette pièce, les affinités qui existent entre le dramaturge belge et le public polonais.

*Chaud et froid*, autrement dit *Aniol i czart* (*L'Ange et le diable*), connut maintes reprises : au Théâtre de Kalisz (1962), au Théâtre Académique, à Cracovie (1963), au Théâtre Dramatique, à Wrocław (1963-1964) et au Théâtre Wybrzeże, à Gdansk (1974).

# Bibliographie [1]

1. Je remercie Isabel Dargent pour l'aide précieuse qu'elle m'a apportée au cours de mes recherches bibliographiques.

# Œuvres de Fernand Crommelynck [1]

## A. THÉÂTRE

### 1. Documents divers

*Le Sculpteur de masques.* 48 p. man. et sign. aut., Bruxelles, 1906. Dédicace à Émile Verhaeren. Apptᵗ. B.R.M.L.

*Le Chemin des conquêtes.* Tragédie en un acte, en vers. Inédit, 32 p. man., sept. 1908. Apptᵗ. à Jean-Paul Houyoux.

*Le Cocu magnifique.* Pièce en trois actes, en prose. 117 p. man. et sign. aut., s.d. Apptᵗ. B.R.M.L.

*Tripes d'or.* Épreuves d'imprim. en placards avec correct. et complém. man., 100 p., s.d. Apptᵗ. B.R.M.L.

*Carine ou la jeune fille folle de son âme.* 110 p. man. et sign. aut. + 13 p. annot., s.d. Apptᵗ. B.R.M.L.

*Comme avant mieux qu'avant.* Comédie en trois actes de Luigi Pirandello. Traduction (de) Fernand Crommelynck. 132 p. man. et sign. aut., (vers 1926). Apptᵗ. à Albert Crommelynck.

### 2. Théâtre publié

*Le Sculpteur de masques.* « En Art », févr., mars-avr., mai-juil. 1906, pp. 65-83; 122-137 et 186-206.

*Nous n'irons plus au bois.* Comédie en un acte et en vers. Bruxelles, Le Thyrse, 1906, 47 p.

*Chacun pour soi.* Comédie en un acte. « Revue générale », vol. I et II, juin, juil., août et sept. 1907, pp. 793-812; 115-137; 214-231 et 414-431.

---

1. Signalons aux bibliophiles que A. Grisay a dressé une liste détaillée des éditions originales de F. Crommelynck dans *Le Livre et l'Estampe*, nº 38, deuxième numéro 1964, pp. 145-147.

*Le Sculpteur de masques.* Symbole tragique en un acte. Lettre-préf. d'Émile Verhaeren. Bruxelles, E. Deman, 1908, 64 p.

*Le Marchand de regrets.* Drame en un acte. « La Vie intellectuelle », tome XI, avr. 1913, pp. 225-245.

*Le Sculpteur de masques.* (Extraits). (Dans) *À la gloire de la Belgique.* Anthologie de la littérature belge, (de) J. Greschoff. Amsterdam, Van Looy, 1915, pp. 306-309.

*Le Marchand de regrets.* Pièce en un acte en prose. Bruxelles, Ed. « Alde », (1916), [50 p.].

*Le Sculpteur de masques.* Drame en trois actes en prose. Bruxelles, Henri Lamertin, 1918, 131 p.

*Le Cocu magnifique.* Farce en trois actes. Paris, La Sirène, 1921, 154 p.

*Les Amants puérils.* Pièce en trois actes. Paris, La Sirène, 1921, 163 p.

*Tripes d'or* à la Comédie des Champs-Élysées. Scènes choisies. « Comœdia », 4 mai 1925, p. 6.

*Tripes d'or.* Acte III (Extrait). « L'Humanité », 5 mai 1925, pp. 4 et 5.

*Tripes d'or.* Pièce en trois actes. « Variétés », 2e ann., nos 1, 2 et 3; 15 mai, 15 juin et 15 juil. 1929, pp. 1-17; 73-92 et 166-187.

*Carine ou la jeune fille folle de son âme. Tripes d'or.* Paris, Émile-Paul, 1930, 304 p.

*Le Cocu magnifique.* Farce en trois actes. Paris, « Bravo », 1930, 45 p. — « Les Cahiers de Bravo », I — suppl. au no de mars 1930.

*Le Cocu magnifique.* Farce en trois actes. *Le Sculpteur de masques.* Symbole tragique en un acte. Paris, Émile-Paul, 1931, 251 p.

*Une Femme qu'a le cœur trop petit.* Comédie en trois actes. Paris, Émile-Paul, 1934, 223 p.

*Une Femme qu'a le cœur trop petit.* Comédie inédite en trois actes. Dans « Les Œuvres libres », no 154, avr. 1934, pp. 39-182.

*Tripes d'or.* (Dans) *Pages choisies des écrivains français de Belgique.* Poésie — Théâtre — Essais — 1880-1936, (de) L. Demeur et G. Vanwelkenhuyzen. Bruxelles, Libr. Vanderlinden, (1936), pp. 180-184.

*Chaud et froid ou l'idée de Monsieur Dom.* Pièce inédite en trois actes. Dans « Les Œuvres libres », no 184, oct. 1936, pp. 207-322.

*Chaud et froid ou l'idée de monsieur Dom.* Pièce en trois actes. Bruxelles, Éd. des Artistes, (1941), 208 p.

*Les Amants puérils.* Bruxelles, Éd. des Artistes, (1942), 171 p.

*Léona.* Fragment. « Comœdia », 5 févr. 1944, p. 5.

*Le Cocu magnifique. Les Amants puérils. Chaud et froid.* (Dans) *Anthologie du théâtre français contemporain,* (de) Georges Pillement. Paris, Éd. du Bélier, (1945), t. I, pp. 186-192; 193-198 et 199-206.

*Le Cocu magnifique.* Pièce en trois actes. — Éd. ne varietur. Bruxelles, Éd. des Artistes, (1947), 206 p.

*Carine ou la jeune fille folle de son âme.* Pièce en un acte. *Chaud et froid.* Pièce en trois actes. « Paris-Théâtre », no 31, 1949-1950, pp. 1-43.

*Le Cocu magnifique.* Farce en trois actes. — Éd. ne varietur. Préf. de Georges Pillement. (Paris), Le Club français du livre, 1949, 190 p.
*Le Chevalier de la lune ou sir John Falstaff* (de) William Shakespeare. Comédie en cinq actes restituée en sa forme originale et précédée d'un argument (par Fernand) Crommelynck. (Bruxelles), Ed. des Artistes, (1954), 245 p.
*Les Amants puérils.* Préf. de P.-L. Mignon. « L'Avant-Scène », nº 132, 1956, pp. 3-29.
*Les Amants puérils.* Pièce en deux actes. Mise en scène de Tania Balachova. (Introd. de) Giacomo Antonini. « Femina-Théâtre », juil.-août (1956), pp. 2-32.
*Le Cocu magnifique. Tripes d'or.* (Paris), Le Club français du livre, 1956, 343 p.
*Théâtre complet, I : Chaud et froid ou l'idée de Monsieur Dom. Une femme qu'a le cœur trop petit.* Paris, Seuil, (1956), 405 p.
*Théâtre I : Le Cocu magnifique* [1]. *Les Amants puérils. Le Sculpteur de masques.* Introd. de Georges Perros.
*Théâtre II : Tripes d'or. Carine. Chaud et froid.*
*Théâtre III : Le Chevalier de la lune ou sir John Falstaff. Une femme qu'a le cœur trop petit.* Paris, Gallimard, 1967-1968, 326 + 359 + 326 p.
*Le Cocu magnifique.* Pièce en trois actes. Gravures originales de Pablo Picasso. (Paris), Éd. de l'Atelier Crommelynck, (1968), 173 p.

## 3. Théâtre traduit

*Le Sculpteur de masques.* Trad. en russe et préface de Balmont. « Viesi » (« La Balance »), nº 5, 1909 [2].
*Der Hahnreih.* (Le Cocu magnifique). Drei Akte. Ins Deutsche übers. van Elvire Bachrach. München, Drei Masken Verlag, 1922, 143 s.
*Le Cocu magnifique.* Commedia in tre atti di Fernand Crommelynck. « Comœdia », ann. 6º, nº 2, 25 genn. 1924, pp. 13-38.
*El Estupendo cornudo.* Farsa en tres actos. Trad. de Augusto d'Halmar, Antonio Espina. Madrid, Ed. « Revista de Occidente », 1925, 133 p.
*Lo Scultore di maschere.* Dramma in tre atti. Milano, Tip. A. Rizzoli, (s.d.), 31 p. — « Comœdia » nº 2, 1928.
*Trippe d'oro.* Commedia in tre atti. Trad. di Massimo Bontempelli. « Sipario », ann. 7º, nº 74, giugno 1952, pp. 37-58.
*Una Donna che ha il cuore troppo piccolo.* Commedia in tre atti. Trad. di Camillo Sbarbaro. « Sipario », ann. 8º, nº 86, giugno 1953, pp. 29-60.

1. L'acte III de la pièce est amputé d'un texte qui figurait dans les premières éditions, que Crommelynck a supprimé ici, mais reproduit en fin du volume.
2. Numéro qui n'a pas pu m'être communiqué.

*Il Cavaliere della luna.* Commedia in quattro atti di W. Shakespeare. Restituta da F.C. Versione di Corrado Alvaro. « Sipario », ann. 9°, n° 104, dic. 1954, pp. 42-64.

*Le Cocu magnifique.* (Pref. di Adriano Tilgher). (Roma), Libr. Editr. Organizzazione, (1955), 100 p. — « Teatro universale », II.

*Il Magnifico cornuto.* Dramma in tre atti. (Trad. di Enzo Ferrieri). Milano, La Fiaccola, 1955, IX-173 p. — « Treatro Le Cantinelle », 17.

*Teatro : L'Intagliatore di maschere.* Dramma in tre atti. Trad. di Camillo Sbarbaro. — *Il Cornuto magnifico.* Farsa in tre atti. Trad. di Camillo Sbarbaro. — *Gli Amanti puerili.* Commedia in tre atti. Trad. di Camillo Sbarbaro. — *Trippe d'oro.* Commedia in tre atti. Trad. di Massimo Bontempelli. — *Una Donna che ha il cuore troppo piccolo.* Trad. di Camillo Sbarbaro. — *Caldo e freddo, ovvero l'idea del signor Dom.* Commedia in tre atti. Trad. di Lorenzo Gigli. Milano, Bompiani, 1957, 428 p.

*El Estupendo cornudo.* (Farsa en tres actos). Trad. de Augusto d'Halmer & Antonio Espina. Buenos Aires, Quetzal, 1958, 78 p.

*The Magnificent cuckold.* (Dans) *Two great Belgian plays, about love.* Transl. from the french by Marnix Gijsen (ps. of Jan-Albert Goris). With introd. by Jan-Albert Goris. New York, Heineman, (1966), XIV-101 p.

*Rozkošný Paroháč.* Trad. Jola Bánová. Bratislava, Lita, 1971, 74 p.

*Zárlivost.* Trad. Jan Tomek. Praha, Dilia, 1971, 87 p.

*Velikodouchni rogonosiets* et *Jar i kholod.* Moskva, Iskousstvo, 1975, 581 p. (Huit pièces belges, traduites du flamand et du français en russe).

## 4. Partitions musicales

*Le Marchand de regrets.* Drame en un acte de Fernand Crommelynck; musique de C.-P. Simon. Représenté pour la première fois au Théâtre des Arts par la Compagnie Pitoëff, à Paris, juin 1927. Paris, Arlequin; Milan, Sonzonic, (cop. 1927), 88 p.

*Der gewaltige Hahnreih.* Musikal. Tragikomödie nach « Le Cocu magnifique » v. F. Crommelynck. Textgestaltg. v. Berth. Goldschmidt unt. teilw. Verwendg. d. übers. v. Elvire Bachrach. Musik. v. Berth. Goldschmidt. Wien, Universal — Ed., 1932, 35 s.

## 5. Médias de diffusion collective

*Le Cocu magnifique.* Intégrale avec Georges Marchal et Josette Day. R.T.F., 11 avr. 1948.

*Carïne ou la jeune fille folle de son âme.* Extraits avec Jacqueline Maillan et Lucienne Lemarchand. R.T.F., 29 sept. 1949.

*Carine ou la jeune fille folle de son âme*. Extrait avec Denise et Bernard Noël. R.T.F., 19 avr. 1953.
*Une Femme qu'a le cœur trop petit*. Extrait avec Raymond Bussière et Annette Poivre. R.T.F., 10 mai 1953.
*Le Cocu magnifique*. Extrait avec Simone Valère et Juliette Faber. R.T.F., 23 févr. 1954.
*Le Cocu magnifique*. Extraits avec Hélène Perdrière et Jean Davy. R.T.F., 15 mars, 1954.
*Les Amants puérils*. Intégrale avec Tania Balachova et Daniel Emilfork. Transmission du Théâtre Montansier. R.T.F., 12 mars 1956.
*Les Amants puérils*. Intégrale. Retransmission du Théâtre des Noctambules. I.N.R., 27 mars 1956.
*Tripes d'or*. Intégrale avec Marcel Josz et Werner Degan. R.T.B., 4 oct. 1956.
*Chaud et froid ou l'Idée de Monsieur Dom*. Intégrale. Retransmission du Théâtre de l'Œuvre avec Andréa Lambert et Jean-Marie Serreau. R.T.F., 23 déc. 1956.
*Le Cocu magnifique*. Intégrale avec André Reybaz et Anne Dardenne. R.T.B., 2 mars 1960.
*Une femme qu'a le cœur trop petit*. Extraits avec Fernand Ledoux. R.T.B., janv. 1962.
*Le Cocu magnifique*. Intégrale avec Robert Hirsch et Danielle Ajoret. O.R.T.F., 21 nov. 1963.
*Chaud et froid ou l'idée de monsieur Dom*. Extrait avec Danielle Delorme et Bernard Rousselet. O.R.T.F., 16 mars 1967.
*Les Amants puérils* présenté par Armand Salacrou. Intégrale avec Germaine Montero et Roger Blin. O.R.T.F., 20 avr. 1968.
*Le Cocu magnifique*. Intégrale avec Michel Leroyer et Claude Brosse. Transmission du Théâtre Hébertot. O.R.T.F., 2 mars 1969.
*Les Amants puérils*. Intégrale avec Madeleine Rivière et Anne Hauben. R.T.B., 19 févr. 1975.
*Chaud et froid*. Intégrale avec Danielle Denie et Pierre Lampe. R.T.B.F., 9 mars 1978.
*Le Cocu magnifique*. Extrait avec Fernand Ledoux. R.T.B., s.d.
*Une Femme qu'a le cœur trop petit*. Extrait avec Fernand Ledoux. R.T.B., s.d.
*Une femme qu'a le cœur trop petit*. Extrait avec Lucienne Lemarchand. R.T.B., s.d.

## B. CINÉMA

### 1. Documents divers

*Monsieur Larose est-il l'assassin?* Scénario pour le film. Inédit, 124 p. dact., (1950). Appt. à Albert Crommelynck.

### 2. Scénarios et dialogues

*Le Juif polonais* (d') Erckmann Chatrian. Réal. Harry Southwell; dial. de Fernand Crommelynck avec Myra Bertini et Fernand Crommelynck, 1925.

*Don Quichotte* (de) Cervantès. Réal. G. W. Pabst; dial., adapt. et scénar. de Fernand Crommelynck (attribué à Paul Morand) et Alexandre Arnoux; partic. de J. Ibert; avec Féodor Chaliapine, 1933.

*Les Aventures du roi Pausole* (de) Pierre Louÿs. Réal. A. Granowsky; dial. et adapt. de Fernand Crommelynck et Henri Jeanson; avec Edwige Feuillère, 1934.

*Miarka, la fille à l'ourse* (de) Jean Richepin. Réal. Mercanton; dial. et adapt. de Fernand Crommelynck; avec Réjane, 1937.

*La Cité des lumières.* Réal. Jean de Limur; scénar. et dial. de Fernand Crommelynck; avec Danièle Lecourtois et Larquey, 1938.

*Paix sur le Rhin.* Réal. Jean Choux; dial. de Fernand Crommelynck; avec Dita Parlo et Françoise Rosay, 1938.

*Je suis avec toi.* Réal. Henri Decoin; scénar. de Fernand Crommelynck; avec Yvonne Printemps, 1943.

*Le Cocu magnifique.* Réal. E. G. De Meyst; adapt. et dial. de Fernand Crommelynck; avec Jean-Louis Barrault et Maria Mauban, 1946.

*Le Cocu magnifique.* (Film italien). Réal. Antonio Pietrangeli; avec Claudia Cardinale et Bernard Blier, 1964.

## C. POÉSIE

### 1. Documents divers

*Romance de l'écho.* Inédit, 2 p. man., 1908. Appt. à Jean Crommelynck.

*Chanson improvisée.* Inédit, 2 p. dact., 1918. Appt. à Jean Crommelynck.

*Le Double cœur.* Inédit, 1 p. dact., 7-8 juin 1918. Appt. à Jean Crommelynck.

*Harmonie* : I, II, III. Inédit, 3 p. dact., 10-11 et 18-19 juin 1918. Appt. à Jean Crommelynck.
*Nocturne*. Inédit, 1 p. dact., juin 1918. Appt. à Jean Crommelynck.
*De l'amour*. Inédit, 3 p. dact., 1929. Appt. à Albert Crommelynck.
*Improvisations de minuit*. Inédit, 3 p. man. et sign. aut., 17-23 déc. 1943. Appt. à Jean Crommelynck.
*Du langage*. Inédit, 1 p. dact., vers 1947. Appt. à Albert Crommelynck.
*Du souvenir*. Inédit, 3 p. dact., vers 1947. Appt. à Albert Crommelynck.
*Sens*. Inédit, 4 p. dact., 1947. Appt. à Albert Crommelynck.
*R.I.P.* Inédit, 2 p. man., 1948. Appt. à Albert Crommelynck.
*Épitaphe*. Seconde version de R.I.P. (1948). Inédit, 1 p. man., s.d. Appt. à Jean Crommelynck.
*Sonnet XXX* de W. Shakespeare (trad. de Fernand Crommelynck). Inédit, 1 p. man. avec variantes, s.d. Appt. à Jean Crommelynck.

## 2. Poésie publiée

*Soir d'amour*. « La Libre critique », 4e sér., no 48, 29 nov. 1903, p. 527.
*Soleil couchant. Clair de lune*. « La Libre critique », 4e sér., nos 36-37, 4-11 sept. 1904, pp. 296-297.
*La Vengeance des papillons*. « Le Masque », nos 6-7, oct.-nov. 1910, pp. 199-207.
*Nocturne*. « Le Masque », nos 11-12, 1912, p. 367.
*Épitaphe*. Seconde version de *Romance de l'écho*. Inédit. « La Bataille littéraire », no 2, avr. 1920, pp. 64-65.
*Le Dernier souvenir brûle encor sous la cendre...* « La Nervie », sept.-oct. 1921, p. 419.
*Ferrane des Megglé*. (Paris, La Typographie, 1935), s.p.
*Shakespeare traduit par Fernand Crommelynck* : Sonnets XLIX, LV, XCVIII. « Comœdia », 22 janv. 1944, p. 1.
*Poèmes : Azur rien qu'à l'azur offert... Astres, foyers d'intelligence...* « Hommes et mondes », no 1, juil. 1946, pp. 177-178.
*Le Rêve*. « Psyché », no 29, mars 1949, pp. 275-276.

## 3. Médias de diffusion collective

*Le Rêve. Jardin à la française*. Dits par Denise Bosc. R.T.F., 23 sept. 1949.
*Azur rien qu'à l'azur offert... Astres, foyers d'intelligence...* Dits par l'auteur. R.T.F., s.d.

## D. PROSES

### 1. Documents divers

*Le Rêve perpétuel.* Inédit, 1 p. man. et dact., 25 juil. 1947. Apppt. à Jean Crommelynck.
*Du dénouement.* Inédit, 1 p. man., s.d. (vers 1927). Apppt. B.A.
*Du rêve.* Inédit, 4 p. man. et dact., s.d. Apppt. à Jean Crommelynck.
*Introduction* (à) *Ce temps si court* (d') Anne-Marie Tellier. (Sous le titre de: La Maison de la Biche). 2 p. man., s.d. Apppt. à B.R.M.L.

### 2. Prose publiée [1]

#### a) Récits

*Clématyde. « En Art », nov.-déc. 1906, pp. 269-275.
*La Maison des hiboux.* (Dans) : « Album du 1er mai » — *En l'honneur de la grève générale.* Bruxelles, Presse Socialiste, 1913, s.p.
**La Maison des hiboux.* « L'Avenir », 24 déc. 1918, p. 3.
**L'Ouragan.* « L'Avenir », 22 janv. 1919, p. 3.
**Les Jumeaux.* « L'Avenir », 9 févr. 1919, p. 3.
*Le Sourire précieux.* « L'Avenir », 31 mars 1919, p. 3.
*La Servante et le chien.* « L'Avenir », 2 juin 1919, p. 3.
*Les Premières atteintes.* « Le Matin », 22 sept. 1919, p. 2.
*L'Enfance romantique.* « Le Matin », 6 août 1920, p. 2.
*Le Sourire précieux.* « L'Art belge », nº de Noël, déc. 1921, s.p.
**Miroire de l'enfance.* Souvenirs inédits. Dans « Les Œuvres libres », nº 145, juil. 1933, pp. 101-120.
*Miroir de l'enfance.* « La Revue belge », nº 4, 15 nov. 1934, pp. 325-342.
**Introduction* (à) *Ce Temps si court* (d') *Anne-Marie Tellier.* Bruxelles, Éd. des Artistes, 1942, pp. 9-13.
*Monsieur Larose est-il l'assassin?* Roman policier. Bruxelles-Paris, Éd. de la Main jetée, (1950), 337 p.
**Un Matin au Vésinet.* (Dans) Maurice Utrillo, V. Paris, J. Forêt, 1956, pp. 35-38.

1. Les œuvres précédées d'un * ont été reprises dans mon étude : *Textes inconnus et peu connus de Fernand Crommelynck.*

b) Critiques et chroniques

*À Propos de Scarron ou de Catulle Mendès.* (En collaboration avec Armand Varlez). « La Réforme », 13 août 1905, p. 1.
*Au Parc : Le Mariage de Figaro de Beaumarchais.* « La Réforme », 26 janv. 1906, p. 1.
*Le Crime de la rue des Hirondelles.* (En collaboration avec Armand Varlez). « La Réforme », 17-25 févr. 1906, pp. 1 et 2.
*Les Deux écoles.* (Signé le Premier Badaud). « La Réforme », 4 mars 1906, p. 1.
**43* *Chroniques.* (Collaboration à:) « Le Carillon », 13e ann., nos 79-83; 86-92; 95-102; 105-109; 111-115; 117-124; 126-127; 129; 132; 141; entre le 4 juil. et le 27 sept. 1908, p. 1.
*Émile Verhaeren.* « Le Théâtre Volant » (Programme), Saison 1916-17, s.p.
*Une Révélation au théâtre. Les Conceptions dramatiques de M. Crommelynck.* « Excelsior », 25 déc. 1920, p. 2.
*L'Éloge au public.* « Paris-Soir », 11 mai 1925, p. 1.
(*Lettre-préface* au Catalogue de l'Exposition) d'Ernst Leyden. Paris, Galerie Bernheim Jeune, 1929, s.p.
*Introduction à une étude des véritables valeurs françaises.* « Comœdia », 12 juil. 1941, pp. 1-2.
*Les Lettres françaises en deuil : hommage à Jean Giraudoux.* « Comœdia », 5 févr. 1944, pp. 1-2.
*À Propos de Léona. Notes d'après-première.* « Comœdia », 19 févr. 1944, pp. 1 et 3.
*À Propos de Léona : mes secrets...* « Comœdia », 4 mars 1944, pp. 1 et 3.
*Notes d'après-première. Pétition de principe.* « Comœdia », 18 mars 1944, pp. 1 et 3.
*Les Démarches de l'esprit créateur.* « Comœdia », 10 juin 1944, pp. 1 et 3.
*Entretiens sur le théâtre. Le Sens dramatique chez les auteurs français.* « La Porte ouverte », avr. 1946, p. 62.
*Introduction* (à *Merveilleuse Histoire de Pierre Schlemihl* d'Adalbert de Chamisso). « Les Belles lectures », no 26, du 24 au 30 juil. 1946, s.p.
*Théâtre et cinéma. Arts jumeaux.* « Spectateur », 3 sept. 1946, pp. 1 et 6.
*À Propos du Cocu magnifique. Quant l'auteur dramatique devient son propre scénariste.* « Spectateur », 8 oct. 1946, p. 6.
*Dona Juana.* « Spectateur », 10 déc. 1946, p. 2.
*Le Secret professionnel. Entre deux chaises.* « Arts », no 563, 11-17 avr. 1956, p. 3.
*La Crise ?... Tout le mal est venu du metteur en scène.* (Propos recueillis par Paul Werrie). « La Table ronde », no 220, mai 1966, pp. 28-30.

### 3. Prose traduite

*Questo è il problema.* Romanzo. Trad. dal francese di Gian Galeazzo Severi. (Bergamo), Bompiani, (1950), 406 p.
*Es usted el asesino?* Novela — 2a ed. Trad. de Jose Bianco. Buenos Aires, Emecé Edit., (1959), 334 p.

### 4. Correspondance inédite

#### a) Lettres de Fernand Crommelynck

*Lettre à Émile Verhaeren,* 21 p. man. des 8 et 25 mai, 2 et 11 juin, 17 et 21 juil. 1906; des 5 nov. et 12 déc. 1907; du 3 mars 1909. Appt. B.R.M.L.
*Lettres à Henry Vandeputte,* 16 p. man. du 9 déc. 1921; des 2, 14, 19 et 26 avr. et 18 juin 1922. Appt. à Jeanine Moulin.
*Lettres à Paul Zifferer,* 4 p. man. des 6 et 14 avr. 1922. Appt. B.R.M.L.
*Lettres à Suzanne Lilar,* 4 p. man. des 19 sept. 1947; des 18 oct. 1954 et 7 août 1963. Appt. à Suzanne Lilar.
*Lettre à Albert Crommelynck,* 14 p. man. du 31 janv. 1948; des 14 janv. et 2 mai 1949; des 2, 18 et 20 sept. 1953. Appt. à Albert Crommelynck.

#### b) Lettres à Fernand Crommelynck

*Lettre de Gaston Gallimard,* 1 p. dact. du 16 juil. 1941. Appt. à Albert Crommelynck.
*Lettre de Johan De Meester,* 1 p. dact. du 5 avr. 1955. Appt. à Albert Crommelynck.

### 5. Médias de diffusion collective

*Interview de Fernand Crommelynck* par Paul Lévy. I.N.R., 2 mars 1937.
*Interview de Fernand Crommelynck* par Louis Carette (Félicien Marceau). R.N.B., 27 nov. 1940.
*À Propos d'une femme qu'a le cœur trop petit.* R.T.F., 15 avr. 1942.
*La Crise actuelle du théâtre ne provient-elle pas des excès mêmes de la mise en scène?* Débat mené par Paul Guimard, entre Fernand Crommelynck, Jean Vilar, Béatrice Dussane, Gustave Cohen, Robert Kemp et Jean-Jacques Gautier. R.T.F., 19 mai 1947.

*Hommage à Lugné-Poe.* R.T.F., 1950 (sans précision de jour ni de mois).
*Six entretiens de Fernand Crommelynck* avec Jacques Philippet. I.N.R., 26 févr. 1953.
*Théâtre français et théâtre flamand de nationalité belge.* R.T.F., 25 juin 1955.
*À l'occasion des Amants puérils.* R.T.F., 27 avr. 1956.
*Interview de Fernand Crommelynck.* R.T.F., 10 août 1956.
*À l'occasion de la représentation de Chaud et froid.* R.T.F., 7 déc. 1956.
*Les Français vus par les étrangers.* R.T.F., 29 déc. 1958.

# *Fernand Crommelynck devant la critique*

## A. THÈSES ET MONOGRAPHIES

BERGER (André) : *À la rencontre de Fernand Crommelynck.* Bruxelles, La Sixaine, 1946, 47 p.
CROMMELYNCK (Elizabeth-Ann) : *Synthèse du tragique et du comique dans le théâtre de Fernand Crommelynck.* Mémoire de licence. Bruxelles, Université Libre de Bruxelles, 1962, 185 p.
DEMONT (Yves) : *Le Thème du masque dans l'œuvre théâtrale de Fernand Crommelynck.* (Brussel), Vrije Universiteit Brussel — Romaanse Filologie, 1975, 114 p.
FEAL (Gisèle) : *Le Théâtre de Crommelynck — érotisme et spiritualité.* Paris, Lettres Modernes - Minard, 1976, 224 p.
GROSSVOGEL (David I.) : *Fernand Crommelynck and Michel de Ghelderode : two farce authors and an attempt to situate an aspect of the contemporary theater.* New York, Columbia University, 1964, 330 p. Compte rendu : « Dissertation Abstracts », vol. XIV, nº 9, 1954, p. 1411.
HAINAUX (René) : *Le Théâtre de Fernand Crommelynck.* Liège, Université de l'État, 1940, 159 p.
KNAPP (Bettina L.) : *Fernand Crommelynck.* Boston, Twayne, (1978), 160 p.
MOULIN (Jeanine) : *Textes inconnus et peu connus de Fernand Crommelynck. Étude critique et littéraire.* (Bruxelles, Académie Royale de Langue et de Littérature Françaises — Palais des Académies, 1974), XXIV-331 p., ill.
PRESKER (Ewald Gerhard) : *Crommelynck, ein Dramatiker des XXte. Jahrhunderts.* Graz. Philos. Diss., 1971, 143 f.

## B. GÉNÉRALITÉS [1]

### 1. Ouvrages et articles

Anonymes: *Comédie-Française — Jeanne d'Arc.* Fragments de Charles Péguy. « Théâtre et Comœdia illustré », 10 sept. 1924.
—: *Fernand Crommelynck* (l'oncle) *a fêté son quarantième anniversaire de carrière théâtrale.* « La Nation belge », 21 janv. 1925.
—: *A propos de Thierry Sandre, calomniateur de Fernand Crommelynck.* « La Rumeur », 10 janv. 1928.
—: *Aux amis de la langue française.* Une Conférence de M. Fernand Crommelynck. « Le Soir », 11 nov. 1928.
—: *En l'honneur de Fernand Crommelynck et de Régina Camier.* « Le Soir », 16 avr. 1929.
—: *Note.* « Comœdia », 30 avr. 1929.
—: *Monsieur Crommelynck fait valoir ses origines françaises.* « La Nation belge », 16 janv. 1930.
—: *Crommelynck.* Dans *Enciclopedia universal ilustrada europeo-americana.* Madrid, Espasa-Calpe, 1931, t. III (apendice), p. 969.
—: *Monsieur Fernand Crommelynck reçoit le prix de littérature dramatique belge.* « Comœdia », 7 févr. 1931.
—: *L'Auteur de langue française le plus joué en URSS.* « Excelsior », 22 janv. 1933.
—: *Le Dramaturge déchaîné.* « Le Charivari », 27 mai 1934.
—: *(Annonce de la création de Va-nu-cœur).* « Paris-Midi », 19 oct. 1941.
—: *Théâtre de France* — Spectacles — t. VI : Crommelynck. Paris, Olivier Perrin, 1956, s.p.
—: *Fernand Crommelynck.* Dans *Belgische Talente, Ausländische Filme.* « Informationsbericht », nr. 8-9, aug.-sept. 1966, bl. 12.
—: *Fernand Crommelynck, quatre-vingt ans : le succès me poursuit depuis quarante-six ans.* « Paris-Match », 17 déc. 1966, s.p.
—: *Quand Adolphe Max intervenait pour faire libérer Crommelynck.* « Le Soir », 20 mars 1970.
—: *Fernand Crommelynck.* « Le Figaro littéraire », 23 mars 1970.
—: *Hommage à Fernand Crommelynck.* « Paris-Match », 28 mars 1970, p. B-V/B-VII.
Antonini (Giacomo) : *Fernand Crommelynck, Bohème, bicycliste et patriarche.* « Femina-Théâtre », nº 27, juil.-août 1956, pp. 2-3 couv.

---

1. Il s'agit des écrits qui donnent des renseignements biographiques sur l'écrivain ou des avis critiques sur l'ensemble de son œuvre.

ARNYVELDE (André) : *Une étrange aventure. L'Offensive de Thierry Sandre contre Crommelynck.* « La Rumeur », 6 janv. 1928.

AVERMAETE (Roger) : *Petite fresque des arts et des lettres dans la Belgique d'aujourd'hui.* Bruxelles, L'Églantine, 1929, pp. 116-119.

B. : *Décès de l'auteur dramatique belge, Fernand Crommelynck.* « La Dernière heure », 18 mars 1970.

B. (J.) : *Fernand Crommelynck.* « Clés pour le spectacle », n° 3, nov. 1970, pp. 10-11.

BEHAR (H.) : *Étude sur le théâtre Dada et surréaliste.* (Paris), Gallimard, (1967), p. 282.

BEIGBEDER (Marc) : *Le Théâtre en France depuis la libération.* (Paris), Bordas, (1959), pp. 43-46.

BELLESORT (André) : *Le Plaisir du théâtre.* Paris, Libr. Académique Perrin, 1938, pp. 204-223.

BÉRAUD (Henri) : *Retours à pied. Impressions de théâtre (1921-24).* Paris, Éd. Crès et Cie. 1924, pp. 197-200.

BERTIN (Charles) : *Cinquante ans de théâtre en Belgique.* Dans : SABAM (Soc. Belge des Auteurs, Compositeurs et Éditeurs) : *Sabam 1922-72.* Un demi-siècle d'art en Belgique. (Bruxelles, Sabam, 1973), pp. 40-46.

BERTIN (Charles) : *Fernand Crommelynck.* « Bulletin de la Société des Auteurs et Compositeurs Dramatiques », n° 54, 1er mai 1974, pp. 15-18.

BERTIN (Charles) : *Rapport présenté par M. Ch. Bertin à l'Assemblée générale des auteurs belges, le 20 mai 1970.* Bruxelles, Société des Auteurs et Compositeurs Dramatiques, 1970, pp. (1-2).

BEYEN (Roland) : *Les Goûts littéraires de Michel de Ghelderode.* « Les Lettres romanes », t. XXIV, n° 1, févr. 1970, p. 43 ; t. XXIV, n° 2, 1er mai 1970, p. 147.

BEYEN (Roland) : *Michel de Ghelderode ou la hantise du masque.* Bruxelles, Académie Royale de Langue et de Littérature Françaises, 1971, pp. 70, 110-111.

BLANDIN (André) et CANNEEL (Jules M.) : *À l'instar de...* Bruxelles, H. Lamertin, 1914, pp. 107-122.

BLOCH (Jean-Richard) : *Destin du théâtre.* Paris, Gallimard, 1930, pp. 112, 114, 115 et 146.

BODART (Roger) et JONCKHEERE (Karel) : *Lettres de Belgique.* Bruxelles, Les Éditions Esseo, 1958, pp. 31-33.

BODART (Roger) : *La Letteratura belga di lingua francesa.* « Ausonia », anno XIV, nos 2-4, marzo-agosto 1959, pp. 40-41.

BOISDEFFRE (Pierre de) : *Une histoire vivante de la littérature d'aujourd'hui 1938-58.* (Paris), Le Livre Contemporain, (1958), pp. 442, 599 et 600.

BRAUN (Benoît) : *Avec Crommelynck, l'ennemi du temps.* « Gavroche », 20 déc. 1945.

BRENNER (Jacques) : *Avec Crommelynck.* « Cahiers des saisons », n° 16, print. 1959, pp. 65-66.

BRINDEAU (Serge) : *Crommelynck.* « La Revue socialiste », nº 106, avr, 1957, pp. 433-434.

BRISSAC (Jacques) : *Projets d'auteurs. Crommelynck nous a dit...* « Le Soir », 13 janv. 1927.

BRONNE (Carlo) : *Compère qu'as-tu vu ?* Bruxelles, Musin, 1975, pp. 150 et 170.

CABANNE (Pierre) : *L'Épopée du cubisme.* Paris, La Table Ronde, 1963, pp. 137, 159, 160 et 161.

CENTRE FRANÇAIS DU THÉÂTRE :*Dictionnaire des hommes de théâtre français contemporains : auteurs-compositeurs.* Paris, Olivier Perrin, 1967, pp. 47-48.

CHARLIER (Gustave) : *La Belgique.* Dans : BEDIER (Joseph) et HAZARD (Paul) : *Histoire de la littérature française illustrée.* Paris, Libr. Larousse, (1942), t. II, p. 326.

CHKOUNAEVA (Inna Dimitrievna) : *Belgiiskii theatr ot Meterlinka do nachikh dnei (Le Théâtre belge de Maeterlinck à nos jours).* Moskva, Iskousstvo, 1973, pp. 223-277.

CHOT (Joseph) et DETHIER (René) : *Histoire des lettres françaises de Belgique. Depuis le Moyen Age jusqu'à nos jours.* Charleroi, Désiré Hallet, 1910, p. 590.

CLOUARD (Henri) : *Histoire de la littérature française — t. II : Du symbolisme à nos jours — de 1915 à 1940.* Paris, Albin Michel, 1949, p. 432.

COCTEAU (Jean) : *Portraits-souvenir (1900-1914).* Paris, Grasset, 1935, pp. 107-108.

COSTAZ (Gilles) : *À la recherche de Crommelynck.* « Audace », nº 2, 1970, pp. 157-162.

CRITICUS (pseud. de BERGER, André) : *Le Style au microscope.* Paris, Calmann-Lévy, 1953, t. III, pp. 115-143.

CROMMELYNCK (Fernand) : *Lettre-interview.* « Comœdia », 16 sept. 1921.

DEAUVILLE (Max) : *Fernand Crommelynck.* « Chantecler », 14 févr. 1931.

DEFOSSE (Marcel) : *Le Théâtre était toute son existence.* « Le Soir », 20 mars 1970.

DELANGE (René) : *Trente ans après Le Cocu magnifique, Crommelynck, el dramaturge parcimonieux, travaille à une pièce sur ... Hitler.* « Journal de Genève », 22 juil. 1949.

DE PAEPE (Jean-Luc) : *La Réforme, organe de la démocratie libérale (1884-1907).* Louvain, Éd. Nauwelaerts, 1972, p. 51.

DE SEYN (Eugène) : *Dictionnaire des écrivains belges. Bio-bibliographiques.* Bruges, Éd. Excelsior, 1930, t. I, p. 275.

DESCHAMPS (Jules) : *Nos lettres à l'étranger.* Dans : CHARLIER (Gustave) et HANSE (Joseph) : *Histoire illustrée des lettres françaises de Belgique.* Bruxelles, La Renaissance du livre, (1958), pp. 602 et 646.

DOISY (Marcel) : *Le Théâtre français contemporain.* Bruxelles, Les Lettres latines, 1947, pp. 249-251.

DOUTREPONT (Georges) : *Histoire illustrée de la littérature française en Belgique. Précis méthodique.* Bruxelles, Marcel Didier, 1939, pp. 344-345.

DUBECH (Lucien) : *Le Théâtre (1918-23)*. Paris, Plon-Nourrit, 1925, p. 161.

DUFRESNE (Claude) : *Les Éreintés. Crommelynck reste d'accord avec lui-même.* « Opéra », 5 oct. 1949.

DUVIGNAUD (Jean) : *Fernand Crommelynck (1888-1970)*. « La Nouvelle revue française », nº 209, 1er mai 1970, pp. 777-778.

ÉTIENNE (Claude) : *C'était un personnage extraordinaire!* « Le Soir », 19 mars 1970.

FEAL (Gisèle) : *La Fuite devant l'amour chez les personnages de Crommelynck.* « Symposium », vol. XXVI, nº 4, hiver 1972, pp. 314-330.

FLAMENT (Julien) : *Y a-t-il un théâtre belge?* « Le Thyrse », IVe sér., nº 2, 15 janv. 1924, pp. 249-250.

FRANK (André) : *J'ai l'intention d'entrouvrir un théâtre...* « L'Intransigeant », 13 avr. 1934.

GABORY (Georges) : *Le Problème de la comédie française — III : Le répertoire.* « Comœdia », 9 août 1941.

GAIFFE (Félix) : *Le Rire et la scène française*. Paris, Boivin, 1931, pp. 263 et 264.

GANNE (Gilbert) : *Après 20 années de silence, Fernand Crommelynck dont on publie le théâtre complet va faire sa rentrée avec une Gourgandine.* « L'Aurore », 5 mars 1957.

GAUCHEZ (Maurice) : *Le Livre des masques belges*. Mons, Éd. de la Société Nouvelle, 1910, 2e sér., pp. 191-201.

GAUCHEZ (Maurice) : *Histoire des lettres françaises de Belgique, des origines à nos jours*. Bruxelles, Éd. de la Renaissance d'Occident, 1922, pp. 314-315.

GAUCHEZ (Maurice) : *À la recherche d'une personnalité*. Bruxelles, Éd. de la Renaissance d'Occident, 1928, pp. 79-95.

GAUCHEZ (Maurice) : *Fernand Crommelynck*. « Tréteaux », nº 13, mars 1935, pp. 4-6 ; nº 14, avr. 1935, pp. 2-5.

GAURICE-SCOURION (Ignace) (pseud. de : GAUCHEZ, Maurice) : *Les Œuvres belges*. « La Renaissance d'Occident », t. XXIV, nº 3, mars 1928, pp. 384-396.

GEVERS (Marie) : *Portrait de Paul Desmeth*. « Le Soir », 23 juil. 1970.

GHELDERODE (Michel de) : *Fernand Crommelynck*. « La Flandre maritime », 18 avril 1931.

GHELDERODE (Michel de) : *Fernand Crommelynck ou l'enchanteur pathétique*. « Les Beaux-Arts », 5 janv. 1934, pp. 10-11.

GIMPEL (René) : *Journal d'un collectionneur marchand de tableaux*. Préf. de Jean Guéhenno. (Paris), Calmann-Lévy, 1963, pp. 258, 274-277, 280 et 342.

GIONO (Jean) : *Cinquième journée du 3e Contadour*. « Les Cahiers du Contadour », II (6 sept. 1936), pp. 110-111.

GROSSVOGEL (David I.) : *The Self-conscious stage in modern french drame — II : The Pain of laughter... Crommelynck*. New York, Columbia University Press, 1958, pp. 219, 220-253, 290, 308, 352-354.

GUILLOT DE SAIX (Léon) : *Théâtre d'aujourd'hui — Fernand Crommelynck.* « Les Nouvelles littéraires », 2 mai 1946.

GUITARD-AUVISTE (Ginette) : *Crommelynck traditionaliste d'avant-garde.* « Les Nouvelles littéraires », 26 mars 1970.

HANLET (Camille) : *Les Écrivains belges contemporains de langue française — 1800-1946.* Liège, H. Dessain, 1946, t. II, pp. 768-769.

HÉBERTOT (Jacques) : *Portraits — Fernand Crommelynck.* (Titre non identifié), 15 sept. 1941.

KINDERMAN (Heinz) : *Theatergeschichte Europas — IX Band Naturalismus und Impressionismus.* Salzburg, Otto Müller Verlag, 1970, II Teil, bl. 90, 91, 343, 344, 348 und 349; 1974, III Teil, bl. 14, 25, 39, 65 und 72.

L. : *Fernand Crommelynck.* « Paris-Théâtre », n° 31, (1949-1950), pp. 3-4.

LABAN (M.) : *Une conférence de Monsieur Crommelynck.* « L'Ami du peuple », 22 déc. 1930.

LACHIN (Maurice) : *Dix minutes avec... Crommelynck.* « Paris-Presse », 1er mars 1930.

LALOU (René) : *Histoire de la littérature française contemporaine.* (Paris), Crès, 1928, t. II, p. 626.

LALOU (René) : *Le Théâtre en France depuis 1900.* Paris, Presses Universitaires de France, 1950, pp. 69-70.

LE LISEUR : *Journaux et périodiques. Acteurs auteurs et auteurs acteurs.* « Le Figaro », 5 mars 1922.

LEWIS (D. B. Wyndham) : *The Theater of Crommelynck.* « Message », nr. 2, déc. 1941, pp. 23-25.

LIEBRECHT (Henry) et RENCY (Georges) : *Histoire illustrée de la littérature belge de langue française (des origines à 1930)* — 2e éd. revue et augmentée. Bruxelles, Libr. Vanderlinden, 1931, pp. 448-449.

LILAR (Suzanne) : *The Belgian theater.* « Theater arts », febr. 1951, pp. 33-34.

LILAR (Suzanne) : *Soixante ans de théâtre belge.* Préf. de Julien Gracq. Bruxelles, La Renaissance du livre, 1952, pp. 55-60.

LILAR (Suzane) : *The Sacred and the profane in the work of Belgian dramatists.* « World Theater », vol. IX, nr. I, print. 1960, pp. 7-9.

LOBET (Marcel) : *Fernand Crommelynck.* Dans *Littérature de notre temps* (Recueil IV). « Bulletin Casterman », 1970, pp. 57-60.

LUGNÉ-POE : *Dernière pirouette.* Paris, Le Sagittaire, 1946, pp. 114, 117-122 et 125.

M. (D.) : *Une Conférence de Fernand Crommelynck.* « Variétés », 15 déc. 1928, pp. 450-451.

MAGNAN (Henri) : *Hommage à Crommelynck.* « Le Monde », 29 sept. 1949.

MANTAIGNE (André) : *Fernand Crommelynck.* « La Revue belge », t. IV, n° 4, 15 nov. 1934, pp. 321-324.

MAURIAC (François) : *Dramaturges... Crommelynck.* « Les Cahiers d'Occident », 2e sér., n° 5, 1926, pp. 78-82.

MAYNIAL (E.) : *Précis de littérature française moderne et contemporaine.* S. l., Delagrave, 1926, p. 251.
MIGNON (Paul-Louis) : *Fernand Crommelynck ou le sculpteur de masques.* « L'Avant-scène », nº 132, 1956, p. 2.
MIGNON (Paul-Louis) : *Le Théâtre belge à Paris.* « Théâtres de Belgique », nº 11, 1957, p. 33.
MONTFORT (Eugène) : *Vingt-cinq ans de littérature. — t. I.* Paris, Libr. de France, 1922, p. 188.
MOULIN (Jeanine) : *Le Rôle de l'intelligence dans l'œuvre de Fernand Crommelynck.* « Bulletin de l'Académie Royale de Langue et de Littérature Françaises », t. LIV, nº 1, 1977, pp. 29-41.
NOVY (Yvon) : *Crommelynck metteur en scène.* « Comœdia », 25 avr. 1942.
PANGLOSS : *Exit F. Crommelynck.* « Pan », 25 mars 1970.
PANGLOSS : *Plumes de Pan — Michel de Ghelderode ou la hantise du masque.* Par Roland Beyen (Palais des Académies). « Pan », 8 déc. 1971.
PARIS (André) : *Un des plus grands dramaturges du XXe s. — Fernand Crommelynck est mort à Saint-Germain-en-Laye.* « Le Soir », 19 mars 1970.
PERROS (Georges) : (Introduct. au :) — *Théâtre.* (Paris), Gallimard, 1967, t. I, pp. 3-5.
PIERSON-PIÉRARD (Marianne) : *Trois cent trente-deux lettres à Louis Piérard, précédées de Mémoires extérieures par M. Pierson-Piérard.* Paris, Lettres Modernes-Minard, 1971, pp. 93, 328, 343-344 et 348.
PIGNARRE (Robert) : *Histoire du théâtre.* Paris, Presses Universitaires de France, 1974, p. 119.
PILLEMENT (Georges) : *Edouard Dujardin parcourant 35 ans de poésie française.* « Le Disque vert », 2e sér., nos 4, 5 et 6, févr.-mars-avr. 1923, p. 29.
PILLEMENT (Georges) : *Anthologie du théâtre français contemporain.* Paris, Ed. du Bélier, (1945), t. I, pp. 183-185.
PILLEMENT (Georges) : *Préface* (au *Cocu magnifique*). (Paris), Le Club Français du Livre, 1949, s.p.
PIOCH (Georges) : *Comme il vous plaira — Crommelynck chez Molière.* « Le Soir », 25 oct. 1931.
POUPEYE (Camille) : *Dramaturges exotiques.* — 1re série. Bruxelles, Renaissance d'Occident, 1924, p. 225.
POUPEYE (Camille) : *Fernand Crommelynck.* « Les Beaux-Arts », 24 oct. 1930.
POUPEYE (Camille) : *Quelques aspects du théâtre belge.* « La Revue belge » t. I, nº 5, 1er mars 1931, p. 436.
POUPEYE (Camille) : *Considérations sur le théâtre belge.* « Bulletin officiel de l'Association des écrivains belges », nos 6-7, juin-juil. 1948, p. 138.
PULINGS (Gaston) : *Fernand Crommelynck chevalier de l'Ordre de Léopold.* « Les Nouvelles littéraires », 24 déc. 1927.
REMY (Paul) : *Le Théâtre.* Dans : CHARLIER (Gustave) et HANSE (Joseph) : *Histoire illustrée des lettres françaises de Belgique.* Bruxelles, La Renaissance du Livre, (1958), p. 602.

RENIEU (Lionel) : *Histoire des théâtres de Bruxelles, depuis l'origine jusqu'à ce jour*. Paris, Éd. Duchartre & Buggenhondt, 1928, t. I, pp. 244-245 ; t. II, pp. 980, 984 et 986.

ROSBO (Patrick de) : *Disparition de Fernand Crommelynck*. « Les Lettres françaises », 25-31 mars 1970.

RUTH (L.) : *Fernand Crommelynck*. « Choses de théâtre », nº 8, mai 1922, pp. 458-464.

SANDIER (Gilles) : *Théâtre et combat. Regards sur le théâtre actuel*. Paris, Stock, 1970, p. 254.

SANVIC (Romain) : *Le Théâtre*. Dans : *État présent des lettres françaises de Belgique*. S.l., Epf', 1949, t. I, pp. 75-76.

SÉE (Edmond) : *Le Théâtre français contemporain*. (Paris), Armand Colin, 1928, p. 99.

SEELMANN-EGGEBERT (Ulrich) : *Fernand Crommelynck zum Gedenken*. « Neue Zürcher Zeitung », 2 april 1970.

SION (Georges) : *Crommelynck*. « Bulletin de l'Académie Royale de Langue et de Littérature Françaises », nº 34, 1956, p. 67.

SION (Georges) : *Le Fichier du théâtre à venir : Fernand Crommelynck*. « La Nation belge », 6 sept. 1956.

SION (Georges) : *Le Théâtre et le ballet*. Dans : *La Nouvelle bibliothèque de l'honnête homme*. Publiée sous la direction de Pierre Wigny. Anvers, Fonds Mercator, 1968, p. 435.

SION (Georges) : *Crommelynck, six airs et un silence*. « La Revue générale », nº 4, 1970, pp. 37-46.

SION (Georges) : *Le Théâtre français d'entre-deux-guerres*. Tournai, Casterman, s.d., pp. 35-38. « Clartés sur », II.

SOLVAY (Lucien) : *L'Évolution théâtrale*. Bruxelles, Van Oost, 1922, t. I, p. 312.

SOLVAY (Lucien) : *Le Théâtre belge d'expression française depuis 1830*. Bruxelles, Goemare, 1936, pp. 43-45. — Extrait de « La Revue belge », 15 avr.-1er mai 1936.

SOUVARINE (Boris) : *De Nguyen ai Quac en Ho Chi Minh*. « Est et Ouest », nº 568, 1er-15 mars 1976, p. 18.

SURER (Paul) : *Crommelynck — la farce*. « L'Information littéraire », nº 4, sept. 1957, pp. 150-155.

SURER (Paul) : *Théâtre français contemporain*. Paris, Société d'Édition et d'Enseignement Supérieur, 1964, pp. 73-80.

TILGHER (Adriano) : *Il Nuovo teatro — I drammi di Fernand Crommelynck*. « Il Mondo », 9 magg. 1922.

TREICH (Léon) : *Notes parisiennes — Fernand Crommelynck*. « Le Soir », 24 mars 1970.

VAN OFFEL (Horace) : *Confessions littéraires*. Bruxelles, Nouvelle Société d'Éditions, 1938, pp. 68-69, 71, 72, 73, 171, 177, 216.

VARLEZ (Armand) : *Fernand Crommelynck*. « Le Soir », 11 févr. 1921.

VERMEULEN (Marcel) : *La Mort de Fernand Crommelynck. Le Peintre*

*Albert Crommelynck nous parle de son frère aîné.* « le Soir », 20 mars 1970.

VIATTE (Auguste) : *Littérature d'expression française dans la France d'outre-mer et à l'étranger.* Dans : *Histoire des littératures — vol. III — Littératures françaises, connexes et marginales.* — vol. publ. sous la dir. de Raymond Queneau. (Paris), Gallimard, (1958), p. 1385. « Encyclopédie de la Pléiade ».

Z. (N.) : *Mort de Fernand Crommelynck.* « Le Monde », 19 mars 1970.

ZWEIG (Stefan) : *Le Monde d'hier. Souvenirs d'un Européen.* Paris, Albin Michel, 1948, p. 259.

## 2. Encyclopédies

Anonymes : *Enciclopedia universal ilustrada europeo-americana.* Madrid, Espasa-Calpe, (1931), t. III (apéndice), p. 969.

— : *Algemene Winkler Prins Encyclopedie.* Brussel-Amsterdam, Elsevier, 1956, derde deel, bl. 123.

— : *Encyclopedia Americana — international edition.* New York, Americana Corporation, (1965), t. 8, p. 222.

— : *Brockhaus Enzyklopädie.* Wiesbaden, F.A. Brockhaus, 1968, vierter Band, bl. 206.

— : *Encyclopaedia Universalis — Thesaurus. Index.* Paris, Encyclopaedia Universalis, (1974), vol. 18, p. 477.

V. (R.) : *Le Théâtre : Crommelynck et Ghelderode.* Dans : *Encyclopaedia Universalis.* Paris, Encyclopaedia Universalis, (1968), vol. 3, p. 131.

## C. MÉDIAS DE DIFFUSION COLLECTIVE

*Conférence de Michel de Ghelderode sur Fernand Crommelynck prononcée à la radio.* I.N.R., 23 févr. 1931.

*Interview de Charles Bertin par Henri Roanne au sujet de Fernand Crommelynck.* R.T.B., 14 janv. 1971.

*Hommage à Fernand Crommelynck.* Participants : Albert CROMMELYNCK, Jo DUA, Marcel JOSZ, Daniel MEYER, Jean MOGIN et Jeanine MOULIN. R.T.B., 28 avr. 1974.

## D. CHRONIQUES THÉÂTRALES [1]

**Le Sculpteur de masques** (en vers)
*Création*: Moscou, s.d., 1906.

1908 - Eeckhoud (Georges): « Mercure de France », t. LXXIII, nº 263, 1er juin, pp. 552-560.
Varlez (Armand): « Le Matin de Bruxelles », 17 mars.

1909 - Balmont (C.): « Viesi » (« La Balance »), nº 5. (?)

**Nous n'irons plus au bois...**
*Création*: Bruxelles, Théâtre Royal du Parc, 28 avr. 1906.

1906 - Anonymes: « L'Éventail », 22 avr.; « L'Étoile belge », 30 avr.; « L'Éventail », 6 mai.
C. (Edmond): « La Gazette », 30 avr.
Giraud (Albert); Gilles (Valère) et Solvay (Lucien): « Le Thyrse », IIe sér., t. 7, 1er avr., p. 409.
J. (A.): « Le Matin de Bruxelles », 29 avr.
K. (G.): « Le XXe siècle », 18 oct.
R.: « La Flandre libérale », 2 mai.
Rosy (Léopold): « Le Thyrse », t. VIII, 1er juin, p. 34.
S. (L.): « Le Soir », 30 avr.
V.: « L'Indépendance belge », 2 mai.
V.: « L'Indépendance belge », 13 oct.
V. (A.B.): « Le Petit bleu », 29 avr.
Varlez (Armand): « La Réforme », 30 avr.

1938 - Anonyme: « La Libre Belgique », 30 janv.
D. (R.): « Le Soir », 30 janv.
G. (V.): « La Dernière heure », 29 janv.
Lejeune (Honoré): « Bruxelles-Théâtres », pp. 43-46.
R. (J.): « La Nation belge », 29 janv.

1. Un grand nombre de chroniques théâtrales, réunies par Auguste Rondel dans les dossiers de la Bibliothèque de l'Arsenal de Paris, figurent dans cette partie de la bibliographie. La presque totalité des titres de journaux et des dates de leur parution qui y sont inscrits ont été contrôlés. Mais certaines de ces références sont à demi effacées et appartiennent à des périodiques aujourd'hui disparus dont il a été impossible de retrouver la trace. J'ai toutefois jugé bon de les signaler, même si quelques erreurs peuvent en résulter.

**Chacun pour soi**
Pièce non représentée.

1974 - MOULIN (Jeanine) : *Textes inconnus et peu connus de Fernand Crommelynck. Étude critique et littéraire.* (Bruxelles, Académie Royale de Langue et de Littérature Françaises — Palais des Académies), pp. 7-8.

**Le Chemin des conquêtes**
Pièce non représentée.

1910 - GAUCHEZ (Maurice) : *Le Livre des masques belges.* Mons, Impr. Générale, 2e sér., pp. 196-197.

1911 - Anonyme : « Le Rideau », nº 10, 5-12 mars, p. 2.

1946 - GUILLOT DE SAIX (Léon) : « Les Nouvelles littéraires », 2 mai.

**Le Sculpteur de masques** [1]
*Création :* Paris, Théâtre du Gymnase, 1er ou 2 févr. 1911.

1911 - Anonymes : « Comœdia », 28 janv. ; « Le Temps », 3 févr. ; « Le Cri de Paris », 5 févr. ; « La Presse », 5 févr.
ADERER (Adolphe) : « Le Petit parisien », 2 févr.
AUSTRUY (Henri) : « La Nouvelle revue », 3e sér., t. XIX, 15 févr., pp. 565-566.
BLUM (Léon) : « Comœdia », 2 févr.
BOUR (Armand) : « Le Figaro », 31 janv.
BOYER (Georges) : « Le Petit journal », 2 févr.
CHEVASSU (Francis) : « Le Figaro », 2 févr.
DAVIN DE CHAMPCLOS (G.) : « Comœdia », 1er févr.
DAVIN DE CHAMPCLOS (G.) : « Comœdia », 2 févr.
DEBUSSCHÈRE (H.) : « La Presse », 3 févr.
EMERY : « Comœdia », 2 févr.

1. Lettres polémiques au sujet du *Sculpteur de masques* (1911) : de Fernand Crommelynck : « Comœdia », 3 févr. — « La Petite République » et « La Presse », 4 févr. — « Excelsior », 5 févr. — « Comœdia », 13 févr. De Saint-Georges de Bouhélier : « Le Figaro », 7 févr. — « Excelsior », 13 févr. — « Comœdia », 14 févr.

Fix : « Le Rideau », 5-12 févr.
Galtier (Joseph) : « Excelsior », 2 févr.
Garet (J. M.) : « Comœdia », 4 févr.
Gignoux (Régis) : « Paris journal », 2 févr.
Handler (Louis) : « Comœdia », 31 janv.
Hérold (A.-Ferdinand) : « Mercure de France », t. XC, 1er mars, p. 190.
La Batte : « Fantasio », 15 févr.
Lercy (André) : « L'Intransigeant », 2 févr.
Loiseau (Georges) : « Excelsior », 5 févr.
Martel (Charles) : « L'Aurore », 2 févr.
Mélia (Jean) : « L'Événement », 2 févr.
Messac : « Excelsior », 23 janv.
Miral (Léon) : « Le Rappel », 3 févr.
Nion (François de) : « L'Écho de Paris », 2 févr.
Nozière (Francis) : « L'Intransigeant », 6 févr.
Ponthierry : « La Liberté », 27 janv.
Régnier (Henri de) : « Journal des débats », 13 févr.
Roz (Firmin) : « La Revue bleue », no 6, 1er sem., 11 févr., p. 189.
Sarradin (Édouard) : « Journal des débats », 3 févr.
Schneider (Louis) : « Comœdia », 2 févr.
Souday (Paul) : « L'Éclair », 2 févr.

1916 - G. (P.) : « La Belgique », 19 oct.
Lisy : « Le Bruxellois », 18-19 oct.
Riemasch (Otto) : « Belgischer Kurier », 20 okt.

1917 - Cleef (Isidore van) : « Le Quotidien », 13 févr.

1923 - Fleischman (Théo) : « La Flandre littéraire », no 7, janv., pp. 150-151.

**Étranger** [1]

1926 - Anonyme : « Corriere della sera », 14 nov.
M. (F.M.) : « Giornale d'Italia », 16 nov.

**Le Marchand de regrets**

*Création* : Bruxelles, Théâtre Royal du Parc, 12 mars 1913.

1. Comptes rendus de représentations dans les pays qui ne sont pas de langue française.

1913 - Anonyme : « La Gazette », 13 avr.
D.(A) : « L'Éventail », 13 avr.
D.(A) : « Le Soir », 13 avr.
DUMONT-WILDEN (Louis) : « L'Indépendance belge », 14 avr.
S. (L.) : « L'Étoile belge », 12 avr.
SAINT-CENDRE (de) : « La Chronique », 12 avr.

1917 - RIEMASCH (Otto) : « Belgischer Kurier », 11 jan.

1927 - BORROSSI (Michel) : « Le Soir », 6 févr.
CARDINNE-PETIT (R.) : « Le Figaro », 22 juin.
CŒUROY (André) : « Paris-Midi », 21 juin.
COURTADE (Jean) : « La Renaissance », n° 26, 25 juin, pp. 12-13.
DESBONNETS (Charles) : « Midi », 1er févr.
DUBECH (Lucien) : « Candide », 30 juin.
DUBECH (Lucien) : « L'Action française », 31 juil.
LE CARDONNEL (Georges) : « Le Journal », 22 juin.
M. (P.) : « Comœdia », 17 juin.
MALHERBE (Henry) : « Le Temps », 13 juil.
MAUDRU (Pierre) : « Comœdia », 20 juin.
PIOCH (Georges) : « La Volonté », 20 juin.
PIOCH (Georges) : « Le Soir », 21 juin.
SCHMITT (Florent) : « Paris matinal », 24 juin.
SCHNEIDER (Louis) : « Le Gaulois », 21 juin.
SORDEL (Dominique) : « L'Action française », 28 juin.
WISNER (René) : « Le Carnet de la semaine », 26 juin.

1930 - J. « La Dernière heure », 27 oct.

1952 - DUMESNIL (René) : « Le Monde », 4 juil.

**Étranger**

1927 - Anonyme : « Nazione », 22 giugno.

## Le Cocu magnifique

*Création :* Paris, Théâtre de la Maison de l'Œuvre, 18 déc. 1920.

1920 - Anonyme : « Comœdia », 26 déc.
BEAUNIER (André) : « L'Écho de Paris », 20 déc.
BEAUPLAN (Robert de) : « La Liberté », 20 déc.
BIDOU (Henry) : « Journal des débats », 27 déc.

Bourdon (Georges) : « Comœdia », 21 déc.
Brisson (Adolphe) : « Le Temps », 27 déc.
Dumas (André) : « L'Ère nouvelle », 21 déc.
Flers (Robert de) : « Le Gaulois », 27 déc.
Fontanges (J. M.) : « Bonsoir », 20 déc.
Fréjaville (Gustave) : « Journal des débats », 21 déc.
Fuchs (Paul) : « Force française », 29 déc.
Gignoux (Régis) : « Le Figaro », 21 déc.
Granet (Paul) : « Ève », 9 janv.
Lecocq (Charles) : « La Nervie », 1re sér., 1920-21, pp. 469-472.
Lombard (Paul) : « L'Homme libre », 20 déc.
M. (I.): « Comœdia », 17 déc.
Méré (Charles) : « Excelsior », 20 déc.
Nozière : « L'Avenir », 20 déc.
Nys (Raymond de) : « Paris-Midi », 22 déc.
Nys (Raymond de) : « L'Éclair », 25 déc.
Pawlowski (G. de) : « Le Journal », 25 déc.
Savoir (Alfred) : « Bonsoir », 20 déc.
Sée (Edmond) : « Bonsoir », 20 déc.
Souday (Paul) : « Paris-Midi », 21 déc.

1921 - Anonymes : « Comœdia », 14 janv. ; « La Connaissance », nº 2, mars, pp. 172
Arnyvelde (André) : « Le Carnet de la semaine », 9 janv.
Azaïs (Marcel) : « Essais critiques », 2e sér., nº 19, 1er avr., pp. 269-273.
Béraud (Henri) : « Mercure de France », t. CXLV, nº 542, 15 janv., p. 465-467.
Berton (Claude) : « Les Marges », t. XX, nº 81, 15 mars, pp. 202-205.
Catulle-Mendès (Jane) : « La Presse », 24 déc.
Courville (Xavier de) : « Revue critique des idées et des livres », t. XXXI, nº 181, 25 janv., pp. 221-223.
Marlow (Georges) : « Mercure de France », t. CXLVII, nº 548, 15 avr., p. 519.
Montboron : « Comœdia », 30 sept.
Morand (Paul) : « La Nouvelle revue française », t. XVI, nº LXXX, 1er mars, pp. 373-374.
Rieu (Marcel) : « Comœdia », 22 déc.
Rieu (Marcel) : « Comœdia », 24 déc.
Ruth (Léon) : « Le Thyrse », IVe sér., t. XVIII, 1er févr., pp. 45-47.
Turpin (François) : « La Connaissance », nº 1, févr., pp. 77-79.
V.H. (P.-G.) : « Signaux », nº 2, 1er juin, pp. 101-102.
Werth (Léon) : « Le Journal du peuple », 5 janv.

1922 - ANTOINE : « L'Information », 2 janv.
MOUSSINAC (Léon) : « Le Théâtre — Comœdia illustré », n[lle] sér., n° 1, janv., s.p.

1923 - Anonyme : « Comœdia », 18 sept.
DUKES (Ashley) : *The Youngest drama. Studies of fifty dramatists.* London, Ernest Benn, pp. 85-90.
LUGNÉ-POE : « L'Éclair », 18 sept.
P. (R.-L.) : « Journal de Genève », 18 sept.

1925 - ALPHAND (Gabriel) : « Comœdia », 16 sept.
BANCEL (Henri) : « La Voix du combattant », 10 oct.
BOISSY (Gabriel) : « Comœdia », 17 sept.
BOURGEOIS (Pierre) : « 7 arts », n° 21, 26 mars.
GUERNES (André) : « Le Soir », 16 sept.
INTERIM : « Excelsior », 16 sept.
MADELIN : « L'Éclair », 16 sept.
NOZIÈRE : « L'Avenir », 17 sept.
ORTHYS (Fred) : « Le Matin », 16 sept.
PIOCH (Georges) : « L'Ère nouvelle », 16 sept.
SCHNEIDER (Louis) : « Le Gaulois », 16 sept.
SÉE (Edmond) : « L'Œuvre », 16 sept.
VOLLAND (Gabriel) : « La Presse », 18 sept.
WISNER (René) : « Le Carnet de la semaine », 27 sept.

1926 - AZAÏS (Marcel) : *Le Chemin des Gardies.* Préf. de Lucien Dubech. Paris, Nouvelle Librairie Nationale, pp. 332-336.
MAURIAC (François) : « Les Cahiers d'Occident », 2e sér., n° 5, pp. 78-79.

1927 - Anonyme : « Les Nouvelles littéraires », 24 déc.
ANTOINE : « L'Information », 26 déc.
BRISSAC (Jacques) : « Le Soir », 13 janv.
G. (P.) : « Le Petit parisien », 25 déc.
KEMP (Robert) : « La Liberté », 22 déc.
LUGNÉ-POE : « Paris-Soir », 29 déc.
MÉRÉ (Charles) : « Excelsior », 24 déc.
NOZIÈRE (Fernand) : « La Rumeur », 23 déc.
PIOCH (Georges) : « La Volonté », 22 déc.
PIOCH (Georges) : « Le Soir », 22 et 28 déc.
REY (Étienne) : « Comœdia », 22 déc.

1928 - Anonyme : « Comœdia », 31 janv.
BAU (Marcel de) : « Candide », 2 févr.
ROUVEYRE (André) : « Mercure de France », t. CCI, n° 711, 1er févr., p. 693.

1929 - Anonymes : « Comœdia », 23 avr. ; « Comœdia », 24 mai.
D. (A.) : « Le Soir », 18 avr.
DEPAYE (Jean) : « Le Face à main », 27 avr.
NOZIÈRE (Fernand) : « L'Avenir », 27 mai.
ORTHYS (Fred) : « Le Matin », 27 mai.
R. (G.) : « L'Indépendance belge », 18 avr.
SÉE (Edmond) : « L'Œuvre », 22 mai.

1930 - BIDOU (Henry) : « Le Journal des débats », 27 janv.
BLOCH (Jean-Richard) : *Destin du théâtre.* (Paris), Gallimard, p. 114.
CHAMPCLOS (G. Davin de) : « L'Éclaireur », 10 avr.
DUCROCQ (Pierre) : « L'Ordre », 30 déc.
GUITTES (Emmy) : « L'Intransigeant », 24 déc.
L. (P.) : « Comœdia », 21 déc.
LIAUSU (Jean-Pierre) : « Comœdia », 27 déc.

1931 - DAVID (André) : « Gringoire », 9 janv.
PIOCH (Georges) : « Le Soir », 11 sept.

1935 - Anonyme : « Excelsior », 30 sept.
BOUVARD (Roland) : « L'Ordre », 9 oct.
DUBECH (Lucien) : « L'Action française », 11 oct.
FRANTEL (Max) : « Comœdia », 3 oct.

1937 - LEJEUNE (Honoré) : « Bruxelles-Théâtre », pp. 305-307.
WERRIE (Paul) : « Cassandre », 27 nov.

1938 - BELLESORT (André) : *Le Plaisir du théâtre.* Paris, Libr. Académique Perrin, pp. 204-208.

1941 - Anonymes : « Comœdia », 16 août ; « Le Franciste », 13 sept.
ARMORY : « Les Nouveaux temps », 9 sept.
B. (G.) : « L'Appel », 11 sept.
BAROIS (Jean) : « Aujourd'hui », 4 sept.
BELLESORT (André) : « La Voix française », 26 sept.
BÉRAT (Jean) : « Le Petit Havre », 19 sept.
CASTELOT (André) : « L'Écho de Nancy », 18 sept.
CASTELOT (André) : « La Gerbe », 19 sept.
DELORME (Hugues) : « Paris toujours », 13 sept.
DUJAY (Edouard) : « La France », 9 oct.
GRACIET (Lucien) : « Tout et tout », 13 sept.
HÉBERTOT (Jacques) : « L'Auto », 3 sept.
HÉBERTOT (Jacques) : « Le Cri du peuple », 6 sept.
HÉBERTOT (Jacques) : (Titre non identifié), 15 sept.
LABAZÉE (Emmanuel) : « Mon pays », 15 oct.

LAPIERRE (Marcel) : « L'Atelier », 13 sept.
LAUBREAUX (Alain) : « Le Petit parisien », 5 sept.
LAUBREAUX (Alain) : « Je suis partout », 6 sept.
LAURENT (Jean) : « Les Nouveaux temps », 5 sept.
LINDOR : « La Dépêche de Tours », 11 sept.
MASTEAU (Pierre) : « La Jeunesse », 21 sept.
MÉRÉ (Charles) : « Aujourd'hui », 12 sept.
NOVY (Yvon) : « Comœdia », 30 août.
PIOCH (Georges) : « L'Œuvre », 13 sept. (?)
PURNAL (Roland) : « Comœdia », 6 sept.
QUINET (Charles) : « Le Matin », 8 sept.
RÉGENT (Roger) : « Comœdia », 13 sept.
ROSTAND (Maurice) : « Paris-Midi », 6 sept.
TRINTZIUS (René) : « Journal de Normandie », 23 oct.
V. (P.) : « L'Information universitaire », h.s., sept., p. 4.
WERRIE (Paul) : « Le Nouveau journal », 21 janv.
WERRIE (Paul) : « Cassandre », 1er juin.

1945 - BLANQUET (Marc) : « Opéra », 26 déc.

1946 - ALTER (André) : « L'Aube », 8 janv.
AMBRIÈRE (Francis) : « Clartés », 25 janv.
AVRAN (Jean) : « La Marseillaise », 17-23 janv.
BEIGBEDER (Marc) : « Étoiles », 29 janv.
BEIGBEDER (Marc) : « Le Courrier de l'étudiant », 15 févr.
BERNANOSE (G. M.) : « Heures nouvelles », 22 janv.
BRUNSCHWIK (René) : « Le Courrier de Paris », 9 janv.
COGNIAT (Raymond) : « Arts », 11 janv.
DELARUE (Maurice) : « Terre des hommes », 26 janv.
GAILLARD (Pol) : « Les Lettres françaises », 25 janv.
H. (G.) : « Journal de Genève », 10 avr.
HÉBERTOT (Jacques) : « L'Ordre », 10 et 11 mars.
HUISMAN (Georges) : « La France au combat », 24 janv.
KEMP (Robert) : « Le Monde », 22 janv.
LAMBERT (Jean) : « Le Pays », 20 janv.
MARCEL (Gabriel) : « Les nouvelles littéraires », 31 janv.
MAUCHAMPS (J.) : « Spectateur », 16 janv.
MAULNIER (Thierry) : « Essor », 2 févr.
NOVY (Yvon) : « Cité-Soir », 8 janv.
NOVY (Yvon) : « La Bataille », 10 janv.
ROUX (François de) : « Minerve », 29 janv.
SANTELLI (César) : « La Voix de Paris », 12 janv.
TOUCHARD (Pierre-Aimé) : « Opéra », 23 janv.
TREICH (Léon) : « Mondes », 23 janv.

1950 - Anonyme : « La Libre Belgique », 5 mars.
D. (R.) : « Le Soir », 5 mars.

DELANUIT (G.) : « Pourquoi pas ? », nº 1632, 10 mars, p. 666.
P. (R.) : « La Dernière heure », 5 mars.
SION (Georges) : « Les Beaux-Arts », 3 mars.

1957 - Anonymes : « La Cité », 17 avr. ; « La Libre Belgique », 17 avr.
C. (J.-M.) : « Le Thyrse », IVe sér., nº 5, 1er mai, pp. 229-230.
Cl. (H.) : « Le Phare dimanche », 21 avr.
MILLER (Henry) : *Les Livres de ma vie*. Paris, Gallimard, pp. 335 et 366.
P. (R.) : « La Dernière heure », 17 avr.
RACKER (Heinrich) : « Revue française de psychanalyse », t. XXI, nº 6, nov.-déc., pp. 839-855.
SION (Georges) : « Les Beaux-Arts », 19 avr.
SION (Georges) : « L'Éventail », 19 avr.

1966 - BERTRAND (Joseph) : « Pourquoi pas ? », nº 2471, 7 avr., pp. 135-136.
FRINGILLA (Rob) : « L'Éventail », 8 avr.
GORIS (Jan-Albert) : Dans : *By way of introduction*. Dans : *Two great Belgian plays, about love. The Magnificent cuckold* by Fernand Crommelynck. *The Burlador* by Suzanne Lilar. Transl. from the french by Marnix Gijsen (pseud. of Jan-Albert Goris). New York, Heineman, pp. VII-XIV.
L. (J.) : « La Cité », 4 avr.
L. (J.) : « Le Phare dimanche », 10 avr.
O. (M.) : « La Libre Belgique », 4 avr.
P. (A.) « Le Soir », 3-4 avr.
V. (A.) : « La Dernière heure », 3-4 avr.

1969 - Anonyme : « Le Figaro », 27 janv.
GALEY (Mathieu) : « Les Nouvelles littéraires », 13 févr.
GAUTIER (Jean-Jacques) : « Le Figaro », 7 févr.
MAULNIER (Thierry) : « La Revue de Paris », mars, p. 133.
POIROT-DELPECH (B.) : « Le Monde », 7 févr.

1970 - FEAL-DEIBE (Carlos) : « Revue de littérature comparée », nº 3, juil.-sept., pp. 403-409.

1971 - FEAL (Gisèle) : « Romance notes », vol. XIII, nº 2, winter, pp. 197-203.

1972 - FEAL (Gisèle) : « Revue des langues vivantes », nº 6, pp. 604-618.

1974 - Anonyme : « La Libre Belgique », 15 mai.
BERTRAND (Joseph) : « Pourquoi pas ? », nº 2896, 30 mai, pp. 172-173.
CANDIDE : « L'Éventail », 7 juin.

R. (Y.) : « La Dernière heure », 18-19 mai.
S. (J.) : « « La Libre Belgique », 18-19 mai.
VERMEULEN (Marcel) : « Le Soir », 18 mai.

1975 - BRASSAI- *Henry Miller grandeur nature.* (Paris), Gallimard, p. 111.

**Étranger**

*Allemagne :*

1922 - Anonyme : « Berliner Tageblatt », 25 nov.
ENGEL (Fritz) : « Berliner Tageblatt », 27 nov.

1930 - KERR (Alfred) : « Berliner Tageblatt », 14 apr.

*Angleterre :*

1932 - Anonymes : « The Times », 24 may ; « Comœdia », 24 juin.
F. (W.) : « Morning post », 24 may.

*Argentine :*

1925 - Anonyme : « Nacion de Buenos Ayres », 13 oct.

*Hongrie :*

1923 - GALAMB (Sándor) : « Napkelet », p. 889.

1942 - BÁRDOS (Artur) : *Játék a függöny mögött* (*Jeux derrrière le rideau*). Budapest, Dr. Vajna és Bokor, pp. 79-80 ; 104-105.

1971 - SZANTO (Judith) : (Dans) *Szinházi Kalauz.* Budapest, Ed. Gondolat, (s.p.).

*Italie :*

1922 - Anonymes : « Comœdia », 2 ott. ; « Secolo », 30 sett.

1923 - Anonyme : « Corriere della sera », 19 dic.
TIERI (Vincenzo) : « Giornale di Roma », 23 giugno.

1924 - MI (Gl.) : « Stampa », 3 gen.

1925 - Anonyme : « Stampa Torino », 5 maggio.
BÉRAUD (Henri) : (Titre non identifié), 19 mai.
SIMONI (Renato) : « Corriere della sera », 5 maggio.

1955 - FERRIERI (Enzo) : Prefazione (au) *Il Magnifico cornuto.* Milano, Fiaccola, IX p.

*Norvège :*

1924 - Bødtker (Sigurd) : « Tidens Tegn », 2 aug.
Homén (Olaf) : « Hafondstakblatt », 14 des.

*Pologne :*

1924 - Roquigny : « Journal de Pologne », 7 mars.
Woroniecki (E.) : « Comœdia », 25 avr.

*Russie :*

1922 - Anonyme : « Vetchernie Izvestia », 22 mesjac.
Lounatcharsky (A.) : « Izvestia », 14 mesjac.
Meyerhold (Vsevolod) : « L'Ermitage », n° 2.

1926 - Meyerhold (Vsevolod) : « Novyi Zritel » (« Le Nouveau spectateur »), n° 39.
Pavlov (V.) : « Novyi Zritel » (« Le Nouveau spectateur »), n° 40.
Pavlov (V.) : « Jisn Iskoustva » (« La Vie de l'art »), n° 40.

1928 - Talkinov : « Sovremeni Teatr » (« Le Théâtre contemporain »), n° 9.

1933 - Meyerhold (Vsevolod) : « The Observer », 20 aug.

1973 - Chkounaeva (Inna Dimitrievna) : *Belgiiskii theatr ot Meterlinka do nachikh dnei. (Le Théâtre belge, de Maeterlinck à nos jours).* Moskva, Iskousstvo, pp. 223-277.

1974 - Zand (Nicole) : « Le Monde », 14 mars.

1975 - Meyerhold (Vsevolod) : *Écrits sur le théâtre.* (Lausanne), La Cité — L'Age d'homme, (1975), t. II, pp. 93, 95, 96, 268, 270..

1976 - S. (J.) : « Le Monde hebdomadaire », 4-10 mars 1976.

*Tchécoslovaquie :*

1923 - H. (J.) : « Venkov », 1er kveten.
Kazetka : « Lidové Noviny », 1er kveten.
P. (O.) : « Prager Presse » 1er mai.
Rutte (M.) : « Narodny Listy », 1er kveten.

1929 - Anonyme : « Lidové Noviny », 9 duben.
Il : « Narodni Listy », 14 duben.

**Les Amants puérils**

*Création:* Bruxelles, Théâtre des Galeries, 28 oct. 1918. Paris, Comédie Montaigne, 14 mars 1921.

1918 - Florian (Max) : « Le Messager de Bruxelles », 29 oct.

1921 - Aderer (Adolphe) : « Le Temps », 16 mars.
Antoine : « L'Information », 21 mars.
Azaïs (Marcel) : « Essais critiques », 3e sér., no 23, 1er juin, pp. 74-77.
B. (R.) : « Demain », 17 mars.
Bastia (Jean) : « Comœdia », 16 mars.
Beaunier (André) : « L'Écho de Paris », 16 mars.
Beauplan (Robert de) : « La Liberté », 16 mars.
Béraud (Henri) : « Mercure de France », t. CXLVII, no 548, 15 avr., pp. 471-473.
Berton (Claude) : « Les Marges », t. XXI, no 83, 15 mai, pp. 61-64.
Bidou (Henry) : « Journal des débats », 21 mars.
Boisson (Marius) : « Comœdia », 14 mars.
Bourdon (Georges) : « Comœdia », 16 mars.
Capy (Marcelle) : « La Vague », 21 mars.
Catulle-Mendès (Jane) : « La Presse », 16 mars.
Courville (Xavier de) : « La Revue critique des idées et des livres », t. XXXII, no 186, 10 avr., pp. 100-102.
Dethomas (Maxime) : « Comœdia », 16 mars.
Dubech (Lucien) : « L'Action française », 20 mars.
Dunan (Renée) : « Le Populaire », 18 mars.
Fontanges (J.-M.) : « Bonsoir », 16 mars.
Gignoux (Régis) : « Le Figaro », 16 mars.
Ginisty (Paul) : « Le Petit parisien », 17 mars.
Gregh (Fernand) : « Comœdia », 16 mars.
Guillot de Saix (Léon) : « La France », 19 et 20 mars.
Haag (Jules) : « L'Événement », 15 mars.
Le Bret (André) : « Bonsoir », 29 mars.
Le Bret (André) : « L'Événement », 14 mars.
Létraz (Jean de) : « Le Clairon », 26 mars.
Lugné-Poe : « L'Éclair », 22 mars.
Martinet (Marcel) : « L'Humanité », 17 mars.
Méré (Charles) : « Excelsior », 16 mars.
Mille (Pierre) : « La Renaissance », no 18, 30 avr., p. 23.
Nozière : « L'Avenir », 16 mars.
Orthys (Fred) : « Le Matin », 16 mars.
Pawlowski (Gaston de) : « Le Journal », 16 mars.

RIVIÈRE (Jacques): « La Nouvelle revue française », t. XVI, n° XCII, 19 mai, pp. 622-623.
ROGER-MARX (Claude) : « Comœdia illustré », n° 7, 20 avr., p. 342.
SAVOIR (Alfred) : « Bonsoir », 16 mars.
SCHNEIDER (Louis) : « Le Gaulois », 17 mars.
SCIZE (Pierre) : « Bonsoir », 16 mars.
SÉE (Edmond) : « Bonsoir », 16 mars.
SÉE (Edmond) : « L'Œuvre », 16 mars.
VALÈRE : « Bonsoir », 18 mars.

1925 - PÉRIER (Odilon-Jean) : « Le Disque vert », 4e sér., n° 1, pp. 34-40.

1926 - AZAÏS (Marcel) : *Le Chemin des Gardies.* Préf. de Lucien Dubech. Paris, Nouvelle Librairie Nationale, pp. 337-340.
MAURIAC (François) : « Les Cahiers d'Occident », 2e sér., n° 5, pp. 79-81.

1938 - LUGNÉ-POE : « Le Soir », 16 ou 17 avr. (?)

1939 - BLANCHART (Paul) : *Gaston Baty.* Paris, Ed. de la Nouvelle Revue Critique, pp. 30 et 91.

1942 - WERRIE (Paul) : « Cassandre », 8 et 22 mars.
WERRIE (Paul) : « Le Nouveau journal », 17 mars.

1947 - RIVIÈRE (Jacques): *Nouvelles études.* (Paris), Gallimard, 1947, pp. 170-171.

1956 - A. (A.) : « Témoignage chrétien », 6 avr.
A. (F.) : « L'Information », 3 mars.
ANTONINI (Giacomo) : « Femina-Théâtre », n° 27, juil.-août, pp. 2-3 couv.
BLANQUET (Marc) : « France-Soir », 30 mars.
CROMMELYNCK (F.) : « Arts », n° 563, 11-17 avr. p. 3.
D. (J.-M.) : « Le Franc-tireur », 15 mars.
GARAMBE (B. de) : « Rivarol », 5 avr.
GAUTIER (Jean-Jacques) : « Le Figaro », 30 mars.
GUIGNEBERT (Jean) : « La Libération », 4 avr.
JOLY (G.) : « L'Aurore », 30 mars.
LEBESQUE (Morvan) : « Carrefour », 11 avr.
LEMARCHAND (Jacques) : « Le Figaro littéraire », 7 avr.
LEMARCHAND (Jacques): « La Nouvelle revue française », n° 7, 1er mai, pp. 899-903.
LERMINIER (Georges) : « Le Parisien », 30 mars.

MAGNAN (Henry) : « Le Monde », 30 mars.
MARCABRU (Pierre) : « Arts », 4-10 avr.
ROCHE (France) : « France-Soir », 29 mars.
SABRAN (Béatrice) : « Aspects de la France et du monde », 4 mai.
SAUREL (Renée) : « L'Information », 3 avr.
SOVEL (Etienne) : « Paris-Presse », 31 mars.
SYLVA (Colette) : « L'Information », 15 mars.
TREICH (Léon) : « L'Aurore », 23 mars.
V. (I.) : « La Croix », 8 avr.
VAILLANT (Annette) : « Les Nouvelles littéraires », 5 avr.
ZERAFFA (M.) : « Europe », n° 127, juil., pp. 140-141.

1963 - L. (J.) : « La Cité », 26 oct.

1967 - BAIGNIÈRES (Claude) : « Le Figaro », 11 mai.
GILLES (Edmond) : « L'Humanité », 16 mai.
MARCEL (Gabriel) : « Les Nouvelles littéraires », 18 mai.

**Étranger**

1924 - KERR (Alfred) : « Berliner Tageblatt », 23 jan.

1925 - Anonyme : « Narodni Listy », 2 rijen.
RUTTE (M.) : « Lidové Noviny », 25 zari.

1926 - Anonyme : « Narodni Listy », 11 brezen.
B. (Iille) : « Prager Presse », 12 marz.
CASSIUS : « Lidové Noviny », 11 brezen.

## Tripes d'or

*Création :* Paris, Comédie des Champs-Élysées, 29 avr. 1925.

1925 - Anonyme : « Aux Écoutes », 10 mai ; « La Flandre littéraire », n° 10, 15 mai-15 juin, p. 135.
A. (Paul) : « Paris-Midi », 19 et 30 avr.
ANTOINE : « L'Information », 4 mai.
ARMORY : « Comœdia », 1er mai.
BEAUNIER (André) : « L'Écho de Paris », 1er mai.
BIDOU (Henry) : « Journal des débats », 4 mai.
BILLY (André) : « Mercure de France », t. CLXXX, n° 647, 1er juin, p. 489.
BRISSON (Pierre) : « Le Temps », 1er mai.
C. (A.) : « Le Soir », 2 mai.

Catulle-Mendès (Jane) : « La Patrie », 3 mai.
Cogniat (Raymond) : « Comœdia », 29 avr.
C. (F.) : « La Flandre littéraire », 15 juin-15 juil.
Crommelynck (Fernand) : « Le Figaro », 29 avr.
Demasy (P.) : « Le Soir », 2 mai.
Descaves (Lucien) : « L'Intransigeant », 2 mai.
Dubech (Lucien) : « Candide », 7 mai.
Fischer (Max et Alex) : « La Liberté », 2 mai.
Fourrier (Marcel) : « L'Humanité », 5 mai.
Fréjaville (Gustave) : « Journal des débats », 1er mai.
Gignoux (Régis) : « Comœdia », 1er mai.
Ginisty (Paul) : « Le Petit parisien », 1er mai.
Lang (André) : « Comœdia », 4 mai.
Lazareff (Pierre) : « Le Soir », 29 avr.
Lombard (Paul) : « La Renaissance », 16 mai.
Lugné-Poe : « L'Éclair », 1er mai.
Marsan (Eugène) : « Le Nouveau siècle », 4 juin.
Mauriac (François) : « La Nouvelle revue française », t. XXIV, janv.-juin, pp. 1051-1052.
Méré (Charles) : « Excelsior », 1er mai.
Nozière : « L'Avenir », 3 mai.
Orthys (Fred) : « Le Matin », 2 mai.
Pawlowski (G. de) : « Le Journal », 7 mai.
Pawlowski (G. de) : « Candide », 28 mai.
Pioch (Georges) : « L'Ère nouvelle », 2 mai.
Reuillard (Gabriel) : « Paris-Soir », 1er mai.
Schneider (Louis) : « Le Gaulois », 1er mai.
Sée (Edmond) : « L'Œuvre », 1er mai.
Sée (Edmond) : « Journal littéraire », n° 55, 9 mai, p. 14.
Speth (William) : « La Revue mondiale », vol. CLXV, Xe sér., n° 10, 15 mai. pp. 195-197.
Vautel (Clément) : « Le Journal », 4 mai.

1926 - Mauriac (François) : « Les Cahiers d'Occident », 2e sér., n° 5, pp. 81-82.

1929 - Marion (Denis) : « La Nouvelle revue française », n° 192, 1er sept., pp. 424-426.

1933 - Mortier (Alfred) : *Quinze ans de théâtre (1917-1932)*. Paris, Albert Messein, 1933, pp. 298-300.

1938 - Anonyme : « Le Soir », 11 oct.
Dupierreux (Richard) : « Le Soir », 14 oct.
K. (G.) : « La Libre Belgique », 14 oct.

LEJEUNE (Honoré) : « Bruxelles-Théâtres », pp. 225-228.
THIBAUT (Armand) : « L'Étoile belge », 14 oct.
WERRIE (Paul) : « Cassandre », 29 oct.

1940 - MARÉCHAL (Eugène) : « Le Pays réel », 13 déc.
W. (P) : « Le Nouveau journal », 12 déc.
WERRIE (Paul) : « Le Nouveau journal », 17 déc.

1944 - JOUVET (Louis) : *Réflexions du comédien*. Bruxelles-Paris, Éditions du Sablon, p. 32.

1945 - Anonymes : « Le Peuple », 8 déc. ; « La Lanterne », 11 déc.
CUYPERS (Firmin) : « Le Journal de Bruges », 13 déc.
N. (V.) : « La Dernière heure », 9 déc.

1977 - HENNING (Sylvie Debevec) : *La Lutte entre Carnaval et Carême : « Tripes d'or » de Fernand Crommelynck et « Magie rouge » de Michel de Ghelderode*. « Revue des langues vivantes », vol. XLIII, n° 2, pp. 172-183.

### Étranger

1926 - Anonyme : « Corriere della sera », 30 giugno.
MARTINI (Fausto M.) : « Giornale d'Italia », 1 luglio.

1929 - Anonyme : « La Nazione », 30 aprile.

1955 - DE M. (J.) : *Inhoud* (à) « *Goudendarm* » *door F. Crommelynck*. (Programme du) Stadsschouwburg — Amsterdam, s.p.

### Carine

*Création :* Paris, Théâtre de l'Œuvre, 19 déc. 1929.

1929 - Anonymes : « Le Figaro », 19 déc. ; « Paris-Midi », 19 déc.
ACHARD (Paul) : « L'Ami du peuple », 29 déc.
ANTOINE : « L'Information », 24 déc.
BASCH (Victor) : « La Volonté », 26 déc.
BIDOU (Henry) : « Journal des débats », 23 déc.
BRISSON (Pierre) : « Le Temps », 30 déc.
CROMMELYNCK (Fernand) : « L'Ami du peuple », 17 déc.
DELINI (J.) : « Comœdia », 19 déc.
DESCAVES (Lucien) : « L'Intransigeant », 21 déc.

Didier (Paul) : « Paris-Soir », 20 déc.
Houville (Gérard d') : « Le Figaro », 23 déc.
Jean-Pierre : « Le Charivari », 28 déc.
Kemp (Robert) : « La Liberté », 22 déc.
L. (J.) : « L'Ami du peuple du soir », 21 déc.
Lamandé (André) : « L'Européen », 29 déc.
Lenormand (H. R.) : « L'Intransigeant », 26 déc.
Marteaux (Jacques) : « Journal des débats », 22 déc.
Martin du Gard (Maurice) : « Les Nouvelles littéraires », 28 déc.
Méré (Charles) : « Excelsior », 22 déc.
Milan (Henry) : « L'Ami du peuple », 22 déc.
Pawlowski (G. de) : « Le Journal », 24 déc.
Pioch (Georges) : « Le Soir », 22 déc.
Pioch (Georges) : « La Volonté », 21 déc.
Prist (Paul) : « L'Indépendance belge », 22 déc.
Prudhomme (Jean) : « Le Matin », 21 déc.
Raynal (Paul) : « Comœdia », 27 déc.
Reboux (Paul) : « Paris-Soir », 21 déc.
Rey (Étienne) : « Comœdia », 21 déc.
Rostand (Maurice) : « Le Soir », 21 déc.
Sée (Edmond) : « L'Œuvre », 21 déc.
Septime : « L'Ami du peuple », 29 déc.
Strowski (Fortunat) : « Paris-Midi », 20 déc.
V. (H.) : « Le Soir », 18 déc.
Veber (Pierre) : « Le Petit journal », 21 déc.

1930 - Anonymes : « Aux écoutes », 1er févr. ; « Chantecler », 1er mars ; « Le Soir », 22, 25 et 26 oct.
Arland (Marcel) : « La Nouvelle revue française », nº 198, 1er mars, pp. 433-435.
Bauer (Gérard) : « Les Annales », nº 235, 15 janv., pp. 65-66.
Bernard (Jean-Jacques) : « Comœdia », 10 et 12 janv.
Bidou (Henry) : « Journal des débats », 27 janv.
Bost (Pierre) : « Revue hebdomadaire », 1er févr., pp. 102-109.
Caen (Edouard) : « Le Monde », 20 sept.
Gandrey-Rety (Jean) : « Chantecler », 25 janv.
Laban (Maurice) : « Paris-Midi », 3 févr.
Lugné-Poe : « Le Figaro », 3 janv.
M. : « L'Ami du peuple », 9 févr.
Massue (Hubert de la) : « La Griffe », 23 janv.
Milly (Charles) : « Gringoire », 14 févr.
Missac (Pierre) : « Sud magazine », 1er avr.
Nozière : « L'Avenir », 13 janv.
Pax (Paulette) : « Comœdia », 11 janv.
Priacel (Stefan) : « Le Monde », 18 janv.

R. (G.) : « L'Indépendance belge », 26 oct.
R. (J.) : « La Nation belge », 26 oct.
ROUVEYRE (André) : « Mercure de France », t. CCXVII, nº 759, 1er févr., pp. 671-673.
SABATIER (Pierre) : « Le Monde illustré », nº 3761, 18 janv.
SPETH (William) : « Revue mondiale », vol. CLXXXXV, 1er janv., pp. 93-94.
VILLENEUVE (André) : « L'Action française », 21 févr.

1934 - Anonyme : « La Libre Belgique », 7 nov.
D. (D.) : « Le Soir », 7 nov.
LEJEUNE (Honoré) : « Bruxelles-Théâtres », nov., pp. 320-322.
P. (L.) : « Le Peuple », 6 nov.
R. (G.) : « L'Indépendance belge », 6 nov.

1943 - ELST (Pierre) : « Le Pays réel », 9 avr.
WERRIE (Paul) : « Le Nouveau journal », 6 avr.
WERRIE (Paul) : « Cassandre », 11 avr.

1949 - ALTER (André) : « L'Aube », 20 sept.
AMBRIÈRE (Francis) : « Opéra », 14 sept.
BAILLY (René) : « Larousse mensuel », t. XII, nº 422, oct., p. 354.
BARREAUX (Jacques des) : « L'Époque », 12 sept.
BEIGBEDER (Marc) : « Le Parisien libéré », 8 sept.
CHONEZ (Claudine) : « Combat », 9 sept.
COGNIAT (Raymond) : « Arts », 16 sept.
DÉON (Michel) : « Aspects de la France et du monde », 22 sept.
DORNAND (Guy) : « La Libération », 9 sept.
DUCROCQ (Pierre) : « Paroles françaises », 16 sept.
E. (L.) : « La Croix », 18-19 sept.
F. (A.) : « Le Populaire », 8 sept.
GATTEGONO (Maurice) : « Juvenal », 16 sept.
JEENER (J.B.) : « Le Figaro », 30 août.
JOLY (G.) : « L'Aurore », 8 sept.
KEMP (Robert) : « Le Monde », 9 sept.
LASSIEUR (Pierre) : « Climats », 23 sept.
LERMINIER (Georges) : « L'Aube », 7 sept.
MEEKER (Oden & Olivia) : « New York Herald tribune, Paris », 17 oct.
RANSAN (André) : « Ce Matin », 8 sept.
RAPIN (Maurice) : « Le Figaro », 8 sept.
VERDOT (Guy) : « Le Franc-tireur », 8 sept.

**Une femme qu'a le cœur trop petit**

*Création:* Bruxelles, Palais des Beaux-Arts, 11 janv. 1934. Paris, Théâtre de l'Œuvre, 15 janv. 1934.

1934 - Anonymes: « Le Soir », 8 janv.; « Le Matin », 9 janv.; « La Libre Belgique », 12 janv.; « Comœdia », 16 janv.
ANTOINE: « L'Information », 24 janv.
ARMORY: « Comœdia », 17 janv.
AUDIAT (Pierre): « Paris-Soir », 17 janv.
BELLESSORT (André): « Journal des débats », 22 janv.
BOURDET (Edouard): « Marianne », 24 janv.
BR. (J.-J.): « Paris-Midi », 5 janv.
BRASILACH (Robert): « La Revue universelle », t. LVI, n° 22, 15 févr., p. 510.
BRISSON (Pierre): « Le Temps », 22 janv.
CARDINNE-PETIT (R. R.): « Le Quotidien », 17 janv.
CLERAY (Edmond): « Le Miroir » (?), 27 janv.
COLETTE: « Le Journal », 21 janv.
COPEAU (Jacques): « Les Nouvelles littéraires », 27 janv.
CRÉMIEUX (Benjamin): « Je suis partout », 20 janv.
D. (P.): « Le Soir », 18 janv.
D. (R.): « Le Soir », 10 janv.
DELINI (J.): « Comœdia », 15 janv.
DESCAVES (Lucien): « L'Intransigeant », 17 janv.
DESTEZ (Robert): « Le Figaro », 17 janv.
DUBECH (Lucien): « Candide », 25 janv.
DUBECH (Lucien): « L'Action française », 20 janv.
DUPIERREUX (Richard): « Le Soir », 12 janv.
FARNOUX-REYNAUD (Lucien): « L'Ordre », 17 janv.
FRANC-NOHAIN: « L'Écho de Paris », 17 janv.
FRANK (André): « L'Intransigeant », 4 janv.
FRÉJAVILLE (Gustave): « Journal des débats », 18 janv.
GRANET (Paul): « Ève » (?), 11 févr.
HOUVILLE (Gérard d'): « Le Figaro », 22 janv.
KEMP (Robert): « La Liberté », 17 janv.
KEMP (Robert): « Vu », 24 janv.
LAURENT (Jean): « La Volonté », 15 janv.
LEGRAND (Jacques): « Aujourd'hui », 1er janv.
LEJEUNE (Honoré): « Bruxelles-Théâtres », pp. 29-34.
LIÈVRE (Pierre): « Le Jour », 17 janv.
LUGNÉ-POE: « L'Avenir », 19 janv.
MAC: « Le Charivari », 20 janv.
MAS (Émile): « Le Petit bleu », 18 janv.

MÉRÉ (Charles) : « Excelsior », 18 janv.
NEMIROVSKY (Irène) : « Aujourd'hui », 18 janv.
NOVY (Yvon) : « Le Jour », 8 janv.
PIOCH (Georges) : « La Volonté », 17 janv.
PORCHÉ (François) : « La Revue de Paris », nº 3, 1er févr., pp. 714-717.
R. (G.) : « L'Indépendance belge », 12 janv.
RAGEOT (Gaston) : « La Revue bleue », nº 5, 3 mars, pp. 192-193.
REBOUX (Paul) : « Le Petit parisien », 16 janv.
REY (Étienne) : « Comœdia », 17 janv.
ROLLOT (Jean) : « Paris-Soir », 16 janv.
SÉE (Edmond) : « L'Œuvre », 17 janv.
SIGOGNAC : « Le Figaro », 15 janv.
SPETH (William) : « L'Indépendance belge », 20 janv.
STROWSKI (Fortunat) : « Paris-Midi », 16 janv.
THOMAS-NITCHEVO : « L'Indépendance belge », 11 et 13 janv.
TORRÈS (Henry) : « Gringoire », 26 janv.

1938 - BELLESORT (André) : *Le Plaisir du théâtre*. Paris, Libr. Académique Perrin, pp. 208-216.

1940 - CACIQUE : « Le Pays réel », 28 déc.
WERRIE (Paul) : « Le Nouveau journal », 31 déc.

1941 - WERRIE (Paul) : « Cassandre », 5 et 19 janv.

1942 - Anonyme : « L'Œuvre », 21 et 22 févr.
ARMORY : « Les Nouveaux temps », 24 févr.
BERLAND (Jacques) : « Paris-Soir », 23 févr.
CASTELOT (André) : « La Gerbe », 26 févr.
LAPIERRE (Marcel) : « L'Atelier », 28 févr.
LAUBREAUX (Alain) : « Le Petit parisien », 19 févr.
NOVY (Yvon) : « Comœdia », 14 févr.
PURNAL (Roland) : « Comœdia », 28 févr.
RICOU (Georges) : « La France socialiste », 4 mars.
ROSTAND (Maurice) : « Paris-Midi », 22 févr.
TRINTZIUS (René) : « La Gerbe », 9 avr.

1943 - WERRIE (Paul) : *Fernand Crommelynck : Une femme qu'a le cœur trop petit ou les ravages exercés par les excès de la vertu*. Dans *Théâtre de la fuite*. Bruxelles-Paris, Les Écrits, pp. 20-26.

1951 - Anonyme : « La Libre Belgique », 9 mars.
M. (M.-E.) : « La Cité », 8 mars.
MOSCA : « Pourquoi pas ? », nº 1685, 16 mars, pp. 800-801.

R. (L.) : « Le Thyrse », nº 4, 1er avr., p. 175.
R. (P.) : « La Dernière heure », 8 mars.
SION (Georges) : « Les Beaux-Arts », 2 mars.
YORICK : « L'Éventail », 9 mars.

1953 - AUDIBERTI (Jacques) : « Arts », 17-23 juil.
JOLY (G.) : « L'Aurore », 8 juil.
LERMINIER (Georges) : « Le Parisien libéré », 8 juil.
RIVOYRE (Christine de) : « Le Monde », 25 juil.

1955 - Anonyme : « La Libre Belgique », 8 déc.
P. (R.) : « La Dernière heure », 8 déc.
PARIS (André) : « Le Soir », 8 déc.
S. (R.) : « La Cité », 8 déc.
SION (Georges) : « Les Beaux-Arts », 2 et 16 déc.
STOUMON (M.) : « Le Flambeau », nº 6, pp. 591-594.
WELLE (Jean) : « Pourquoi pas ? », nº 1932, 9 déc., pp. 82-83.
YORICK : « L'Éventail », 9 déc.

1956 - FALMAGNE (Marcel) : « Théâtres de Belgique », nº 8, févr., p. 7.

1963 - Anonymes : « La Dernière heure », 26 oct. ; « La Libre Belgique », 26-27 oct.
CLOSSON (Herman) : « Le Phare dimanche », 3 nov.
GERDIER (Alain) : « Le Thyrse », nº 11, nov. p. 528.
H. : « La Dernière heure », 26 oct.
L. (Chr.) : « Le Peuple », 26-27 oct.
L. (J.) : « La Cité », 26 oct.
PARIS (André) : « Le Soir », 26 oct.
S. (G.) : « Les Beaux-Arts », 31 oct.
SION (Geroges) : « Pourquoi pas ? », nº 2344, 1er nov., pp. 126-127.

1975 - Anonyme : « La Lanterne », 31 déc.,

1976 - BERTRAND (Joseph) : « Pourquoi pas ? », nº 2981, 15 janv., p. 121.
K. (H.) : « Grenz-Echo », 21 janv.
V. (M.) : « La Libre Belgique », 10-11 janv.
V. L. (R.) : « La Dernière heure », 12 janv.
VERMEULEN (Marcel) : « Le Soir », 10 janv.

**Étranger**

1977 - Anonyme : « Le Soir », 6 avr.
DEGAN (Catherine) : « Le Soir », 24-25 avr.

**Chaud et froid**

*Création:* Paris, Comédie des Champs-Élysées, 24 nov. 1934. Bruxelles, Théâtre Royal des Galeries Saint-Hubert, 23 nov. 1940.

1934 - ACHARD (Paul) : « L'Ami du peuple », 22 nov.
AUROCH (Paul) : « L'Ordre », 20 nov.
BAUËR (Gérard) : « L'Écho de Paris », 22 nov.
BRISSON (Pierre) : « Le Figaro », 3 déc.
CARDINNE-PETIT (R.) : « Le Quotidien », 22 nov.
CHEVALLIER (Renée) : « Comœdia », 24 nov.
COLETTE : « Le Journal », 25 nov.
COPEAU (Jacques) : « Les Nouvelles littéraires », 8 déc.
COQUET (James de) : « Le Figaro », 21 nov.
DELINI (J.) : « Comœdia », 20 nov.
DESCAVES (Lucien) : « L'Intransigeant », 24 nov.
FRALIE (Mario) : « Paris-Soir », 23 nov.
G.L.C. : « Le Journal », 21 nov.
KEMP (Robert) : « La Liberté », 22 nov.
LEJEUNE (Honoré) : « Bruxelles-Théâtres », déc., pp. 375-377.
LIÈVRE (Pierre) : « Le Jour », 22 nov.
MARTIN DU GARD (Maurice) : « Les Nouvelles littéraires », 24 nov.
MAS (Émile) : « Le Petit bleu », 22 nov.
MÉRÉ (Charles) : « Excelsior », 23 nov.
N. (Y.) : « Le Jour », 21 nov.
NOVY (Yvon) : « Le Jour », 18 nov.
PRUDHOMME (Jean) : « Le Matin », 21 nov.
SCIZE (Pierre) : « Comœdia », 22 nov.
SÉE (Edmond) : « L'Œuvre », 22 nov.
STROWSKI (Fortunat) : « Paris-Midi », 22 nov.
TORQUET (Charles) : « Le Journal », 21 nov.
TORRÈS (Henry) : « Gringoire », 7 déc.
TREICH (Léon) : « L'Ordre », 22 nov.
VAUTOUR (Henri) : « L'Avant scène de Paris », 25 nov.

1938 - BELLESORT (André) : *Le Plaisir du théâtre*. Paris, Libr. Académique Perrin, pp. 216-223.

1940 - VERMEIRE (Jean) : « Le Pays réel », 26 nov.
W. (P.) : « La Nation belge », 3 févr.
WERRIE (Paul) : « Cassandre », 17 févr. et 1er déc.
WERRIE (Paul) : « Le Nouveau journal », 26 nov.

1942 - ELST (Pierre) : « Le Pays réel », 4 juil.

1944 - ARMORY : « Les Nouveaux temps », 8 févr.
BERLAN (Jacques) : « Paris-Soir », 4 févr.
CROMMELYNCK (Fernand) : « Comœdia », 19 févr., 4 et 18 mars, pp. 1 et 3.
F. (L.) : « Les Nouveaux temps », 11 févr.
FOURNIER (Suzanne) : « Le Petit parisien », 7 févr.
LAPIERRE (Marcel) : « L'Atelier », 12 févr., p. 6.
LAUBREAUX (Alain) : « Le Petit parisien », 5 févr.
OLTRAMARE (Georges) : « Aspects de la France et du monde », 3 mars.
PELORSON (Georges) : « Révolution nationale », 5 févr.
PURNAL (Roland) : « Comœdia », 5 févr.
RICOU (Georges) : « La France socialiste », 18 févr.
ROSTAND (Maurice) : « Paris-Midi », 8 févr.
S. (G.) : « L'Illustration », nos 5268-5269, 26 févr.-4 mars, p. 78.

1947 - JAMET (Cl.) : *La Veuve Léona*. Dans *Images mêlées de la littérature et du théâtre*. Paris, Éd. de l'Élan, pp. 101-108.

1951 - Anonyme : « La Libre Belgique », 18 oct.
LEJEUNE (Honoré) : « Bruxelles-Théâtres », pp. 253-258.
MOSCA : « Pourquoi pas ? », no 1717, 26 oct., p. 3238.
P. (R.) : « La Dernière heure », 18 oct.
R. (L.) : « Le Thyrse », no 11, 1er nov., pp. 460-462.
S. (R.) : « La Cité », 18 oct.
SION (Georges) : « Les Beaux-Arts », 12 oct.

1956 - Anonyme : « Le Figaro littéraire », 10 nov.
A. (A.) : « Témoignage chrétien », 28 déc.
BOURGET-PAILLERON (Robert) : « La Revue des deux mondes », 1er déc., pp. 497-499.
BOUVARD (Philippe) : « Le Figaro », 20 nov.
CAPRON (Marcelle) : « Combat », 3 déc.
FAVALELLI (Max) : « Paris-Presse », 23 nov.
G. (R.) : « Le Franc-Tireur », 15 nov.
GAUTIER (Jean-Jacques) : « Le Figaro », 21 nov.
GUIGNEBERT (Jean) : « Libération », 21 nov.
JOLY (G.) : « L'Aurore », 21 nov.
JOTTERAND (Franck) : « Gazette de Lausanne », 24 nov.
KEMP (Robert) : « Le Monde », 21 nov.
LEMARCHAND (Jacques) : « Le Figaro littéraire », 24 nov.
LERMINIER (Georges) : « Le Parisien libéré », 21 nov.
MARCABRU (P.) : « Arts », 28 nov.-4 déc.
MIGNON (Paul-Louis) : « Théâtres de Belgique », no 11, printemps, pp. 33 et 35.

SPIRAUX (Alain) : « Combat », 13 nov.
VERDOT (Guy) : « Le Franc-Tireur », 21 nov.

1957 - SABRAN (Béatrice) : « Aspects de la France et du monde », 4 janv.

1960 - Anonyme : « La Libre Belgique », 6 avr.
FRINGILLA (Rob.) : « L'Éventail », 8 avr.
P. (R.) : « La Dernière heure », 6 avr.
S. (J.) : « La Cité », 6 avr,
SION (Georges) : « Les Beaux-Arts », 15 avr.
V. (L.) : « Le Soir », 6 avr.

1967 - CEZAN (Claude) : « Les Nouvelles littéraires », 9 févr.
GARNIER (Christine) : « La Revue des deux mondes », 1er avr., p. 437.
GUIMARD (Paul) : « L'Avant-Scène/Théâtre », nº 378, 15 avr., pp. 37-38.
LEMARCHAND (Jacques) : « Le Figaro littéraire », 2 mars.
LÉON (Georges) : « L'Humanité », 20 févr.
MARCEL (Gabriel) : « Les Nouvelles littéraires », 23 févr.
OLIVIER (Claude) : « Les Lettres françaises », 2-8 mars.
SARRAUTE (Claude) : « Le Monde », 16 févr.
TILLIER (Maurice) : « Le Figaro littéraire », 9 févr.

1971 - Anonyme : « La Dernière heure », 14 janv.
L. (J.) : « Clés pour le spectacle », nº 5, janv., p. 10.
P. (R.) : « La Dernière heure », 16 janv.
PANTALON : « Pan », 20 janv.
V. (M.) : « La Libre Belgique », 16-17 janv.
VERMEULEN (Marcel) : « Le Soir », 16 janv.

1976 - KNAPP (Bettina L.) : « Le Flambeau », nº 2, avr.-juin, pp. 108-119; nº 3, juil.-sept., pp. 160-167.

**Étranger**

1958 - WALKER (Roy) : « The Listener », vol. LIX, nº 1520, 15 may, pp. 827-828.

**Falstaff**

*Pièce non représentée.*

1953 - CROMMELYNCK (Fernand) : 2 lettres inédites à Albert Crommelynck du 2 et 20 sept. Appt. à Albert Crommelynck.

1956 - SION (Georges) : « La Nation belge », 6 sept.

# ICONOGRAPHIE

*Tripes d'or:* une invitation...
Crommelynck expliquant *Une Femme qu'a le cœur trop petit* à ses interprètes...
Alice Cocéa, la Léona de *Chaud et froid* en 1944...
Deux interprètes de *Chaud et froid* en Pologne (1962)
Une affiche de 1940 citant trois pièces inconnues

**Manuscrits** (entre les pp. 328 et 329)

*Le Chemin des conquêtes*
Une page du *Cocu magnifique*
Une page de *Carine*

# INDEX DES NOMS D'AUTEURS CITÉS

# TABLE DES SIGLES ET ABRÉVIATIONS

| | |
|---|---|
| App. | Appendice |
| App[t]. | Appartient |
| B.A. | Bibliothèque de l'Arsenal (France) |
| B.R. | Bibliothèque Royale de Belgique |
| Iconogr. | Iconographie |
| I.N.R. | Institut National de Radiodiffusion (Belgique) |
| M.L. | Musée de la Littérature (Bibliothèque Royale de Belgique) |
| O.R.T.F. | Office de Radiodiffusion Télévision Française |
| R.F. | Radio-France |
| R.N.B. | Radio Nationale Belge |
| R.T.B. | Radiodiffusion-Télévision Belge |
| R.T.B.F. | Radiodiffusion-Télévision Belge — Émissions françaises |
| R.T.F. | Radio Télévision Française |

Imprimerie J. Duculot - Gembloux - Belgique